D0657586

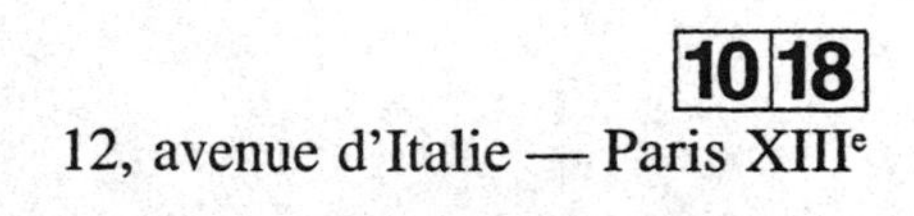
12, avenue d'Italie — Paris XIIIe

Sur l'auteur

Dorothy Allison est née en 1949 en Caroline du Sud. Auteur de nouvelles et de poésies, elle se fait connaître du grand public en 1992 avec son premier roman largement autobiographique, *L'Histoire de Bone*, finaliste pour le *National Book Award*, très vite best-seller et adapté au cinéma par Angelica Huston. Peu après, Dorothy Allison publie *Two or Three Things I Know for Sure*, une touchante collection de souvenirs d'enfance et d'histoires de famille qui, comme en marge du roman, prolongent l'émotion. Enfin, son second roman, *Retour à Cayro*, marque un nouveau tournant pour Dorothy Allison qui s'éloigne de son histoire personnelle pour embrasser la fiction : « *On peut créer sa propre rédemption.* » Dorothy Allison vit aujourd'hui en Californie.

RETOUR À CAYRO

PAR

DOROTHY ALLISON

Traduit de l'américain
par Michèle VALENCIA

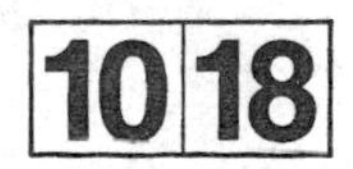

« *Domaine étranger* »
dirigé par Jean-Claude Zylberstein

BELFOND

Du même auteur
aux Éditions 10/18

L'HISTOIRE DE BONE, n° 3026

Ce livre est une œuvre de fiction. Les noms, les personnages, les lieux et les événements sont le fruit de l'imagination de l'auteur ou utilisés fictivement, et toute ressemblance avec des personnes réelles, vivantes ou mortes, des événements ou des lieux serait pure coïncidence.

Titre original : *Cavedweller*

ISBN 2-264-02970-6

Pour Wolf et Alix, mon fils et ma bien-aimée.
Ils m'ont appris tout ce que je sais
sur la guérison des blessures de l'âme.

1

La mort change tout.

Le 21 mars 1981, le jour venait à peine de se lever quand Randall Pritchard fit déraper sa Triumph Bonneville et sortit de l'échangeur 101, au sud-est de Silverlake. Dans son dos, la fille de dix-sept ans lâcha un hurlement terrifié en s'envolant du siège arrière de la moto avant d'effectuer deux tonneaux et de s'écraser face contre terre sur la chaussée. Elle se cassa les deux poignets, quatre incisives et, heureusement pour elle, perdit connaissance. Randall ne fit pas le moindre bruit. Il suivit simplement la trajectoire de la moto, franchit la glissière de sécurité et monta vers le soleil matinal, ses longs cheveux luisant dans la lueur rose doré, les bras tendus vers la barrière de travaux rouillée, devant les piles du pont en béton. Un adolescent d'Inglewood, maigrichon, marqué par la variole, était accroupi non loin de là et fouillait dans un sac à dos volé. Il vit Randall heurter la barrière, vit le nuage de poussière et de pierres qui s'élevait et le sang qui trempait la chemise de coton bleu.

— « Delia », dit plus tard le jeune garçon aux journalistes. Le type a simplement murmuré « Delia », et il est mort.

Levée depuis une heure, Delia Byrd arpentait le minuscule jardin de sa maison, à Venice Beach, et pensait à l'épicerie du coin, où l'alcool était hors de prix mais pouvait s'acheter vingt-quatre heures sur vingt-quatre. Les yeux fixés sur le soleil matinal, les poings à la hauteur du diaphragme, elle fredonnait toute seule, enfilant des paroles, exhumant les refrains de titres qu'elle n'avait pas chantés sur scène depuis cinq ans et enchaînait des versions altérées de rock and roll et de folk. Elle expliquait à son amie Rosemary qu'il y avait une véritable magie dans certaines de ces anciennes mélodies, surtout dans les morceaux les moins connus de groupes tels que Peter, Paul and Mary et le Kingston Trio. Rosemary riait à l'idée qu'on puisse voir des mantras dans ces rengaines, mais Delia s'était aperçue qu'après avoir répété quelques douzaines de fois *The MTA* elle parvenait à ne plus fixer les yeux dans une certaine direction et à se moquer de son envie de boire.

— « *Oh, he never returned* [1] », chantonnait-elle au moment où la tête de Randall s'affaissa en laissant échapper une dernière giclée de sang sombre.

Puis Delia se tut. Quelque chose l'effleura peut-être dans l'air frais du matin, mais elle ne le sentit pas. Concentrée sur les muscles de sa nuque et de son dos, ceux qui lui faisaient tout le temps mal, elle s'enveloppa de ses bras, s'agrippa les épaules tellement fort qu'elle en trembla, puis les lâcha brusquement. La détente était voluptueuse et bienvenue. Le fardeau qui pesait sur elle s'allégea un peu. Depuis plus de deux ans, elle essayait de ne pas céder à l'envie qui la tenaillait encore désespérément de siroter du whisky jusqu'à ce que le monde devienne doré, paisible et sûr, jusqu'à ce que Dede et Amanda Louise, les filles qu'elle avait abandonnées, cessent de murmurer et de geindre à son oreille gauche. Elle n'avait pas bu depuis novembre et la tension était manifeste.

Je suis fatiguée, pensa Delia à l'instant où Randall mourut. Un camion à ordures remonta bruyamment l'étroite ruelle, derrière la petite maison. Un chat gris miteux sauta par-dessus la clôture en miaulant. La nuque

1. Oh, il n'est jamais revenu. *(N.d.T.)*

de Delia se contracta une nouvelle fois tandis qu'un rayon de soleil se faufilait à travers les palmes loqueteuses, près de la clôture.

— Je veux retourner chez moi, dit-elle tout haut, et les deux fillettes de ses souvenirs relevèrent leur tête indistincte et tournèrent des yeux brûlants dans sa direction.

Derrière Delia, dans la petite maison, Cissy, dix ans, remua dans son sommeil et s'enfonça plus profondément entre les draps. Son papa conduisait sa moto à travers un cercle de flammes rouge et or. Il riait et levait haut les bras dans la lumière éclatante, embrasée. Il avait l'air tellement heureux que Cissy faillit se réveiller. Ça faisait longtemps qu'il n'avait pas paru aussi heureux.

— Papa ! murmura Cissy avant de se tourner sur le côté et de glisser dans un rêve d'océan, une eau aussi douce que le rhum-Coca que Delia lui laissait goûter quand elle était trop soûle pour dire non.

Rosemary appela à 9 heures pour lui apprendre la nouvelle, mais Delia la connaissait déjà grâce au petit poste de radio qu'elle laissait marcher en sourdine dans la cuisine donnant sur le jardin. Quelques minutes après l'annonce, elle avait baissé tous les stores et barricadé la porte d'entrée avec un tas de plantes mortes et de vieux journaux, dans l'espoir que ce désordre ferait croire à une maison inoccupée.

Quand Cissy se leva, Delia lui donna un bol de fraises et un muffin grillé, l'observa tandis qu'elle mangeait, puis s'assit pour annoncer à sa fille que Randall était mort.

Cissy reposa sa cuiller et regarda Delia.

— J'te crois pas, dit-elle. Tu mens. Tu pourrais raconter n'importe quoi pour que papa reste pas avec moi.

— Oh ! ma petite, tu sais bien que ce n'est pas vrai !

— Si !

Cissy la repoussa en hurlant :

— C'est ta faute ! C'est ta faute ! Il aurait dû être avec nous. J'te déteste !

Delia ne répondit pas. Elle ne savait plus combien de fois Cissy avait prononcé ces mots depuis deux ans, depuis que Delia avait quitté la maison de Randall en l'emmenant avec elle. Rester calme et laisser crier Cissy, voilà qui était devenu une seconde nature pour elle.

Cissy éloigna sa chaise de la table.

— Tu l'as tué, dit-elle. Tu as tué mon père.

— Cissy, je t'en prie ! Nous allons avoir besoin l'une de l'autre, maintenant.

Delia luttait toujours pour se maîtriser. Elle croisa les bras sur sa poitrine.

— Et c'est pas une façon de me parler, ajouta-t-elle.

— Comment est-ce que je devrais te parler ?

Le ton de Cissy était suave et caustique :

— S'il te plaît, maman, ne te soûle pas au point de tomber par terre. S'il te plaît, maman, ne t'évanouis pas au petit déjeuner. Ou, s'il te plaît, maman, n'oublie pas quel jour on est et ne m'envoie pas à l'école quand il n'y a personne.

Delia tressaillit comme si on l'avait frappée.

Cissy considéra d'un air furieux le visage empourpré de Delia.

— J'te déteste, dit-elle. J'te déteste encore plus que Satan et tous les démons.

Elle se détourna pour cacher les larmes qu'elle ne pouvait plus retenir.

Delia se força à fixer sa fille. Le profil de Cissy sembla se modifier sous son regard.

— Tu ne crois même pas au diable, dit-elle doucement.

— Oh ! si, j'y crois, sanglota Cissy. J'y crois, au diable. C'est lui qui t'a créée.

Delia sentit les os de sa nuque se transformer en béton. Elle avait envie de pleurer en voyant le visage buté de l'enfant s'allonger et se fermer. Sa paupière gauche tombait un peu depuis l'accident, mais ses yeux étaient ceux d'Amanda Louise et sa bouche avait exactement la même forme que celle de Dede, le bébé à jamais perdu.

Peu à peu, en grandissant, la fille dont Delia avait toujours juré qu'elle était Randall tout craché avait de plus en plus ressemblé aux petites qu'elle avait abandonnées. Chaque jour d'abstinence de Delia voyait Cissy un peu plus pâle, froide, furieuse et blessée. Quand Delia rêvait d'elles, ses filles ne formaient plus qu'une seule créature, source plaintive d'angoisse, enfant-monstre qui maudissait son nom.

— J'te déteste ! s'écria Cissy.

Et on aurait dit que les trois filles de Delia parlaient d'une même voix. « J'te déteste » était devenu le refrain qui ralentissait le pouls de Delia jusqu'au moment où elle avait la sensation de nager dans un flot de boue, les scories de sa culpabilité obstruant les cavités de son cœur. Pendant deux bonnes années, elle s'était purgé les entrailles en essayant de ne pas être ce qu'elle savait pourtant qu'elle était – quelqu'un qu'on haïssait et qui méritait largement cette haine. Elle avait abandonné ses tout-petits et passé dix ans soûle la plupart du temps, incapable de réagir. Même l'enfant qu'elle avait tenté de protéger la méprisait.

Chaque fois que Delia se remettait à boire, elle fredonnait la même chanson. Elle l'appelait la chanson de la haine, du je-mérite-de-mourir. Cette rengaine n'avait d'autres paroles que la malédiction de Cissy, d'autre mélodie que le pouls de Delia. Je-fous-ma-vie-en-l'air-du-matin-au-soir. Elle la chantait comme elle avait chanté pour le groupe Mud Dog, avec toute son âme et chaque goutte de son sang. Les gens disaient qu'en écoutant Delia Byrd en concert on avait l'impression que l'affliction prenait une tonalité entièrement nouvelle. Sa voix vous faisait transpirer, bouger, vous donnait envie de lever les bras pour atteindre la justice. Mais la chanson qu'elle chantait intérieurement était plus forte que tout ce qu'on avait entendu sur scène. C'était presque plus qu'elle n'en pouvait elle-même supporter.

Quand Rosemary vint cet après-midi-là, Delia était assise sur le pouf, près du grand canapé en cuir. Elle regardait constamment les six mêmes photographies et fredonnait *Puff the Magic Dragon*. Trois de ces photos étaient en couleurs. L'une montrait Delia avec Cissy bébé dans les bras, penchée contre un Randall aux yeux paresseux. Sur une autre, on voyait Cissy, à cinq ans, juchée sur les épaules de Randall, un grand sourire aux lèvres et des yeux encore plus grands. La troisième, prise deux ans plus tard, les surprenait dans la même pose, mais Randall, nettement plus maigre, avait le visage gris et ridé, et Cissy portait un bandeau disgracieux sur l'œil gauche.

Les trois autres étaient des instantanés en noir et blanc, aux bords cornés. Delia les palpa avec tendresse. Sur celui du dessus, elle tenait un bébé exactement comme elle avait tenu Cissy sur la photo en couleurs. Une toute petite fille au visage solennel se trouvait à côté d'elle et, penché pardessus son épaule, il y avait un homme aux traits usés et aux yeux furieux. Delia posa le pouce sur son visage et s'arrêta de chanter.

— Sale type ! dit-elle et, levant la tête, elle s'aperçut que Rosemary l'observait.

Sans un mot, Rosemary attrapa les deux dernières photos. Cet homme – Clint Windsor – prenait dans ses bras la petite fille, Amanda, devant une maison aux modestes dimensions, avec de la terre nue en guise de jardin et une véranda à demi abritée par un affreux jeté de lit en madras suspendu au-dessus ; sur l'autre, on voyait la petite Amanda, ses cheveux blonds follets relevés en chignon au sommet de la tête, et Dede bébé, ses cheveux également blonds et fins, à peine visibles sur la photo passée, toutes deux encadrant une femme brune, d'un certain âge, les mains croisées maladroitement dans une attitude de prière. La femme baissait les yeux sur son giron mais les fillettes regardaient l'appareil bien en face avec des yeux énormes et fixes.

— Qu'est-ce que tu vas faire, maintenant, mon chou ? demanda Rosemary en tendant les photos à Delia.

— Retourner chez moi, répondit Delia. Je vais retourner chez moi pour récupérer mes petites.

Au fond de la maison, on entendait Cissy pleurer à fendre l'âme.

— Oh ! Delia !

Rosemary secoua la tête.

— Enfin, ma chérie, tu ne vas pas faire ça. Ces enfants sont déjà grandes. Elles ne t'ont pas vue depuis dix ans. Personne ne va t'accueillir à bras ouverts, mon chou.

— Tu n'en sais rien. Je connais des gens là-bas. J'ai des amis.

Delia se leva brusquement et faillit renverser le pouf.

— Et puis, ce sont mes filles. Je suis leur mère. Ça ne s'efface pas, ça. Elles vont être en colère contre moi, c'est sûr. Mais je suis capable d'y faire face. J'y ai bien fait face ici.

— Tu dois tout de même penser à Cissy.

Rosemary lança un coup d'œil vers le fond de la maison.

— Écoute-la un peu. Elle vient de perdre son papa et tu sais comment elle est dès qu'il s'agit de Randall. Cette petite croit que tout ce qui est arrivé est de sa faute et que son père n'a jamais fait une bêtise de sa vie. Ne te précipite pas, Delia. Prends le temps de réfléchir.

— Je pense à Cissy, justement. Je pense à toutes mes filles.

Les épaules de Delia tremblaient. Dans sa main, les photos se fripèrent quand elle appuya les coudes sur son abdomen.

— Voilà ce que j'ai l'intention de faire, reprit-elle. C'est ce que j'aurais dû faire depuis des années. Je ne suis pas à ma place ici. Je ne l'ai jamais été. Ce que j'aimais dans la musique n'a rien à voir avec le fait d'habiter ici. Je déteste Los Angeles. C'est la porte de l'enfer, bon Dieu !

Rosemary se mordit la lèvre. Delia avait le visage rouge, en sueur, mais elle ne sentait pas l'alcool. Elle sentait la fièvre, le chagrin et une indignation saumâtre.

— Mon chou, déclara Rosemary en posant la main sur l'épaule de Delia, tendue comme un fil, tout ce que je dis, c'est qu'il ne faut pas te précipiter. Donne une chance à Cissy d'encaisser ce qui est arrivé.

Delia ne l'écoutait pas. Elle va partir, pensa Rosemary. Elle va retourner à Cayro et se battre contre ces fous pour récupérer ses filles. Sa main posée sur l'épaule caressait, apaisait à contrecœur. Rosemary baissa les yeux sur les photos froissées que tenait Delia. Le visage des deux fillettes était aussi triste que celui de son amie.

— Oh ! Delia ! plaida une nouvelle fois Rosemary. Je t'en prie, prends seulement le temps de réfléchir un petit peu.

Tous les journaux parlèrent des obsèques. Tout compte fait, ce fut une cérémonie convenable. L'agent de la maison Columbia appela Delia afin de l'avertir qu'il lui envoyait une voiture et fut étonné quand elle lui rétorqua qu'elle n'y assisterait pas.

— Je ne veux pas que vous me voyiez pleurer, dit-elle. Laissez-les donc prendre en photo cette fille que Randall a failli tuer, une photo d'elle édentée.

Mais, finalement, même si elle avait expliqué à Rosemary qu'elle aurait mieux aimé mourir qu'enfiler cette robe noire et se rendre à l'église de Glendale, Delia ne put refuser ce geste à une Cissy affligée. Une concession funéraire à Forest Lawn avait été offerte, mais personne ne pouvait jurer que Randall s'y retrouverait. Résolument sobre et deux fois plus gros qu'il ne l'avait été quand il faisait partie du groupe, Booger arriva de l'Oregon pour s'occuper de l'enterrement et resta obstinément muet sur ce qu'il adviendrait de la dépouille.

— Laissez-moi me charger de ça, dit-il. Laissez-moi m'en charger.

— Je parie qu'il va traîner le corps de Randall dans le désert Mojave et le brûler sur des broussailles et des yuccas secs, confia Rosemary à Delia.

— Ça ne serait pas une mauvaise idée, estima celle-ci, mais elle baissa la voix pour que sa fille ne l'entende pas.

Cissy pleura pendant toute l'oraison funèbre marmonnée par Booger et pendant toute cette étrange cérémonie. Delia était assise, muette, les yeux secs. Certains membres du groupe se levèrent pour prendre la parole, mais restèrent brefs. Delia attendait que quelqu'un dise ce qu'ils pensaient tous – que la mort de Randall ressemblait comme deux gouttes d'eau à un suicide, que la moitié d'entre eux ne lui parlaient plus depuis un an et les autres seulement quand ils avaient besoin d'argent ; pourtant tous les intervenants regardèrent l'enfant de Randall en pleurs et, visiblement, modifièrent leurs propos. On compta davantage de « Dieu bénisse » que de « nom de Dieu » et tous joignirent leur voix pour chanter avec une réelle émotion. Cela ressemblait autant qu'il était possible à un service pentecôtiste [1] dans une église épiscopalienne de Los Angeles.

— C'était pas trop mal, dit ensuite Delia à Booger, sur les marches, et il le lui accorda.

Tous deux savaient que Rosemary et quelques membres du groupe initial avaient choisi la musique – surtout du blues – et les fleurs – d'énormes présentoirs de glaïeuls et de gigantesques tournesols ridiculement gais, importés du Brésil.

— C'est la dernière chose qu'on pourra mettre sur le compte de la maison de disques, déclara Rosemary avec un grand sourire.

Ils avaient également réussi à faire obstacle au sermon que le pasteur était décidé à prononcer.

— Randall n'était pas vraiment du genre pieux, lui glissa l'un des cuivres, s'attirant un rire bruyant de la part des autres musiciens.

Debout, sur les marches, tout le monde disait la même chose :

— C'était pas trop mal.

— Non, pas mal du tout.

La veillée fut bien différente. Rosemary raconta d'un ton méprisant à Delia que ç'avait été un sacré carnaval. « Le rock and roll est mort » revenait comme un leitmotiv et la restauration était assurée par un magasin de spiritueux à prix réduits. La plupart des gens étaient déjà soûls

1. Marqué par le fondamentalisme religieux. *(N.d.T.)*

ou défoncés en arrivant, visage affaissé, yeux protégés par des lunettes noires. C'était une erreur de se réunir chez Randall, jugea un agent de la Columbia. Rosemary lui donna raison. Tous les anciens membres du groupe s'en allèrent au bout de quelques heures à peine. La maison ouverte en attira de nouveaux, *roadies*[1] et musiciens de studio, dealers et drogués, constants compagnons de Randall, et toutes les femmes qui entraient et sortaient en masse depuis le déménagement de Delia.

« Le rock and roll est MORT ! » répéta la foule pendant toute la soirée.

La colère des ivrognes montait d'heure en heure. Les gens erraient dans la maison, attrapaient des souvenirs et, très souvent, les reposaient. Vers minuit, quelqu'un fit tomber la guitare de cristal que Randall avait reçue quand Mud Dog avait dépassé le demi-million de disques vendus avec *Diamonds and Dust*. L'accident déclencha une mêlée générale. Les gens cassaient des objets pour le seul plaisir de voir du verre voler en éclats.

— Où est Delia ? demanda l'un des types cuités.

— Oh ! ça l'a plutôt achevée, lui répondit-on.

— Ben, nom de Dieu, moi aussi !

Ignorant les filles en pleurs et les hommes qui juraient, Rosemary monta au premier étage pour jeter un coup d'œil dans les placards de Randall. La petite de dix-sept ans, celle qui s'était trouvée sur le siège arrière de la moto, l'engueula gauchement à cause de sa bouche esquintée mais ne put rien faire avec ses malheureuses mains plâtrées. Rosemary entreprit de rassembler ce qu'elle était venue chercher : toutes les photos de Delia et de Cissy et quelques bijoux prélevés dans le gros coffret de teck, sur la table en ronce de noyer où Randall avait toujours jeté ses affaires.

Au rez-de-chaussée, un discours de Reagan repassa dans un journal télévisé tardif, une fois la vidéo des obsèques éjectée du magnétoscope. Les lèvres fines

---

1. Les *roadies* sont chargés de transporter les instruments pendant une tournée. *(N.d.T.)*

remuaient sans bruit tandis que les *roadies* hurlaient des obscénités et versaient de la bière sur l'arrière du téléviseur grand écran. Quand il finit par exploser, tout le monde se mit à rire d'un air impuissant et les étincelles aspergèrent le tapis. En s'en allant, Rosemary contourna le tapis fumant. L'incendie qui se déclara juste avant l'aube partit probablement de là, renforcé par les trente ou quarante bougies réparties dans toute la salle de séjour, pourvue de voilages. Les bambocheurs jurèrent que le feu avait été provoqué par Randall et qu'ils voyaient son fantôme parcourir les pièces, traînant les flammes derrière lui à cette heure matinale.

— Il a emporté sa maison avec lui, dit un *roadie* à un journaliste de *Rolling Stone*. Il l'a emportée tout droit en enfer.

Randall devenait déjà une légende, on le magnifiait, on faisait de lui ce qu'il n'avait jamais été, le prince maudit du rock and roll. Bottes en serpent, veste en daim, lunettes noires et dents éclatantes… le spectre de Randall Pritchard emporta la maison. Sa dernière action attira la fille estropiée sur la pelouse avant que son fantôme ne s'efface dans la fumée et la puanteur du matin. La maison de disques savait très bien ce qu'elle tenait là. Elle s'empressa de sortir une réédition commémorative de *Diamonds and Dust*, qui se vendit encore mieux que l'album original. La nouvelle pochette était du pur Randall, bottes en serpent, dents éclatantes, décor nocturne. Delia et le groupe avaient été pressés comme des citrons et jetés.

— Randall aurait adoré ça, dit Delia après avoir entendu Rosemary lui raconter la veillée.

Elle était en train de trier les vêtements de Cissy et de boire du café noir, le visage bouffi d'avoir pleuré et pâle d'avoir trop peu dormi. Depuis la mort de Randall, ses chansons fétiches s'étaient réduites à un fredonnement sans paroles, un murmure, des bribes de folk, de Laura Nyro et de berceuses espagnoles que Randall lui avait apprises quand Cissy était née. Elle n'avait toujours pas bu d'alcool, mais ne ressentait aucune satisfaction d'y être parvenue. Elle avait l'impression que si elle ne se mettait pas en route son démon s'emparerait à nouveau d'elle et qu'elle descendrait à la plage avec une bouteille. Retourner chez elle, c'était la réponse. Réparer ses torts, récupérer ses filles, c'était la réponse. Elle ne pouvait penser à rien d'autre, ne se permettait de penser à rien d'autre.

— Cayro, dit-elle à Rosemary. Quand je serai à Cayro, tout ira bien.

Rosemary fit un signe de tête, sachant qu'il valait mieux ne pas discuter avec une femme désespérée. En Delia, quelque part, le chagrin attendait et, quand il frapperait, elle se flétrirait comme toutes ces fleurs dans la chaleur de l'église. Elle aurait alors besoin de quelqu'un pour la soutenir et, à Cayro, qui pouvait s'en charger ? Rosemary frémit. Non, même pour Delia, elle n'irait pas s'installer en Géorgie. Que ce qui devait arriver arrive.

— Merde, ma fille, Randall aurait préféré voir flamber toute la plage de Venice, tu le sais aussi bien que moi, dit lentement Rosemary en prenant délibérément l'accent californien.

Elle indiqua le *Times*, dans lequel une photo montrait la carcasse noircie de la maison.

— Ce bonhomme a toujours privilégié le scénario de la terre brûlée. Si l'immeuble de la Columbia cramait, il reviendrait probablement pour pisser sur le bûcher.

Delia se mit à rire, puis lança un regard coupable en direction de Cissy, assise sur le canapé, hébétée, en train de suçoter une mèche rousse sale et de serrer contre elle une photo de son père, dans un cadre argenté, que Rosemary lui avait apportée. Cissy avait juré qu'elle ne pleurerait plus, pourtant elle n'avait envie de rien d'autre. Elle avait également décidé d'ignorer Delia, ce qui se révélait encore plus difficile. Sa mère avait empaqueté leurs affaires comme une folle, arraché les livres des rayonnages, les gravures du mur, donné à Rosemary tout ce qui ne pouvait pas trouver de place dans la voiture. Elle évoquait continuellement le retour chez elle, comme si cette idée était censée plaire à Cissy. Maintenant, voilà qu'elle s'approchait du canapé et recommençait sa litanie.

— Ne t'inquiète pas, ma petite. Tout va changer à Cayro. C'est pas comme ici. Les gens sont différents, là-bas. Ils s'intéressent les uns aux autres, ils prennent le temps de se parler. Ils ne mentent pas, ne trichent pas et ne se mêlent pas tout le temps des affaires des autres. Ils n'ont pas peur et ne sont pas obligés de faire constamment attention. Ils savent qui ils sont et ce qui est vraiment important. Et puis, tu seras avec tes sœurs. Tu ne seras pas seule, mon chou. Voilà quelque chose que tu n'as jamais connu, ça, ne pas te sentir seule au monde. C'est quelque chose que je vais pouvoir te donner.

— J'irai pas là-bas, dit Cissy.

Ces mêmes mots vains, elle les avait crachés à Delia quand elles s'étaient installées à Venice Beach.

— Tu seras plus heureuse là-bas.

Les yeux de Delia luisaient tels les rochers près de l'océan.

— On va vivre comme je l'ai toujours souhaité. Toi, moi, Amanda et Dede, nous toutes ensemble. Ta seule famille au monde se trouve à Cayro, la tienne et la mienne, tes sœurs, ton grand-père.

Cissy serra plus fort la photo de Randall et lança à Rosemary un regard de bête acculée.

— Tes sœurs, reprit Delia d'un ton véhément, tes sœurs vont être stupéfaites de voir à quel point tu leur ressembles. Même toi, tu n'arriveras pas à le croire.

Une larme brilla au coin de son œil gauche, oscilla un court instant et glissa sur sa joue.

Cissy fixa cette traînée humide. Ses sœurs. Amanda et Dede. Dede et Amanda. Jamais elle n'avait pu ignorer leurs noms ni le terrible chagrin que Delia éprouvait en pensant à elles. Les petites filles perdues, les petites chéries. Delia disait toujours que les yeux noisette de Cissy étaient ceux d'Amanda, que ses cheveux blond-roux avaient exactement la même nuance que ceux de Dede bébé. Les cadeaux d'anniversaire, de Noël, les paniers de Pâques, de rentrée des classes, tous portaient le même mot d'accompagnement : « De la part de tes sœurs », « De la part d'Amanda », « De la part de Dede », « En attendant de te voir », « À bientôt ».

Que devait croire Cissy ? Que les sœurs qu'elle n'avait jamais rencontrées rêvaient d'elle, enveloppaient ces cadeaux et signaient ces cartes ? Non. Les mêmes paquets et les mêmes petits mots étaient envoyés en son nom et Cissy savait qu'elle s'en fichait. Elle signait conformément aux instructions de Delia, inscrivait en capitales soignées le message impersonnel et précis dicté par sa mère. Les larmes, la passion, c'étaient celles de Delia. Elle ne semblait jamais remarquer que Cissy détournait la tête à l'évocation d'Amanda et de Dede.

— Oh ! Cissy !

La voix de Delia était étouffée, voilée.

— Ça va être tellement bon de retourner chez nous ! Tu vas voir. Tu vas voir.

Cissy colla les lèvres au bord métallique du cadre, goûta l'alliage douceâtre du bout de la langue. Elle avait adoré grimper sur le dos de Randall et enfouir le visage dans son cou. Son papa avait toujours un goût de fumée, un goût sucré, comme personne au monde. Quand Delia l'avait serrée dans ses bras aux obsèques, son cou sentait simplement la bière. Elle aurait beau ne plus jamais boire, ça ne changerait rien. L'amertume et la méchanceté, voilà le goût qu'avait Delia. Cissy regarda sa mère et suça le métal encore plus fort.

— Quand on arrivera à Cayro, je t'appellerai de chez grand-père Byrd, disait Delia à Rosemary, qui considérait le visage inexpressif de Cissy, aussi vide que le mur, derrière elle.

Cissy avait entendu parler de Cayro. C'était là qu'était née sa folle de mère, au bout du monde. Cayro était bien le dernier endroit où la fille de Randall Pritchard aurait eu envie d'aller.

— J'irai pas là-bas, murmura de nouveau Cissy.

Delia passa les bras autour du cou de Rosemary.

— Oh ! mon Dieu ! s'écria-t-elle. Cette fois, je vais agir correctement.

Pour Delia, le rock and roll aurait aussi bien pu finir en 1976, à l'époque où Mud Dog cessa ses tournées. C'était l'année où Randall mit à sac le bureau de son agent et passa quinze jours dans une maison de santé de Palm Springs. En 1978, l'année où les Rolling Stones enregistrèrent un album disco, Randall abandonna le whisky et s'initia à ce qu'il appelait la méthode Keith Richards, renforçant son héroïne avec juste assez d'amphés pour rester alerte et charmant. Il embobina la Columbia et la persuada de reprendre Delia sous contrat et de financer la location d'un nouveau studio d'enregistrement. Mais, ce printemps-là, il renversa la Thunderbird dans le Topanga Cañon, accident qui faillit rendre Cissy aveugle et brisa le reste d'amour que Delia éprouvait encore pour lui.

Quand elle décida de quitter Randall, Delia alla le lui dire en face. Elle avait pensé le lui annoncer dans une lettre, mais ce qu'elle voulait exprimer aurait eu l'air absurde par écrit. Cher Randall, tu as failli nous tuer. Cher Randall, te voilà seul. Cher Randall, tu m'as brisé le cœur. Au lieu de quoi, elle retrouva sa trace à l'annexe du studio, où il était avec l'une de ses petites amies, une gamine de moins de vingt ans, complètement défoncée.

— Tu as un nom ? demanda Delia quand elle vint lui ouvrir.

La fille se contenta de cligner des yeux.

— Va chercher Randall, lui dit Delia.

Quelques minutes plus tard, Randall arriva, les pupilles énormes et vitreuses. Il se tint debout au soleil et lui fit son grand sourire.

— Qu'est-ce qu'il y a, ma mignonne ?

— Je déménage.

— Tu déménages ?

— Nous ne pouvons plus habiter avec toi.

— Mince, Delia !

Il se tortilla dans sa chemise lâche en jean.

— Tu trouves que j'm'occupe pas de vous ? J'vous traite pas correctement, Cissy et toi ?

Il rougit sous le regard de Delia, mais son sourire ne s'effaça pas.

— Il y a cette maison de Venice Beach, dit-il enfin. Celle que Booger et moi avons achetée. Elle est dans un triste état, mais elle est inoccupée. Booger n'aimait pas le quartier. On pourrait la nettoyer. Tu pourrais aller là-bas.

Delia hésita et détourna les yeux. La fille les observait depuis l'annexe.

— D'accord, répondit Delia, d'accord.

— T'as besoin de quelque chose ? demanda Randall en sortant de l'argent d'une poche.

Elle secoua la tête.

— Ah ! Delia.

Son nom était pâteux dans sa bouche.

— Chérie, dit-il, ne réussissant même pas à articuler ce mot.

L'espace d'un instant, Delia le détesta. Elle n'était tout de même pas n'importe quelle fille ramassée dans la rue. Elle était la mère de son enfant, la femme qui avait tout abandonné pour lui. Il n'avait pas le droit de prononcer son nom avec ce sourire indolent. Elle resta plantée là en lui laissant bien voir son expression de mépris.

Randall lui tendit les billets. Delia le gifla avec force, puis se pencha et lui embrassa la joue. L'odeur de sa peau la fit tressaillir.

— Excuse-moi, dit-il.

Pendant qu'elle faisait ses bagages et que Cissy sanglotait dans sa chambre, Delia ne cessa de s'essuyer le visage. Elle se rappela l'odeur que Randall avait ce jour-là, une odeur piquante. Ce qui la surprenait, c'était le peu de chagrin que sa mort lui causait. Pour elle, il était mort depuis si longtemps qu'elle avait du mal à recommencer à le pleurer, à se persuader que, durant toute la période où elles l'avaient rarement vu, il était en route vers la mort. D'une certaine manière, au milieu des autres, des vivants, Randall avait renoncé à sa propre vie et commencé à mourir. Delia n'oubliait pas qu'il avait failli les entraîner avec lui, Cissy et elle ; elle se remémorait le verre brisé qui lui piquait la peau et l'odeur de l'homme aimé, qui tournait à l'aigre. Il ne s'attendait pas à ce qu'elle renonce à l'alcool ou à ce qu'elle le quitte. Il ne s'attendait pas à ce que quelque chose change.

Delia scotcha un carton et donna un bon coup de pied dedans. Elle avait aimé Randall dès qu'elle avait vu son sourire d'ange, éclatant sous les projecteurs. Elle avait cru à un miracle quand il l'avait fait monter dans le car de sa tournée. Elle avait les paumes écorchées et le sang tachait de noir la chemise crème qu'il portait.

— Ma petite ! avait-il dit. Seigneur, chérie, regarde-toi un peu !

Les souvenirs que Delia avait conservés de ce moment étaient aussi dorés et brumeux que deux doigts de whisky dans un verre épais. Du Jim Beam dans un verre de comptoir, un peu de glace pilée dans un essuie-main, un arôme pénétrant de marijuana et d'essence de patchouli. Dès l'instant où Randall l'avait aidée à monter dans le car, Delia s'était sentie engourdie et fragile. Le whisky qu'il lui avait donné lui avait réchauffé le ventre, et le verre glacé avait apaisé sa tempe meurtrie. Mais ce fut la douce étreinte de Randall qui fit tout basculer, la manière franche, naturelle dont il la prenait dans ses bras. Elle n'aurait pas dû lui faire confiance, accepter de se laisser toucher alors que la marque imprimée par la violence de Clint fonçait de plus en plus sur son visage et son cou. C'était peut-être le whisky. Ou les roues du car et leur mouvement net, sûr, qui l'arrachaient au cauchemar abandonné derrière elle. Peut-être avait-elle voulu s'enfuir depuis longtemps. Mais c'était peut-être tout simplement Randall et sa façon de faire.

Delia avait envie de hurler en pensant à l'homme de ses souvenirs, au corps de Randall, évanoui depuis si longtemps, à tout ce qui, en lui, était gâché, même quand il vivait encore. Il était tellement beau lorsqu'il la prenait dans ses bras, tellement fort et tendre à l'époque où elle était elle-même aussi blessée ! Il lui avait paru être le seul homme au monde auquel elle pouvait se raccrocher, avec lequel elle pouvait se sentir en sécurité. Comment aurait-elle pu ne pas l'aimer ? Elle l'aimait plus que sa vie.

Après l'accident du Topanga Cañon, Delia essaya plusieurs fois de renoncer à l'alcool et cessa complètement d'aller chez Randall. Même quand elle recommençait à boire, elle ne se laissait pas convaincre de monter dans l'une des grosses voitures avec chauffeur, envoyées par les maisons de disques, qui espéraient l'engager pour chanter en solo. Elle n'aimait plus les fêtes et avait toujours détesté parler affaires. Ivre ou non, Delia vivait mentalement dans un village et ignorait le monde extérieur, où tout son amour s'était transformé en chagrin.

Une fois installée à Venice Beach, Delia s'imagina qu'elle habitait effectivement un village, un endroit comme Cayro. Peu lui importait que derrière sa maison il y en eût des milliers d'autres, boîtes pas plus grandes que des timbres-poste, qui émaillaient le comté de Los Angeles, de Santa Monica, au nord, à Long Beach, au sud, sans compter toutes les petites banlieues qui s'étiraient jusqu'à San Diego. Delia sortait rarement de son voisinage immédiat et, tant qu'elle restait loin des autoroutes, elle pouvait feindre d'être coupée du monde. Quand elle emmenait Cissy chez Randall, à West Hollywood, ou se rendait à l'annexe du studio d'enregistrement, à Santa Monica, le spectacle de la grande ville la frappait de stupeur. Les structures en verre, le long de Wilshire, les manoirs grotesques de Beverly Hills, les autoroutes entrelacées sur lesquelles rôdait Randall, ce n'était pas là le monde de Delia. Son univers, c'étaient la maisonnette et son minuscule jardin, l'épicerie, à quelques pâtés de maisons à l'ouest, et l'école de Cissy, deux rues plus loin, avec un trajet de temps à autre jusque chez Rosemary, à Marina Del Rey.

— C'est curieux. Chaque fois que je bois, je remonte le temps, dit Delia à Rosemary, peu après avoir quitté Randall. Je m'imagine que je me retrouve dans le car, sans destination particulière, juste en tournée avec le groupe.

— Ah ouais.

Rosemary rejeta la fumée par les narines.

— Tu te revois en train d'aller aux W.-C. pour dégueuler tripes et boyaux et maudire Randall à chaque nausée ? Je me rappelle quand tu étais enceinte et malade comme un chien. Je me rappelle ces voyages en car.

Delia repoussa une mèche qui lui tombait sur les yeux et haussa les épaules :

— Dans mon esprit, on est toujours en 1971 et on est tous jeunes et heureux. On dirait un rêve, un beau rêve.

Rosemary secoua la tête.

— Rien ne vaut la vie qu'on rêve, hein ?

Delia était le seul membre de Mud Dog à aimer la route. Alors que tous les autres pâlissaient et s'épuisaient, elle s'épanouissait, faisait des petits sommes dans la journée et s'endormait facilement dans les coulisses. Elle buvait beaucoup, mais mangeait peu, surtout des fruits et du riz, et évitait les pilules et les poudres qui faisaient planer la moitié des musiciens du groupe et les rendaient insomniaques et malades comme des bêtes. Au milieu du chaos des tournées, Delia était sereine. Elle remontait l'allée du car bondé avec le sourire, une bouteille à la main, glissant ses longs doigts sur le Formica graisseux des coffres comme s'il s'agissait de fleurs et de treilles embaumées. Parfois, elle restait plantée là, s'agrippait d'une main pour garder l'équilibre, les yeux mi-clos. Elle avait l'impression de danser, d'osciller tandis que le car penchait et roulait. Elle riait en pensant qu'elle était presque immobile et avalait pourtant les kilomètres.

Ce que Delia n'aimait pas, c'étaient les motels et les fêtes, les *roadies* obséquieux qui revendaient de la drogue derrière les camionnettes lestées de bagages, les fans hystériques qui se jetaient sur elle avant qu'elle ait pu filer. Il y avait toujours des gens qui l'assaillaient par-derrière, voulaient lui parler ou la toucher, suivaient tous ses gestes de tellement près qu'elle se mettait même à s'écarter de Randall, de Rosemary, de Booger ou de Little Jimmy, le batteur au petit coup de coude timide. Elle paraissait de plus en plus sensible à la foule, au point d'hésiter parfois à suivre le groupe sur scène. Au bout d'un moment, la route usait et on perdait le plaisir de jouer cette musique que tout le monde était venu écouter. Delia savait que la seule chose qu'elle aimait sans aucune réserve, c'était la musique qu'elle entendait dans sa tête. La route elle-même, le bitume à deux voies et les autoroutes à six, les gargotes de routiers où seuls les œufs et la bière en bouteille pouvaient inspirer confiance, personne n'aimait ça. La route, c'était quelque chose qui vous prenait sans que vous vous en rendiez compte – la poésie inattendue des panneaux et la lueur rassurante du compteur qui dévorait les kilomètres, le frottement des roues sur l'asphalte, qui marquait les temps faibles, et le chant qu'il évoquait dans la nuque de Delia. Elle se soûlait de route comme elle se soûlait de whisky, une douce ivresse, une bringue facile, souriante, détendue, insouciante, comme la mort en marche.

Delia rêvait mieux dans le car que partout ailleurs. Elle accompagnait le chant des roues, le regard dans le vague, les paupières juste assez ouvertes pour apercevoir le reflet des lampes, sur la route. Dans cet état qui n'était ni le sommeil ni la veille, elle rêvait de chez elle, de Cayro, d'Amanda et de Dede. Parfois, elle rêvait d'elles physiquement, les bébés devenant des petites filles pendant qu'elle les surveillait et s'occupait d'elles. Quand elle faisait ce rêve, elle pleurait de soulagement tandis que tout ce qui s'était passé après la naissance de Dede s'effaçait. Il n'y avait donc pas de groupe, pas de maison à Venice Beach, pas de Cissy, cette troisième petite fille qui avait la bouche paresseuse de Randall et ses propres cheveux auburn. Delia était alors une bonne mère et, agenouillée dans l'allée en terre de son ancienne maison, à Cayro, elle prenait entre ses mains le visage poupin de Dede et les larmes lui brûlaient les joues.

Parfois, le rêve se moquait des ans. Delia débarquait, tel un ange, une semaine après avoir grimpé dans le car de Randall et s'être enfuie. Elle attrapait alors ses bébés, les serrait contre sa gorge tandis que leurs bras se tendaient vers elle. Des ailes lui poussaient sur les épaules et les emportaient toutes bien haut et bien loin, comme les vents de Santa Ana, en Californie du Sud.

— Maman ! disaient d'une seule voix les petites filles du rêve. Maman !

Et le cœur de Delia cognait dans sa poitrine. Les enfants du rêve criaient son nom et s'accrochaient à elle.

— Maman ! On savait bien que tu allais venir.

Elles avaient les joues brûlantes et empourprées, leurs cheveux sentaient la terre et le sucre, comme les paumes de Delia quand elle jardinait. Elle s'imprégnait de leur odeur et ses entrailles tremblaient tandis que ce parfum l'emplissait. Mais les bras qui s'étaient tendus vers elle étaient des bras fantômes. Les petites filles de son rêve, des enfants fantômes, des créatures imaginaires. La route qui allait partout n'arrivait jamais à Cayro. Quand l'odeur s'estompait, Delia se réveillait en sursaut, le visage baigné de larmes, les muscles bandés pour attraper ce qui n'était pas là.

Une fois dégrisée et pleinement consciente, Delia savait que ces rêves n'étaient que mensonges réconfortants. Si ses filles rêvaient d'elle, l'amour ne devait pas y avoir de place. Des cauchemars affreux, furieux, voilà la vision d'elle que devaient avoir ses filles. Mais dans les semaines qui suivirent la mort de Randall, Delia refit ces rêves de la route, avec Dede et Amanda Louise, des rêves de maman, de culpabilité et d'espoir.

Tout en vidant les placards de la petite maison, Delia triturait la plaie à vif de sa conscience. Cela faisait dix ans. Dede et Amanda n'étaient plus des bébés. Elles avaient onze et treize ans, c'étaient presque des adultes. Et si elles ne la détestaient pas ? Si ses filles espéraient autant la voir qu'elle espérait elle-même les voir ? De « si », elle passa à peut-être, puis à pourquoi pas, et oh, mon Dieu ! à sûrement. C'était comme ça que Delia pensait quand elle buvait, aussi détachée que possible des réalités. Une voix, dans un coin de son esprit, une voix lui jurait qu'un verre ne la tuerait pas, et un second non plus. Démon ou désespoir, cette voix murmurait avec insistance et l'entraînait. Delia jura qu'elle ne boirait plus jamais, mais ses filles, elles, n'étaient pas de l'alcool. Elles étaient bien réelles.

Cayro était bien réel. Cayro, c'était chez elle. Le pardon ne pouvait peut-être pas se gagner, néanmoins, en écoutant ce murmure, Delia Byrd emballa tout ce qu'elle possédait et décida de tenter le coup.

2

Cissy devait toujours garder cette impression de leur départ : à un moment donné, elles se trouvaient dans le petit bungalow aux fenêtres encadrées de fleurs roses éclatantes et, une minute plus tard, elles filaient sur l'autoroute avec toutes leurs affaires entassées sur la banquette arrière de la vieille Datsun.

Elles partirent avant l'aube, quinze jours après la mort de Randall. Delia ferma la porte d'entrée, glissa la clé dans la boîte aux lettres et, souriante, se tourna vers Cissy.

— Bon, on s'en va.

Cissy la fixa avec une expression de douleur indignée et refusa de monter dans la voiture. Elle y alla de son refrain :

— J'veux pas partir !

Presque avant que les mots aient eu le temps de franchir les lèvres de Cissy, Delia attrapa sa fille aussi facilement que les cartons et les sacs qu'elle avait soulevés, et la flanqua sur le siège du passager. Elle claqua la portière de Cissy et, par la vitre, lui lança un bref regard furieux.

Sous le choc, l'enfant se recroquevilla sur le siège. Delia ne l'avait jamais frappée, jamais fessée. Même quand elle buvait, elle prenait religieusement le temps de convaincre sa fille de ne pas mal se conduire. La raison, disait-elle toujours. Il faut utiliser la raison. Voilà qui outrepassait la raison. C'était de la folie. Cissy regarda la petite maison d'un air impuissant. Depuis deux ans, cette maisonnette avait représenté son foyer, le seul endroit où elle s'était sentie en sécurité. Que Delia l'en arrache était

s'arrêter dans des petits restaurants en pleine nuit et, assise sur les genoux de son papa, de voir les gens regarder bouche bée le gros car bleu. Le car était un pays différent. Là, Delia souriait, sirotait du whisky, coiffait Randall et faisait une fine natte brillante à Cissy. Paisible, le car était paisible, les lumières toujours tamisées, et il y avait toujours de la musique, deux ou trois magnétophones qui jouaient tout le temps. Pour un enfant, c'était le paradis, et Cissy n'avait jamais pardonné à Randall ni à Delia de l'avoir bannie du car. Dans ses fantasmes de fugue, elle s'en allait toujours par la route, ses pieds atteignant à peine les pédales de gros véhicules aux larges sièges, aux vitres sombres et étincelantes, équipés d'une radio qui repassait sans cesse les anciens morceaux de son père. Quelque part, Delia l'appelait, accablée de chagrin, et Randall composait une chanson sur cette perte, lui qui, sans l'avoir jamais su, ne pouvait vivre sans sa fille. Sur la route, la petite Cissy composait sa propre chanson, filait sur le lacet luisant, lisse de l'autoroute, léchait ses doigts pleins de graisse et faisait voler ses cheveux au rythme d'un groupe qui, un jour, serait le sien.

Quand l'autoroute redescendit, il y eut une succession de centres commerciaux, des restaurants mexicains et des magasins de chaussures à prix réduits, des stations-service et des petites épiceries avec des trucs très colorés en forme de cerfs-volants dans les vitrines. Mais, peu à peu, la verdure remplaça les magasins, les arbres se firent plus serrés au fur et à mesure qu'elles s'enfonçaient dans la vallée. Au bout d'une heure, les choses s'inversèrent et les arbres s'éclaircirent, puis désertèrent le paysage. Lorsqu'elles arrivèrent à Palm Springs, la verdure revint, mais le décor faisait mal aux yeux et Cissy ne cessait de remonter ses lunettes à cause de la transpiration. Delia ne prit pas d'essence avant que la jauge indique un réservoir vide. Cissy alla acheter un Coca et un paquet de Doritos. Si Delia s'était arrêtée dans un petit restaurant, Cissy n'aurait pas eu le cœur de commander du fromage grillé. Ce n'était pas la route dont elle avait rêvé.

— On a bien roulé, dit Delia quand Cissy revint à la voiture.

Elle montra le ciel éclatant.

— Et regarde un peu. Pas un seul nuage en vue. Avril est le meilleur moment pour ce genre de voyage. Il n'y a pas de neige, mais il ne fait pas trop chaud. Le temps devrait rester dégagé jusqu'au bout.

Cissy lécha la poudre à l'orange d'un Dorito et mordit un coin du triangle après l'autre avant de manger le cœur. Puis elle but une gorgée de Coca et répéta son rituel.

Delia haussa les épaules, alluma la radio et chercha de la musique gaie. *Sailing*, de Christopher Cross, passait sur deux stations.

— Ça n'a pourtant rien d'un tube, dit-elle d'une voix traînante.

C'était le genre de musique que Delia détestait, avec des paroles qui pouvaient signifier n'importe quoi et, par conséquent, ne voulaient rien dire. Ce rugissement sonore, derrière le gémissement plaintif de Cross, aurait agacé Randall, avec tous ces cuivres pâteux qui jouaient tellement fort que les notes étaient indistinctes. Un jour, il avait donné un coup de pied dans la chaîne quand Rosemary avait mis un disque de Rod Stewart.

— Ce salaud a besoin du soutien des basses, marmonna Delia.

Puis elle regarda Cissy, qui grignotait toujours les Doritos. Delia soupira et erra sur la bande de fréquences jusqu'au moment où elle trouva un animateur qui consacrait toute la journée à un hommage à John Lennon.

— Ça ira, dit-elle.

Mais au bout de quelques kilomètres, il fut évident que le type passait seulement l'album *Double Fantasy* et y allait de ses inévitables commentaires grossiers sur Yoko Ono.

— Salaud. Le pauvre type est à peine mort depuis quelques mois qu'ils recommencent à dire du mal d'elle. Une veuve du rock and roll. Tout le monde pense qu'elle aurait mieux fait de mourir puisqu'elle ne veut pas se transformer en prêtresse du disparu.

Delia n'avait jamais rencontré John Lennon, mais elle avait un jour vu Yoko se prêter patiemment au genre d'interview débilitante qu'elle n'avait elle-même jamais pu supporter. Elle changea de nouveau de station et s'arrêta sur une fréquence prisée par les surfeurs. On y passait une reprise des succès des Beach Boys et de Jan et Dean, *Little Deuce Coupe*, chanté d'un *falsetto* résolu.

Une fois passé Palm Springs, il y avait des noms indiens partout. Des flèches indiquant les réserves apparurent après Indian Wells et Indio, des panneaux qui promettaient des turquoises et d'authentiques poteries indiennes, ainsi que d'énormes affiches affriolantes de girls de Las Vegas vêtues de strass et de pas grand-chose d'autre. Le panneau de la réserve indienne de Cabazon était de travers et, à côté, un autre annonçait l'aqueduc du Colorado. Cissy se demandait si l'aqueduc contenait vraiment de l'eau. Comment pouvait-il y avoir de l'eau sous un sol aussi plat, blanc et rocailleux ? Un nuage de poussière jaune s'éleva et les yeux de Cissy brûlèrent. Elle tourna la tête pour regarder le bassin ombragé où un tuyau émergeait du sable. Les gens vivaient dans la rue. Certains dormaient même sous les arches. Est-ce qu'elle allait finir comme ça ? Est-ce qu'elle dormirait dans des fossés, pendant que Delia volerait des restes de hamburger dans les poubelles des McDonald's ?

— Y a que du désert, dit-elle.

Elle apercevait son visage dans le rétroviseur extérieur. Le blanc de ses yeux était parcouru de minuscules lignes rouges, comme la carte, sur la banquette, à côté d'elle.

— Oh ! ce n'est pas encore vraiment le désert.

De l'index gauche, Delia épongea la transpiration sous ses yeux.

— Attends un peu qu'on arrive au Nouveau-Mexique. Là, c'est un vrai désert. Des cactus saguaros et des épineux. Chaque fois que je vois les dessins animés de Bipbip et le Coyote, ça me rappelle le Nouveau-Mexique.

— J'ai envie de faire pipi.

Cissy garda les yeux fixés sur le rétroviseur.

— Oh ! pour l'amour de Dieu, Cissy ! Ça ne doit pas faire beaucoup plus d'une heure qu'on s'est arrêtées !

Cissy se tourna pour dévisager Delia.

Delia enfonça l'accélérateur.

— Tu pourras faire pipi en Arizona, mince alors. Je ne vais pas m'arrêter avant qu'on ait quitté la Californie.

L'Arizona ressemblait beaucoup à la Californie, un autre désert grillé, à perte de vue. Mais, juste à la sortie de l'autoroute, près de Quartzsite, on voyait un grand parking et un gros panneau en aluminium qui annonçait un marché aux pierres. Le parking était bondé et des voitures s'étaient garées en bordure d'autoroute. Delia ralentit et s'arrêta dans une station-service Chevron. Elle descendit et se frotta le dos.

— Tu peux faire pipi ici, dit-elle. Et n'en profite pas pour te sauver.

Elle boitilla en direction de la station-service, de l'argent à la main.

Cissy se dirigea vers le bâtiment aux murs en torchis brun caca, effrités, d'où pointaient de petits brins d'herbe. Des rondins poussiéreux saillaient des murs, environ un mètre au-dessus des portes ; certains arboraient des bannières d'un orange passé, qui pendaient mollement au bout de cordons en plastique jaune. Un distributeur de Coca était ouvert, vide, à côté de la porte des toilettes. Cissy retint sa respiration et entra.

Elle fut surprise par la propreté des toilettes. Le lavabo brillait, blanc et argent, et les serviettes en papier avaient une bordure verte. Un vase de plastique violet contenait un bouquet de feuilles en papier, aux tons d'automne, orange et brun. Un poster gai, qui annonçait une exposition sur les Kachina [1] à l'université de l'Arizona, couvrait tout un mur. Cissy se dépêcha d'aller aux W.-C. et se lava les mains. Elle sentit mais n'utilisa pas le savon à l'eucalyptus

---

1. Esprits ancestraux des Indiens d'Arizona et du Nouveau-Mexique, mais aussi danseurs masqués et figurines qui les représentent. *(N.d.T.)*

posé près du lavabo. Quand elle ressortit, elle vit Delia, debout, à côté de la Datsun au capot relevé. Un garagiste mesurait le niveau d'huile et secouait la tête.

Une explosion retentit. Cissy se retourna et vit une grappe de ballons rouges et bleus attachés au panneau du camping Rockhound. Ils se balançaient au gré des rafales tièdes qui faisaient voler les ordures par terre. Les ballons étaient d'une couleur passée, moins toutefois que les couvertures et les bâches qui abritaient les camionnettes des campeurs. Le désert était un endroit coloré, mais sa palette était complètement différente de ce que connaissait Cissy. Tout était clair, délavé, d'un pastel brumeux. Cissy apercevait les innombrables rangées du marché aux puces, derrière les camionnettes. Sous son regard, les gens se déplaçaient dans la poussière. Quelques visages aplatis, couturés, se tournèrent dans sa direction. Sans réfléchir, Cissy s'approcha. C'étaient des gens sans âge, brunis par le soleil, aux cheveux noirs, blancs ou gris et aux muscles nerveux sur des os robustes. Beaucoup étaient assis sur des fauteuils de jardin installés près de leur mobile home, derrière des tables de jeu sur lesquelles étaient exposés coupes et colliers de pierres grossièrement polies. Cissy s'arrêta sous une bâche bleue, tendue au-dessus d'une table encombrée de pierres luisantes. Elle effleura un collier rouge foncé.

— Rubellite.

L'haleine de la femme sentait l'anis et le citron. Elle sourit à Cissy, révélant de grandes dents parfaites.

— Où est-ce que vous les trouvez ?

Cissy ne pouvait pas imaginer d'où venait cette beauté brute. Des centaines de colliers de toutes les nuances de rouge et de noir s'empilaient devant elle, comptant chacun cinquante ou soixante pierres, rassemblés par lots de vingt ou quarante, tous disposés en courbes sensuelles comme de gigantesques serpents couverts de joyaux.

La femme redressa les épaules et donna un petit coup de tête, ce qui déplaça le foulard rose coincé sous le ruban de sa visière. Tout son corps semblait trembloter et rebondir sur des cuisses élastiques.

— Je vais partout. Je fais du commerce. J'achète bas prix, je vends un peu plus cher.

Elle pencha la tête vers la caravane, derrière elle.

— Parfois, je trouve belle chose, je vends pas.

Elle porta une main à son cou orné d'un jade allongé, vert, avec de la lumière jaune prisonnière à l'intérieur. Cissy se pencha pour voir la pierre de plus près.

— Tu aimes ? demanda la femme.

Elle sourit une nouvelle fois et rajusta son dentier.

— Tu as bon œil. Tu veux quoi ?

Cissy baissa les yeux sur la table. Il y avait des pierres curieusement taillées, en forme d'étoiles, de lunes et de boules à facettes. Elle posa la main sur un collier d'étoiles noires. Il était chaud et presque moelleux sous le bout de ses doigts.

— Bon œil. Lave d'Italie, pierre rouge sang du Tennessee. Beau pour pas beaucoup d'argent.

La femme fit un brusque signe de tête, puis attrapa Cissy par l'épaule et l'attira tout près de son visage. Elle renifla trois fois, rapidement et profondément, et expira dans un long souffle.

— Ah !

Elle sourit et relâcha Cissy.

— Le diamant noir, c'est bonne pierre de cœur.

La femme attrapa un morceau irrégulier d'hématite et le frotta contre le papier blanc sur lequel il était posé. Deux fines lignes rouges suivirent la pierre.

— Oh !

Cissy réprima son désir de fuir la table.

— Frotte, ça fait rouge. Écrase, ça fait encre de sang. Signe de cœur.

La main lâcha la pierre, s'éleva, écarta les doigts, voleta au-dessus du tas de colliers. Les yeux perçants se relevèrent et se fixèrent sur le visage de Cissy. Des yeux verts, remarqua Cissy, un peu délavés, comme l'herbe près des robinets, sous les piquets de la bâche. La femme sourit. On aurait dit qu'elle entendait les réflexions de Cissy.

— Tu aimes quoi, la lune ou les étoiles ?

La main hésita.

— Les étoiles.

Randall avait un ruban de chapeau clouté d'étoiles en argent. L'hématite brûlait, noir argenté au soleil.

— Ah !

La vieille femme heurta la table de jeu et toutes les pierres bougèrent.

— L'hématite, c'est spécial. Les momies égyptiennes avaient des appuis-tête en hématite. Tu sais ça ? Spécial. Ça fait sortir la haine.

Elle attrapa un collier d'étoiles taillées, le souleva et tendit la main. Cissy croisa les yeux verts.

— Ça guérit ton cœur, petite.

Cissy retourna à la voiture avec un collier d'étoiles enroulé deux fois autour de son cou.

— Où t'étais passée, nom de Dieu ? Et d'où tu sors ça ? grommela Delia.

Elle ne se radoucit qu'en voyant le visage de Cissy se décomposer.

— C'est joli, dit-elle. On en trouve à tous les coins de rue, mais c'est joli.

C'est à moi, pensa Cissy en rougissant. Elle tâta les pierres et se blottit contre la portière du passager. Le collier était toujours tiède et moelleux, mais, lorsqu'elle essaya d'appuyer un ongle sur la surface luisante d'une pierre, il ne laissa aucune marque.

Le moteur gronda bruyamment au moment où Delia mit la Datsun en marche. Elle ne va peut-être pas tenir le coup, pensa Cissy. Elle va peut-être caler et on sera obligées de rester ici. Quand ils apparaissaient au-dessus des lunettes, ses yeux étaient obsidienne dans la lumière brûlante. On va peut-être avoir un accident, se disait-elle. Peut-être que la voiture va quitter la route et se renverser. Sa main caressait la ceinture de sécurité à l'endroit où elle lui serrait le ventre. La ceinture de Delia reposait, détachée, à côté d'elle, sur la carte pliée. Peut-être qu'elle va passer par le pare-brise, se rompre le cou ou se trancher la gorge. Si elle était morte, je pourrais… Quoi ? L'estomac de Cissy se noua tellement qu'elle faillit avoir un haut-le-cœur.

Cissy se retourna, regarda le parking et toutes les caravanes qui s'effaçaient lentement. Un panneau annonçant Big Horn Trailer Park se dessina, taché de rouge et de beige par la poussière et le sable. Cissy se demanda si ce camping s'appelait comme ça à cause de Little Big Horn, l'endroit où était mort Custer. Les cow-boys et les Indiens, pensa-t-elle, et elle se frotta les yeux.

— Nous allons devoir remonter vers Flagstaff, dit Delia. Et traverser la réserve navajo pendant un bon moment. Là-bas, il y a Monument Valley, le Désert peint et la Forêt pétrifiée. De l'autoroute 40, nous pourrons apercevoir certains sommets. Tous ces rocs qui se détachent sur le ciel. S'il y a un clair de lune, tu verras, c'est spectaculaire.

Cissy garda le visage tourné vers sa vitre.

— Randall et moi, nous sommes allés à Monument Valley, un jour.

La voix de Delia était prudente.

— C'est stupéfiant. On dirait une cathédrale à ciel ouvert. C'est vraiment à voir.

Cissy aperçut le panneau de Buckeye qui se rapprochait sur la gauche. Une cathédrale, pensa-t-elle. Elle regarda au loin les rocs rouges, les montagnes pourpre et gris. Tout était une cathédrale à ciel ouvert, pure, aussi grande que la mort.

Delia emprunta l'autoroute 17 à Phoenix pour rejoindre la 40. Elle étala la carte afin de montrer le chemin à Cissy.

— Nous allons la suivre un bon bout de temps. La 40, c'est comme la 10, elle n'en finit pas. En tout cas, elle va d'ici jusqu'à Nashville.

Cissy garda le silence et Delia ralluma la radio. Elle tomba deux fois sur des stations qui passaient Mud Dog, mais changea de fréquence le plus vite possible. Elle ne voulait pas entendre ça. À Tempe, elle trouva une station de rock obstinée qui passait Captain Beefheart et Steely Dan, comme si personne n'était mort, et elle n'en bougea pas tant qu'elle réussit à la capter.

En fin d'après-midi, elles quittèrent l'Arizona pour le Nouveau-Mexique et Cissy vit de plus en plus de noms indiens. Après Gallup, des panneaux indiquaient Laguna Pueblo, et des affiches coloriées à la main vantaient les beaux bijoux en turquoise et les couvertures traditionnelles. Est-ce que Albuquerque était aussi un nom indien ? C'était peut-être espagnol. Aucune importance. Delia conseilla à Cissy de fermer les yeux et de faire un petit somme. Elle n'avait pas l'intention de s'arrêter juste pour dormir.

Cissy rêva d'aqueduc et de gros tuyaux en ciment, d'étoiles et de lunes luisant sur une eau noire, et de femmes brunes penchées pour ramasser des perles qui étaient des larmes. Elle se réveilla les yeux gonflés et couverts de sécrétions quand Delia s'arrêta, près de Tucumcari. Elles avaient bien roulé avec ce beau temps, mais toutes deux étaient fatiguées et collantes d'une sueur sèche. Lorsque la Datsun se faufila dans le sillage d'un semi-remorque, Delia remarqua que ses bras et ses jambes commençaient à être engourdis et cotonneux. Elle se rendit soudain compte qu'elles n'avaient avalé que des chips et du Coca depuis qu'elles avaient quitté Los Angeles le matin. Le Nouveau-Mexique était émaillé de petits restaurants et de bâtiments bas en stuc, d'un marron boueux, qui proclamaient : « Cuisine familiale. » Delia repéra un endroit où beaucoup de camions s'étaient arrêtés et se gara près des semi-remorques.

Une salade de laitue pommée, avec quartiers de tomate et morceaux de fromage jaune vif, du chili au poulet et un toast texan. Cissy accorda toute son attention à ce qu'elle mangeait et avala trois verres de thé glacé. Delia grignota ses œufs brouillés et jeta des regards envieux aux hommes qui buvaient de la bière au comptoir.

— Nous allons arriver à Amarillo avant minuit, annonça-t-elle.

— Pourquoi t'es aussi pressée ?

À la lumière fluorescente, le collier de Cissy avait des reflets rouge et noir sur sa gorge.

Delia se servit de sa serviette pour essuyer les gouttelettes de condensation sur son verre de thé.

— Ton grand-père Byrd nous attend.

Elle regarda son verre. Cissy posa sa fourchette.

— Tu lui as téléphoné ?

— Il nous attend, répéta Delia. Cissy, je t'en prie. Tu n'es pas seule au monde, j'ai toujours voulu que tu le saches.

La table était en bois foncé, avec une couche de vernis tellement épaisse que Delia pouvait s'y voir. Son visage avait l'air d'être sous l'eau, légèrement flou, image ténébreuse d'une femme qui n'avait jamais su exprimer ce qu'elle pensait. Elle se rappela la façon dont grand-père Byrd l'avait regardée quand il l'avait emmenée vivre chez lui, la fureur rentrée derrière le chagrin. Elle se rappela le moment où elle avait commencé à chanter toute seule, pour remplir le monde avec autre chose que de la solitude. Elle passa la main sur le reflet de la table.

— Une famille ! lâcha Delia. Et même des sœurs que tu n'as jamais vues. C'est une bénédiction, Cissy. Tu fais partie de quelque chose qui est plus grand que toi. Moi, tout ce que j'avais, c'était grand-père Byrd.

Elle secoua la tête.

— Vu son comportement, parfois, c'était pire qu'être toute seule. J'avais encore jamais rien vu qui ressemble autant à un roc…

— Un roc. C'est pas mal, ça. J'ai envie de le connaître, dit Cissy.

— Il ne le faisait pas exprès.

Delia remua sur sa chaise.

— Il avait trop de peine pour se consoler ou pour me consoler. Et il était vieux, trop vieux pour se mettre à élever un enfant.

— Alors, pourquoi il l'a fait ?

Pendant une minute, Cissy crut que Delia allait la gifler. Mais elle répondit :

— Il le fallait bien. Il n'y avait personne d'autre.

Elle essuya la table avec sa serviette. Elle ne parvenait pas à adoucir son image.

Cissy remua son bol de chili. Elle s'était dit que le chili au poulet serait quelque chose d'extraordinaire. Ça n'avait rien d'extraordinaire. Le poulet était filandreux et dur, la tomate avait un goût amer et le piment lui rendait la langue spongieuse. Ce qu'il y avait de meilleur sur la table, c'était la laitue, et la laitue, c'était quoi ? De l'eau.

Delia se leva pour régler le repas. Cissy passa les doigts le long de son collier et se colla les coudes aux côtes. Dans ses cauchemars, Amanda était un corbeau au bec noir, aux ailes noires, qui croassait bruyamment juste derrière sa nuque penchée. Dede était un verrat blanc aux sabots aiguisés, qui dansait tout près de ses pieds nus roses. Cayro, cette petite ville de Géorgie, était une fosse de terre rouge et d'argile grise, aux parois tellement abruptes que Cissy ne pouvait pas se libérer. Et voilà que grand-père Byrd était un roc. Elle mit les mains sur ses yeux et appuya fort. Des étoiles fleurirent dans l'obscurité. Cayro, en Géorgie, un coin paumé au fin fond du monde où se trouvait la famille que Delia aimait plus qu'elle n'aimerait jamais Cissy.

La vitre arrière de la Datsun avait été cassée. Le coffre était grand ouvert. Il ne restait rien d'autre qu'une caisse coincée entre la roue de secours et le cric, et la glacière en polystyrène, à moitié pleine, fendue sur le côté. Par la portière, Cissy se pencha au-dessus de la banquette arrière et fouilla dans les débris. Les voleurs avaient renversé un sac de vêtements sur le plancher.

— Ils ont probablement pris le sac pour y mettre les cassettes, dit Delia.

Elle regardait vers l'avant, où il ne restait qu'une cassette écrasée des plus grands succès de Jefferson Airplane.

— Ils ont tout embarqué ! s'écria Cissy. Tout ce qu'on avait.

— Non. Pas tout.

Delia serra son sac sur sa hanche.
— On rachètera des choses. Ils en avaient peut-être plus besoin que nous. Comme les coyotes, à l'affût du peu qu'on leur laisse.
Delia se tenait à côté de la voiture, les mains sous le menton. Ses cheveux tailladés étaient aplatis et foncés par la transpiration.
Cissy la regarda, bouche bée. Qui se souciait de savoir ce dont les voleurs avaient besoin ? Ses vêtements, ses livres, la petite boîte de pin's et de perles étincelantes que lui avait donnée son père pour son dernier anniversaire !
— Je veux retourner à la maison. Tu pourrais appeler Rosemary. On pourrait rester chez elle.
Elle se moucha dans un bout de papier ramassé au fond de la voiture et leva les yeux d'un air pitoyable vers sa mère.
— Mais nous y allons, à la maison, dit celle-ci.
Elle se sentait plus légère, plus libre sans tout ce fatras, absurdement calme. Elle sortit un foulard et s'en servit pour retirer le verre brisé, puis le secoua et se le noua sur la tête. Elle fouilla dans les vêtements répandus sur le plancher et trouva une chemise assez grande pour être fixée à la place de la vitre, du crochet à vêtements jusqu'à une fente de la banquette.
— Ça va aller, dit-elle fermement. Tu verras quand on arrivera à Cayro. Ça ira très bien.
— Non, ça n'ira pas. Tu ne t'occupes pas de moi. Tu m'enlèves ! hurla Cissy. Tu me kidnappes !
À trois mètres environ, un camionneur les observait depuis la portière ouverte de sa cabine. Il mâchonnait un sandwich, une bouteille de soda à la main. Delia le regarda et haussa les épaules.
— Vous y avez eu droit, dit-il, la bouche pleine de pain. Ça arrive, par ici.
Il but, puis tendit la main derrière son siège et attrapa un autre soda qu'il s'empressa d'ouvrir.
— Tenez ! dit-il. Donnez-lui ça. Elle est crevée, c'est tout. Donnez-lui beaucoup à boire et laissez-la dormir. Par ici, la chaleur est déjà bien assez rude sans en plus se faire

cambrioler. J'ai quelques autres sandwiches... à la viande. Vous en voulez un ?

Delia s'approcha et prit la bouteille.

— Non merci, dit-elle. Nous venons de manger. Mais le soda est une bonne idée.

L'homme donna un coup de menton en direction de Cissy, qui avait cessé de hurler et s'était affaissée contre le pare-chocs.

— J'ai un gosse, moi aussi. Ils vous rendent dingues.

Il mordit dans son sandwich, les yeux toujours fixés sur Delia.

— Je vous connais, non ?

Les mots étaient distincts, même s'il mâchait.

Delia le dévisagea. Il louchait tant il se concentrait. Non, pensa-t-elle. Oh ! non !

— Je ne crois pas.

Il avala et fit un signe de tête.

— Vous savez à qui vous ressemblez ?

Delia attendit.

— Cette chanteuse, vous savez, celle qui a de longs cheveux roux ?

L'homme fronçait les sourcils.

— Celle qui est morte, dit-il. Janis, c'est ça ? Janis Joplin. Les gens doivent vous dire ça tout le temps.

— Ouais.

Delia sourit et hocha la tête. Personne ne l'avait jamais confondue avec Janis, mais elle n'avait pas envie de s'embarquer dans une discussion. Elle voulait reprendre la route.

— Merci, répéta-t-elle.

— Il t'a reconnue, dit Cissy, le visage maculé par les larmes et la transpiration.

Delia secoua la tête et lui tendit le soda.

— Mon chou, il n'a jamais dû entendre Mud Dog. Tu peux parier que tous les boutons de son poste sont réglés sur une station de country. Il trouvait que je ressemblais à Janis Joplin.

— Janis Joplin est morte, dit Cissy avant de s'essuyer le nez. Elle est morte depuis une éternité.

Le visage de Delia était impénétrable quand elle ouvrit la portière du passager et fit signe à Cissy de monter dans la voiture.

Cissy l'ignora.

— On a plein de place, maintenant, dit-elle en enjambant le dossier pour passer à l'arrière.

Des petits grains piquèrent ses bras et ses mollets nus lorsqu'elle s'allongea sur la banquette. C'était peut-être du gravier, ou du verre. Delia lui improvisa un oreiller avec un jean, mais Cissy le repoussa. Allongée, le visage enfoui au creux de son coude, elle se mit à pleurer quand elles regagnèrent l'autoroute. Elle savait que Delia ne pouvait pas l'entendre à cause du vent qui sifflait dans la chemise tendue au-dessus d'elle.

— Tout va très bien se passer, répétait Delia.

Mais Cissy savait qu'elle parlait toute seule. Comme une folle, Delia parlait uniquement pour entendre le son de sa voix. Cissy se boucha les oreilles.

L'arrière de la voiture restait ouvert au vent, à la poussière et au premier voleur venu. Pour Cissy, c'était là un signe, mais Delia se contenta de scotcher du carton quand la chemise se détacha.

— De toute façon, la plupart de ces vêtements commençaient à être trop petits, dit-elle. Nous t'achèterons de belles choses quand nous approcherons de chez nous, des shorts, des robes bains de soleil qui te plairont.

Comme si c'étaient les vêtements qui comptaient, songea Cissy, comme si elles n'étaient pas elles-mêmes fracturées, ouvertes et sifflant au vent ! Entre elles deux, la fureur vrombissait aussi fort que le moteur.

Cissy dormit pendant toute la traversée du nord du Texas.

— Tu n'as rien raté, lui dit Delia.

— Je veux m'arrêter.

— Pas d'arrêt. Nous allons gagner du temps, ma petite. Gagner du temps.

Cissy porta son collier à la bouche. L'hématite avait un goût salé et sombre. Le soleil venait de passer derrière l'horizon et le sol était bleu-gris et plat comme une planche. L'Oklahoma ressemblait au Nouveau-Mexique : terrains cultivés, où poussaient des plantes basses indistinctes alternant avec de vastes étendues rocailleuses et désertiques, cimes qui se dessinaient toujours au loin. De la verdure, Cissy voulait de la verdure, des plantes exubérantes et des fleurs éclatantes, violentes, elle voulait Venice Beach et tous ses jardins dissimulés aux regards. Une fois à Oklahoma City, quand Cissy aperçut les arbres luxuriants, elle crut qu'elle allait pleurer de soulagement. Elle sortit la tête et aspira de grandes goulées d'air frais. À l'odeur, on sentait qu'il allait pleuvoir ou qu'il avait plu récemment. Humide, riche et merveilleuse, c'était là une cathédrale différente.

Dans les faubourgs est de la ville, Cissy menaça de faire signe à un agent de la police routière. Delia se contenta de tapoter son sac.

— J'ai ton acte de naissance juste là.

Elle rejeta la fumée par la vitre baissée et se mit à rire.

— D'ailleurs, regarde-toi. Tu crois qu'un shérif ne verrait pas que tu es à moi ?

Cissy se pencha de nouveau par la fenêtre. Elle savait qu'elle était une Delia miniature, cheveux châtain-roux, yeux noisette, muscles qui entouraient les os de la même manière, vraiment son portrait craché. Elle se rappela Thanksgiving, quand Randall était arrivé en retard pour le dîner. Il avait serré Cissy dans ses bras et lui avait dit à quel point elle ressemblait à sa mère.

— La seule chose que tu tiens de moi, c'est le nom de ma maman et mes dents, mes tendres dents de lait, avait-il ajouté. Tu vas devoir veiller sur ces dents, petite Cecilia.

Il s'était mis à faire bouger son dentier avec la langue.

— Si tu renonçais à tes mauvaises manières, tu pourrais garder le reste de tes dents.

Delia était restée sobre quinze jours, pendant ces vacances. Avant la nuit, elle se remettrait à boire, et ils le savaient tous. Randall lui avait souri d'un air indulgent et avait laissé Cissy chiper une gorgée de whisky dans son verre. Delia avait bondi de sa chaise.

— Je t'interdis de lui en donner ! T'as pas fait assez de mal comme ça ?

Sur ce, il avait aussitôt quitté la maison.

— Tu l'as vexé, s'était plainte Cissy quand Delia l'avait mise au lit.

— Tant mieux.

Delia avait craché ces mots. Elle avait ajouté qu'elle était partie de chez Randall parce qu'elle voulait s'arrêter de boire et être une bonne mère, mais pendant les deux années qui avaient suivi, elle avait bu autant que lui. Chaque fois qu'il venait, elle recommençait.

Sur la banquette arrière de la voiture, Cissy ouvrit les yeux et observa les brillantes enseignes au néon qui clignotaient dans les vitrines. Si Delia se soûlait, elle les conduirait dans un motel et elles pourraient rattraper leur sommeil en retard. Ivre, Delia n'était pas embêtante du tout. Ivre, elle chantait avec la radio, préparait de grosses salades de fruits et gloussait toute seule. À jeun, les ennuis commençaient. À jeun, Delia se mettait en colère, était malheureuse, grondait Cissy et se frottait constamment la nuque. À jeun, Delia avait des maux de tête. Ivre, elle ne sentait plus aucune douleur. Une spirale de fumée passa devant le carton qui claquait au vent.

— J'ai soif, dit Cissy. Je meurs de soif, là derrière.

Delia garda le silence.

Cissy se redressa et se pencha par-dessus le dossier. Elle posa le menton sur la garniture collante et soupira.

— T'as pas besoin de cigarettes ?

Delia tourna légèrement la tête et haussa les épaules.

— Je pourrais t'en acheter et m'acheter quelque chose, un Coca, ou un jus d'orange avec plein de glaçons, dit Cissy avant de se passer la langue sur les lèvres. J'aimerais bien un jus d'orange avec plein de glaçons, et peut-être des tranches d'orange dans le verre.

Delia changeait de file en douceur. Il y avait beaucoup de circulation dans la rue principale, des gens qui se dépêchaient d'aller quelque part.

— Du jus d'orange, reprit Cissy. On pourrait s'arrêter n'importe où, par ici.

— Dans l'un des bars, peut-être ?

Delia jeta sa cigarette par la fenêtre. Des étincelles volèrent vers le pare-chocs arrière.

— Je te commanderais un jus de fruits et je boirais aussi quelque chose, tant qu'à faire, hein ? ajouta Delia.

Elle se baissa, tira un sac marron posé sous son siège et déchira le papier quand elle fut parvenue à le sortir. Avec un son mat, deux cartouches de Marlboro retombèrent à côté d'elle. Delia aperçut à sa gauche une grosse Oldsmobile qui bloquait sa file et accéléra pour la dépasser.

— Quand nous aurons besoin d'essence, je te prendrai du jus de fruits, dit-elle. Avec des glaçons. Et j'achèterai peut-être une autre glacière. Mais je ne m'arrête pas avant que ça soit nécessaire. Je nous emmène à Cayro le plus vite possible, Cissy.

Delia s'arrêta dans un Quick Mart vers minuit, fit le plein d'essence, puis parcourut les rayonnages d'épicerie, sous les yeux fatigués d'un pompiste. Elle acheta une nouvelle glacière en polystyrène, une brique de jus de fruits, un paquet économique de viande cuite tranchée, deux boîtes de crackers saupoudrés de sel, une demi-douzaine de tablettes de chocolat, un gros paquet de caramels aux cacahuètes, et un petit sac de glace.

— Voilà de quoi nous sustenter, dit-elle à Cissy quand elle installa la glacière sur le plancher de la banquette arrière.

Elle ne remarqua pas le regard noir de Cissy et se contenta d'ouvrir une tablette de chocolat et de démarrer.

Pendant tout le reste du trajet dans l'Oklahoma, Cissy mâchonna des caramels aux cacahuètes. Par deux fois, elle se glissa à l'avant pour échapper au vent qui s'engouffrait à l'arrière, mais elle resta muette. Delia alluma la radio. Cissy l'éteignit. Elles roulèrent en silence et filèrent dans le paysage printanier. Juste après la frontière de l'Arkansas, Delia sentit que son adrénaline finissait par céder et elle se rangea au bord de la route. À l'instar de

Cissy, elle dormit plusieurs heures par à-coups, en serrant tellement ses clés qu'elle avait l'air de redouter qu'on ne vole la voiture.

Après avoir atteint le Tennessee, Delia conduisit comme s'il y allait de sa santé mentale. Sur le pare-chocs, elle prépara pour Cissy des sandwiches de pain de mie au beurre de cacahuète, rinça des fruits achetés sur la route à l'arrivée d'eau de stations-service, versa des cacahuètes dans des bouteilles d'un demi-litre de RC Cola et les grignota sans lâcher le volant. Elles roulaient bien, mais pas assez vite au goût de Delia, qui ne cessait de se frotter la nuque et de grincer des dents.

Dans une station-service, près de Chattanooga, Delia dénoua son foulard pour la première fois depuis qu'elles avaient quitté le Nouveau-Mexique et lutta contre la nausée provoquée par une forte odeur d'essence. Le conducteur qui les précédait avait laissé une flaque près de la pompe. Ils auraient dû nettoyer ça, pensa Delia en jetant un coup d'œil dans le rétroviseur. Le pompiste la dévisageait, mais quoi de plus normal ? Elle était dans un sale état. Une bande de peau blanche lui barrait le front à l'endroit qu'avait couvert le foulard. Ses lèvres étaient fendillées, son nez, rose soutenu, pelait. Le col de son chemisier était raide de sueur et sa nuque à vif tant elle l'avait frottée. Elle ferma les yeux et sentit que le monde tournait autour de son corps immobile. Cissy donna des coups de talon dans le tableau de bord et Delia se tourna vers elle. La petite fille avait l'air aussi mal en point que sa mère, brûlée par le soleil, sale, pitoyable. Delia eut un choc en s'apercevant que son œil gauche était rouge et gonflé.

— Seigneur ! dit-elle. Où sont tes lunettes ?

Elle fouilla dans le désordre accumulé sur le siège pour trouver les verres épais, foncés.

— Mets-les tout de suite.

Pour la première fois, Delia remarqua l'affliction qui se lisait sur le visage de sa fille. Elle tendit la main et lui tapota l'épaule. Cissy eut un mouvement de recul.

— Ne me touche pas.

Elle descendit de voiture et se glissa sur la banquette arrière.

Delia serra les dents et fit le plein. Elle jeta un coup d'œil à Cissy dans le rétroviseur, passa la première et démarra.

Une fois sur l'autoroute, Cissy envisagea de jeter ses lunettes par la vitre cassée, mais elle savait que Delia ferait plus de un kilomètre en marche arrière afin d'aller les récupérer.

Elles arrivèrent à Cayro tard dans la soirée. Cissy dormait profondément. Delia s'arrêta derrière le Motel 6, sur la route de Marietta, et se glissa sous le volant.

— Je vais juste dormir un peu, un tout petit peu, murmura-t-elle avant de sombrer immédiatement dans le sommeil.

Cissy se réveilla à l'aube, alors que la lumière augmentait et que le bruit de la circulation s'accroissait. Delia dormait à l'avant, la carte routière déchirée et froissée pointant sous sa hanche droite. Cissy resta allongée, l'oreille tendue, jusqu'au moment où un horrible grincement lui fit lever la tête et regarder par la vitre. La marque Dixie General était inscrite en grosses lettres jaune et rouge sur le flanc d'un camion à dix-huit roues, qui passait lentement à côté de la Datsun. Cissy se demanda brièvement ce qu'il transportait, puis s'étira et ouvrit la portière. Elle avait le visage sale et marqué par les coutures du plastique qui recouvrait la banquette. Elle se frotta l'œil gauche et regarda autour d'elle. De l'autre côté de l'autoroute, un panneau publicitaire annonçait un Maryland Fried Chicken, deux sorties plus loin. Un autre panneau, vert et blanc, celui-là, indiquait qu'il fallait prendre la file de droite pour aller à Atlanta. Boitant légèrement à cause de ses membres ankylosés, Cissy s'avança vers le motel.

— Bonjour, mon chou.

La femme avait des cheveux très frisés et portait une tenue blanche. Une domestique, pensa Cissy. Puis elle la vit entrer dans le petit restaurant, à côté du motel. Une serveuse.

Mon chou. Cissy déclama le mot en imitant son accent. Un accent de Géorgie. Elles devaient se trouver à Cayro. Cissy était là parce que son père était mort et que sa mère était folle. Quel effet ça faisait d'être adulte et fou ? Cissy laissa son regard errer sur le parking. Il y avait probablement beaucoup de fous par ici.

Mon chou. Cissy étira les syllabes, comme Delia quand elle avait bu. Un accent du Sud, un ton nasillard de bastringue. Randall avait adoré ça. Cissy, elle, détestait.

Elle se dirigea vers le restaurant. Comme personne ne l'arrêtait, elle continua vers les toilettes et se lava le visage et les mains. C'était tellement bon qu'elle déroula un bon paquet de serviettes en papier et se savonna sous son T-shirt et à l'intérieur de son short. Elle avait envie de se déshabiller pour s'asperger entièrement d'eau, mais elle avait peur que quelqu'un n'entre et ne la trouve là. Au lieu de quoi, elle attrapa d'autres serviettes et se frotta tellement que sa peau se mit à cuire. Elle essaya de se coiffer avec les doigts, mais, comme ses cheveux étaient foncés et raidis par la transpiration, elle se passa la tête sous le robinet et se rafraîchit la nuque. Puis elle s'essuya avec les dernières serviettes en papier. Dans le miroir embué, au-dessus du lavabo, elle avait l'air différente avec les cheveux mouillés – plus âgée, presque une adolescente, une brune aux grands yeux marron, avec quelques taches de rousseur.

— Mon chou ! dit-elle à l'adolescente.

Puis elle se mit à rire, se surprenant elle-même. On aurait cru entendre Randall.

Quand Cissy sortit des toilettes, la serveuse se tenait à la porte de derrière, près du téléphone, et fumait une cigarette. Elle examina Cissy de haut en bas, mais ne dit rien. Pour plus de sûreté, Cissy ne tenta pas de passer à côté d'elle, mais prit à gauche et ressortit par la porte principale. Elle fit le tour complet du motel. Dans le passage couvert, au fond, elle trouva un distributeur de glaçons, en saisit deux poignées et alla s'asseoir sur le pare-chocs de la Datsun. Elle suça les glaçons et regarda le jour se lever, de plus en plus clair et chaud. Elle retourna deux fois encore à la machine avant que sa mère commence à remuer sur le siège avant.

Mon chou. Cissy prononça de nouveau les mots avec un accent traînant tout en suçant ses glaçons. Délibérément, elle détourna la tête du visage brûlé, enflé de sa mère. Elle n'allait pas lui parler. Pas aujourd'hui. Peut-être même plus jamais. Les gens entraient dans le restaurant ou en sortaient, ouvraient les portes du motel et portaient des bagages. Ils jetaient un rapide coup d'œil à Cissy, puis reprenaient leur marche. Ses cheveux séchaient, épars et emmêlés, et le soleil commençait à l'éblouir. Elle n'avait pas l'énergie de le fixer avec insolence. Elle avait tellement faim que son ventre était tout plat.

Cissy avait détesté le cours élémentaire et pleuré presque tous les jours pour rester à la maison, mais, quand elle inspecta les abords du motel, elle faillit promettre qu'elle ne manquerait plus jamais un seul jour d'école si Delia acceptait de repartir pour la Californie. Comment pouvait-elle lui faire ça ? Cissy passa un bras sur ses yeux secs. Personne n'écoutait les enfants. Les adultes avaient le droit d'agir comme ils voulaient. Delia pouvait décider de partir dès que l'envie l'en prenait. Cissy, elle, aurait beau s'allonger sur le béton et pleurer toutes les larmes de son corps, tout le monde s'en ficherait.

Le glaçon avait fondu dans sa bouche. Delia s'était extirpée de la voiture et, debout au soleil, clignait des yeux comme un oiseau qui vient de se cogner à une vitre.

Elle se frotta les paupières et se tourna vers sa fille.

— Viens, on va manger quelque chose. Tu dois mourir de faim, mon chou, dit-elle, et Cissy eut un mouvement de recul.

Delia l'installa au comptoir, lui commanda un sandwich aux œufs et un verre de lait, puis alla aux toilettes pour se débarbouiller. Elle fut obligée de réclamer des serviettes en papier et ne remarqua pas le regard que la serveuse lança à Cissy.

Pour contrarier Delia, Cissy aurait voulu ignorer la nourriture mais elle ne put se retenir de la dévorer jusqu'à la dernière bouchée, y compris la pomme rouge vinaigrée qui décorait son assiette. Elle aurait pu manger encore plus, mais elle n'avait pas envie de réclamer. Elle regarda autour d'elle tous ces gens qui prenaient leur petit déjeuner en lisant leur journal du matin. Les hommes avaient des visages fatigués sous leurs casquettes enfoncées, aux visières en forme de bec au-dessus des yeux. Toutes les femmes semblaient avoir les cheveux retenus par des petites barrettes colorées.

Quand Delia revint, elle était coiffée et portait un chemisier propre qui lui éclairait le visage. Elle fit signe à la serveuse et se commanda un beignet et une tasse de café. Elle compta ses pièces de vingt-cinq et dix cents pour laisser un bon pourboire.

— Vous avez fait beaucoup de route ? lui demanda la serveuse.

Delia sourit.

— Trop.

Le beignet était saupoudré de cannelle, ce qu'elle adorait. Elle le mangea vite avant de passer au café.

— Elle a bon appétit, dit la serveuse en débarrassant l'assiette de Cissy.

— C'est une petite fille bien sage.

Cissy se renfrogna.

— Ah ! les enfants !

La serveuse avait le grand sourire d'une femme qui en avait elle-même élevé.

— Eh oui.

Delia vida sa tasse. Elle n'avait jamais aimé le café en Californie. Trop fort. Ce café-là, elle aurait pu en boire à longueur de journée. Il était juste comme il fallait, tout comme l'odeur de l'air ou l'humidité qui apaisait sa peau desséchée. Elle dut se retenir de rire tout haut. Elle était revenue chez elle. Cet endroit sentait la maison.

— Je vous connais !

La cuisinière se pencha par l'ouverture pratiquée derrière le comptoir, ses bras blancs et flasques posés sur le rebord.

— Je vous connais, répéta-t-elle.

Delia eut un choc. Elle n'avait pas pensé qu'on pourrait la reconnaître à Cayro. L'espace d'un instant, elle hésita, puis un rapide sourire d'autographe se dessina sur son visage. Randall lui avait appris à sourire, à dire merci, et à continuer à avancer quand les gens l'arrêtaient pour la complimenter.

— Donne-leur-en le moins possible, disait-il toujours, mais donne-leur quelque chose. Ce sont eux qui nous font vivre.

Machinalement, Delia se passa les mains sur les hanches. Elle n'avait rien dans les poches, pas de stylo pour signer un autographe. Elle considéra la serveuse avec un haussement d'épaules embarrassé.

— C'est vous la garce qui a filé en abandonnant ses petites.

La voix de la cuisinière était forte et catégorique.

La serveuse écarquilla les yeux. Delia sentit vaciller ses genoux. Pétrifiée, Cissy fixa la cuisinière, mi-indignée, mi-désireuse de l'entendre une nouvelle fois traiter Delia de garce.

— Vous avez filé avec ce groupe de rock. Vous vous en êtes bien sortie, pas vrai ? Vous vous êtes bien amusée ? Eh ben, n'allez pas croire que les gens s'rappellent pas. On n'a pas oublié. Vous êtes pas du genre à s'faire oublier.

La cuisinière croisa ses gros bras et hocha la tête.

L'homme assis au comptoir près de Delia pivota sur son tabouret pour lui faire face. Son uniforme amidonné craqua quand il se tourna. Sur son col, ses cheveux longs étaient noués par un petit élastique.

— Delia ? Delia Windsor ?

Il la scruta de haut en bas et retroussa les lèvres d'un côté de la bouche.

— Ça alors ! dit-il. Mince !

Il jeta un coup d'œil sévère à la cuisinière.

— Ne vous occupez pas de cette vieille bique.

Delia s'écarta du comptoir. Le visage de la serveuse était blême et furieux. Tout le monde regardait. Quelqu'un demanda :

— Qui c'est ?

On lui répondit tout bas. Les clients assis dans les boxes se levèrent pour mieux la voir.

La serveuse tendit la main droite. Elle tenait le pourboire de Delia dans sa paume. Les pièces de vingt-cinq et de dix cents cliquetèrent, puis la main s'ouvrit et lâcha l'argent sur le linoléum, en une bruyante averse.

Delia eut envie de lui cracher dessus. Elle arracha Cissy à son tabouret et la tira par le bras.

Tout le monde les suivit des yeux quand elles se dirigèrent vers la porte. Toutes les personnes présentes dans le restaurant observèrent la démarche flageolante, obstinée de Delia. Jamais elle n'avait quitté une scène dans un tel état de faiblesse ni résisté à un verre avec une détermination aussi inflexible.

Aidez-moi, mon Dieu, pria Delia en entraînant Cissy. Aidez-moi.

Cissy libéra son bras dès qu'elles se retrouvèrent dehors. Delia lui lança un regard vide et continua à avancer vers la Datsun. Cissy se retourna vers le restaurant et vit des visages collés aux vitres, des gens rassemblés derrière la porte. Voilà, c'était ça, Cayro. Leur chez-elles.

Jusqu'au jour de sa mort, le désespoir aurait pour Cissy un goût de glaçons et de sueur. La peur porterait une casquette enfoncée, avec une visière maculée. La honte arborerait des barrettes aux couleurs vives et une bouche pincée. Et « mon chou » serait une injure.

3

— Tu vas adorer Cayro ! Les gens sont différents, là-bas ! ricana Cissy une fois qu'elles furent en sécurité dans la voiture.

Delia gardait les yeux fixés sur le pare-brise. Elle avait le visage écarlate et congestionné par la chaleur. Sa bouche était affaissée. Elle agrippa le volant et se retourna vers le restaurant. Il y avait deux affiches dans la vitrine ; l'une annonçait un repas de poisson frit subventionné par le service local des pompiers et l'autre informait qu'une semaine d'accueil des nouveaux paroissiens serait organisée à Holiness Redeemer, avec la participation d'un prédicateur de Gaithersburg. Delia apercevait la serveuse en train de les observer par-dessus l'affiche religieuse.

« Il n'y a rien qui ne puisse se régler avec une balle dans la tête, aurait dit Randall. Une balle dans la tête, une ou deux lignes de coke, une goutte de tequila. »

Delia se força à déglutir.

Qu'avait-elle donc espéré ?

Après tout ce temps, elle avait encore dans la bouche le goût onctueux de la tequila. Elle n'avait jamais pris la peine de la boire avec du citron vert. Pas besoin de sel non plus. Elle aimait la façon dont la tequila lui traversait le palais, brûlait les impuretés. Randall suçait des citrons et sniffait de la poudre. Randall baisait une demi-douzaine de filles et conduisait à toute vitesse sur les routes sinueuses du front de mer. Tout ce qu'il fallait à Delia, c'était un verre à la main. Une bouteille de bière, un alcool quelconque, voilà qui faisait sourdre la douceur sous sa langue.

Cissy remua sur le siège, à côté d'elle. À contrecœur, Delia tourna la tête pour regarder la petite fille, pâle sous son coup de soleil. Ses yeux noisette étaient si foncés qu'ils captaient le noir rougeâtre des étoiles en hématite, autour de son cou.

Qu'est-ce que j'ai fait ?

Delia ferma les yeux. Randall l'avait avertie :

« Cayro ne t'aimera jamais. Si tu veux ces petites, il nous faudra les emmener de force. »

Elle ne l'avait jamais écouté. Elle ne l'avait jamais cru. Mais ces visages haineux et durs, au restaurant, l'avaient scrutée comme si elle était un monstre.

Je n'aurais pas dû revenir.

— On s'en va ?

La voix de Cissy était haletante et fluette, son œil gauche larmoyant et injecté de sang.

Je ne vaux rien pour elle, pour aucune d'elles. Rien du tout.

Le pouls de Delia lui battait dans le cou et les voitures garées sur le parking miroitaient sur ce tempo. La chanson refaisait surface, le refrain du je-ne-mérite-pas-de-vivre.

Delia secoua furieusement la tête et reprit la mélodie. Nom-de-nom-de-nom-de-Dieu. J'devrais mourir, j'veux mourir.

— On s'en va ?

Pendant la moitié du trajet, Cissy avait pleuré et tempêté, à présent, sa voix était suraiguë. L'hystérie menaçait ses syllabes. La petite était épuisée. La petite était à bout de nerfs.

— On s'en va, dit Delia aussi calmement qu'elle le put.

Une goutte de tequila ou une balle dans la tête. C'était la même chose, à bien y réfléchir. Mais Delia avait traîné Cissy jusqu'ici et elle n'avait même pas pu voir Dede et Amanda. Elle mit le moteur en marche et repoussa ses cheveux sales en arrière. Elle allait calmer Cissy, s'assurer que ses filles allaient bien. Ensuite, elle pourrait envisager cette alternative – une balle de métal bleu ou un verre de tequila cul sec. Elle n'était plus en Californie. Elle était en Géorgie. Dans ce seul comté, il y avait deux douzaines d'endroits où elle pourrait se procurer une arme aussi facilement qu'une bouteille de Cuervo Gold.

Traverser Cayro pour aller chez grand-père Byrd prit plus de temps que ne l'avait pensé Cissy. À deux reprises, Delia s'arrêta si longtemps à des stops que les gens se mirent à klaxonner. Sur le volant, ses articulations étaient blanches, et sa mâchoire pendait comme si l'air lui manquait, comme si l'air n'était pas ce dont elle avait besoin.

— Ça va ? lui demanda finalement Cissy la deuxième fois qu'elles freinèrent.

D'un côté, elle avait envie de se réjouir du martyre de Delia, mais de l'autre, elle avait peur.

— Ça va, dit Delia. Ça va très bien.

Cissy haussa les épaules, mal à l'aise, et reporta son attention sur le paysage tout en tentant d'extirper un morceau de toast coincé entre ses incisives écartées. Elle pensa aux gens du restaurant. Au cours de ce long périple à travers le pays, elle n'avait rien imaginé qui puisse la préparer à ça. Les gens étaient exactement comme Randall les décrivait, le visage dur et le cœur sec. C'étaient eux qui avaient fait Delia ; ils la valaient bien. Cissy jeta un coup d'œil à sa mère et s'empressa de se retourner vers la vitre.

Cayro, en Géorgie, n'était qu'une étendue de terrain comme une autre au bord de l'autoroute 75. La plupart des habitants d'Atlanta ne l'avaient jamais remarquée en remontant vers le nord. Le centre-ville consistait en un croisement triangulaire pas plus grand qu'un beau terrain de basket. Sur un panneau, on lisait BIENVENUE d'un côté et À BIENTÔT de l'autre. À chaque coin de ce carrefour se dressaient des pancartes sur lesquelles quelqu'un avait tracé des visages stylisés et souriants. La voie du nord rejoignait l'autoroute 75 et la route de Nashville, mais un autre visage souriant indiquait que c'était aussi le chemin de l'hôpital du comté. La route du sud menait à Marietta ;

celle de l'ouest restait un mystère, seule une silhouette de poulet était dessinée à côté du visage souriant.

— Elle va où, celle-là ? demanda Cissy.

— À la rivière, répondit Delia. C'est une région de fermes. Celle de ton grand-père Byrd et de beaucoup de fermes-camions.

— C'est quoi, les fermes-camions ?

Delia haussa les épaules.

— J'en sais rien. Des fermes. On les a toujours appelées comme ça. Les fermiers se rendent peut-être sur les marchés dans des camions pour vendre leurs produits.

Elle se frotta la nuque.

— Il n'y a jamais eu beaucoup d'industries par ici. Surtout des fermes laitières et des élevages de poulets, et puis des champs d'arachide.

— Qu'est-ce que grand-père Byrd fait pousser chez lui ?

— De la poussière.

Delia grimaça un sourire forcé.

— Ça fait trente ans qu'il ne cultive plus rien. Il a élevé des chiens pendant quelque temps, de bons chiens de chasse, d'après ce qu'on dit. Mais ça réclame beaucoup d'énergie et il faut se déplacer pour aller parler aux gens. Il avait déjà épuisé ses réserves à l'époque où je me suis installée avec lui. Il vivait de ses économies et, quand j'ai terminé ma scolarité, de la vente de ses terres. Il ne doit plus rester grand-chose de la ferme.

Delia conduisait lentement et se frottait la nuque toutes les deux minutes. Elle montra le lycée de Cayro qu'elle avait fréquenté. Plus loin s'élevait l'hôpital en brique, qui avait remplacé celui qui avait brûlé. Cissy observait tout d'un œil morne. Delia fit brusquement demi-tour et retraversa Cayro en passant devant le tribunal et l'église méthodiste. Elle ralentit devant le parking de l'église, observa attentivement les lieux, puis rebroussa chemin vers le centre-ville.

— On va pas chez grand-père Byrd ?

Delia fit halte devant un petit magasin qui avait une vitrine sale et une enseigne d'un rose criard : le salon de beauté « Bee's Bonnet ».

— Si, on y va, dit-elle.

Elle se pencha dehors pour scruter la vitrine remplie de plantes mortes.

— J'ai travaillé ici avant la naissance de tes sœurs, dit-elle. Ça appartient à Mme Pearlman. Elle s'est toujours montrée gentille avec moi.

Quand elles s'arrêtèrent enfin devant la petite ferme, il était presque midi. La véranda poussiéreuse était vide, les fenêtres masquées par des rideaux d'un bleu passé. Delia resta assise, la main refermée sur son sac, et regarda autour d'elle avec de grands yeux sombres.

— Il a pas l'air d'être là, dit Cissy.

Delia secoua la tête.

— Il est là. Il est toujours là.

Le châssis de la moustiquaire s'ouvrit lentement. Un vieil homme sortit au soleil brûlant et leur lança un coup d'œil mauvais. Légèrement courbé, le menton projeté en avant, la chemise déboutonnée, il avait des cheveux gris hirsutes. Il descendit les marches avec hésitation. On aurait dit qu'il devait transmettre à chaque muscle l'ordre à exécuter. Mais, une fois en bas, il s'avança d'un pas ferme vers elles. Delia sortit de la voiture et resta plantée près de l'aile avant.

Il ne nous attendait pas, pensa Cissy quand il la scruta longuement, puis contourna la Datsun d'un vert crayeux.

— Elle est dans un drôle d'état, cette voiture, Delia.

Il s'essuya le visage avec sa manche.

Delia lui adressa un sourire indécis, s'approcha pour l'enlacer et laissa retomber les bras, comme vidée de son énergie. Et là, en pleine chaleur, elle se mit à pleurer. Le vieil homme tressaillit quand elle bascula vers lui et sanglota dans son cou. Sur le siège avant de la voiture, Cissy observait la scène, terrorisée. Elle n'avait jamais vu sa mère pleurer.

— Allons, calme-toi, maintenant, Delia ! dit grand-père Byrd.

Il lui caressa le dos d'une main. Ses articulations lui frappaient la colonne vertébrale comme un représentant frappe à une porte qu'il ne connaît pas. Avec une impatience muette, il reporta son attention sur Cissy, semblant espérer qu'elle viendrait s'occuper de sa mère. Cissy resta où elle était, remonta les jambes sur le siège et posa le menton sur ses genoux.

— Allons, Delia ! répéta le vieil homme.

Delia l'enlaça encore plus étroitement. Puis elle s'arracha à lui et s'essuya les yeux.

— Excuse-moi, dit-elle. Le voyage a été long. J'ai l'impression de ne presque pas avoir dormi depuis que nous sommes parties de Los Angeles.

Elle regarda en direction de la voiture.

— Cissy, viens ici.

Cissy soupira et descendit. Elle était cruellement consciente du spectacle qu'elle devait offrir avec ses cheveux épars sur son visage brûlé par le soleil, ses vêtements froissés couverts de poussière.

— Bonjour ! dit-elle prudemment.

Le vieil homme se tourna vers elle, avec l'expression distante et sévère d'un parfait étranger.

— Petite.

Il lui adressa un bref signe de tête, puis fit quelque chose de rigolo avec sa bouche : sa lèvre inférieure s'abaissa et s'aplatit.

— Reurrrk.

Ce n'était pas tout à fait un grognement. Il s'agissait peut-être d'une expression du Sud, une formule de bienvenue en usage à Cayro, mais Cissy n'y croyait pas trop.

— Je n'étais pas sûre qu'on allait y arriver.

Delia repoussa ses cheveux en arrière. Elle semblait presque ivre de soulagement.

— Je te jure, grand-père. On aurait dit qu'on faisait la course avec le destin. J'avais l'impression que le sol allait s'ouvrir pour nous avaler si je ne revenais pas le plus vite possible. Je me disais que tu ne serais peut-être pas là.

Elle leva les yeux vers le ciel vide, au bleu blanchâtre.

— Où tu voulais qu'je sois ?

La voix de grand-père Byrd était un murmure grinçant, irrité. On aurait dit qu'il avait perdu l'habitude de parler à quelqu'un.

— J'cours pas la région. J'me trouve toujours ici.

— Je sais, je sais.

Delia se passa de nouveau les mains dans les cheveux et agrippa le bas de son crâne.

— C'est fou, hein ? J'avais l'impression que même Cayro ne serait plus là. Comme dans ces horribles émissions de télévision où les gens et les endroits disparaissent sans crier gare, et où on croit devenir dingue.

Ses mains retombèrent.

— Personne ne dit jamais à quel point c'est long de traverser tout le pays au volant.

— J'ai pas d'poste de télévision, répondit grand-père Byrd. J'sais pas d'quoi tu parles.

— Oui, bien sûr, dit Delia. C'est pas grave. Ça va, maintenant. Je suis fatiguée, c'est tout.

Elle se tourna vers la maison.

— Et je suis sale. Laisse-moi prendre une douche et préparer du thé.

Elle baissa les yeux sur ses sandales poussiéreuses.

— Tu veux du thé, grand-père ?

Le vieil homme secoua la tête.

— J'ai besoin de rien. Va te laver. Et fais attention avec la douche. Les tuyaux sont inversés, l'eau froide coule au robinet d'eau chaude.

Delia lui sourit largement.

— T'as jamais arrangé ça ? Depuis le temps, t'as jamais arrangé ça ?

Il haussa les épaules.

— Qu'est-ce qu'y a à arranger ? Ça marche.

Avec hésitation, Delia ouvrit la contre-porte et entra, paraissant redouter que le sol ne se dérobe. Cissy se mordit les lèvres. Grand-père Byrd s'assit sur les marches et attrapa un paquet de tabac Sharpe dans la poche de sa chemise, sans prendre la peine de s'installer plus haut, à l'ombre de la véranda. Cissy s'assit à côté de lui. Elle essaya de se faire toute petite et de ne pas déranger, mais elle avait envie d'observer ce bonhomme.

Grand-père Byrd lui lança un coup d'œil en coin. Cissy baissa la tête et garda les yeux fixés sur le paquet de tabac. Rien de ce qu'évoquait le mot « grand-père » ne semblait correspondre à ce reptile au visage anguleux. Il avait les doigts fins et longs, avec de grosses articulations noueuses, et des ongles noirs et abîmés. Tandis qu'il travaillait le papier à rouler, elle remarqua que sa main gauche, raide, était animée d'un mouvement régulier, alors que la droite était ferme. Il ne fit pas tomber une seule fibre de son tabac brun rougeâtre et friable. Sa technique était d'appliquer le papier contre sa main ferme et de le rouler habilement avec les doigts de la gauche tremblante. Il procéda lentement, avec grand soin, et la cigarette peu tassée qu'il confectionna s'alluma sans difficulté.

— Pas mal ! dit-elle d'un air admiratif.

— Reurrrk.

C'était un langage à lui. Il attrapa la cigarette de la main gauche et Cissy se demanda brièvement pourquoi il ne se servait pas de la droite.

La voix de Delia se fit entendre dans la maison.

— Cissy, tu veux quelque chose ?

— Non !

Elle inclina la tête et scruta de nouveau la main droite, qui tenait toujours le paquet de Sharpe. Il y avait là quelque chose d'étrange. Les longs doigts maigres aux articulations enflées étaient tous rigoureusement alignés, bien carrés. Cissy étendit la main sur sa cuisse et nota immédiatement la différence. Son propre majeur dépassait ses voisins de plus d'un demi-centimètre. La main droite de grand-père Byrd avait des doigts de la même longueur, les ongles des trois du milieu à la hauteur de celui de l'auriculaire. Il manquait au moins une jointure à chacun.

Cissy leva les yeux sur le visage de grand-père Byrd. Il croisa son regard. Elle rougit d'embarras. Ces doigts n'avaient pas été amputés car leurs ongles étaient intacts.

Non, grand-père Byrd était né sans ces jointures et voilà qu'elle avait braqué les yeux dessus. Elle baissa la tête. Elle n'avait pas voulu lui faire de peine, elle ne pouvait pas savoir.

Cissy referma les poings et fixa le visage d'Indien dessiné sur le paquet de tabac.

— Il te ressemble, dit-elle, d'une voix trop aiguë pour être naturelle. Il est exactement comme toi.

— Pfff !

Grand-père Byrd se servit d'un de ses doigts courts pour chasser des brins de tabac sur sa lèvre inférieure.

— Ne fais pas l'idiote.

Son ton était égal, son expression indifférente. Cissy se rappela alors ce que Delia avait dit, qu'il était déjà vieux quand il l'avait recueillie. Quel âge avait-il à présent ?

Après avoir fumé sa première cigarette jusqu'au bout, il prit son temps pour en rouler une autre. Cissy restait assise là, ne pouvant ni regarder ses mains ni regarder ailleurs. Elle ne cessait de le comparer à l'Indien du paquet. Au-dessus du visage peint, les plumes de la coiffure étaient grosses et effilées, comme des cigares non fumés. Le visage lui-même était anguleux et ombré pour attirer l'œil. L'Indien était beau, avec ses pommettes saillantes et ses yeux d'un bleu-gris pâle. Grand-père Byrd n'était pas beau. Il avait les joues et les yeux enfoncés comme les visages de momies dont Randall lui avait montré des photos en revenant d'un voyage au Mexique.

« C'est tellement sec, là-bas ! lui avait-il dit. C'est tellement desséché et poussiéreux que les morts se ratatinent et durent indéfiniment. Ils se transforment en statues qu'on dresse contre les murs des caves, près des missions. Ça vaut le spectacle, de voir tous ces morts alignés avec la même figure tragique, bouche ouverte. Ça fait réfléchir. On se dit que la vie est précieuse. »

Grand-père Byrd n'avait pas l'air de trouver sa vie précieuse. Il paraissait impatient d'en finir. Un mort ambulant.

Cissy étudia les petites verrues dans les sillons et les plis qui couraient sur son cou. Elle frémit. Il est affreux, pensa-t-elle, affreux et plus vieux que le Bon Dieu. Elle attendait qu'il dise quelque chose, mais il ne le fit pas. Il observait. Il avait une telle manière d'observer qu'il vous donnait l'impression que ses yeux étaient ceux du monde – un monde infiniment cruel. Je sais qui tu es, semblaient dire ses yeux, tandis que ses lèvres restaient serrées, plates et minces. Je sais des choses que tu ignores. Je sais que le monde est froid et méchant.

Cissy sentit remuer ses boyaux. La peur lui titillait le ventre. L'embarras qu'elle avait ressenti tout à l'heure, le petit brin de pitié s'étaient progressivement évaporés et transformés en colère. Ce vieux bonhomme l'avait traitée d'idiote. Il avait repoussé Delia exactement comme il aurait repoussé un chien galeux. Et maintenant, il regardait droit devant lui, il l'ignorait. Le mépris s'échappait de lui comme la chaleur s'élevait encore du capot de la Datsun.

Horrible vieux bonhomme, pensa Cissy sans que sa colère ne couvre tout à fait sa peur. Elle gardait la tête baissée, ne voulait pas que ces yeux la voient, que cette langue caustique lui parle. Delia lui avait dit qu'il était dur mais juste. Non. Il était méchant, seulement méchant.

« Il a mené une vie dure », avait dit Delia.

C'était grand-père Byrd qui paraissait dur. Aussi dur que la terre rouge, nue, craquelée, devant la maison, une sorte de dureté qui ne fait que se renforcer avec l'âge. Lui, il n'avait pas de fêlure. Il était tout d'une pièce, ce vieux bonhomme, un morceau de silex.

Les mains de grand-père Byrd chiffonnaient sans arrêt ce paquet de tabac. Son regard alla se perdre à l'horizon, puis revint se poser sur la Datsun de Delia. Jusqu'ici, il s'était davantage intéressé à la voiture qu'à ses passagères. Dans la cuisine, Delia fit des petits bruits, cliquetis d'un verre, giclée de liquide, ouverture et fermeture d'un placard. Une légère brise souleva la poussière et en cribla les marches. La langue de grand-père Byrd jaillit pour passer sur ses lèvres.

Un lézard, pensa Cissy. Grand-père contemplait la Datsun, semblait réfléchir au moyen de les y embarquer et regretter la tranquillité qu'il avait chérie avant leur arrivée. L'air lugubre, Cissy se releva et traversa le terrain nu, devant la maison. Elle entendit claquer les chaussures de Delia sur la véranda. Sa mère sortit de la cuisine et vint s'asseoir à côté de grand-père Byrd, qui s'écarta de quelques centimètres.

— Tu es sûr que tu ne veux rien ?

La voix de Delia était plus douce. Sa peau luisait, ses cheveux étaient coiffés en arrière, le col de son chemisier était ouvert et humide. Elle avait presque l'air d'une jeune fille.

Grand-père Byrd la dévisagea un instant, puis racla bruyamment sa gorge graillonnante et cracha.

— Pourquoi t'es revenue ?

Delia prit une profonde inspiration.

— Les petites, murmura-t-elle. Je veux voir mes petites.

Cissy se rendit soudain compte que sa mère était très maigre, tout en os et en angles. Ses genoux et ses coudes ressortaient. Assise là à côté de grand-père Byrd, elle ressemblait à un personnage de bande dessinée, un squelette de Halloween en jupe courte et chemise.

— T'as déjà parlé à Clint ?

Cissy s'approcha du pare-chocs de la Datsun. Elle entendit un claquement dans le moteur en train de refroidir, et un cliquetis sur les marches quand Delia posa son verre.

— Non-on.

On aurait dit que la brise, et non pas Delia, avait étiré le mot. L'expression lumineuse, fraîche d'espoir, disparut.

Grand-père Byrd toussa avec colère. Cissy vit les couleurs se retirer du visage de Delia. Elle avait encore plus mauvaise mine que dans le restaurant.

— Non-on, répéta-t-elle.

Ses yeux se posèrent sur Cissy. Ils étaient un soupçon plus clairs que ceux de grand-père Byrd, mais pouvaient eux aussi se faire durs. Maintenant, ils étincelaient à la façon du schiste qui jette des éclairs sous les corniches des montagnes anciennes. Le creux de sa gorge perlait de sueur et battait sous l'action de la chaleur. Ses muscles jouèrent lorsqu'elle déglutit, mais elle n'en dit pas plus.

— Tu peux pas éviter ce type, Delia. Surtout si tu veux voir les petites.

Grand-père Byrd ne semblait pas remarquer l'effet de ses paroles sur Delia, qui se recroquevillait sur elle-même. Il s'exprimait comme un prédicateur, pensa Cissy. Randall l'avait toujours mise en garde contre les prédicateurs, des hommes qui parlaient comme s'ils avaient la Bible étalée sur le sternum, comme si la vérité divine était un rasoir sous leur langue. Le père de Randall avait été prédicateur.

« Et c'était un vieux bonhomme cruel, disait-il. Il est mort en faisant porter le poids de ses péchés à ses enfants et à sa femme, ma mère, qui était pourtant la femme la plus douce du monde. Ce type l'a précipitée dans la tombe. Je t'avertis, ne fais jamais confiance aux prédicateurs, mon petit bouchon, ne les laisse pas te mettre le grappin dessus. Il faut rester à distance de ces langues de vipère. »

— Tu vas bien être obligée de lui parler, reprit grand-père Byrd d'une voix râpeuse.

Il gardait les yeux fixés droit devant lui, comme si Delia se trouvait dans la cour et non juste à côté de lui.

— J'sais pas.

Delia attrapa son verre et le fit jouer sur la marche.

— J'crois pas que Clint voudra forcément me voir.

Elle avait la tête penchée. La poussière retombait sur ses cheveux, sa jupe, ses bras nus et ses mollets.

— Clint est toujours ton mari.

Grand-père Byrd dévisagea alors Delia.

— Il n'a pas décidé de divorcer ; si ? Non, il a tenu l'coup pendant tout le temps où tu étais partie. Et, comme tout le monde, il a entendu parler de c'que tu avais fait.

Sa main estropiée ébaucha un signe en direction de Cissy.

— Quand il apprendra ton retour, il s'attendra sûrement à c'que t'ailles le voir.

— Ça, je n'en sais rien.

— Delia !

Ils se faisaient face désormais, le corps raide, les yeux dans les yeux. Cissy vit Delia s'éloigner lentement du vieil homme, en biais, elle vit ses épaules se voûter et s'affaisser. Elle rapetissait de plus en plus, mais elle ne détourna pas la tête, ne baissa pas les yeux. Elle craquerait peut-être, mais ne s'adoucirait pas. Une légère vibration parcourut la longue carcasse de grand-père Byrd, de son cou parcheminé à ses genoux osseux, tandis qu'il joignait les mains devant lui et rentrait les coudes dans son corps, comme une mante religieuse. Rien en lui ne se portait vers Delia.

— Il faut que tu parles à Clint.

Toujours cette voix de prédicateur.

Cissy se retourna et s'accroupit sur l'aire grossièrement goudronnée. Elle observa une file de fourmis qui contournaient un fragment de verre chauffé au soleil. Derrière elle, la voix de Delia était étranglée de souffrance.

— Grand-père, non, je t'en prie. Tu sais que Clint ne va pas me laisser voir mes petites.

— Et comment tu espères les voir si tu vas pas le trouver ?

Delia se balança d'avant en arrière sur les marches de la véranda.

— J'espérais que tu m'aiderais, répondit-elle. Je me disais que tu pourrais parler à Clint.

— Qu'est-ce que j'ai à lui dire, à ton avis ?

Grand-père Byrd cracha une nouvelle fois.

Cissy considéra l'endroit où son crachat avait atterri dans la poussière. La marque était à peine visible. La terre ressemblait à une poudre grise mais elle était dure.

— Delia ! Tu m'as jamais écouté. J'vois pas pourquoi tu commencerais maintenant. Mais tu devrais. Tu devrais.

Grand-père Byrd fit rouler son paquet de tabac entre ses paumes.

— T'as épousé ce type. Clint Windsor était peut-être un salaud, mais y a beaucoup de salauds dans l'coin. C'est celui-là que t'as épousé. T'as eu des enfants avec lui. Et puis t'as filé et tu l'as planté là, comme si t'avais aucune intention de revenir.

Delia se couvrit la bouche d'une main. L'autre resta cramponnée à ses tibias.

Grand-père Byrd lança un regard mauvais en direction de Cissy.

— Merde ! dit-il. Tu peux pas t'amener comme ça à Cayro et croire que t'obtiendras c'que tu veux. Y a personne dans ce comté qui pense que t'as l'droit d'récupérer ces petites. Personne.

Il se releva lentement, se redressa – il semblait souffrir – et, une fois debout, grogna.

— Tu ne veux pas m'aider ? demanda-t-elle, si bas qu'il aurait pu faire semblant de ne pas entendre.

— Non.

Il s'arrêta. Sans se retourner, il ajouta :

— Va trouver les Windsor. C'est eux que tu devrais aller voir. Mets-toi à genoux et raconte à ces petites ce que tu as fait pendant toutes ces années. Ne viens rien me raconter à moi.

Cissy grinça des dents et ramassa une pierre. Delia était assise et se balançait tandis que grand-père Byrd traversait la véranda et franchissait la porte. Si elle n'avait pas été aussi en colère contre Delia, Cissy aurait pu courir après le vieux bonhomme, se jeter sur lui et hurler toute la souffrance qu'elle sentait grandir dans le corps de sa mère.

— Cissy ! Il faut qu'on s'en aille.

Delia se leva brusquement et se dirigea vers la Datsun.

Cissy écrasa une file de fourmis sur le goudron brûlant de l'ancienne allée, jeta la pierre de côté et monta dans la voiture à la suite de Delia.

4

À peu près au moment où Delia quittait la maison de grand-père Byrd, Marjolene Thomasina Jackson s'arrêtait dans l'allée de celui qui était depuis peu son ex-mari, Paul. En six trajets, M.T. avait transporté ses affaires jusqu'à son nouveau domicile, près du lycée. Il restait encore un peu de vaisselle et des rideaux, mais c'étaient les pieds-d'alouette qui la retenaient, des plants coupés, prêts à être repiqués, et la caisse d'outils de jardinage posée à côté.

— Les rideaux et la vaisselle sont faciles à remplacer, dit-elle à Sally, sa sœur. Mais pas question que je laisse mes plants à Paul et à ce qu'il va ramener à la maison.

Elle traversa donc la ville une septième fois, sans Sally, qu'elle abandonna en train de trier des cartons et d'aider les jumelles, Ruby et Pearl, à arranger leur nouvelle chambre. Elle ne voulait pas que sa sœur voie de quelle manière elle avait l'intention d'arranger la plate-bande située devant ce qui était maintenant, légalement, la cuisine de Paul.

M.T. était une femme imposante, musclée sous les moelleux bourrelets de chair. Elle sourit largement lorsqu'elle emporta sa bêche jusqu'aux hautes tiges des pieds-d'alouette et les réduisit en une bouillie gris-vert.

— Ce type a eu douze ans de ma vie. Il pense qu'il a pris le meilleur. Sale con.

Elle coupa, arracha les plantes et déversa sur ces pousses vertes tant aimées toute la rage qu'elle n'avait pas dirigée contre Paul.

— Salaud ! jura-t-elle. Imbécile. Ça lui apprendra !

Une fois qu'elle eut terminé, elle avait les yeux pleins de larmes, mais elle était satisfaite.

Quelque chose repoussera peut-être, mais ça ne sera pas joli, se dit M.T. en se dirigeant vers la voiture.

Elle essuyait sa joue sale et étirait son dos douloureux quand une Datsun verte s'engagea dans l'allée.

Plus tard, M.T. dirait qu'elle les avait immédiatement reconnues – sa meilleure amie, qu'elle avait perdue, et sa fille, à côté d'elle. Mais Delia, en sueur, le cœur brisé, maigre et désespérée, ne ressemblait pas à la jeune fille que M.T. avait aimée. L'espace d'un instant inavouable, M.T. crut que la femme qui remontait l'allée était l'une des stupides petites amies de Paul, et l'enfant assise à côté d'elle l'un de ses nombreux bâtards. Dieu lui en était témoin, ce bonhomme la trompait depuis bien assez longtemps pour ça. Cette femme venait peut-être réclamer à M.T. un arrangement honorable, sachant qu'elle ne pourrait jamais l'obtenir de Paul. Si une femme légitime était aussi mal traitée, à quoi pouvait s'attendre une maîtresse ? Puis Delia tourna la tête vers M.T. et leurs regards se croisèrent.

— Nom de Dicu ! s'écria M.T. avant de lâcher sa bêche. Delia ! hurla-t-elle en courant vers la voiture.

Delia ouvrit la portière et elles se tombèrent dans les bras pendant que Cissy essuyait la sueur de ses yeux et priait pour que quelqu'un lui donne une boisson bien fraîche.

— Nom de Dieu, Delia ! Nom de Dieu !

M.T. secoua légèrement Delia et éclata en sanglots.

— Nom de Dieu ! ne cessait-elle de répéter, et ces mots étaient doux et respectueux, une vraie prière d'action de grâce.

Delia ne prit la parole qu'une fois. Elle prononça le nom de M.T., puis se mit à sangloter.

— Une minute plus tard, dirait ensuite M.T., une minute plus tard, et je serais repartie. Delia était dans un état, vous pouvez pas savoir ! Elle était presque paumée. Elle n'était presque plus elle-même.

C'était vrai. Si M.T. ne s'était pas arrêtée pour détruire son jardin, elles auraient pu se louper. Ç'aurait été terrible parce que Delia n'était pas presque paumée. Elle était complètement paumée. Quelque part, sur la courte distance qui séparait la maison de grand-père Byrd de celle de M.T. et Paul, Delia avait perdu la partie d'elle-même qui pouvait se battre, régler ses problèmes et faire ce qui s'imposait. La Delia qui s'effondra dans les bras de M.T. était une enfant brisée.

— Serre-moi fort ! murmura Delia à sa vieille amie.

M.T. la prit au mot, l'enveloppa comme une poupée de chiffons, lui embrassa le visage en le mouillant de larmes. Pendant plusieurs minutes, M.T. ne lâcha pas Delia, une main toujours sur son épaule tandis que l'autre se tendait vers la joue de Cissy.

— Oh ! regardez un peu ! déclara M.T. Regardez un peu la fille de Delia !

Quand Cissy fronça les sourcils et fit retomber ses cheveux sur ses yeux, M.T. se contenta de rire et les entraîna toutes les deux jusqu'à son nouveau domicile – une entreprise plus difficile qu'il n'y paraissait à première vue car, tout à coup, Delia semblait ne plus savoir conduire.

— Ne t'inquiète pas, dit M.T.

Et elle les embarqua dans sa vieille Buick. Elle plaça une caisse sale de boutures sur les genoux de Cissy et cala Delia contre son épaule, sur la banquette avant.

Il faudrait des années à Cissy pour apprendre tout ce qu'il y avait derrière l'amitié de Delia et M.T. – rivalités, ressentiments, mais aussi assistance et véhémente loyauté. Finalement, elles évoquèrent la fois où M.T. avait caché Delia dans son bungalow de lune de miel et cette terrible nuit, en 1978, où un seul coup de fil passé à Delia eut pour résultat un chèque signé par Randall, sans la moindre question. Mais de toutes les choses qui se passèrent ce jour-là, celle que Cissy ne devait jamais oublier fut l'accueil que M.T. leur réserva, la joie peinte sur son visage quand elle reconnut Delia et la manière pragmatique dont elle les accepta chez elle. Lorsqu'elles arrivèrent, la voix de M.T. sonna comme une cloche. Elle les extirpa de la Buick et les montra à sa sœur comme s'il s'agissait de chiots primés.

— Regarde ! Regarde ! beugla-t-elle. Regarde qui est là ! C'est ma meilleure amie, la meilleure amie que j'aie au monde. Ma Delia est revenue.

M.T. envoya Sally récupérer l'autre voiture pendant qu'elle couchait Delia dans son propre lit.

— Tu as besoin de repos, dit-elle fermement.

Elle entraîna Cissy dans la cuisine à moitié installée, lui servit du poulet froid et des petits épis de maïs au vinaigre sur des tranches de pain de mie, et la questionna sur la longue traversée du pays.

— Je suis désolée pour ton papa, dit-elle quand Cissy évoqua la mort de Randall. Je ne l'ai jamais rencontré, mais je sais ce que ça fait de perdre quelqu'un qu'on aime.

Cissy regarda le visage large, doux de M.T. et eut soudain envie de pleurer. Son papa était mort. Son papa était mort et elle était coincée au bout du monde.

— Tout va bien.

M.T. contourna la table et attira la tête de Cissy sur son ventre.

— Ça va aller, mon chou. Ta maman et moi, nous allons nous occuper de tout.

Elle murmura d'une voix apaisante pendant que Cissy sanglotait furieusement quelques instants. Quand elle se mit à hoqueter, M.T. prit un gant mouillé et s'accroupit pour lui essuyer le visage.

— Tout va très bien se passer. Nous allons bien nous occuper de toi, ma chérie. Très bien.

Cissy retint son souffle. Ses larmes étaient déjà pénibles, mais les hoquets étaient humiliants. Derrière la masse que formait M.T., elle apercevait deux petites filles qui l'observaient du seuil de la cuisine.

— Excuse-moi, dit Cissy.

— Tu n'as pas à t'excuser.

M.T. était placide et bien plantée sur le sol. Elle se releva sans effort et jeta le gant de toilette sur une pile de linge, près de l'évier.

— Tu as perdu ton père et tu viens de parcourir tout le pays en moins de temps qu'il n'en faut à la plupart des gens pour traverser cet État. À mon avis, quelques larmes sont normales. Plus que quelques-unes, même, et ici tu pourras pleurer tant que tu voudras. Je suis moi-même sensible et mes filles aussi.

Elle désigna les jumelles.

— Je me demandais où vous étiez. Cissy, je voudrais te présenter mes trésors, Ruby et Pearl.

M.T. attira ses deux filles contre ses hanches. Elles étaient aussi maigres qu'elle était grosse, avec un visage étroit, un menton pointu, des cheveux châtain foncé, coupés à la Jeanne d'Arc, dégageant les oreilles. Ce n'étaient pas de vraies jumelles, même si elles avaient la même taille et le même teint. Elles avaient facilement quatre ans de plus que Cissy, c'étaient de grandes filles, des adolescentes, et elles étaient loin d'avoir le bon caractère de leur mère. Ruby était la plus éveillée des deux. Ses yeux réglèrent leur tir sur Cissy comme deux fusées près de décoller.

— Ton père était guitariste, hein ? lança-t-elle. Il était célèbre, hein ?

— Il était célèbre, hein ? répéta Pearl en écho.

Cissy ouvrit la bouche, puis hésita. Delia lui avait expliqué que Randall était loin d'être aussi célèbre qu'il l'aurait aimé et que Mud Dog était juste assez connu pour s'en sortir à peu près. Mais, à voir l'expression qui animait l'œil de Ruby, elle comprit qu'elle n'oserait rien dire de tel.

— Un petit peu, répondit-elle. Il est mort.

Ruby donna un coup sur le bras de sa sœur.

— C'est triste.

— C'est triste, confirma Pearl avec un signe de tête.

Ruby regarda Cissy de haut en bas et sourit.

— Bon, t'en fais pas, dit-elle. Bienvenue en Géorgie, Cissy Byrd. Ce que maman ne te dira pas, nous, on te le dira. On te dira tout sur Cayro.

— Tout, renchérit Pearl.

— Ah, ces enfants ! s'exclama M.T. en riant. Pourquoi n'allez-vous pas montrer votre chambre à Cissy ?

Un petit frisson de frayeur parcourut Cissy. Elles n'allaient pas lui être d'un grand secours.

— Les vraies amies s'occupent l'une de l'autre, dit M.T. ce soir-là, après avoir vérifié pour la douzième fois comment allait Delia, épuisée. Les vraies amies ne s'oublient pas. Ta maman et moi, on est de vraies amies.

Cissy l'observait d'un air engourdi. Elle trouvait fatigant et effrayant de compter autant pour quelqu'un qu'elle connaissait à peine.

— Seigneur, petite, pourquoi est-ce que tu n'es pas encore couchée ? s'écria soudain M.T.

Elle emmena Cissy dans la chambre, la borda dans l'étroit lit à colonnes de Pearl et l'embrassa sur le front. Cissy ferma les yeux avec reconnaissance et pria pour que le sommeil vienne.

— T'habitais à Hollywood ? murmura Ruby dans l'autre lit.

Pearl mit son grain de sel :

— Comment c'est, Hollywood ? Les gens sont vraiment riches, là-bas ?

Cissy faillit gémir tout haut.

— Est-ce que tu connaissais des gens célèbres, des vedettes de cinéma, tout ça ?

Ruby se redressa sur un coude. Les deux filles couchaient tête-bêche. Quand Pearl s'assit, une seconde plus tard, Cissy eut l'impression de se trouver au tribunal.

— Non, dit-elle. Y avait pas de vedettes de cinéma.

— J'ai entendu dire que ton père avait un vieux car génial, énorme, qui a pris ta mère en stop et que c'est comme ça qu'ils se sont rencontrés. Ton père te laissait voyager dans le car ?

Cissy ferma les yeux. Elle était rarement montée dans le car mais n'allait pas l'avouer à Ruby et à Pearl. Elle essaya de penser à quelque chose qui satisferait leur curiosité, mais rien ne lui venait à l'esprit. Tout ce qui avait compté pour elle, c'était son père, c'était passer du temps avec lui ; mais Delia ne l'avait pas souvent laissée aller chez lui ces dernières années.

Comme Cissy ne leur répondait pas du tac au tac, Ruby et Pearl perdirent vite patience. Sa présence, qui les forçait à partager un lit, les ennuyait déjà. Quel besoin avaient eu Cissy et Delia de débarquer dans leur nouveau domicile, de tout mettre sens dessus dessous et d'affoler leur mère ?

— Pourquoi est-ce que les célébrités ont toujours des gosses aussi stupides ? demanda Ruby, les yeux au plafond, feignant de ne s'adresser à personne en particulier.

Pearl s'en donna elle aussi à cœur joie :

— Ouais, et puis on dirait qu'il y en a des quantités phénoménales qui se tuent tout le temps.

— J'ai aussi entendu dire ça.

Cissy se passa la langue sur les dents. Le bord acéré de ses molaires la rassura. Elle pivota sur une hanche et regarda en direction de Ruby.

— C'est quoi, le vrai nom de ta mère ? Elle n'a pas de vrai nom ? Et pourquoi elle vous a donné ces fichus prénoms idiots ?

— J't'interdis de dire des trucs sur ma mère ! riposta Ruby d'une voix sifflante.

Pearl parla plus haut que sa sœur :

— Ouais ! Ne dis rien sur maman !

— Oh ! je l'aime bien, votre mère, dit Cissy.

Elle porta le pouce à sa lèvre inférieure qu'elle frotta d'un air pensif.

— Je vous assure. Mais vous trouvez pas ça un peu fort ? Ruby et Pearl, les petits bijoux à maman ?

— T'es une garce, dit Ruby.

— Pire que ta mère, ajouta Pearl.

— Crâneuse !

Ruby retomba dans le lit.

— Prétentieuse, confirma Pearl.

Elle s'allongea à côté de Ruby. Pendant un moment, les jumelles regardèrent Cissy de travers, puis, ensemble, lui tournèrent le dos.

Je veux rentrer à la maison, pensa Cissy. Mais elle n'avait pas de maison. Avec obstination, elle mordit dans la taie d'oreiller en coton. Elle ne pleurerait pas. Elle écouta Ruby et Pearl, qui murmuraient tout bas, de sorte qu'elle ne comprenait pas ce qu'elles disaient. Quand elles se turent, Cissy changea de position et plaça l'oreiller entre elle et l'autre lit, comme un bouclier.

Peut-être que si M.T. n'avait pas été là, Delia ne se serait pas complètement effondrée. Elle s'y sentait en quelque sorte autorisée, du fait que M.T leur préparait du steak pané, avait inscrit Cissy à l'école et les avait emmenées en ville acheter quelques vêtements. Ce fut M.T. qui leur trouva une maison, près de la rivière. Elle appartenait à Richie, qui travaillait avec elle au rayon viande du supermarché A & P. Elle ne révéla pas à Delia quels trésors de persuasion elle avait dû déployer pour leur faire obtenir cette maison.

— J'sais pas, dit l'homme. C'est pas la bonne femme qui a filé en abandonnant ses filles ?

— C'est ma meilleure amie, la plus vieille, jura M.T. Et tu me connais, Richie. Si je te dis que tu peux lui faire confiance, tu peux.

— M.T., tu es vraiment d'une bêtise incroyable. Ça, c'est sûr. Et tu réussiras pas à me convaincre de louer quoi que ce soit à une bonne femme qu'est pas capable de s'occuper de ses propres enfants. Surtout pas ma vieille maison.

— Oh ! Richie, tu plaisantes !

M.T. battit des paupières, sourit et minauda tellement qu'elle eut l'impression que son visage allait se décomposer. Finalement, Richie lui loua la maison à son nom, pas à celui de Delia, et lui fit jurer qu'il n'aurait jamais besoin de rencontrer cette femme, ni de venir effectuer les réparations en cas de problème.

— Ma femme va m'étriper, dit-il d'une voix plaintive.

— Elle sera ravie d'avoir l'argent, le rassura M.T. en espérant que Delia avait des économies planquées quelque part.

À deux reprises, au cours de ses dix ans d'absence, Delia avait envoyé un chèque quand M.T. le lui avait demandé, sans poser de question ni parler de remboursement. Mais, chaque fois que M.T. avait évoqué le sujet de l'argent depuis qu'elle avait retrouvé son amie devant chez Paul, Delia s'était mise à pleurer, comme si elle ne possédait rien de plus que la petite liasse que M.T. avait déjà vue dans son sac. Ce n'était pas possible, se dit M.T. Elle toucherait de l'argent tôt ou tard. Delia ne pouvait pas avoir quitté la Californie avec si peu de ressources après tout ce temps passé là-bas.

Ça prendrait quelques week-ends pour la nettoyer, dit M.T. lorsqu'elle emmena Delia et Cissy voir la maison de la rivière, mais l'endroit serait agréable. Quand M.T. commença à ouvrir les fenêtres et à épousseter, Delia s'assit sur une chaise dans la cuisine. Elle se leva par deux fois, fit mine d'aider, puis se rassit avant d'avoir accompli la moindre tâche. Au bout d'un moment, elle cessa même de se lever et se contenta d'observer M.T., qui, tout en bavardant, balaya toute la maison.

— Nous allons demander à ma sœur de nous aider, promit-elle à Delia. Elle va retaper cet endroit en un clin d'œil.

Mais Sally était trop affairée pour venir. Les semaines s'étirèrent et devinrent un mois.

Chaque fois que M.T. trouvait Delia en train de pleurer dans son lit, elle compatissait en hochant la tête. Elle avait ressenti la même chose quand Paul s'était mis à fréquenter cette danseuse d'Augusta, sauf que personne n'avait été là pour elle au moment où elle s'était effondrée.

— Parfois, une femme a seulement besoin d'un peu de temps, dit-elle à Cissy, laquelle lui répondit par un « Reurrrk » puis observa sa mère qui se collait un oreiller sur la tête et remontait les genoux vers sa poitrine, tel un bébé pelotonné dans son berceau.

Elle se dit qu'elle apprenait le langage de la famille, « reurrrk », mépris et sarcasme. Delia pouvait pleurer. Cissy n'osait pas. Elle s'en était déjà sortie, pendant ses premiers jours à l'école primaire de Cayro, à force de détermination, de lèvres pincées, en ignorant les murmures et les élèves qui la montraient du doigt.

Non, Cissy n'osait pas se détendre, n'osait desserrer ni les poings ni les lèvres. Elle commença à se ronger les ongles et à s'arracher des peaux mortes déchiquetées. Elle allait en classe parce qu'elle ne voyait pas comment elle aurait pu y couper et que c'était mieux que de rester à la maison avec Delia qui pleurait au lit, Ruby et Pearl qui saisissaient toutes les occasions de se moquer d'elle, et M.T. qui lui caressait distraitement la tête en allant chercher un Kleenex ou un verre d'eau pour Delia. Cissy avait l'impression que ses nerfs avaient percé sa peau et se retrouvaient exposés aux regards. Elle dormait en formant une petite boule serrée – sous le lit depuis que les deux filles l'avaient aspergée d'eau en pleine nuit – et marchait les bras croisés sur la poitrine. Elle rabrouait même les rares personnes qui essayaient d'être aimables, deux autres nouvelles, dans sa classe, et les professeurs qui prononçaient son nom « Cessé ». Si Delia pleurait, Cissy, elle, disparaissait.

Les pochettes de disques circulaient à l'école, *Diamond and Dust*, avec sa vue panoramique des hauteurs de Hollywood, et l'album original *Mud Dog / Mud Dog*, avec le car surchargé de drapeaux et de fleurs. Partout où elle allait, Cissy était confrontée au groupe de son père, à des garçons qui lui demandaient si elle avait déjà pris de la drogue, à des filles qui lui chantaient quelques mesures d'une musique qu'elle ne connaissait pas vraiment et des paroles que Delia ne lui avait jamais permis d'écouter. Tout le monde savait comment elle s'appelait, comment s'appelait sa mère, connaissait tout sur Randall, sur le groupe, la Californie et plus encore – tout sur Clint Windsor et sur les sœurs qu'elle n'avait jamais vues. Elle se mit à porter en permanence ses lunettes teintées, non pas pour se protéger de la lumière mais pour écarter des questions qu'elle ne savait pas comment éluder.

Le premier jour, propulsée en cours moyen pour le dernier mois d'école, Cissy resta assise au fond de la classe, imperturbable, les yeux cachés derrière ses verres épais. Quand l'institutrice lui demanda de « venir parler à toute la classe de la Californie », Cissy se tint avec raideur au tableau tandis que tous les élèves braquaient leur regard sur son visage sévère.

— La Californie est le trente et unième État. Sa capitale est Sacramento, dit-elle avant de retourner à sa place.

Marty Parish se pencha par-dessus son pupitre quand la cloche sonna.

— T'es culottée, hein ? dit-il.

Il porta le regard vers son cahier ouvert qu'elle protégeait de sa main. Elle avait écrit « Cayro » sur toute la moitié de la page.

— T'as le don de ta mère ? lui demanda-t-il. Tu chantes des chansons cochonnes en remuant le derrière ?

— Laisse-moi tranquille.

— Dis donc, tu m'as l'air de savoir pas mal de choses. Tu pourrais m'en apprendre, hein ?

Un petit groupe s'était rassemblé entre Cissy et l'institutrice, qui fouillait dans un tiroir de son bureau, au bout de la salle. Les garçons, un grand sourire aux lèvres, et une fille nerveuse, au visage large, avaient l'air pleins d'espoir comme s'ils s'attendaient à ce que Cissy se mette à pleurer ou se sauve.

— Il paraît que les femmes de ta famille se débrouillent bien, dit Marty avec un regard salace. Même vachement bien. J'ai entendu dire que ta sœur Dede était vraiment un bon coup.

Cissy se força à se lever. Lentement, elle coinça son cahier entre son coude et ses côtes et garda les yeux rivés au visage de Marty.

— Pousse-toi de mon chemin, lui dit-elle.

— Marty ?

L'institutrice avait parlé fort. Elle referma le tiroir de son bureau et s'avança vers les rangées de pupitres.

— Est-ce qu'il y a un problème ?
— Non, non, y a pas de problème.
Marty secoua ses cheveux bruns et recula d'un pas pour s'éloigner de Cissy, immobile.
— On était seulement en train de parler de la Ca-li-for-nie.
Il sourit à Cissy et haussa les épaules avec affectation.
L'institutrice regarda Cissy, mais son expression était indéchiffrable. Tout le monde se précipita vers la porte, tandis que Cissy mettait un point d'honneur à se rapprocher de Marty.
— Ouais, je sais des trucs. Le groupe m'a déjà emmenée. Je suis montée dans le car, lui murmura-t-elle à l'oreille. Je suis allée dans des endroits où t'iras jamais de toute ta vie.

Depuis cette matinée chez grand-père Byrd, Delia avait cessé de parler d'Amanda et de Dede, n'avait même pas prononcé leur nom. Ce furent Ruby et Pearl qui veillèrent à renseigner Cissy sur ses sœurs.
— Oh ! elles te cherchent, l'avertit joyeusement Ruby un soir. Tout le monde le sait. Je pensais que tu rêvais tout le temps d'elles en train de guetter dans les buissons, de grimper aux fenêtres. De porter des pierres et des rasoirs avec ton nom gravé dessus. T'as eu de la chance que Dede passe en sixième juste avant que t'arrives ici. Si elle allait toujours à l'école primaire, elle t'aurait déjà donné trois coups de pied au cul.
— Quatre, risqua Pearl. Toute ta famille est folle, mais ces filles sont vraiment dérangées.
— Ouais, dérangées.
Ruby jeta à Pearl un regard rayonnant de satisfaction.
— Cette vieille Amanda est un peu la religieuse du siècle dans l'église baptiste-pentecôtiste. Elle se trimballe tout le temps avec des robes à col montant en pleine chaleur, des chaussettes blanches et des souliers plats à bride, comme si elle avait l'âge du cours préparatoire, à peu près.

— Elle est toujours en train de prier et de dire aux gens qu'ils vont aller en enfer, ajouta Pearl.

— Et Dede, elle est tellement différente que tu le croiras jamais.

— Oh, Seigneur !

Pearl mit une main devant sa bouche et gloussa. Ruby hocha la tête d'un air avisé. Elles se regardèrent, puis adressèrent à Cissy des sourires lents, satisfaits.

— Tout le monde dit qu'elle l'a fait.

— Ouais. Tout le monde.

Cissy fronça les sourcils, perplexe.

— Qu'elle a fait quoi ?

— La chose. La chose. L'amour.

Pearl rebondissait sur le lit de Ruby.

— Elle n'est plus vierge, tu peux en être sûre, reprit Ruby. Et elle va à Holiness Redeemer avec sa sœur et sa grand-mère tous les dimanches. Le Seigneur devrait la foudroyer. Quel âge elle a, douze ans ?

— J'te crois pas.

— Elle sort en cachette de chez sa grand-mère et part en voiture avec des garçons. Tout le monde le sait.

La voix de Ruby était dure, son sourire énorme.

Cissy croisa les chevilles sur le matelas et mit ses mains derrière sa tête.

— Bon, moi, ça ne me fait rien, dit-elle avant de fermer les yeux. Je ne les ai jamais vues et je n'ai pas envie de les voir.

— Oh ! tu finiras par les rencontrer.

Ruby donna un coup de pied au lit et examina la pièce en semblant chercher quelque chose d'autre à frapper.

— Comme je te le disais, elles te cherchent, ça, c'est sûr.

Cissy garda les yeux fermés. Elle ne voulait pas que Ruby ait le plaisir de constater que ses paroles lui faisaient de l'effet. À vrai dire, Cissy rêvait d'Amanda et de Dede et les guettait. À vrai dire, elle était déjà tombée sur Dede. Et elle le devait à Ruby et à Pearl.

Tous les samedis après-midi du mois précédent, Cissy s'était rendue chez Crane's, la librairie d'occasion, pour échanger les bouquins qu'elle chipait régulièrement aux jumelles. Leurs livres étaient les seules choses que Cissy leur enviait. Elle avait laissé presque tous les siens à Venice Beach, et le peu que Delia lui avait permis d'emporter avait été volé. Il ne lui était pas difficile de faire courir ses doigts sur leurs piles soigneusement érigées, d'extraire un ou deux ouvrages de temps à autre, de les fourrer dans un sac en papier et de les cacher dans le coffre de la Datsun. La librairie Crane's avait un besoin insatiable du genre de livres que les jumelles collectionnaient, un genre que Cissy méprisait.

M.T. et ses filles avaient toutes trois la passion des romans qui se passaient à l'époque de la Régence anglaise, où pullulaient les corsets étroitement lacés, elles adoraient les récits médiévaux avec saints et courtisanes, les mélodrames évoquant des soldats romains ensorcelés par des femmes qui maniaient des poignards trilobés et en appelaient à la déesse pour défendre leur vie, les sagas sur des aristocrates britanniques qui faisaient le mauvais choix en amour ou sur des servantes qui se mariaient au-dessus de leur condition et enrichissaient leurs enfants. Il y avait sous chaque lit des caisses de ce genre de bluettes. Pearl et Ruby n'avaient pas les pieds sur terre et leurs goûts en matière de livres bon marché le prouvaient. Cissy trouvait uniquement sous le lit de M.T. des romans à l'eau de rose plus contemporains – infirmières et médecins, secrétaires et hommes du monde. Elle n'y touchait jamais, mais elle était enchantée de prendre un roman gothique du XVIe siècle, que Pearl adorait, ou l'un des innombrables feuilletons de la cour d'Angleterre, au XVIIIe siècle, chipé à Ruby, pour l'échanger contre un ouvrage fantastique de la série *Terremer* d'Ursula Le Guin. Un monde dans lequel des sorts terribles pouvaient être jetés aux méchants avait toutes les chances d'attirer Cissy.

Un samedi, Cissy rôdait autour des bacs, passant en revue les thrillers et les ouvrages de science-fiction. Juste au moment où elle venait de découvrir un précieux exemplaire du *Serpent du rêve*, de Vonda McIntyre, une main se referma sur le dos du livre. Elle leva les yeux pour voir une blonde maigre qui la dévisageait elle aussi. Elles se figèrent jusqu'au moment où Mme Crane lâcha une pile de livres et où elles tournèrent la tête. Rougissante, tremblante, Mme Crane se baissa pour ramasser les livres sans lâcher des yeux les deux filles. Chacune fronça les sourcils de la même manière, regarda l'autre et retira sa main.

Pourquoi Cissy n'avait-elle rien dit ? Mais qu'aurait-elle pu dire ? Dede ressemblait à n'importe quelle autre adolescente aux traits anguleux, aux cheveux blonds maintenus en arrière, aux yeux bleus perçants et impassibles. Ce qui ennuya Cissy plus tard, c'est que sa demi-sœur avait l'air tellement banale qu'elle ne dégageait nulle aura de mystère, ne déclencha pas de choc électrique quand elles se touchèrent. Dans n'importe quel livre appartenant aux jumelles, il y aurait eu une odeur menaçante dans la pièce, un éclair de reconnaissance familiale. Cissy resta plantée là en se demandant que faire. Est-ce qu'elles étaient censées se parler ? Dede attrapa le livre et l'ajouta à celui qu'elle avait à la main, un exemplaire corné de *La Fille de l'optimiste,* d'Eudora Welty. Elle tourna les yeux vers Mme Crane, puis les reporta sur le bac de livres. Elle s'éloigna dans l'allée sans regarder Cissy. Cissy reposa les deux ouvrages qu'elle avait choisis et quitta le magasin sans un mot. Une fois rentrée, elle alla directement devant le miroir à maquillage de M.T. afin de vérifier s'il y avait vraiment une ressemblance, si un tiers pouvait tout de suite remarquer qu'elles étaient parentes. Malgré ses cheveux auburn et ses yeux noisette, elle vit dans le miroir ce que n'importe qui pouvait voir – que toutes deux ressemblaient à Delia, avaient son nez, son menton et les mêmes fins sourcils arqués au-dessus d'yeux limpides.

La différence qu'on remarquait immédiatement, c'est que Dede était jolie. Pour la première fois, Cissy se demanda comment elle serait une fois plus âgée. À Venice Beach, Rosemary lui avait un jour montré comment elle se maquillait et avait fait observer qu'elles avaient toutes les deux le visage en forme de cœur.

— Ça vaut mieux que ces affreuses femmes au menton carré, avait-elle dit en riant. Le maquillage ne peut pas accomplir de miracle. Attends un peu et tu seras jolie, comme ta maman.

Cissy n'y avait pas prêté attention. Mais en regardant le miroir, tandis que les traits de Dede venaient se superposer aux siens, Cissy comprit ce que voulait dire jolie. Ce qu'elle ne s'expliquait pas, c'était l'autre chose qu'elle avait vue. Dede l'avait considérée avec curiosité, sans haine. Son expression était neutre, impassible, distante, non hostile. Ce visage, le même que celui de Cissy, avait paru presque aussi indéchiffrable que le sien.

La maison de la rivière était une construction en préfabriqué avec deux chambres et une salle de séjour à peine plus grande que la cuisine dans laquelle elle donnait. La salle de bains était un trou de souris coincé entre les chambres, alcôve sombre, malodorante, avec une douche à panneaux bon marché, en plastique, présentant des taches d'humidité, et une fenêtre couverte de peinture orange.

Un week-end de juin, M.T. et Sally se mirent sérieusement à l'ouvrage et arrangèrent presque tout en un rien de temps. Ce fut la salle de bains qui leur posa un gros problème. Elles vaporisèrent de l'insecticide partout, le laissèrent agir quelques jours, frottèrent deux fois les sols et les murs avec de l'eau de Javel, aérèrent la pièce entre chaque nettoyage. L'endroit sentait toujours mauvais.

Le samedi suivant, Sally entra, prit une profonde inspiration et déclara :

— Saloperie !

Elle grimpa sur le siège des toilettes, recula une jambe et, de deux coups de pied bien ciblés, cassa la vitre. La lumière et l'air s'engouffrèrent par la fenêtre et une petite troupe de cafards surgit. Sally hocha la tête et appela son équipe de Dust Bunnies, la société de nettoyage qu'elle dirigeait. Ils arrachèrent la moquette de la salle de séjour et la brûlèrent derrière la maison. Puis ils scellèrent toutes les fenêtres avec du ruban adhésif et utilisèrent des insecticides puissants. Deux jours plus tard, ils sortirent tous les meubles et nettoyèrent les lieux pendant que le mari de Sally remplaçait la vitre de la salle de bains. Avec des restes de peinture provenant de plusieurs chantiers, Sally et son personnel repeignirent les murs de la salle de bains et de la cuisine, et rafraîchirent les chambres. Une fois les travaux terminés, ils replacèrent les meubles et posèrent dans la salle de séjour une moquette fournie par M.T.

Le lendemain, M.T. y emmena Delia et Cissy avec leurs rares affaires et de nouveaux rideaux, dont un jaune vif pour la salle de bains. Pendant qu'elle leur racontait comment Sally avait cassé la vitre d'un coup de pied, Cissy hochait la tête d'un air lugubre, faisait le tour de la cuisine, sentait le linoléum se gondoler sous ses chaussures et regrettait que Sally n'ait pas cassé toutes les vitres à coups de pied. Elle aurait préféré dormir à la belle étoile plutôt que vivre dans cette horrible maison, affreuse en comparaison du bungalow californien. Delia s'assit immédiatement à la table de la cuisine et pleura en voyant à quel point tout étincelait de propreté.

Sally lui proposa de travailler pour Dust Bunnies, ce que Delia accepta avec reconnaissance. Elle faisait partie de l'équipe de nuit et n'avait besoin de parler à personne. Tous les soirs, elle sortait avec le même T-shirt et le même jean pour aller nettoyer des bureaux dans le semblant de zone industrielle de Cayro et revenait à la maison avant l'aube, les cheveux s'échappant de l'élastique qui les retenait sur la nuque. Elle restait assise à la table de la cuisine, le visage inexpressif, jusqu'au moment où Cissy se levait, puis préparait le seul petit déjeuner qu'elles supportaient l'une et l'autre, de la compote de pommes sur du pain non grillé. Quand Cissy allait lire dans sa chambre, Delia posait la tête sur la table et pleurait pendant environ une heure, puis allait dormir jusqu'à la fin de l'après-midi.

— C'est la saison des pleurs, estima Cissy lorsque M.T. lui demanda comment elles s'en sortaient.

Certains jours, Cissy enviait à Delia ses larmes non retenues. Certains jours, elle la haïssait à cause d'elles.

Celles de Cissy s'étaient taries après l'unique accès de sanglots chez M.T.

Cissy passa son onzième anniversaire à la maison de la rivière, plongée dans une biographie d'Élisabeth Ire, que Pearl lui avait donnée à contrecœur. Au moment de leur emménagement, M.T. avait demandé à ses filles de lui offrir quelques-uns de leurs vieux livres comme cadeau d'installation dans la nouvelle maison. Quand les deux sœurs examinèrent leur précieuse collection et protestèrent tout haut que leurs livres préférés manquaient, M.T. surprit le sourire affecté qui flottait sur le visage de Cissy et s'empressa d'affirmer qu'elle les avait elle-même empruntés pour les faire lire à des dames de l'église.

— Je suis désolée, ma petite, dit-elle à Ruby. Nous allons tâcher de te trouver de nouveaux exemplaires pour remplacer tes préférés.

Comme elle insistait, Ruby et Pearl choisirent les ouvrages les plus abîmés et les plus ennuyeux qu'elles avaient et M.T. quémanda deux cartons de vieux ouvrages à des amies.

— La fille de Delia aime la lecture, expliquait-elle. Et vous savez bien que Delia n'a pas un radis.

Personne ne la croyait – tout Cayro était persuadé que Delia était riche, comme toutes les stars du rock –, mais les gens voulurent bien se séparer de livres de poche usés, de deux bibles en version anglaise ancienne, et d'un rayonnage de livres du Reader's Digest. Cissy n'y vit aucun inconvénient. Taylor Caldwell et A. J. Cronin, ce n'était pas mal, quant au reste des ouvrages, ils valaient bien leur poids pour être échangés contre du Kate Wilhelm ou n'importe quel livre de James Tiptree. Cissy n'aurait jamais avoué qu'elle avait lu les ouvrages de Ruby et de Pearl avant de les apporter chez Crane's, mais, en pensée, elle passa presque toute la saison des pleurs ailleurs ; elle parlait le français de la Régence et faisait froufrouter ses jupes, ou s'exprimait en créole et palpait son couteau. De temps à autre, elle traçait des figures compliquées avec les doigts et, de toutes ses forces, essayait de croire qu'on pouvait jeter un sort.

Un dimanche, en fin d'après-midi, alors que M.T. aidait Cissy à arranger sa chambre, Stephanie Pruitt se présenta avec un gros panier rempli de légumes de son jardin.

— Je ne t'ai plus revue depuis ton mariage, juste après le lycée ! s'écria-t-elle avant de serrer Delia dans ses bras comme si cela remontait à dix semaines et non à dix ans.

Steph demanda à Cissy quelque chose à boire, « du thé si tu en as, ma poupée », et s'installa à la table de la cuisine pour raconter tous les potins à Delia, ignorant les regards menaçants de M.T. Le premier sur sa liste était Clint Windsor.

— Ce bonhomme n'a pas l'air bien depuis que tu es partie, dit-elle en souriant, comme si cela lui faisait plaisir de l'annoncer. Il y a là une leçon, tu peux en être sûre. Beaucoup de gens ont reproché à Clint le fait que tu aies été obligée de filer, tu sais. Tout le monde savait qu'il était comme son père, et même encore plus fou.

M.T. se pencha pour poser la main sur le bras de Delia.

— Allons, ne commence pas à t'inquiéter. Pas plus que quelqu'un d'autre, tu n'aurais pu empêcher ça.

— Cette famille a toujours été froide et mauvaise, poursuivit Stephanie. Le vieux Windsor, cette Louise on-fait-pas-plus-sainte, ils savaient ce qui se passait. Et qu'est-ce qu'ils ont fait, hein ?

M.T. pressa de nouveau le bras de Delia.

— Steph a raison, mon chou. Tu te rappelles comment était Clint. Il n'a pas changé. Seigneur, aucune de nous n'a pu continuer à le fréquenter après ton départ. Tout le monde savait qu'il buvait. Il travaillait chez Firestone et creusait sa tombe à force de picoler.

— Ouais, dit Steph. C'est devenu un échalas tout décharné, on dirait un vieillard, le teint gris, constamment soûl. J'ai entendu dire qu'il dormait sur la véranda de ton ancienne maison, qu'il se douchait dans le jardin de derrière et ne se servait pas du tout de l'intérieur. Il n'y a probablement plus de place avec toutes les bouteilles de whisky vides entassées là-dedans.

Elle considéra Cissy d'un air rayonnant.

— Les ivrognes aiment vivre seuls, dans leur paresse, leur désordre, leur méchanceté. Ils sont remplis de haine pour tout ce qui n'est pas soûl ou mort.

M.T. tenta un sourire.

— Seigneur, oui, ces ivrognes sont fous. La seule chose sensée que Clint a faite, c'est de se soûler chez lui. Il vaut mieux que les filles soient restées avec la grand-mère Windsor, Delia. Elle s'est occupée d'elles mieux qu'il n'en aurait jamais été capable.

Delia se redressa et regarda M.T., semblant se réveiller de son état hypnotique.

— Je croyais que Clint avait fait venir grand-mère Windsor chez lui, dit-elle.

Randall avait requis les services d'un avocat d'Atlanta. Il y avait eu des enquêtes, des rapports, une constatation officielle d'abandon, et des lettres brutales rédigées par les travailleurs sociaux du comté. Le vieux Windsor avait les juges dans sa poche et la vertu de son côté. Ce que firent Delia et Randall ne servit à rien. Mais, pendant toute cette bataille, Delia croyait que les filles se trouvaient dans leur maison, la vieille maison de Terrill Road, construite dans un lotissement, qu'elle et Clint avaient arrangée ensemble. Elle avait beau détester la vieille Windsor, elle s'était sentie rassurée de savoir ses filles dans cette cuisine, en train de manger dans ces assiettes aux couleurs de carnaval qu'elle avait choisies en épousant Clint. C'était pure imagination, Delia s'en rendait maintenant compte. Un rêve qu'elle avait forgé pour atténuer sa peur. Pendant tout ce temps, ses filles avaient habité chez grand-mère Windsor, dans cette ferme où, Clint le jurait, même la terre était sèche et triste. Delia posa les mains à plat sur ses yeux.

— Vu l'état de Clint, la vieille Louise a probablement sauvé tes filles, mon chou, continua Steph avec entrain. Elles s'en sortent très bien. Elles sont jolies comme tu l'étais, les cheveux blond clair, dégourdies. Cette Dede, c'est toi tout crachée. Pas vrai, M.T. ?

Delia regarda M.T. Elle ouvrit et referma plusieurs fois la bouche comme si elle voulait parler mais n'y parvenait pas. Steph ne le remarqua pas.

— Bon, je dois repartir. T'as entendu parler de l'arrangement qui a été trouvé après l'incendie qu'on a eu ? On a beaucoup de place, maintenant, deux caravanes côte à côte, et une grande terrasse entourée d'une moustiquaire. Il faudra que tu viennes voir, un jour.

Elle vida son verre de thé, le reposa et s'essuya la lèvre supérieure.

Sans un mot, Delia se leva de sa chaise pour retourner dans sa chambre. M.T. la suivit des yeux ; son front plissé rivalisait avec le visage affligé de Delia. Stephanie scruta M.T. et Cissy sans comprendre.

— Seigneur ! C'est quelque chose que j'ai dit ? Les filles ? Dieu sait qu'elle devrait avoir passé ce stade. Ça remonte à combien de temps ? Ça doit bien faire dix ans !

Pendant toute la saison des pleurs, M.T. fit profiter Delia de son capital durement gagné. Toute la compassion et la compréhension qu'on lui témoignait parce que Paul l'avait trompée et qu'elle lui avait tenu tête – elle renvoyait tout cela vers sa plus chère, sa plus vieille amie.

Presque tous les habitants de Cayro estimaient que l'état dans lequel Delia était revenue – le visage consumé par un vain chagrin – et les mois passés à travailler dans l'équipe de nettoyage de Sally constituaient sa pénitence pour avoir abandonné ses filles. L'opinion locale ne s'était pas assez modifiée pour pardonner ou comprendre le péché, pas assez pour considérer qu'une femme en danger y avait été contrainte parce qu'elle voulait quitter un homme qui l'aurait sûrement étranglée au Parlour's Creek s'il l'avait attrapée avant qu'elle ne monte dans le car de Randall. Non, Cayro jugeait toujours Delia comme une pécheresse et la saison des pleurs comme une pénitence justifiée. Les gens aimaient le spectacle d'une Delia à la bouche affaissée et aux paupières rougies.

Le geste le plus intelligent de M.T. fut de traîner une Delia docile à l'église baptiste semaine après semaine. Tous les dimanches, Delia était assise sur ce banc en bois dur, le teint plombé, pâle, le regard vide, les mains enflées, à vif d'avoir récuré des sols et des W.-C.

— Dieu suit sûrement chacun de nous, pas vrai ? dit le révérend Myles à M.T. le premier dimanche.

M.T. s'agrippa au bras de Delia et hocha prudemment la tête. Elle savait ce qu'elle faisait.

Le dixième dimanche, Mme Pearlman posa la main sur l'épaule de Delia tandis qu'elle remontait péniblement l'allée. C'était une accolade. Malgré l'arthrite, une prothèse de la hanche et une souffrance dépassant l'entendement, Marcia Pearlman n'aurait jamais effleuré la pécheresse sans une preuve de repentir. S'il ne s'agissait pas encore vraiment de pardon, c'en était la promesse. En fait, les femmes faisaient autant de conneries que les hommes, mais elles payaient leurs péchés par des enfants et par l'attitude de leurs amies. Elles le payaient de façon simple et immédiate. La femme qui avait fui et, fille perdue, menait la belle vie ne serait jamais pardonnée ; mais celle qui revenait ruinée et blessée, celle qui faisait preuve d'une douloureuse sobriété et d'une résignation obstinée, celle qui avait durement et publiquement souffert – il lui restait une chance. Cette femme pouvait être réintégrée dans le cercle.

Souffre encore un peu, ma fille, avait dit la main de Marcia Pearlman, la souffrance, nous la comprenons. Heureusement pour elle, Delia n'était plus capable de s'en rendre compte. Son orgueil n'aurait pas survécu à ce contact. La Delia de Mud Dog ne l'aurait jamais supporté. La Delia qui avait combattu et fui Clint ne l'aurait jamais enduré. Seule la Delia de la saison des pleurs pouvait rester assise, tête basse, et ne pas voir la main de Dieu tendue vers elle. Elle n'était pas pardonnée, mais comprise. On ne lui pardonnait pas mais on savourait sa présence. Oh ! le simple plaisir de la voir dans cet état ! Pas une seule femme parmi les fidèles ne l'aurait exprimé, mais toutes le savaient. Regardez-la un peu maintenant,

Seigneur. Regardez-la donc. La main de Marcia Pearlman posée sur Delia en disait plus que toutes les justifications que M.T. avait murmurées sur les marches, dehors.

M.T. avait été un roc pour Delia pendant les premiers mois du retour à Cayro et prouvait son amitié par cent bonnes actions. Parfois, Delia n'avait pas envie de lui parler, mais M.T. refusait de se froisser. Elle se renseignait auprès de Cissy tous les deux ou trois jours et se contentait de lui demander :

— Comment ça va ?

C'était un code.

— Très bien, disait Cissy, et M.T. comprenait que Delia n'allait pas mieux.

— C'est pas grave, mon chou. Laisse-lui un peu de temps. Il faut ce qu'il faut.

Chaque jour passé à Cayro ramenait Delia à son adolescence. Elle se recroquevillait et redevenait la petite sauvage que personne n'osait approcher. Elle ne percevait pas l'odeur forte de son corps. Les regards apitoyés qu'elle suscitait chez les autres employées de Sally lui échappaient. Delia n'avait pas assez d'énergie pour penser à quoi que ce soit, sauf à mettre un pied devant l'autre. Elle portait tout le temps le même T-shirt informe et le même jean coupé aux genoux. Elle les retirait et les remettait indéfiniment tant que Cissy ne les remplaçait pas par des vêtements propres. Si elle avait pu, Delia se serait douchée tout habillée, avant d'aller se coucher mouillée, pensait Cissy.

La sécurité. Delia avait besoin de se sentir en sécurité. Qui aurait pu la toucher, ainsi vêtue, tandis que son corps maigre et voûté imprimait sa marque dans le coton usé et la toile délavée ? Qui aurait pu lui parler, la regarder, avec ses cheveux tirés en arrière, sans maquillage ? Qui était cette femme ? Pas Delia Byrd. Laissez-moi tranquille, voilà ce que disait son physique.

À la bibliothèque du comté, Cissy trouva un ouvrage sur les martyrs. Certains saints portaient le même vêtement pendant des années, lut-elle. Une seule toge. On n'indiquait pas comment ni quand ils la lavaient. Peut-être ne la lavaient-ils jamais, ou alors seulement en passant, le visage levé vers la pluie, le corps roulant brièvement dans une rivière, l'été. La toge se déchiquetait, pourrissait, tombait de la carrure décharnée et ardente pour être remplacée par une autre, identique. Pas de vanité, pas de réflexion là-dessus. Pas de crainte, pas de désir. Le vêtement servait à masquer la chair, pas à la parer.

Peut-être que les saints avaient une maladie et peut-être que Delia l'avait attrapée.

Delia passait les journées à dormir dans la petite maison, près de la rivière, et rêvait de nouveau à ses filles. Elle rêvait qu'Amanda, Dede et Cissy étaient bébés et se hissaient jusqu'à ses seins, bouches ouvertes, avides. Elles avaient la même taille, poussaient des cris perçants pour attirer son attention et agitaient les bras tandis qu'elle essayait de les porter toutes les trois. Invariablement, une enfant glissait. Un bébé retombait. Delia hurlait, voulait rattraper sa fille, et c'est une autre qui glissait pendant que la troisième haletait comme si elle mourait sous son étreinte. Elle luttait, luttait, mais ne réussissait jamais à leur apporter la sécurité de ses bras. Quand elle se réveillait, Delia sentait qu'elle avait les joues mouillées et les bras douloureux. Tout ce qu'elle possédait, c'était le besoin de protéger ses filles, de s'occuper d'elles, quand bien même Dede et Amanda étaient presque des adultes. À l'autre bout du comté, Delia sentait leur faim, leur besoin opiniâtre. Elles sont encore mes bébés, se disait-elle.

Parfois, les rêves de Delia n'étaient pas des cauchemars mais des souvenirs : les petits corps aimés tels qu'ils lui avaient été donnés pour la première fois. Amanda, encore maculée de sang et de glaire, était abominablement minuscule et désespérée quand l'infirmière l'avait tendue à Delia. Lorsqu'elle avait ensuite remis cette miniature entre les mains de Clint, il avait écarquillé les yeux, de panique.

— Mon Dieu ! avait-il soufflé, incapable de croire que quelque chose d'aussi vibrant et puissant était sorti de la créature engourdie et passive qu'était devenue Delia dans les derniers mois de sa grossesse.

Il lui avait rendu le bébé d'un geste machinal, puis avait regardé d'un air d'incompréhension le tableau formé par la mère et l'enfant qui lui résistait. Amanda ne voulait pas du mamelon gonflé de Delia. Le bébé criait, donnait des coups de pied, gémissait tandis que Delia s'affaissait sur ses oreillers trop rembourrés et sanglotait, le cœur brisé. Leur détresse avait ramené Clint près du lit et, de ses mains calleuses, il avait tapoté, rassuré maladroitement Delia d'abord, puis le nouveau-né.

Ce moment comptait parmi les plus affreux et tendres que Delia avait connus. Elle ne pouvait pas se réconcilier avec cette contradiction : le Clint horriblement emmerdant, bizarre et dangereux, qui se déchaînait à la maison, et le Clint qui avait tellement peur de faire mal à Amanda qu'il pleurait en voyant ses gros doigts près de sa tendre joue de bébé.

C'était peut-être l'odeur du lait et du sang. À chaque naissance, il y avait eu ce fugace instant de tendresse. Quand Dede était née et s'était immédiatement emparée du mamelon de Delia, ses petits poings rose vif se détachant sur le sein crème, ses joues aspirant comme des soufflets, Clint s'était penché, terrorisé, et avait posé la main sur la hanche de Delia. Elle avait lâché un halètement de soudaine douleur, déplacé la bouche du bébé dont la langue goulue, encore sortie, désirait avidement ce téton d'amour. Delia avait tressailli en sentant l'air frais qui frappait son mamelon brûlant, fendillé, et Clint avait brusquement reculé en considérant le visage de Delia avec des yeux rouges. Leurs regards s'étaient croisés et le cœur de Delia avait battu d'un espoir obstiné.

Après avoir accroché le regard de Delia, Clint avait semblé ne plus se soucier de ces deux corps chauds, qui ressemblaient à de la pâte levée. C'était Delia qu'il avait tout le temps à l'esprit, Delia à qui il faisait des bleus, Delia qu'il rêvait de tenir, inerte, dans ses bras. C'était sa chair humide, déchirée qui l'attirait, et les enfants qu'ils avaient faits ensemble devenaient fantomatiques, importuns. Delia savait qu'elle était la seule chose, dans cette maison, qui eût jamais paru réelle à Clint. Il ne remarqua les filles qu'après son départ, et encore seulement parce qu'elles étaient une partie d'elle. Clint s'était accroché à Amanda et à Dede parce qu'elles retenaient le cœur de Delia.

— Il ne les veut pas, avait dit Delia à Randall une fois que le juge eut confié leur garde à Clint.

Elle serrait ses quelques photos et déclamait comme une folle.

— Il cherche à me blesser, à me saigner à blanc. Dieu le jugera pour ce péché, pour ce crime. Ce type pourrait s'ouvrir les veines sur le trône céleste qu'aucune mère ne lui pardonnerait ses actes. Bon Dieu, il est voué à la damnation, à la damnation éternelle.

Dans la petite maison, près de la rivière, Delia rêvait à Randall et à Clint, à Dede et Amanda, à ses petites et à sa fureur, et se réveillait dans son lit, les yeux brûlants, les poings serrés. Comment allait-elle expliquer ? Ses filles auraient tant de questions ! Comment pourrait-elle y faire face ? Delia se tournait dans son lit, les seins aussi gonflés et douloureux que le jour où elle avait laissé la petite Dede âgée de dix mois, alors qu'elle rêvait dans son berceau, dans la maison de Terrill Road.

— Mon Dieu, priait Delia, faites qu'elles me pardonnent. Donnez-moi une chance de me faire pardonner.

La saison des pleurs cessa soudain, complètement, sans raison apparente. Un matin, en revenant du travail, Delia tira sur son T-shirt, souleva le coton et fronça le nez.

— Mince ! dit-elle à Cissy. Ce truc pue.

Elle le retira dans la cuisine, en fit une boule qu'elle passa sur son torse nu. Ses seins surprirent Cissy. Ils semblaient trop petits pour avoir allaité des bébés.

Delia vit l'expression de Cissy et se mit à rire.

— C'est quelque chose de naturel et tu en auras bientôt, toi aussi.

Elle mit le T-shirt à la poubelle, alla se doucher et resta longtemps sous l'eau chaude.

Quand M.T. passa en fin de journée, elle ne posa pas de question. En grimpant les marches, elle déchiffra le visage de Cissy, fit un signe de tête et dit :

— Je vais nous chercher un poulet. On va fêter ça.

Cissy s'était demandé ce qui allait arriver. Auparavant, Delia n'avait jamais été du genre à pleurer ou à se reposer sur quelqu'un. La Delia retrouvée non plus. Elle embrassa son amie, recula, et la surprise fut que rien ne changea. M.T. ne semblait pas contrariée que Delia ne pleure plus avec elle ou ne se laisse plus consoler. Elle se mit à sangloter, à rire, et prépara son poulet, aussi contente de voir son amie guérie qu'elle l'avait été d'avoir une héroïne tragique auprès d'elle. Elle ne réagit même pas quand Delia refusa de l'accompagner à l'église le premier dimanche qui suivit la reprise de ses sens.

— J'ai des choses à faire !

Voilà ce que Cissy l'entendit annoncer à M.T. au téléphone, tandis qu'elle préparait un opulent petit déjeuner.

— Quel genre de journée tu crois qu'on va avoir, Cissy ? demanda Delia, le sourire aux lèvres, en posant devant sa fille une assiette d'œufs au jambon.

— Une belle journée pour repartir, répondit Cissy.

Delia se mit à rire.

— Seigneur, ma petite ! On vient à peine d'arriver.

5

Trois dimanches de suite, Delia se rendit toute seule à Holiness Redeemer afin d'observer le rassemblement des fidèles. Elle était sûre de les voir – Amanda, Dede et grand-mère Windsor qui les poussait devant elle. Delia chercha des yeux ses filles dès l'ouverture des portes, à la fin du service religieux. Mais elle se souvenait que grand-mère Windsor était toujours la dernière à partir. La vieille dame restait assise jusqu'au moment où les bancs se vidaient autour d'elle. Les yeux baissés, elle marmonnait une prière pendant que tous se levaient en se demandant s'ils ne devaient pas se rasseoir pour méditer sur leurs péchés. Une semaine avant leur mariage, Delia et Clint l'avaient accompagnée à l'église. En se levant, Delia avait compris que grand-mère Windsor attendait avec impatience le moment où elle commettrait une gaffe. Cette femme l'avait dévisagée avec un dédain satisfait, lèvres légèrement retroussées, et ses yeux noirs avaient voltigé vers Clint pour s'assurer qu'il avait remarqué son comportement. Auparavant, Delia ne s'était pas rendu compte que la mère de Clint la haïssait à ce point. Ensuite, indéniablement, grand-mère Windsor avait mené une guerre du mépris. Elle aurait préféré voir son fils dans sa tombe plutôt que le voir fréquenter la petite Byrd, qui ne savait même pas rester assise tranquillement sur son banc jusqu'à ce que des personnes plus avisées lui indiquent qu'elle pouvait se lever.

Delia regarda les gens sortir de l'église par groupes de deux ou trois, puis, au moment où il semblait ne plus rester personne, grand-mère Windsor apparut avec les deux filles. Elle serrait son grand sac et adressa un signe de tête au prédicateur, le révérend John Hillman, d'après le nom inscrit sur la pancarte placée à l'entrée, qui portait également l'exhortation suivante : « Repentez-vous ! Repentez-vous ! Le sang de l'Agneau l'exige. » Amanda et Dede gardèrent la tête baissée, chacun de leurs gestes imitant ceux de grand-mère Windsor. Delia prit une inspiration si profonde que l'air paraissait insuffisant pour soulager sa sensation de vide. Elle écarquilla les yeux et suivit ses filles, le visage crispé de douleur. Elles étaient exactement comme elle l'avait imaginé, pas du tout comme elle l'avait espéré. Amanda était une grand-mère Windsor plus grande, plus sévère, mais Dede ressemblait tellement à la défunte mère de Delia qu'elle en eut le cœur serré. Elle se pencha en avant et appuya le menton sur le volant pour se retenir de courir vers elles et de les prendre dans ses bras. Ses filles avaient l'air malheureuses. On avait l'impression qu'elles n'auraient même pas pu être heureuses si on les avait payées pour ça.

La bouche de Dede était enflée et boudeuse. Elle traînait derrière sa grand-mère et sa sœur, les épaules en retrait, les hanches projetées en avant comme un jouet mécanique tiré par une ficelle. À côté d'elle, Amanda avait le dos voûté et se collait au flanc de grand-mère Windsor, alors que la vieille dame ne lui accordait pas un regard. Amanda paraissait prendre modèle sur sa grand-mère. Elle avait les cheveux rassemblés sur la nuque en un petit chignon vieillot, les lèvres pincées, mince ligne habile à exprimer la réprobation, et ses jambes d'adolescente avançaient avec précaution, comme si ses hanches souffraient de calcification et d'arthrite. Les larmes brouillaient la vue de Delia et la seule chose à laquelle elle pouvait penser, c'était à quel point ses filles lui ressemblaient, à elle, au même âge, furieuse, solitaire, luttant constamment pour ne pas montrer ce qu'elle ressentait.

Dieu veut que ça soit douloureux, se dit Delia tandis qu'une amère sensation de picotement lui courait le long des bras. Elle parvenait presque à sentir sous ses doigts les douces épaules de Dede, à respirer l'odeur de savon âcre des cheveux blond filasse d'Amanda. Elle avait envie de bondir de la Datsun pour courir vers elles, pour répandre l'amour dans leurs cœurs blessés. Son regard traquait les fidèles, des femmes qu'elle avait vues pour la dernière fois à son mariage et des hommes qu'elle se rappelait avoir aperçus en train de siroter du whisky sur la véranda de grand-père Windsor. Tous ne l'avaient pas haïe. Certains l'avaient considérée avec pitié. Mais maintenant, ils n'auraient plus de pitié. Elle était la femme déchue, la putain de Babylone, la chienne qui avait abandonné ses petits. Personne, sur cette pelouse, ne la laisserait approcher de ses filles. D'un même élan, ils la chasseraient.

Le deuxième dimanche, Delia eut un haut-le-cœur lorsque Clint arrêta son break Chevrolet blanc rouillé avant le début du service religieux et se pencha pour tendre une enveloppe à grand-mère Windsor. Il était plus mince et plus marqué qu'elle ne s'y attendait. Ses cheveux blond foncé frottaient sur le col de l'une des chemises blanches d'uniforme que Delia avait repassées tant de fois. Elle se fourra la partie charnue de sa paume dans la bouche et mordit un bon coup au moment où il tourna la tête dans sa direction et où elle distingua nettement son visage. Non, ce n'était pas Clint, mais un homme blanc aux yeux bleus qui avait le même âge que lui. Delia se rendit compte qu'elle tremblait. Elle se rappela les yeux anthracite de Clint sous ses cheveux blonds, le gris qui fonçait quand il se mettait en colère. Ces yeux lui avaient paru presque noirs durant les deux dernières années passées à Cayro. Clint agita la main en direction du pasteur et Delia démarra, trop énervée pour penser à attendre ses filles.

Le troisième dimanche, Delia sortit de la voiture et monta les marches de l'église derrière les derniers fidèles juste au moment où le chœur entonnait *All Blessings* et où l'orgue tonnait au-dessus de l'assistance. Du dernier rang, elle aperçut ses filles, placées à l'avant, leurs têtes blondes baissées à côté du chignon gris serré de grand-mère Windsor. Delia les fixait et s'arma de courage pour ne pas quitter sa place dès la fin du service religieux. Elle avait envie de rester là jusqu'au moment où ses filles passeraient devant elle. Et envie de tendre la main et de les toucher, de lever les yeux et de voir leur expression quand elles comprendraient qui elle était.

Des larmes glissèrent sur le visage de Delia. Elle n'entendit pas le sermon. Elle remarqua à peine le chœur. Ce ne fut qu'au milieu du service qu'elle se rendit compte que la famille assise sur le banc d'en face regardait dans sa direction. Le père la dévisageait d'un air furieux, la mère avait un visage pincé et rigide. Leurs deux jeunes enfants aux cheveux châtains ne cessaient de se tortiller et de lever les yeux vers leurs parents. Âgés de huit à neuf ans au maximum, les petits garçons ne pouvaient pas savoir qui était Delia, mais ils avaient bien perçu l'indignation de leurs parents. Leurs grands yeux curieux allaient de Delia à leur père.

Delia sentit le rouge lui monter aux joues et la sueur sourdre sur son front et sous sa robe. Elle parcourut du regard les bancs voisins. Une douzaine de personnes bougeaient et se tordaient le cou. Chaque coup d'œil était une condamnation cuisante. Chaque bouche pincée touchait un nerf. Comme l'agitation augmentait, d'autres personnes se retournèrent. Delia serra ses mains croisées et garda les yeux braqués dessus pendant le reste du service. Elle s'était dit qu'elle pourrait supporter l'indignation et le mépris, la gifle et la malédiction probables de grand-mère Windsor… n'importe quoi pourvu qu'elle approche ses filles et prononce leurs noms. Mais, au moment de la bénédiction, elle se leva et sortit sans se retourner. Elle s'était trompée. Elle n'était pas prête. Si ces étrangers la considéraient avec une telle aversion, que lirait-elle dans les yeux de ses filles ?

Pourtant, tandis que Delia s'éloignait de Holiness Redeemer en voiture, Dieu lui tendit de nouveau la main au tabernacle baptiste [1] de Cayro. Mme Pearlman chercha Delia ce matin-là et, quand elle ne la vit pas, parla franchement à M.T. sur le perron de l'église. L'arthrite de ses poignets et de ses coudes avait tellement empiré que, si elle s'occupait encore de son salon, c'était uniquement grâce à une détermination forcenée et à un seuil élevé de tolérance à la douleur. Son opiniâtreté était illimitée, mais ses doigts avaient presque perdu leur souplesse. Elle n'osait plus manier une paire de ciseaux pointus et ses clientes ne lui accordaient d'ailleurs plus leur confiance. Même les habituées avaient commencé à se faire coiffer à Marietta et son commerce ne tournait qu'avec quelques personnes étrangères à la région, qui n'étaient pas au courant de son état.

— Demandez à Delia de venir me voir, dit-elle à M.T. Si nous arrivons à nous entendre, j'aurai peut-être du travail pour elle au salon de coiffure.

Ses joues poudrées tremblaient tandis qu'elle parlait et sa main droite agrippait un peu plus sa canne, mais sa voix était ferme et ses mots audibles pour les dames qui se trouvaient à proximité. M.T. acquiesça d'un signe de tête.

— Marcia ! vous n'y pensez pas ? dit Nadine Reitower, la présidente du Fonds d'aide aux mères en difficulté. Vous n'allez tout de même pas prendre cette effrontée dans votre commerce ?

Ruby et Pearl pouffèrent dans leur bible, mais M.T. ne les entendit pas.

Les yeux de Mme Pearlman étincelèrent.

— Un commerce qui ne marche presque plus. Je ne vous ai pas vue ce mois-ci, Nadine, n'est-ce pas ?

Mme Reitower rougit. Elle leva la main vers le petit chapeau qui maintenait ses boucles châtaines, mais se retint.

— Cette femme est une honte, ajouta-t-elle. Personne ne viendra au salon si vous l'embauchez.

Marcia regarda les femmes rassemblées sur le perron.

---

1. À l'origine simple tente, un tabernacle désigne aujourd'hui une grande église, comme celle d'Atlanta, par exemple. *(N.d.T.)*

— Les bonnes chrétiennes viendront, dit-elle. Les bonnes chrétiennes qui savent ce que c'est que pécher et demander pardon viendront, je pense. Il n'y a aucune honte à se repentir, aucune honte à travailler dur pour payer ses factures. Et puis, Delia Byrd a déjà travaillé pour moi. Je sais de quoi elle est capable. C'est la meilleure coiffeuse que j'aie jamais eue. Elle n'a pas dû perdre la main. Elle pourrait même probablement régler votre problème d'épi, Nadine. Ça vous ferait faire de belles économies sur les chapeaux et les épingles à cheveux.

Nadine la regarda de travers et M.T. lâcha un ricanement. Elle entraîna les jumelles vers la Buick et se rendit tout droit chez Delia pour lui annoncer la bonne nouvelle.

— Ma petite ! s'écria-t-elle d'un ton joyeux quand Delia vint la rejoindre dans l'allée. Attends un peu que je te raconte ce que tu as raté à l'église !

Delia donna quinze jours de préavis à Sally et commença à travailler au Bee's Bonnet les mercredis et les samedis. Le reste de la semaine, elle était employée chez Beckman, un grand magasin de Marietta, dans le minuscule rayon beauté, derrière les robes pour dames et les manteaux d'hiver. Les premières personnes qui entrèrent au Bee's Bonnet et aperçurent Delia la fixèrent comme si elle avait deux têtes portant chacune la marque de Satan, mais son ancien détachement était revenu. Elle se contenta d'adresser un signe de tête aimable aux visages indignés et s'éloigna quand les clientes se plaignirent. C'était là un travail qu'elle pouvait effectuer les yeux fermés, l'esprit à moitié ailleurs. Quand elle posait les mains sur les cheveux d'une femme, Delia Byrd retrouvait presque l'impression de puissance qu'elle avait ressentie sur scène avec Mud Dog. C'était un travail qu'elle connaissait. Elle était compétente. Faire du bon boulot guérissait un peu son âme, même si elle gagnait une misère.

Delia travaillait. Elle faisait des permanentes souples à des femmes avec lesquelles elle était allée au lycée, teignait les cheveux grisonnants en châtain. Sans s'émouvoir, elle proposait des coupes punk améliorées à des adolescentes dont les mères ne voulaient pas lui adresser la parole, ignorait leurs questions timides sur Randall et le groupe. Quand Marcia déclara qu'elle était merveilleuse et que la responsable de Beckman lui augmenta sa paye, Delia parut ne pas s'en apercevoir. On aurait dit que son cerveau était déjà trop rempli, qu'il y avait trop de choses à faire et pas assez de temps. Elle portait des jupes portefeuilles en jean et des chemisiers en coton qui venaient de ventes de charité. Elle achetait à Cissy des jeans dans une usine Sears Roebuck et des T-shirts blancs tout simples vendus sous plastique.

Une ou deux fois, en rentrant à la maison, Cissy trouva Delia assise à la table de la cuisine, le visage accablé et vide, mais, dès qu'elle franchissait le seuil, Delia se levait et s'activait.

— Qu'est-ce que tu veux, bout de chou, tu veux manger quelque chose ?

La voix de Delia était toujours forte et gaie.

Cissy secouait la tête et courait dans sa chambre. C'était là une nouvelle version de sa mère, ni la Delia familière, titubante, de Venice Beach, ni ce sinistre spectre qui leur avait fait traverser le pays. Certains jours, Cissy en arrivait à regretter la Delia éplorée dans son T-shirt gris dégoûtant. Cette Delia, au moins, l'avait laissée tranquille.

John Hillman, le pasteur de l'Église de Dieu [1] Holiness Redeemer, habitait Poinsette Road, au sud-ouest de la ville. Delia s'était déjà rendue chez lui un samedi, après le travail. Sa femme lui avait dit qu'il était allé rendre visite à des malades, à la campagne. Elle avait examiné Delia d'un air neutre, mais ses yeux étaient ardents et attentifs, et sa bouche avait rappelé à Delia celle de la cuisinière qui l'avait injuriée le jour de son arrivée à Cayro. Elle espère probablement que je rôtirai en enfer,

1. Église très stricte, proche du fondamentalisme. *(N.d.T.)*

avait-elle pensé en gardant un visage aussi soigneusement impassible que celui de Mme Hillman.

À sa seconde tentative, Delia aperçut le pasteur qui se dirigeait vers sa voiture au moment où elle s'engageait dans l'allée. Soulagée, elle l'appela. Elle s'était dit qu'elle se retrouverait peut-être face à sa femme une ou deux fois encore avant de perdre confiance.

— Monsieur le pasteur, je suis Delia Byrd, dit-elle.

Elle songea à ajouter Windsor, mais ne put se résoudre à prononcer ce nom. D'ailleurs, se dit-elle, cet homme savait sûrement qui elle était, aussi bien que sa femme.

Le révérend Hillman lui tendit la main.

— Madame Byrd, je vous attendais.

Delia était stupéfaite.

— Ah bon ?

— Ma femme m'a dit que vous étiez passée.

Il sourit avec douceur.

— Et puis, je connais votre famille. Je connaissais votre mère.

Delia eut l'impression de manquer d'air. Les yeux du révérend Hillman étaient enfoncés, tristes et compatissants. Il la regardait comme il aurait regardé un enfant qui vient de tomber et se tourne vers un adulte pour qu'il l'aide à se relever. L'espace d'un instant, Delia fut cet enfant, puis une bouffée de nausée lui monta à la gorge.

— Je l'ignorais, dit-elle avant de déglutir péniblement. Que vous connaissiez ma mère. Je l'ignorais.

— Eh bien, je ne suis pas jeune.

Le pasteur chassa la poussière de son pantalon.

— Et j'ai passé presque toute ma vie à Cayro. Je n'étais pas là quand vous avez épousé Clint Windsor, je regrette de devoir le dire. Je suis revenu m'occuper de la paroisse une fois que vous étiez partie.

Que vous étiez partie, pensa Delia. Pas que vous aviez filé.

— Je ne me souviens pas de vous, avoua-t-elle.

— Moi si.

Le révérend Hillman joignit le bout des doigts.

— Je me souviens de vous à Pâques, quand vous veniez de perdre votre famille... je revois votre expression quand vous êtes venue écouter le chœur. Vous êtes venue seule et vous êtes restée au fond de l'église. Vous n'étiez qu'un petit bout de chou frappé d'un si grand malheur que j'ai prié pour vous de tout mon cœur. Mais j'étais jeune et je n'avais pas confiance en moi. Comme vous n'êtes pas revenue, je ne suis pas allé vous chercher. Je l'ai regretté pendant des années.

— Je m'en sortais très bien, dit Delia.

— C'est vrai ?

Il se pencha en avant.

Est-ce que je m'en sortais vraiment bien ? se demanda Delia. Probablement pas.

— Et maintenant, ça va ?

Delia se mit à rire.

— Non, sûrement pas, répondit-elle, incapable de se retenir de sourire comme une idiote.

Elle ne s'attendait pas à ça. Il lui sourit à son tour.

— Bon, nous pouvons peut-être faire quelque chose.

— Je voudrais voir mes filles, lâcha Delia. C'est pour ça que je suis venue vous trouver. Elles sont chez la grand-mère Windsor.

— Louise Windsor, oui.

Le révérend Hillman hocha la tête et regarda en direction de sa voiture.

— Les choses n'ont pas été faciles pour elle, je pense. Mais Deirdre et Amanda sont de gentilles petites. De gentilles petites. Et, bien entendu, vous voulez les voir. Qui pourrait savoir mieux que vous à quel point c'est dur de perdre une mère ?

Il se tourna vers elle.

— Je vous ai vue à l'église il y a quelques semaines, mais vous êtes partie avant la fin. Est-ce que vous avez déjà parlé à Mme Windsor ?

— Non, je me suis dit qu'elle n'accepterait pas de me parler.

Il examina le bout de ses chaussures noires, luisantes.

— Sans doute, reconnut-il. Il y a beaucoup de colère en Louise Windsor, beaucoup de colère.

Il soupira.

— Voulez-vous que je lui parle ?

Delia eut l'impression que ses hanches se liquéfiaient. Elle ne savait pas comment se comporter dès lors qu'il ne s'agissait pas de s'armer pour discuter, supplier ou repousser une attaque. Allait-il réellement l'aider ?

— Oh oui ! souffla-t-elle.

Il se passa la langue sur les lèvres et jeta de nouveau un coup d'œil vers sa voiture.

— Il faut que je vous demande une chose, madame Byrd. Est-ce que vous comptez rejoindre les paroissiens de Holiness ?

Les hanches de Delia se bloquèrent.

— Je ne l'avais pas envisagé, dit-elle. Je suis allée à l'église baptiste avec mon amie M.T., mais je ne sais pas vraiment ce que je vais faire. À part rester à Cayro. Je vais rester à Cayro, ça, c'est sûr.

Delia s'imagina un instant en train d'assister au service de Holiness Redeemer, sous le regard de Mme Hillman, de grand-mère Windsor et de tous les vieux bonshommes qui avaient eu affaire à Clint et à son père. Le pasteur l'avait surprise en lui parlant de sa famille, en mentionnant sa mère. Mais non, pensa Delia, elle n'allait pas rejoindre son Église.

Les yeux du révérend Hillman étaient braqués sur elle avec tristesse. Il avait compris.

— Bon, dit-il au bout d'un moment, vous devriez prendre votre temps pour vous décider, mais je suis heureux que vous restiez à Cayro. Il y a de braves gens ici, quelques personnes trop dures et d'autres passablement usées. Néanmoins, il y a des gens qui ont bon cœur… et qui veilleront sur vous. Ces gens-là ne manquent pas.

La gorge de Delia se serra. Tout compte fait, il n'allait pas l'aider. Elle approcha les mains de son ventre, appuya fort sous son cœur.

— Merci de m'avoir parlé... je vous suis reconnaissante.

— Oh ! vous me remercierez plus tard, répondit le révérend. Quand j'aurai parlé à Louise. Elle m'écoutera peut-être. Dans ce cas, nous verrons comment faire pour que vous passiez un petit moment avec vos filles.

Delia en resta bouche bée. Le révérend Hillman passa la main sur son crâne presque chauve et s'avança vers sa voiture.

— Nous en reparlerons, dit-il. Louise ne va pas être ravie de me voir. Ça pourra donc prendre un peu de temps. Nous nous recontacterons quand j'aurai quelque chose à vous communiquer.

Delia suivit la voiture des yeux, puis regarda la maison. Mme Hillman était à la fenêtre. Son visage faisait penser à un nuage noir et sa bouche à une cicatrice. Delia baissa soudain la tête et sourit. Certains jours vous apportent un petit quelque chose, pensa-t-elle. D'autres vous apportent beaucoup.

Delia travaillait depuis trois mois au Bee's Bonnet quand Marcia Pearlman eut une attaque alors qu'elle fermait le magasin, un samedi après-midi. Elle glissa sur le côté et croassa comme un corbeau au moment précis où Delia arrivait à sa voiture. Tandis que Delia revenait sur ses pas en courant, elle donna deux coups de pied et roula par terre, sans connaissance.

Durant plusieurs semaines, le Bee's Bonnet resta fermé. Marcia était couchée en chien de fusil dans un lit d'hôpital. Delia lui rendit visite tous les deux jours et observa ses lents progrès pour recouvrer l'usage de la parole et la faculté de se mouvoir. Elle pesta contre les médecins, puis contre Dieu.

— Nom de Dieu ! dit-elle pour la première fois de sa vie.

Les larmes ruisselaient sur ses joues. Elle voulait se redresser, dire ce qu'elle avait à dire et ne rien demander à personne, mais sa jambe gauche flanchait à chaque effort pour se lever et son bras gauche ballottait, inutile, le poignet déjà tourné en dedans et les doigts virant au gris-bleu.

Le médecin l'assura qu'elle s'en était remarquablement sortie. Une attaque était une chose imprévisible. Elle aurait pu se retrouver plus mal en point, infirme à vie et incapable de parler.

— Nom de Dieu ! répéta Mme Pearlman. Nom de Dieu !

Et elle lui fit signe de s'éloigner de son lit.

— Je n'ai personne, marmonna-t-elle à Delia avec un débit hésitant. Peu d'allocations vieillesse. Peu d'économies. Pas grand-chose.

Elle bougea le bras gauche.

— Cette maudite main me fait mal. Nom de Dieu !

— Vous avez des amis, lui dit Delia. De bons amis.

— Des amis !

Mme Pearlman soupira.

— J'ai besoin d'argent. Vous pouvez me faire gagner un peu d'argent.

Ses yeux marron étaient durs et perçants.

— Vous êtes douée. Je vais vous laisser tenir la boutique. Faites-moi rentrer de l'argent.

Delia fronça les sourcils.

Le magasin et le bâtiment lui appartenaient, expliqua péniblement Mme Pearlman.

— Mais je ne veux pas vendre. Je vais vous le louer. Je vous le loue et vous me faites rentrer de l'argent. Et… (elle s'interrompit et força ses lèvres à sourire)… il faudra que vous vous occupiez de mes cheveux. Toutes les semaines, vous devrez vous occuper de mes cheveux.

— Si je tiens le magasin, les gens ne viendront sans doute pas.

— Parce que maintenant ils viennent ?

Mme Pearlman haussa faiblement les épaules.

— Vous coiffez bien. Le temps passe. Ils viendront. Faites-moi gagner l'argent dont j'ai besoin.

Elle ferma les yeux, puis les ouvrit et les fixa sur Delia.

— Tout ce que vous ferez pour arranger le salon sera à votre charge, dit-elle. Je ne paierai rien.

Lentement, Delia acquiesça d'un signe de tête.

— Bien.

Mme Pearlman secoua de nouveau le bras.

— Nom de Dieu, nom de Dieu ! dit-elle en fronçant les sourcils. Nom de Dieu, nom de Dieu !

L'agent d'assurances de Marcia rédigea le bail et Delia appela Rosemary, en Californie, pour lui demander un prêt. Puisqu'elle devait gérer elle-même le salon, elle avait l'intention de réparer le résultat de plusieurs années de négligence.

— C'est exactement ce dont j'ai toujours eu cnvie ! s'écria Rosemary au téléphone. Posséder une partie du salon de beauté d'une Blanche.

— Eh bien, je ne vais pas exactement en être propriétaire. Je vais le louer, mais je te coifferai quand tu viendras me voir.

Rosemary entendait le sourire dans la voix de Delia.

— Je vais me documenter sur les nattes et tout ça pour te coiffer comme tu voudras.

Le Bee's Bonnet était un salon de beauté depuis quarante ans et auparavant avait été un garage. Il s'agissait seulement d'une dépendance de l'ancien hôtel de Cayro, bien que celui-ci eût disparu depuis longtemps. Le Bee's Bonnet n'avait rien d'extraordinaire – une grande pièce avec une rangée de bacs à shampooing dans une partie séparée par une voûte basse – mais c'était le premier endroit où Delia avait reçu une paye, le lieu, jurait-elle, de trop de commencements et de fins. De la fenêtre de derrière, elle avait vu la police emmener son oncle Luke en prison et grand-père Byrd menacer le shérif. De la vitrine, avec son écran de plantes mourantes, elle avait observé le coucher du soleil le soir où elle se savait prête à répondre oui à la demande en mariage de Clint Windsor. Et c'était sur le seuil du Bee's Bonnet qu'elle avait titubé et senti le flot qui s'écoulait entre ses cuisses et compris à cette odeur salée-sucrée et à l'étau de douleur qu'Amanda allait naître.

Quand Delia décida de reprendre le Bonnet, M.T. quitta son boulot au supermarché A & P.

— On va très bien s'en tirer, affirma-t-elle devant les protestations de Delia. Toi et moi, on va très bien s'en tirer. On va ouvrir et faire tourner la boutique en un clin d'œil. Tu vas voir.

M.T. lut tout ce qu'elle put trouver sur la comptabilité et le calcul des taxes, s'inscrivit à un cours pour adultes et créa son propre système de gestion en tenant compte des besoins de Delia.

— De vraies amies, confia-t-elle à Cissy. Ta maman et moi, nous sommes de vraies amies, et nous savons comment prendre soin l'une de l'autre.

— Ça, je l'espère bien, dit Delia en riant. Nous sommes dans le même bateau. Ou bien nous nous en sortons ensemble, ou bien nous coulons. De toute manière, nous prendrons soin l'une de l'autre.

— À ton avis, pourquoi est-ce que Marcia Pearlman tenait tellement à ce que tu t'occupes du salon ? demanda Steph.

Elle avait accepté de travailler au Bonnet après l'ouverture – uniquement au pourcentage, bien sûr, exactement comme M.T.

— Peut-être parce qu'elle sait aussi bien que moi que ça me convient.

— Ah ouais ? fit M.T. en tournant une page dans son livre de comptes. Tu crois que cette baraque est ce qu'il y a de mieux pour toi ?

— Oui, d'une certaine façon. Je crois que c'est une charge, répondit Delia. Je crois qu'il faut porter cet endroit. Je sais comment le porter et Dieu sait que ça me fait plaisir. Je ne pourrais pas gagner ma vie d'une autre manière. Mais je connais aussi les intentions de Marcia Pearlman. Elle a beau être baptiste, cette femme flirte avec le catholicisme. Elle s'attend à une expiation, claire, nette et publique. Pour elle, c'est le chemin que je devrais suivre. Pour elle, voilà le prix que je devrais payer pour tous mes péchés : coiffer jusqu'à ma mort en la maudissant à chaque facture d'eau. Je la crois même dénuée de toute mauvaise intention. À sa manière, elle me donne une chance de salut, il me semble. À mon avis, elle se fiche bien de savoir si j'aime ou non ce boulot. Le bonheur ne compte pas beaucoup dans le système baptiste.

— Tu crois que les hippies ne se fichent pas de savoir si tu es heureuse ? dit M.T. en reniflant de mépris.

Elle était sur la défensive quand Delia se mettait à parler des baptistes sur ce ton. Malgré toutes ses plaisanteries, M.T. se considérait comme une bonne baptiste.

— Si, reconnut Delia. D'ailleurs, dans le coin, il n'y a pas de hippies pour venir se mêler de mes affaires.

Delia, M.T. et Stephanie étaient en train de remettre la boutique en état, un après-midi, quand une grosse Oldsmobile bleu ciel s'arrêta. Grand-père Byrd en sortit. Delia n'avait encore jamais vu cette voiture, ni la femme assise au volant.

— Tu t'es trouvé une petite amie ? demanda M.T. quand il entra.

— Reurrrk ! dit-il.

Mais ses joues s'empourprèrent.

Debout à côté d'un bac à shampooing, Delia l'observa tandis qu'il s'approchait d'elle. Ils ne s'étaient pas parlé depuis son arrivée à Cayro et elle était incapable d'imaginer ce qui avait pu l'amener au Bonnet.

— J'ai des trucs pour toi.

Grand-père Byrd sortit la langue et la passa sur sa lèvre inférieure.

— Des rideaux et des choses que tu gardais dans des cartons. Je me suis dit que tu pourrais t'en servir ici.

Son visage fonça encore.

M.T. agita un bras en direction de Stephanie.

— Allons acheter un peu de Coca, suggéra-t-elle. Je m'étouffe avec cette poussière.

Toutes deux passèrent devant le vieil homme avec un sourire interrogateur à l'adresse de Delia.

— C'est gentil d'avoir apporté les rideaux, dit Delia.

Elle jeta un coup d'œil par la fenêtre. La robuste dame au visage carré, dans la voiture, n'avait certainement pas l'air d'une petite amie.

— C'est Mme Stone, s'empressa d'expliquer grand-père Byrd. Le shérif adjoint m'a dit que j'avais plus l'droit d'conduire et elle me dépanne.

— Tu as eu un accident ?

— Non, non. J'ai seulement cogné une vieille poubelle devant la poste. Personne n'a été blessé.

Il se passa de nouveau la langue sur les lèvres.

— Il y a aussi des pots de fleurs. Dans la voiture. J'ai pensé que tu voudrais nettoyer cette vitrine, mettre des jolis pots.

— C'est vraiment gentil de ta part, grand-père.

— T'as pas encore parlé à Clint, hein ? demanda-t-il brusquement.

Delia attrapa le balai-serpillière que M.T. avait incliné contre le bac.

— Non.

— Il est bien malade, annonça grand-père Byrd. Certains disent que c'est grave. Quelqu'un m'a dit que c'était tellement grave qu'il pourrait en mourir.

Les mains de Delia se refermèrent sur le manche. Malade ? Quel genre de maladie ?

— Je n'en avais pas entendu parler.

Grand-père Byrd hocha la tête.

— J'm'en doutais. J'me suis dit qu'il fallait qu'tu sois au courant.

Il jeta un coup d'œil dans le salon.

— Tu travailles dur.

— Pourquoi ? demanda-t-elle. Pourquoi tu t'es dit qu'il fallait que je sois au courant ?

Son grand-père la dévisagea.

— T'es allée parler au révérend Hillman, pas vrai ? T'es allée à l'église ? Bon, Clint y va pas, et Louise Windsor est pas du genre à parler d'ses affaires. Il m'a semblé que tu devrais savoir c'qui s'passe.

Il traîna les pieds.

— Si tu veux avoir ces petites, il faut qu'tu saches c'qui s'passe.

Ils se regardèrent, le vieil homme avec ses joues empourprées et ses yeux délavés, Delia avec les mains refermées sur ce balai comme si elle en avait besoin pour tenir debout.

— Merci, dit-elle enfin.

Grand-père Byrd baissa la tête.

— Faut qu'tu viennes me donner un coup de main si tu veux les trucs qui sont dans la voiture.

Delia apportait le dernier carton quand M.T. et Steph revinrent.

— Ça va ? lui demanda M.T.

Delia posa le carton.

— Il m'a dit que Clint était malade. Vous êtes au courant ?

— Malade ou fou, j'crois que personne ne le sait au juste.

Steph se laissa tomber dans un fauteuil, repoussa en arrière ses cheveux d'un châtain terne et se regarda dans le miroir. Elle avait dans l'idée de les teindre en roux, comme ceux de Delia.

— Quelqu'un a dit qu'il avait été malade cet été, précisa M.T. en fronçant les sourcils. Mais personne ne l'a vu depuis une éternité. Je n'aurais rien pu te raconter.

— Il ne travaille plus chez Firestone ? demanda Delia.

— En fait, plus depuis un an. Il y a travaillé longtemps.

Steph tourna son fauteuil vers Delia.

— C'est un cancer ? Les gens parlent de quelque chose de ce genre, mais je pensais que c'étaient seulement des potins.

— Les Windsor ne sont pas très causants. Tu le sais, dit M.T. Ça fait des années que Clint ne va pas bien et creuse sa tombe en buvant. Je ne crois pas l'avoir vu depuis la mort de son père, quand sa mère a commandé ce grand service religieux. J'ai vu les petites, à ce moment-là. Je te l'ai écrit.

Delia le confirma d'un signe de tête.

— Ensuite, Clint est allé habiter chez sa mère pendant quelques années. Il s'est un peu repris. Mais il a gardé ton ancienne maison, il s'est servi de la prime d'assurance de son père pour l'acheter. Je crois que sa mère voulait qu'il reste avec elle et les petites, mais il n'a pas voulu.

Steph fit pivoter son fauteuil.

— Lyle, mon mari, jure que Clint ne supporte pas sa mère et que c'est pour ça qu'il garde la maison, pour ne pas être obligé d'habiter avec elle.

— Elle est dure.

— Ouais.

— Ça, c'est sûr.

— Mais vous croyez qu'il est vraiment malade ?

Delia se leva et attrapa de nouveau le balai.

— J'en sais rien, dit M.T. J'en sais vraiment rien.

— Je vais me renseigner, promit Steph. Accordez-moi quelques jours et je saurai tout.

Leur plan était de rouvrir le Bonnet en février et il n'y avait que deux réels obstacles. L'un était l'effort à fournir pour rénover la boutique – le chèque de Rosemary apporta toutefois une aide considérable, et ni Delia ni M.T. n'avaient peur de travailler dur. Steph se plaignit beaucoup, mais elle s'y mit elle aussi, gratta et récura tandis que M.T. et Delia s'attaquaient à la peinture. Presque toute la peinture venait de chez Sally, qui semblait en avoir des stocks inépuisables dans son garage ; elle possédait aussi des produits à récurer et du papier peint achetés à bas prix, ainsi que des bacs pleins de choses dont les gens s'étaient débarrassés et qui seraient utiles un jour, elle en était sûre. Certaines peintures étaient donc vieilles et inutilisables, et toutes les couleurs bizarres. Delia et M.T. tâtonnèrent pour arriver à obtenir une grande quantité d'un curieux brillant pêche.

— J'aime bien cette couleur, leur dit Steph, et ce fut pour elles parole d'évangile.

Heureusement qu'elles aimaient toutes cette couleur car les murs graisseux et tachés du vieux salon de beauté eurent besoin de trois couches. Par chance, également, elles avaient un peu d'argent et achetèrent du blanc pour le plafond.

— Il ne faut pas abuser des bonnes choses, dit Steph. Je crois que j'aurais la nausée s'il y avait du pêche partout.

Les rideaux que grand-père Byrd avait apportés étaient passés et déchirés, mais Delia utilisa les pots pour la vitrine, sauva quelques-unes des plantes de Mme Pearlman et en acheta de nouvelles pour créer une jungle fantastique qui attirerait les gens dans la boutique.

Une fois le travail en cours, l'autre obstacle se fit plus menaçant. Nadine Reitower coinça M.T. sur le trottoir un après-midi et lui demanda si elles se rendaient compte de ce qu'elles faisaient en remettant une institution comme le Bonnet entre les mains d'une femme telle que Delia Byrd. Puisqu'elle n'était arrivée à rien avec Marcia Pearlman, elle avait décidé de venir affronter le fauve dans sa tanière.

— Nous ne lui avons rien remis entre les mains, mais je l'aurais sûrement fait si j'en avais eu la possibilité, dit M.T. Vous savez parfaitement que Marcia loue la boutique à Delia maintenant qu'elle ne peut plus la tenir.

Nadine tirait sur le fin collier qui dépassait de sa veste en tricot rose, boutonnée jusqu'en haut.

— J'ai déjà dit à Marcia que je ne laisserais pas Delia Byrd me toucher. Et voilà que cette traînée reprend le seul endroit où je sois jamais allée me faire coiffer !

— C'est pas contagieux, vous savez, dit M.T. Vous n'allez pas attraper des péchés parce que la main de Delia va vous toucher.

— Pour commencer, Marcia n'aurait jamais dû donner son salon à cette femme.

Nadine agita la tête et son chignon auburn remua dangereusement. On voyait bien qu'elle n'était pas allée chez le coiffeur depuis un bon moment.

— Elle ne le lui a pas donné, rétorqua M.T. avec impatience. Il s'agit d'un bail. Le montant est d'ailleurs exorbitant parce que Marcia va avoir besoin d'argent. Il me semble que vous devriez vous inquiéter de savoir si la fille perdue règle bien Marcia au lieu de l'empêcher de travailler honnêtement. Si elle ne tient pas le Bonnet, que va faire Delia, à votre avis ? Elle n'aura pas d'autre choix que de proposer le péché et le vice à moitié prix pour subvenir à ses besoins et à ceux de sa fille !

— Vous êtes grossière, et vulgaire.

Le front de Nadine luisait d'une soudaine transpiration.

— Oui, parfaitement, et je suis aussi en retard.

M.T. contourna Nadine et se dirigea au pas de charge vers la porte du Bonnet.

Ce soir-là, M.T. et Steph discutèrent du problème en mangeant des crevettes et des frites au bar-restaurant Goober's.

— Tu crois que les gens vont venir ? demanda Steph avec inquiétude.

— Je crois que certaines personnes viendront exprès parce que Delia a fait scandale, dit M.T. Quant aux autres, elles ne viendraient même pas si Delia avait soudain une auréole illuminée au-dessus de son âme immaculée.

Elle plongea une frite dans du ketchup et la porta à sa bouche.

— Merde, si elle ne s'était pas enfuie pour devenir riche et célèbre, Delia serait propriétaire du Bonnet aujourd'hui.

— Elle coiffe bien, reconnut Steph.

M.T. mâchonna d'un air heureux.

— Il ne nous reste plus qu'à le rappeler à tout le monde avant que Nadine Reitower aille claironner partout ses péchés.

— Ça nous faciliterait la tâche si Delia se réconciliait avec Clint.

Steph tritura une crevette pitoyable, mais, chez Goober's, on mangeait les meilleures frites de toute la Géorgie.

— Je me suis renseignée, apparemment, le vieux Byrd a raison. D'après ce que j'ai entendu dire, Clint pourrait bien mourir.

— Chaque chose en son temps, répondit M.T. Chaque chose en son temps. Comment est-ce qu'on va faire venir ces idiotes au Bonnet ?

Elle mordit dans une autre frite.

— Qu'est-ce que t'en penses ? Est-ce qu'on devrait organiser un concours ? Ou offrir une séance gratuite aux professeurs d'économie familiale ?

— Non.

Steph enroba sa crevette de ketchup.

— Une réduction pour les jeunes, peut-être. Mais tout ce que nous aurons à faire, c'est inciter les adolescentes à raconter que leurs mères n'iront jamais voir Delia. Si on la fait paraître vraiment dangereuse et scandaleuse, les jeunes viendront. Et nous aurons les mères quand elles verront ce que Delia fait pour leurs filles. Et puis, nous maintiendrons des tarifs inférieurs à ceux de Beckman.

M.T. se mit à rire.

— Stephanie, tu es maligne, dit-elle avant de commander une autre assiette de frites.

6

Trois fois en un mois, le révérend Hillman se rendit à l'ancienne ferme des Windsor pour convaincre Louise de laisser ses petites-filles voir leur mère. Depuis le début, il avait su que ce ne serait pas chose aisée ; Louise Windsor était loin d'être accommodante. C'était un trait de famille. Le vieux Windsor avait refusé d'aller à l'église plus de deux fois par an, une semaine avant Noël et une semaine avant Pâques – il restait chez lui le jour de la fête –, mais le pasteur avait pu compter sur la présence fidèle de Louise, au troisième rang. À ses côtés, il y avait toujours ces deux fillettes au visage sévère, vêtues de cotonnades assorties, bon marché, visiblement choisies par la grand-mère. Amanda, la plus âgée, assistait régulièrement aux cours de vacances sur la Bible et aux prières hebdomadaires. Dede, la plus jeune, venait à Holiness Redeemer uniquement parce que sa grand-mère l'y traînait. Elle ne le regardait jamais dans les yeux quand il essayait de lui parler. Son image l'amenait à se faire des reproches, lui rappelait cruellement la mère de Delia, si bien qu'il se sentait reconnaissant les jours où elle n'était pas là.

— Ça me fait un choc de la voir, déclara un jour sa femme.

Elle le surprit en disant exactement ce qu'il pensait.

— C'est le portrait de Deirdre Byrd, tu ne trouves pas ?

— Les enfants sont comme ça, répondit-il. De temps en temps, il y en a un qui ressemble comme deux gouttes d'eau à un parent ou à un autre. On dirait que Dieu fait une nouvelle tentative pour parfaire le modèle.

Mme Hillman renifla de mépris.

— En tout cas, c'est une famille qui a bien besoin d'être remodelée. Y en a pas une seule qui vive assez longtemps pour faire autre chose que quelques bébés avant de s'en aller.

En dix ans, le révérend Hillman n'avait rencontré le père des fillettes qu'une seule fois, au moment des funérailles du grand-père. Clint avait brièvement incliné sa tête raide et s'était détourné avant le début du service religieux. Il avait observé l'enterrement de loin, sur le côté, les mains sur les hanches, les yeux rivés au cercueil. À aucun moment il n'avait regardé ses filles, contrairement à elles. Le besoin criant d'affection que le révérend Hillman lisait sur ces deux visages enfantins l'avait poussé à prêcher fermement sur l'importance de l'amour et du pardon. Ensuite, plusieurs personnes lui avaient dit combien ses mots avaient été inspirés, mais ni Clint ni Louise Windsor ne lui avaient adressé la parole. Clint avait seulement fait un nouveau signe de tête brusque et lui avait tendu une enveloppe qui contenait exactement trente-cinq billets de un dollar.

L'épouse du révérend avait hoché la tête.

— C'était au moins un enterrement à cinquante dollars ou je ne m'y connais pas, avait-elle dit. Mais les Windsor ne sont pas capables de voir la différence. Je parie que ce garçon aurait enterré son père dans son champ de cacahuètes s'il avait pu se dispenser d'acheter un cercueil.

Lors de son troisième déplacement chez les Windsor, le cœur lourd, le révérend Hillman se rappela les mots de sa femme au moment où il s'arrêta devant la ferme. Il lui avait reproché son ton, mais était bien obligé de reconnaître qu'elle avait raison. Clint Windsor aurait probablement adoré l'idée de labourer par-dessus les os de son père au printemps, et Louise serait venue observer la scène avec joie. Quel effet ça ferait de voir sourire cette vieille dame ? se demanda-t-il. Pendant tout le temps qu'il avait passé à Redeemer, il ne l'avait jamais vue sourire. Après tout, quelle raison aurait-elle eue de le faire ? Son mari était une brute d'ivrogne et, d'après ce que tout le monde disait, son fils avait suivi le même chemin. Le révérend Hillman essuya la sueur de son front et se rappela le nombre de fois où Louise Windsor était venue à l'église avec des bleus sur le cou ou les yeux tuméfiés. Il n'avait jamais réussi à lui faire admettre que quelque chose n'allait pas. Comment une femme en arrivait-elle à trouver ça normal ? se demanda-t-il pour la millième fois. Et quel genre de femmes allait-elle faire de ces deux fillettes dont elle s'occupait ?

— Voilà que vous nous rendez régulièrement visite, dit Louise quand il grimpa les marches de la véranda.

Derrière elle, il apercevait Amanda, les cheveux emprisonnés dans un foulard, un tablier serré sur les hanches.

— Mais c'est le jour où je fais bouillir, et je n'ai pas le temps de m'asseoir pour discuter avec vous.

— Le jour où vous faites bouillir ?

Il sentit l'odeur de vapeur et d'eau de Javel qui arrivait sur la véranda.

— Oh ! vous n'êtes sûrement pas au courant. Votre épouse est bien jeune, mais certaines d'entre nous ont appris qu'une femme change draps et voilages à la fin de l'hiver. Le 15 février, me disait toujours ma mère. À ce moment-là, vous devez avoir fait bouillir le blanc et vous apprêter à penser au printemps. Certaines années, je le fais un peu plus tôt, d'autres un peu plus tard.

Elle jeta un coup d'œil dans la maison et se frotta les reins.

— Cette année, mon forsythia a bourgeonné très tôt, alors je me presse un peu. L'hiver a été tellement humide, affreux ! J'ai peut-être envie d'arriver au printemps plus tôt que d'habitude.

Le révérend Hillman sourit.

— Comme nous tous, je crois…

Louise lui jeta un regard méfiant.

— Vous êtes venu pour recommencer à me harceler ?

— Je suis venu pour que nous reprenions notre conversation. Et puis, oui, je voudrais parler des petites et de leur mère.

— Leur mère !

Louise tordit la bouche.

— J'ai plus été une mère pour ces petites qu'elle ne le sera jamais.

Elle secoua la tête.

— Vous perdez votre temps, monsieur le pasteur. Delia n'est pas une mère. Tout ce qu'elle arrive à faire en venant ici, c'est chambouler les filles. Au premier petit problème, elle filera une nouvelle fois. Et alors, hein ? Elle s'en ira pendant quelques années et, à son retour, vous reviendrez la défendre ?

— Elle semble décidée à rester à Cayro, répondit le révérend Hillman. Je ne pense pas qu'elle veuille le moindre mal aux petites. Et savoir qu'elle pense à elles pourrait leur faire du bien.

Louise renifla de mépris.

— Du bien ! Cette femme n'a pas une once de bien en elle.

— Il y a du bien en chacun de nous, avança prudemment le pasteur.

— Que vous dites, mais moi, j'suis pas prédicateur. J'suis une travailleuse qui élève deux petites, têtues, abandonnées, qui seront très bientôt elles-mêmes des femmes. Et j'veux pas qu'elle vienne leur mettre des idées dans la tête. Y a déjà assez d'ennuis comme ça.

Elle se tourna de nouveau vers la maison, souhaitant visiblement que les enfants ne participent pas à la conversation. Le révérend Hillman regarda par-dessus son épaule et vit qu'Amanda était partie, peut-être en direction de la cuisine et des lessiveuses en train de bouillir.

Il s'éclaircit la gorge et décida de changer de cap.

— Des ennuis, déclara-t-il en balayant lentement la cour des yeux. Je sais bien que vous ne voulez pas d'ennuis. C'est ce que je disais au diacre, M. Hayman, quand il m'a avoué qu'il s'inquiétait de ce qui pourrait arriver. Aucun de nous n'a envie de voir des querelles de famille au tribunal, avec les avocats qui disent à tout le monde ce qu'il a à faire et les services sociaux du comté qui s'en mêlent.

— Ils n'ont pas à se mêler de mes affaires.

Le visage de Louise s'empourpra à la pensée des avocats et des services sociaux.

— J'élève bien ces petites.

— Comptez sur moi pour vous soutenir en tout temps et en tout lieu, affirma le révérend Hillman en hochant fermement la tête. Si vous devez aller au tribunal, j'expliquerai à tout le monde à quel point vous vous êtes donné du mal avec Deirdre et Amanda.

— Je n'aurai pas besoin d'aller au tribunal.

À présent, elle était véritablement effrayée.

— Eh bien, j'espère que non. Mais vous connaissez les bureaucrates. Je me rappelle que la protection de l'enfance vous a déjà causé pas mal d'ennuis.

— C'était à cause de ce hippie avec lequel elle s'est mise, lui et son argent, lui et son avocat ! fulmina Louise.

— Ça, les avocats créent toujours des ennuis.

Le révérend la dévisagea. Elle réfléchit un instant. Lorsqu'elle reprit la parole, sa voix manquait d'assurance.

— Delia a des avocats, maintenant ?

— Je n'en sais rien. Pourtant, elle semblait très décidée quand elle m'a parlé. Et j'espérais que nous pourrions faire en sorte qu'il n'y ait pas de problèmes. Elle m'a dit que ce qu'elle voulait, c'était voir les petites.

— Pas question qu'elle les emmène, s'empressa de dire Louise.

— Comment voulez-vous qu'elle le fasse ?

Le révérend Hillman marqua une pause tandis que Louise devenait de plus en plus nerveuse.

— Est-ce que les tribunaux ne vous ont pas confié la garde des enfants ?

— Ils l'ont confiée à Clint. J'figure pas sur les documents. Sauf que c'est moi qui fais tout le boulot.

— Bon, à Clint, dit le révérend Hillman en haussant les épaules. Ça ne devrait pas poser de problème. Si ?

Louise l'inspecta de haut en bas d'un air méditatif.

— Vous lui avez souvent parlé, à elle ? demanda-t-elle.
— Non. Juste une fois.
— Bon.
Le regard de Louise s'égara dans la cour.
— Peut-être qu'on pourrait envisager qu'elle vienne une ou deux fois les voir. Tant que c'est que ça.
Le révérend acquiesça d'un signe de tête sans la lâcher des yeux.
— Ce n'est que ça, dit-il. Elle veut seulement voir les petites.
Louise tordit de nouveau la bouche et ses lèvres se retroussèrent en une grimace. Tandis qu'elle le faisait entrer dans la maison, le révérend Hillman se rendit compte qu'elle avait peur. Elle pensait probablement que tout le monde représentait une sorte de danger pour elle. Le problème, bien sûr, c'est qu'elle avait en partie raison.
Dede et Amanda n'eurent pas de réaction perceptible en apprenant le retour de leur mère. Elles déclarèrent simplement au pasteur qu'elles feraient ce que souhaitait leur grand-mère. Il n'avait aucun moyen de savoir ce qu'elles diraient en son absence. Mais elles avaient grandi dans cette cour poussiéreuse, mangé la bouillie de maïs et les tomates mijotées de leur grand-mère, ingurgité ses aigres ressentiments et sa formidable méfiance pour tout ce qu'elle ne pouvait pas blanchir, récurer ou enfouir sous la lessive de soude. Elles avaient les mêmes expressions qu'elle et dissimulaient si soigneusement leurs pensées qu'elles ne savaient peut-être même pas ce qu'elles voulaient. Leurs journées étaient remplies des versets bibliques préférés de grand-mère Windsor, l'Apocalypse et la grande prostituée de Babylone, non pas les paraboles, mais la femme déchue. Delia était la malédiction et le scandale de leur vie. Les paquets qui arrivaient pendant les vacances étaient refusés ou restaient fermés. Les cartes étaient brûlées avec les ordures. Des plaisanteries amères étaient marmonnées derrière leur dos ou répétées à dessein pour qu'elles retiennent la leçon. Une odeur de savon fabriqué à la maison flottait derrière elles et leurs camarades de classe se moquaient des vêtements que leur

grand-mère les obligeait à porter. Les deux sœurs humaient la fureur comme on hume une soupe fumante. Leur mère ne les avait pas assez aimées. Qu'est-ce que ça pouvait bien leur faire qu'elle se pointe maintenant ?

Delia décida qu'elle serait prête à rouvrir le Bonnet le jour de la Saint-Valentin. Avec l'aide de Cissy, accordée de mauvaise grâce, Steph, M.T. et Delia accrochèrent des bannières dans la vitrine et collèrent des affichettes sur tous les poteaux du centre-ville. M.T. emporta des prospectus à l'église et Steph alla en déposer quelques-uns dans les toilettes des femmes, chez Beckman. M.T. n'avait pas été payée pour couper les cheveux et coiffer depuis la naissance des jumelles, mais elle espérait s'en tirer aussi bien que Steph. Steph n'avait jamais travaillé pour gagner sa vie depuis qu'elle avait quitté le lycée.

— Ma famille et mes amis viendront se faire coiffer, répétait M.T.

Delia le confirmait d'un sourire, même si elle n'était pas encore sûre que quelqu'un viendrait voir l'une d'elles. C'était une petite ville et Beckman, avec ses deux fauteuils de coiffure, n'était pas si loin que ça.

Les premiers jours, les trois jeunes femmes veillèrent à garnir la vitrine de fleurs fraîches et à faire occuper leurs fauteuils par des amies à qui elles offraient une première coupe et un soin. Le samedi de l'ouverture, avant l'arrivée des clientes, Delia servit du café et des muffins de maïs aux lardons.

— Tu as dû te lever tôt pour les préparer, plaisanta M.T. d'un ton taquin.

— Ouais, reconnut Delia. De toute façon, je ne pouvais pas dormir. Ils sont un peu lourds. Je n'ai pas le tour de main pour les muffins, je ne l'ai jamais eu.

— Tu aurais dû aller au Biscuit World, dit Stephanie, la bouche pleine de muffin. Le vieux Reitower a le tour de main, lui. Il fait les meilleurs biscuits qu'on ait jamais goûtés, surtout ceux à la saucisse. Ça permet d'apprécier doublement le café.

— Tant mieux s'il y a au moins quelque chose de bien dans cette famille.

M.T. sirota son café crémeux et lissa sa jupe, qui s'arrêtait nettement au-dessus de ses genoux à fossettes. Son cul avait beau s'élargir, ses jambes restaient lisses et fuselées. Elle s'était arrêtée au Biscuit World en venant et avait remarqué que le propriétaire et son fils avaient tous deux regardé ses jambes quand elle était repartie. Qu'en aurait pensé Nadine Reitower, cette vieille bique décharnée et prétentieuse ?

— Quand le salon tournera bien, je vous offrirai des biscuits, promit Delia. Pour l'instant, je peux à peine me payer de la farine de maïs.

— Je croyais que tu étais riche, dit Stephanie à Delia en agitant son muffin et en éparpillant des miettes sur sa jupe. Je croyais que tous les gens qui faisaient de la musique étaient riches. À les voir porter ces vêtements, se balader dans ces cars…

Elle sourit largement et tendit un doigt vers Delia.

— Et se droguer.

— Oh ! ouais, la drogue.

Delia hocha la tête.

— Des tas de drogues. Des Marlboro et des Camel, du Southern Comfort et du Jim Beam, du whisky sec dans un verre tiède.

— On aurait parfois dit que tu te droguais, fit remarquer Steph. À entendre ta voix rauque dans certaines chansons, on aurait pu croire que tu sirotais quelque chose.

— Je faisais plus que siroter, dit Delia d'un ton dur. J'ai été soûle presque tout le temps que j'ai passé en Californie.

Elle repassa les muffins à la ronde et vit que Cissy écoutait.

— Ça sert à rien de raconter des histoires. C'était affreux, mais, la plupart du temps, je n'en étais même pas consciente.

— Tout ne pouvait pas être affreux.

M.T. était mal à l'aise. Elle tourna son fauteuil pour ne pas avoir à regarder Cissy ou Stephanie.

— Certaines choses devaient bien être agréables, tout de même.

— Ouais, j'ai trouvé Randall vraiment mignon la fois où je l'ai vu : un beau mec, dit Stephanie avant de rougir légèrement. Et la célébrité, ça ne gâte rien. Riche et célèbre. Il a gagné beaucoup d'argent avec ses albums.

— Oh ! Randall n'a jamais été riche. Il en avait seulement l'air. *Diamonds and Dirt* est le seul disque de Mud Dog à avoir rapporté un peu d'argent.

Delia souffla sur son café et sembla oublier un instant l'endroit où elle se trouvait.

— Randall avait de la présence, voilà ce qu'il avait. On aurait dit une star, il se conduisait en star. Il arrivait à persuader les gens de sa valeur.

Randall avait tellement charmé les agents des maisons de disques qu'ils réglaient les frais de sa vie de star. Reporters et photographes qui le suivaient partout, luxueuses chambres d'hôtel saccagées, yeux vitreux, rien ne manquait pour maintenir l'illusion. Et toutes ces factures remises à des comptables nerveux. Toutes ces drogues étalées sur des petites tables en loupe d'acajou, tellement cirées qu'on pouvait s'y voir. Une vie de star, une présence de star. Pas d'argent liquide, mais des tas de petits avantages.

— On n'avait jamais d'argent, dit Delia.

Stephanie haussa les sourcils, incapable de la croire.

— Pas d'argent ?

— Pas un sou.

Delia se carra dans son fauteuil.

— Longtemps, je n'ai même pas eu le téléphone. Je ne pouvais pas appeler si je ne me trouvais pas dans le bureau de quelqu'un ou si je ne traînais pas chez Randall.

M.T. et Stephanie la regardèrent en ouvrant de grands yeux. C'était inimaginable, ce que leur racontait Delia. Une vie de luxe, mais sans un radis. Comment ça marchait ?

— C'est fou à quel point on peut passer pour riche quand on n'a pas un sou en poche. On apprend à tout mettre sur le compte de la maison de disques ou à se servir de son nom pour emprunter de l'argent.

Les vêtements déjà portés devaient être nettoyés par les services de blanchisserie des hôtels, les neufs achetés à crédit.

— Le plus difficile, c'étaient les sous-vêtements.

Delia rejeta ses cheveux en arrière.

— J'arrivais à me faire offrir une robe de scène dans un magasin chic de Wilshire, mais pas à avoir des culottes, des soutiens-gorge ou des chaussettes. Si on ne pouvait pas faire payer quelque chose par une maison de disques, on ne réussissait pas à l'obtenir.

En sept ans, elle n'avait pas eu plus de quatre cents dollars entre les mains. Delia leur raconta que c'était un peu comme vivre dans un monde irréel. Si elle sortait du cercle enchanté, tout ce qu'elle possédait s'évanouissait.

— Est-ce que je peux avoir un salaire ? avait-elle demandé à Randall au moment de la production de *Mud Dog / Mud Dog*.

— Un salaire ? Mais tu vas être riche, petite !

— Ouais, bon, j'aimerais pouvoir compter sur quelque chose.

— Tu peux compter sur moi.

— Randall !

— Allons, petite !

Dans un geste de conciliation, Randall avait prié la Columbia de verser à Delia des émoluments mensuels de mille dollars.

— C'est pas lourd, avait protesté Rosemary au nom de Delia.

Elle touchait un pourcentage pour composer certaines musiques, même si tout le monde savait que Delia travaillait avec elle.

— Delia n'a pas besoin d'argent. Tout est payé. Elle n'a pas à régler un loyer, des notes d'épicier ni des traites pour une voiture. Elle peut tout mettre sur le compte du groupe. Tout ce qu'elle veut, je le lui procure, avait lâché Randall du coin des lèvres. Delia est ma femme ! Elle n'a besoin de rien. Merde ! Bon Dieu de merde !

Le plus drôle, dans l'histoire, raconta Delia à M.T. et à Stephanie, c'est que Randall lui « empruntait » constamment du liquide. Pour être précis, au moment où elle était partie, elle ne possédait que sa voiture et six mille dollars sur son compte en banque.

— Six mille dollars pour combien de temps ? Huit ou neuf ans ?

Stephanie était pensive.

— Lyle et moi, on fait mieux.

— Bon, je ne me suis jamais préoccupée d'argent, dit Delia. Je faisais confiance à Randall. Même à l'époque où j'aurais dû avoir compris, je lui faisais confiance. C'était peut-être l'alcool, mais, pour dire la vérité, Randall avait ce quelque chose de magique. Il ne savait pas s'en servir et il ne s'est jamais soucié de le développer. Mais quand il vous regardait avec ses grands yeux sombres, on s'en remettait tout naturellement à lui. On ne pouvait pas imaginer qu'il était mortel et stupide comme nous. On se disait qu'il était différent, tout ça parce qu'il arrivait à vous briser le cœur avec sa manière de chanter.

— Tu devrais changer le nom du salon en Rock Star Shop, dit Stephanie.

À travers la vitrine, elle regardait des gens qui passaient et lui jetaient eux aussi un coup d'œil. Il était l'heure d'ouvrir.

Ces mots les firent toutes sursauter. Avant la remarque de Steph, le bavardage nerveux de Delia avait camouflé qu'elle faisait ce qu'elle s'était toujours juré de ne pas faire – parler des années passées avec Randall.

Cissy était là, en train d'écouter depuis le début. Elle balançait les épaules contre la voûte, observait sa mère derrière ses lunettes fumées et pensait à son papa. Delia n'avait pas le droit de parler de lui sur ce ton détaché, méprisant. Stephanie n'avait pas le droit de vouloir faire du commerce avec sa célébrité.

— J'aime bien « Bee's Bonnet », déclara-t-elle d'une voix forte. Ce nom a une longue histoire. Le salon est là depuis toujours.

Elle agita une main vers les murs pêche et les ornements blancs. La matinée était grise, mais la lumière pénétrait maintenant par la vitrine. La vapeur qui s'échappait de la cafetière, dans un coin, près de la porte, couvrait l'odeur de peinture fraîche et d'ammoniaque. Si Delia rebaptisait la boutique, Cissy trouverait le moyen d'y mettre le feu.

Delia regarda Cissy, les yeux brillants de gratitude.

— Tant mieux, dit-elle. Parce que je ne vais pas gaspiller de l'argent à repeindre cette enseigne.

Elle plongea un peigne à queue dans un pot de désinfectant bleu.

Tout le monde se mit à rire. Le moment où tout aurait pu basculer passa. Cissy martela la voûte du plat de la main et se mordit la lèvre.

La première cliente payante du Bonnet fut Gillian Wynchester, le simulacre de femme libérée dont disposait Cayro. Gillian était réputée pour avoir déclaré au cercle dans lequel elle jouait au bingo qu'elle comprenait qu'on ait envie de jeter son soutien-gorge au feu car elle préférait se mouvoir librement plutôt que d'être compressée dans des trucs en dentelle rêche, que son mari lui rapportait toujours de ses voyages bisannuels à La Nouvelle-Orléans.

— Il va dans ces bars à seins nus, là-bas, il rapporte à la maison des trucs qu'il a vus sur ces putes et il s'attend à ce que je les porte pour lui faire plaisir, avait raconté Gillian à ses amies. Les accoutrements les plus impies que vous ayez jamais vus. Et regardez-moi… j'ai pour ainsi dire presque rien en haut. À quoi bon essayer de transformer des mandarines en pamplemousses ?

Gillian sourit d'un air affecté en voyant le choc et l'épouvante que ses paroles avaient provoqués. Ensuite, elle mit un point d'honneur à prévenir tout le monde qu'elle était libre-penseur.

— Vous ne pouvez pas savoir tout ce que je n'accepterais jamais de faire, jurait Gillian.

En réalité, elle n'avait jamais rien refusé à son mari depuis le jour où elle l'avait pris pour époux – même pas de venir au lit dans le bustier de satin vert qui projetait sa poitrine de taille A hors de sa nuisette. Elle s'assurait toutefois que sa fille, Mary Martha, était bien endormie avant de le mettre. M.T. avait prédit qu'elle serait l'une des premières à venir au Bonnet ; Gillian avait téléphoné avant même l'ouverture.

— Je voudrais quelque chose de nouveau et de sensationnel, dit Gillian à Delia, en renversant la tête au-dessus du bac à shampooing. Je pensais que je pourrais ajouter un peu de couleur, tant que j'y suis, peut-être des mèches blond miel, comme en a toujours cette fille de la météo au journal du matin.

— Mmmm.

Delia passa les doigts dans les maigres boucles châtaines.

— Je pourrais peut-être vous éclaircir un peu. Changer votre après-shampooing. Donner du corps à vos cheveux pour pouvoir faire quelque chose de différent.

— Oui, de différent, acquiesça Gillian en soupirant tandis que les doigts robustes de Delia lui massaient le crâne.

Pendant l'heure qui suivit, elle gloussa, gémit et raconta des histoires osées sur son mari pendant que Delia murmurait, souriait et laissait travailler ses mains de magicienne. Quand Delia mit la dernière touche à la coiffure puis tourna le fauteuil vers le miroir, Gillian resta muette pour la première fois.

— Seigneur ! s'exclama-t-elle finalement en tapotant les cheveux qui s'écartaient de son visage.

— Vous êtes belle, dit Delia.

Elle se servit de la queue de son peigne pour soulever un peu le sommet de la coiffure. Le style était celui que Gillian avait privilégié depuis son mariage, mais, pour la première fois, la coupe prenait en compte sa mâchoire étroite et adoucissait ses yeux perçants.

— Oui, hein ? reconnut Gillian.

Dans le miroir, par-dessus l'épaule gauche de Delia, Steph adressa un petit signe de tête à M.T. Une fois que Gillian eut fait quelques courses à l'épicerie, récupéré son linge à la blanchisserie et envoyé un colis à la poste, le téléphone du Bonnet commença à sonner. Dès la fin de la semaine, le ruisseau de clientes aventureuses gonfla en rivière. À la fin du mois, c'était un fleuve au débit régulier.

Quand les clientes arrivaient, rougissantes, les yeux rêveurs, et parlaient de la coiffure qu'elles voulaient, Delia leur posait une serviette humide sur la nuque et leur passait sa collection de magazines, le gros numéro de printemps de *Vogue* avec ses nombreuses pages consacrées au mariage, le numéro d'automne de *Mademoiselle* avec toutes les coupes d'écolières.

— Si vous voyez quelque chose que vous aimez, nous verrons ce que nous pouvons faire, leur affirmait Delia.

La différence entre les modèles choisis et la réalité pouvait bien être énorme, Delia trouvait le moyen de la réduire.

— Vous n'avez pas tout à fait assez de matériau pour que je puisse travailler, disait-elle à une dame mûre en brandissant la photo d'une petite de seize ans dont les cheveux descendaient jusqu'aux fesses. Mais nous pouvons faire paraître votre crinière plus longue, employer un joli rinçage éclaircissant, la rendre un peu plus volumineuse.

Et, d'une certaine manière, elle y parvenait, ou donnait à la cliente l'impression qu'elle y était parvenue.

— Elles sont aveugles, stupides et folles de désir, disait Steph quand elles sortaient du salon.

Steph ne parlait jamais d'amour, seulement de désir.

— C'est la fièvre printanière. On dirait qu'on est en chaleur. On le sent dans sa peau. Je ne blague pas.

— Tu devrais y céder de temps en temps, Steph. Ça requinque, répliquait M.T., taquine. Un peu de chaleur ne te ferait pas de mal. Ça donne le teint rosé et les yeux brillants. C'est mieux qu'une goutte de whisky ou une sieste l'après-midi. À vrai dire, mon chou, je crois que tu ferais mieux de te le permettre si tu ne veux pas oublier l'effet que ça fait.

— Tu peux parler, toi !

— Oui, je peux.

M.T. était rayonnante et Steph rougissait. Tout le monde connaissait la réputation de M.T.

— Alors, parles-en à Delia. C'est elle qui en aurait bien besoin.

— Ne me mêlez pas à ça, disait Delia en agitant la main et en riant. Je m'en sors très bien, merci.

Les salons de beauté tournent autour de ça – les rêves, le désir et la réduction de l'écart entre réalité et imagination. Malgré les propos badins et railleurs, les dames du Bonnet adoraient ce jeu-là.

— Vous êtes folle amoureuse, disaient-elles à une jeune fille qui savait à peine ce qu'elle ressentait en franchissant le seuil.

— Il est si bien que ça ? demandait M.T. Il vous suffit de penser à lui pour avoir une suée ?

Elle adressait un clin d'œil à Delia ou Steph, tout en apaisant sa victime.

— Bon, c'est un peu vrai, disait parfois la jeune fille. En tout cas, ça me fait réfléchir.

Avec les doigts de M.T. sur leurs tempes et le sourire de Delia dans le miroir, cette idée était plus excitante qu'embarrassante. Un salon de beauté était l'un des endroits où de telles passions pouvaient être impunément avouées.

— Il est drôlement beau, disaient-elles avant d'ajouter : beau et drôle, riant ouvertement de leur trait d'esprit.

Une femme savait où aller quand l'amour la prenait. Les dames du Bonnet étaient des prêtresses capables de dispenser approbation et encouragements.

— Allons, ma petite, on va bien s'occuper de vous.

— Allons, ma petite, saisissez votre chance.

— Il faut bien prendre quelques risques pour avoir un homme qui en vaille la peine. Allons, ma petite.

Les cheveux pouvaient être teints, dégradés, balayés, crêpés ou transformés avec une permanente. Formidable manucure, M.T. mettait du vernis de la couleur souhaitée sur les ongles, les allongeait ou les arrondissait, et en posait même de faux. Steph présentait un nouveau fond de teint ou une lotion hydratante, ou trouvait le moyen de faire paraître les yeux plus grands sous une faible lumière. Delia souriait, tendait ses magazines, acquiesçait, conseillait, rassurait. Et, le samedi suivant, quand les femmes revenaient, les yeux gonflés, le teint brouillé de déception, Delia exhumait encore un peu d'espoir.

— Allons, ma petite, on va bien s'occuper de vous. J'ai une idée pour vous faire quelque chose qui vous plaira peut-être.

De temps à autre, Cissy se demandait si l'après-midi passé à pouffer et à rêver au Bonnet ne se révélait pas le meilleur de la relation en question. Le lustre parfumé des prémices de l'amour valait sans doute bien mieux que la réalité prosaïque de deux heures passées à se débattre, en sueur, dans une vieille Ford quelconque. Le dévouement chaleureux des dames du Bonnet pouvait même rendre les peines de cœur romantiques.

Au Bonnet, on plaisantait en disant que si une femme changeait de coiffure, c'était qu'elle changeait presque à coup sûr de draps.

— Elle remplace le coton blanc par du satin rose, dit M.T. Madrigal Whiteman veut une coiffure qui aille avec des draps en satin.

— Elle ? pouffa Delia. Ça fait une éternité qu'elle a une coupe au carré trop longue, avec les cheveux roulés en dedans.

— Bon, ce matin, elle portait une casquette, comme cette actrice sur la photo que tu avais sur le comptoir.

— Tiens, tiens. Elle essaie de ressembler à une jeune fille.

— Elle a dit qu'elle voulait quelque chose de facile à entretenir.

— Facile à laver sans trop d'après-shampooing ou de soins en flacons qui alourdissent un sac. Pas de sac, et on ne se fait pas remarquer. La coupe motel. Ça cache de gros péchés. Je n'aurais jamais cru que Madrigal se serait mise à un truc de ce genre à son âge.

— J'ai entendu dire qu'elle bavardait beaucoup avec le sous-directeur du nouveau Wal-Mart. Comment s'appelle-t-il, déjà ?

— Tu veux parler de ce beau gosse baratineur ?

— Seigneur, Delia, t'as une façon de dire les choses !

Mais Delia, elle, ne changea rien du tout. Elle ne modifia jamais sa coiffure ni ses draps. Elle portait ses cheveux roux aux épaules, retenus en arrière ou au sommet du crâne pendant la journée, et ne les lâchait que le soir. Elle les laissait pendre librement quand elle s'asseyait sur les marches de la véranda, une fois la nuit tombée.

— J'aime bien remuer la tête et les sentir bouger, répondit-elle quand M.T. lui conseilla de les couper.

— Les cheveux courts sont plus faciles à porter. Les cheveux longs, c'est pour les jeunettes.

— Quand j'étais petite, je les avais courts. Grand-père Byrd disait que ça donnait trop de tracas de s'occuper de moi et, quand j'ai été malade, après la sixième, il a demandé à Mme Pearlman de les couper juste dans le cou. Il voulait qu'elle me fasse cette coupe gonflée au sommet du crâne qu'elle avait sur un poster, au mur. Il pensait que ça serait parfait, le salaud. Il n'écoutait pas quand je disais que je les voulais longs. Il disait que les cheveux longs vous retirent toute votre force.

— Certaines vieilles personnes l'affirment. Elles disent qu'il faut couper les cheveux à un enfant quand il a de la fièvre pendant plus de deux jours. Et que les cheveux pompent une partie de l'énergie dont on a besoin pour lutter contre la fièvre. Les filles portaient les cheveux longs et nattés jusqu'à ce qu'elles soient malades ou commencent à être effrontées. On prétendait que couper les cheveux à une fille la rendait plus docile. Une superstition idiote.

— Grand-père Byrd y croyait, je parie. Il voulait sûrement me mater.

Delia lissa quelques petits cheveux qui lui tombaient dans le cou et les coinça dans son chignon.

— Je crois qu'il voulait imprimer sa marque, prouver qu'il avait le pouvoir de décider. Quand on m'a coupé les cheveux, je pleurais et je le maudissais. Je ne me suis pas sentie moi-même tant qu'ils n'ont pas repoussé.

— À une époque, les filles se coupaient les cheveux pour montrer qu'elles étaient adultes. Ou insoumises.

— Bon, j'ai jamais eu besoin de me couper les cheveux pour être une insoumise.

— Non. T'as rien eu besoin de faire.

Le révérend Hillman était exaspéré. Louise Windsor avait accepté que Delia vienne voir les petites, mais elle ne cessait d'expliquer qu'elle avait besoin d'encore un peu dc tcmps pour préparer son cœur. Est-ce qu'il voulait bien venir lire la Bible avec elle les samedis après-midi afin qu'elle se prépare au pardon ? Au début, il était ravi ; c'était plus qu'il n'espérait de cette vieille entêtée. Il téléphona à Delia, au Bonnet, pour lui demander encore un peu de patience. Après quelques semaines passées à essayer de fixer l'attention de Louise sur le chapitre VIII de Jean, il devint manifeste que la vieille dame n'était pas pressée. Elle avait toujours réponse à tout. « Oui, mais... », ou « et si... ». Elle le bombardait de feu et de soufre, de versets au sujet de l'adultère et des femmes de mauvaise vie, de la putain de Babylone et de la prostituée qui marcherait devant l'Antéchrist.

— Je ne la crois pas sincère quand elle prétend qu'elle laissera Delia voir ses filles, avoua le révérend Hillman à sa femme.

— Tu viens seulement de t'en rendre compte ? dit-elle avant de rougir en voyant son expression accablée. Ne la laisse pas t'avoir à l'usure. Parle-lui une nouvelle fois de l'avocat. Elle déteste les avocats.

Le révérend Hillman suivit le conseil de sa femme, mais alla encore plus loin et chercha toutes les références bibliques aux hommes de loi. Il y en avait un nombre étonnant et la plupart d'entre elles étaient plutôt intimidantes. Au bout de dix minutes, Louise Windsor lui lança un tel regard qu'on l'aurait crue face à un serpent.

— Un quart d'heure, dit-elle en se levant et en remettant sa bible à sa place, sur l'étagère du haut. Samedi prochain, elle aura droit à un quart d'heure, pas une seconde de plus.

Gillian Wynchester en arrivait au moment le plus croustillant d'un long récit sur le dernier voyage de son mari à La Nouvelle-Orléans quand le révérend Hillman entra dans le salon. Delia se retourna en entendant sa voix et Gillian mit la main devant sa bouche.

— Monsieur le pasteur ! couina-t-elle. Ça fait tellement plaisir de vous voir ! Excusez-moi, dit-elle à Delia avant de courir aux toilettes, les oreilles aussi roses que la serviette passée autour de son cou.

Delia resta les ciseaux en l'air pendant que le pasteur lui parlait tout bas, pour que personne ne l'entende. Mais, quand il s'interrompit, elle poussa un cri de triomphe et l'enlaça, manquant blesser Stephanie, qui s'était approchée pour surprendre ses paroles.

— Merci ! Oh ! merci, répétait Delia tandis que le révérend se dirigeait vers la porte à reculons.

— Je suis content d'avoir pu vous aider, dit-il.

Il adressa un signe de tête à M.T., puis à la femme méconnaissable assise dans le fauteuil, devant elle. Son cou empourpré avait plus ou moins la couleur des murs.

Delia passa le reste de la semaine dans un état de stupeur et consacra tout son temps libre à aller chez Beckman pour acheter des cadeaux qui pourraient plaire à ses filles : des napperons en dentelle pour Amanda, des barrettes à cheveux pour Dede, un chemisier et une bougie parfumée pour chacune d'elles.

— Je ne sais pas quoi leur offrir, dit-elle à M.T. J'imagine qu'Amanda pourrait aimer ce col montant et Dede la dentelle. Et les bougies devraient leur convenir, mais je n'en sais rien. Tout semble tellement impersonnel.

Elle fit courir un doigt sur un napperon, le regard fuyant, hésitant. M.T. posa la main sur celle de Delia.

— Tout va bien se passer, dit-elle. Tu sais bien que ce n'est pas de ça qu'elles vont se soucier. C'est toi seule qu'elles verront.

— Dede est tombée malade, annonça grand-mère Windsor quand Delia se présenta à la porte. Elle a mal au ventre depuis hier soir. Amanda ne se sent pas très bien, elle non plus. Je crois que Dede va lui passer ses microbes. Un autre jour, peut-être.

Elle le dit avec le sourire. Il y avait des années dans ces mots, des années d'ancienne colère, d'ancienne affliction, de larmes vaillamment retenues et de sanglots nocturnes, des années de chagrin passé et de peine à venir. C'était peut-être une toute petite revanche, mais grand-mère Windsor en prit toute la mesure.

Delia serra le sac de cadeaux dans ses bras.

En s'essuyant les mains sur le bas de son tablier, grand-mère Windsor dit :

— Je sais que vous devez être déçue. Mais, après tout ce temps, qu'est-ce que ça peut changer d'attendre encore un petit peu plus ?

Delia regarda dans le sac. Le soleil luisait sur les cadeaux enveloppés.

— Malade ? commença-t-elle, mais grand-mère Windsor ne lui laissa pas le temps de poursuivre.

— La semaine prochaine, dit-elle, la satisfaction peinte sur ses traits. Peut-être.

Dans la voiture, Delia remua les lèvres, aucun son n'en sortit. Ses mains se crispèrent sur le volant. Grand-mère Windsor l'observait de la véranda. Elle resta là, sans bouger, tandis que le soleil montait dans le ciel bleu et froid. Finalement, Delia relâcha la pression qu'elle exerçait sur le volant et mit le moteur en marche.

— Un autre jour, dit-elle en regardant grand-mère Windsor par la vitre.

Elle se frotta la nuque, inspira un bon coup et retourna au Bonnet.

— Elle ne t'a pas laissée les voir !

M.T. ne pouvait pas y croire.

— Oh ! elle a un cœur de marbre, protesta Steph.

— Oui, de marbre.

Delia avait laissé les cadeaux dans la voiture. Elle aurait dû les lui remettre, pensa-t-elle. Mais la vieille dame aurait fort bien pu ne pas les donner aux petites.

— Bon, je crois qu'on devrait aller tout de suite lui parler, dit M.T., qui passa des mains humides sur sa blouse. Pour lui mettre les points sur les i.

— À mon avis, il vaudrait mieux attendre avant de faire quelque chose de ce genre, suggéra Stephanie.

Elle se tourna vers Delia.

— Clint a quitté son travail. Il est malade, sérieusement malade, et il ne se déplace même plus jusqu'au cabinet du Dr Campbell. Marvella, son infirmière, est venue, et elle a dit que si tu le voyais, tu ne le reconnaîtrais pas. De toute façon, plus personne ne le voit.

— Elle a raison. Le révérend Myles a dit à Sally qu'il ne passerait pas Noël, confirma M.T., le visage empourpré, hésitante. Il a dit qu'il avait un cancer de la moelle, ou des os, en tout cas. C'est horrible. Il dit qu'il peut à peine marcher et que grand-mère Windsor lui apporte ses repas chez lui. Elle cherche une femme de couleur qui veuille bien aller l'aider, mais apparemment, tout le monde a refusé. Elle n'a pas d'argent, vous savez bien, et, en outre, elle a toujours été pingre. Dieu seul sait à quoi il ressemble vraiment.

Delia s'appuya à l'un des bacs. Elle ouvrit la bouche et écarquilla les yeux.

— Mon Dieu !

— Ouais, fit Steph avec un signe de tête. C'est bien la preuve, hein, qu'il y a un dieu.

Delia secoua la tête.

— Un cancer ? Je me disais que quelqu'un le tuerait. Je me disais qu'il pourrait se tuer. Mais un cancer ? Je n'y avais jamais pensé.

— Delia ? demanda prudemment M.T. Ce qui est fait est fait. On n'y peut plus rien. Mais il faut que tu réfléchisses à quelque chose, mon chou. Si Clint meurt pendant que cette bonne femme garde les petites, tu ne les lui retireras jamais tant qu'elle sera en vie.

— Je sais, souffla Delia. Je sais.
— Bon, il faut que tu fasses quelque chose, mon chou.
— Je sais.

— Un autre jour.

Chaque fois que Delia allait voir ses filles, elle entendait les mêmes mots. Les yeux de grand-mère Windsor brillaient, noirs et fiers comme du schiste au soleil. Tous les week-ends, quand Delia apparaissait, ces yeux se tournaient vers elle. Une légère fièvre ou un mystérieux refroidissement s'annonçait, pensait-on… toutes deux étaient malades, ou sorties, désolée… C'était comme ça chaque fois que Delia arrivait dans la cour. Certains jours, elle croyait voir les rideaux s'agiter, ou une ombre passer derrière la moustiquaire de l'entrée. Une fois, elle fut sûre qu'Amanda l'observait par la fenêtre. Mais Delia ne dépassa jamais la véranda et ses filles ne vinrent jamais jusqu'à elle.

Toutes les fois, il y avait une nouvelle histoire, une nouvelle mauvaise excuse, un nouveau sourire glacial, une raison pour laquelle l'une ou l'autre était dans l'incapacité de sortir.

— Dede n'est pas assez en forme pour traîner en pleine chaleur. Il faudra y repenser à un autre moment.

— Si elle est allongée, je pourrais juste lui dire bonjour.

Delia envisagea d'entrer de force, mais elle ne voulait pas effrayer Amanda et Dede.

— Ça n'est pas possible.

Des yeux inexpressifs. Un cœur noir. Amanda a un rhume. Dede a ses règles « et elle passe un mauvais quart d'heure, vous savez ». Mal au ventre, le nez qui coule, des migraines et des chevilles foulées. Et puis, non, l'une ne pouvait pas sortir sans l'autre. Elles étaient si proches. Vous ne pouvez pas savoir, disaient les yeux de la vieille dame.

— Oh ! si vous connaissiez les petites, vous comprendriez.

Chaque fois que grand-mère Windsor parlait, la nuque de Delia devenait plus rigide, sa tête plus droite. Elle pouvait être aussi têtue que n'importe quelle vieille dame.

— J'ai besoin que les petites m'aident dans le jardin. Un autre jour.

J'ai besoin. Elles ont besoin. Les petites ont besoin. De quelque chose. De n'importe quoi. Pas de leur mère.

Le cinquième samedi, Delia frissonna et retourna à sa voiture. Elle agrippa le volant de toutes ses forces, relâcha son effort et tourna la clé de contact.

— La vieille, là, t'es allée trop loin, dit-elle.

Les mots étaient aussi tranchants que les pupilles dures de Delia.

La vieille.

Les roues tournèrent. La poussière s'éleva et la voiture avança. Delia avait parlé de ses filles à grand-père Byrd, à M.T., à Stephanie et au révérend Hillman. Elle s'entretint alors avec sa conscience et conçut un plan.

7

En repartant de chez grand-mère Windsor, Delia se rendit tout droit au lotissement de Terrill Road et à la petite maison jaune qu'elle avait partagée avec Clint bien des années plus tôt. Elle se gara dans l'allée et demeura un instant dans la voiture pendant que les souvenirs la submergeaient. Cet endroit qui avait été son foyer était désormais tout délabré. La peinture jaune s'écaillait sur les murs en bois, le jardin était rabougri et nu par endroits. Devant, il y avait deux vieux pêchers presque morts et une haie complètement morte qui avait viré au marron noirâtre. Il manquait quelques planches à la véranda et, sur le côté, les marches étaient couvertes de contreplaqué et d'entretoises clouées, qui formaient une pente trop raide pour être commode. Tout était sale et usé.

Delia repensa à la maison de la rivière, avec ses taches d'humidité et son état négligé. Elle avait déjà débroussaillé un petit coin pour le transformer en jardin quand le temps serait plus clément. Elle prévoyait de planter des tomates, des courges et de grandes et grosses fleurs : tournesols, dahlias et zinnias feuillus. Elle avait toujours adoré jardiner. Qu'était-il arrivé à tout ce qu'elle avait planté ici ? Elle leva la tête. Au-dessus du toit, elle apercevait tout juste les ombres douces des pacaniers et des noyers où elle s'était abritée avec ses bébés, le dernier été qu'elle avait passé ici.

La porte s'ouvrit brusquement. Un homme grand, décharné, aux cheveux hirsutes se tenait là, agrippant le montant à deux mains. Il vacilla un peu, puis reprit son équilibre.

— Mon Dieu !

Le visage de Delia était assombri par le choc. Des taches rouges, de la taille d'une piécette, apparurent sur ses joues soudain blêmes. Elle secoua lentement la tête, comme si elle refusait de voir cette silhouette sur le seuil, tellement familière et pourtant tellement transformée.

Tous deux restèrent plantés là à se regarder, Delia immobile, Clint oscillant légèrement. Il braquait les yeux sur elle tels des projecteurs par une nuit sans lune. Sa bouche était ouverte et sa langue grise et épaisse effleura sa lèvre inférieure.

— Delia ! dit-il. Je me demandais si tu allais venir.

— Tu es sûre que c'est une bonne idée ? demanda M.T. tout en enveloppant des assiettes et des verres dans du papier journal.

Elle aidait Delia à tout emballer pour emménager dans la maison du lotissement.

— Tu ne te rappelles pas ce que tu m'as dit ? Si Clint meurt pendant que grand-mère Windsor a mes filles, je ne les récupérerai jamais.

M.T. ne pouvait pas le contester, mais elle demeurait inquiète.

— Il va peut-être guérir, dit-elle. Tu ne sais pas dans quel état il est.

— Je sais qu'il est au plus mal. Je l'ai vu. Il pourrait vivre un peu plus longtemps que tu ne le penses, mais pas beaucoup. Il ne représente plus la moindre menace.

— Même un mourant peut te tirer une balle dans la tête.

— Clint ne va tirer sur personne, répliqua Delia, fatiguée. En fait, on dirait presque qu'il est devenu pieux ou quelque chose de ce genre. Il n'est plus le même. Il a changé.

— Bon, je l'espère, dit M.T. Ce salaud serait allé tout droit en enfer s'il n'avait pas changé. Tu crois que le cancer lui a inculqué la crainte de Dieu ?

— Je n'en sais rien et ça m'est bien égal. Tout ce que je sais, c'est que nous sommes arrivés à un arrangement. Nous avons conclu un marché.

Delia fourra une brassée de torchons élimés dans un sac en plastique.

— Et un sacré marché. Il m'aide à récupérer Amanda Louise et Dede, et moi je le soigne jusqu'à sa mort.

— Tu habitais ici ?

Cissy était assise sur le siège du passager de la Datsun et dévisageait sa mère. Elle n'en avait pas cru ses oreilles quand Delia lui avait annoncé qu'elles allaient s'installer chez Clint et avait insisté pour que Cissy vienne faire sa connaissance. Et maintenant, elle n'en croyait pas ses yeux. La maison jaune du lotissement ne ressemblait pas le moins du monde à un endroit que Delia aurait pu appeler son chez-soi.

— C'est ici que nous habitions quand tes sœurs sont nées, dit Delia. C'était une jolie petite maison quand nous nous y sommes installés.

— C'était il y a combien de temps ?

Delia remua sur son siège, mal à l'aise. Elle attrapa un mouchoir dans la boîte posée par terre, à l'arrière, et s'essuya le cou.

— Dede venait d'avoir deux ans quand tu es née. C'est un Taureau, elle est du 4 mai. Toi, tu es née le 28 août, tu es Vierge.

Elle replia le mouchoir en papier et s'épongea sous les yeux.

— Amanda est née le 15 mars, elle est Poissons. Elle a quatre ans de plus que toi.

Cissy sentait bien que Delia essayait de chasser la honte de sa voix, de parler avec détachement de choses qu'elle n'abordait jamais.

— Quel âge avait Dede quand tu es partie ? demanda-t-elle.

Elle savait que cette question blesserait Delia et voulait lui faire mal.

Delia regarda la maison comme si c'était la seule chose qu'elle était capable de voir.

— Dix mois. Elle avait dix mois.

— C'est jeune, dit Cissy. Super-jeune, elle était encore bébé.

Ce moment s'étira. Cissy entendait Delia grincer des dents. Elle se demandait si sa mère allait finir par reprendre la parole lorsque Clint sortit sur la véranda et regarda la voiture. Les yeux de Cissy fondirent sur lui. L'espace d'un instant, il lui rappela grand-père Byrd – la longue carcasse frêle et la patience du corps immobile. Mais les yeux sombres étaient bouleversants, doux, incandescents, remplis de douleur. Et trop jeunes, trop jeunes pour ce visage usé, pâle.

Clint Windsor ne correspondait pas du tout à son attente. M.T. avait dit que c'était un grand vilain garçon qui était devenu un grand vilain bonhomme. Ce type n'était pas grand, mais il l'avait peut-être été un jour. Il lui rappelait le premier livre que Randall lui avait lu, un livre sur un phasme – un insecte-brindille. Ce type était comme ça, long et bizarre, un insecte-brindille qui ne pouvait plus porter son propre poids.

Un rugissement monta alors en Cissy, écho de toutes les histoires qu'elle avait entendues sur celui que Randall traitait de « sale péquenot, méchant et entêté ». Delia elle-même criait son nom comme une malédiction et cognait sur le mur, près du téléphone, quand elle parlait avec les avocats de Randall. « Putain de salaud ! Putain de salaud ! » Tant de rage et de puissance. Tant de souvenirs. Tout cela comprimé en une silhouette frêle comme une brindille, suspendue sur le seuil.

Cissy remonta ses jambes sur le siège et s'agrippa les genoux. Elle se demandait si Clint était assez robuste pour faire mal à sa mère. Peut-être, mais il n'était pas obligé de toucher Delia pour lui faire mal. Il la déchirait depuis des années. Cissy regarda par la vitre le toit et les arbres, derrière. Ils habitaient ici quand tout s'était passé, quand ses sœurs étaient nées et qu'il avait failli tuer Delia, quand Delia s'était enfuie, que Randall l'avait trouvée et que tout avait démarré en Californie. C'était là que le groupe avait commencé, là que Cissy, elle aussi, avait commencé, à bien y réfléchir. Delia, elle, avait été façonnée ici. Tout ce qui était arrivé ensuite résultait de ce qui s'était passé dans cette maison.

— Allez, viens, Cissy.

La voix de Delia lui résonnait à l'oreille. Cissy déglutit et descendit de voiture. Ensemble, Delia et elle s'avancèrent vers la véranda.

— Cecilia, dit Clint d'une voix enrouée. Je me demandais comment tu serais.

Il leva les yeux sur Delia, puis les reporta sur Cissy.

— Tu ressembles à ta mère.

— Toi, tu ressembles à une sauterelle, dit Cissy.

Clint sourit.

— Ouais, sauf que j'arrive pas beaucoup à sauter.

Ses yeux voilés se reportèrent sur Delia.

— Elle est bien ta fille. Ça, y a aucun doute.

En retournant à la maison de la rivière, Delia attrapa un autre mouchoir dans la boîte et se moucha.

— Ça ne va pas être facile, Cissy, dit-elle, le regard ferme, insistant. Ça ne va pas être facile du tout. Mais ça ne sera pas mal non plus d'habiter là avec Clint et tes sœurs.

En Californie, quand Delia disait « tes sœurs », Cissy imaginait des personnages sur une photo surexposée, des étrangères qui ne comptaient pas, des parentes, d'accord, mais pas réellement. Elles étaient quantité négligeable, distantes, du genre de ces parentes auxquelles on n'est pas obligé de penser, auxquelles on n'est jamais confronté. Après tout, elles étaient restées en Géorgie avec Clint. Cissy ne savait pas vraiment ce qui s'était passé entre Delia et Clint, mais elle ne s'en souciait pas. Son univers, c'étaient Delia et Randall. Le monde, c'étaient eux trois et les amis qui venaient la prendre dans leurs bras pour lui dire qu'elle était mignonne, qu'elle ressemblait beaucoup à son célèbre papa, à sa jolie maman. Delia avait beau être soûle tout le temps et Randall presque jamais là, Cissy n'avait jamais rien connu d'autre.

À partir du jour où la saison des pleurs s'était terminée, l'univers de Cissy avait été réorganisé. Tout avait alors tourné autour de « tes sœurs ». Autour de Dede et d'Amanda. Le monde regorgeait de gens qui considéraient Cissy comme un chien capable de mordre, comme une petite fille dénuée de toute importance. Grand-père Byrd, M.T., Pearl et Ruby, Stephanie et les femmes qui venaient au Bee's Bonnet... le monde regorgeait soudain de gens qui n'aimaient pas Cissy. Depuis les premiers instants, Cayro, ce petit bourg de Géorgie, s'était abattu sur Cissy comme un étau refermé sur son cœur, un étau qui avait le poids et la consistance de deux petites filles qu'elle n'avait connues que dans ses rêves.

— Tes filles, dit-elle à Delia. Tes filles, pas mes sœurs.

La promesse de Clint n'avait pas été faite en l'air, le marché fut respecté à la lettre. Avant même l'installation de Delia et Cissy dans la maison du lotissement, il prit les dispositions nécessaires. Cela réclamerait un peu de temps, prévint-il, mais Delia aurait ses filles. Il était leur père. Grand-mère Windsor ne pouvait pas lui mettre de bâtons dans les roues.

Le jour de leur emménagement, Clint n'était plus capable de se lever du lit sans aide.

— Il ne lui reste plus assez de forces pour obliger une femme à faire quoi que ce soit, souffla M.T. à Cissy. Il est devenu si petit, lui qui était si grand !

Cissy n'était pas convaincue. Quand elle regardait Clint soutenu par de nombreux oreillers, tout ce à quoi elle pouvait penser, c'était qu'il devait projeter de tuer Delia à la première occasion, peut-être avec un de ses précieux fusils de chasse accrochés à un support en pin ciré, au-dessus de son lit.

Il y avait trois chambres dans la petite maison jaune. La grande, qui donnait sur l'arrière, était la chambre du mourant. La plus petite, celle de Delia. La troisième, qui se trouvait en face de celle de Clint, était destinée aux filles. Dès le premier jour, Delia la prépara pour Dede et Amanda. Elle serra trois lits étroits le long d'un mur et plaça une commode et une étagère de part et d'autre du placard.

— Il faudra que tu partages, dit-elle à Cissy. Ça va être un peu juste, mais ça ira. Nous allons tâcher de la rendre agréable pour que ça se passe bien.

Cissy garda le silence. La pièce n'était pas assez vaste pour trois grandes filles, mais elle savait ce que pensait Delia. Bientôt, une autre chambre serait disponible. À la mort de Clint, la maison s'ouvrirait comme par enchantement. Cissy entassa ses affaires dans un coin et laissa Delia s'amuser à arranger le reste de la pièce pour Amanda et Dede.

— Elles plairont à Amanda.

Delia avait trouvé des petites lampes en terre cuite et des abat-jour vert pâle qui s'y adaptaient.

— Et Dede a besoin d'une lampe de lecture. M.T. dit qu'elle va tout le temps chercher des livres dans cette librairie du centre.

Ouais. Ça, c'est bien vrai.

Delia préparait des sortes de bouillies sans assaisonnement pour la bouche irritée et le ventre sensible de Clint, surtout des pommes de terre et du riz écrasés en une purée incolore. Elle récurait la maison et lavait à grande eau la chambre du malade. Sally refusa de mettre son équipe à sa disposition et protesta qu'elle en avait bien assez fait pour cette famille. M.T. n'insista pas. Elle n'acceptait toujours pas la décision de Delia d'emménager à Terrill Road.

— M.T. croit que le cancer s'attrape, dit Steph. Elle pense que c'est comme l'herpès ou les maladies vénériennes.

— C'est pas vrai ! rétorqua M.T. en claquant le tiroir-caisse. Seulement, je n'aime pas me trouver près des malades. J'ai jamais aimé ça.

— Tu es allée voir Billy Trencher tous les jours pendant une semaine quand il s'est cassé la jambe, fit remarquer Steph d'un ton caustique. Tu lui lavais son linge et tu lui faisais la cuisine presque tous les soirs.

— Billy est un vieil ami, et puis il n'était pas malade. Il était blessé. Il y a une différence, dit M.T. en jetant un regard noir à Steph. Et, que je sache, tu n'as pas proposé ton aide non plus.

— Je n'ai jamais pu supporter Clint Windsor, même quand il était en bonne santé. S'il se noyait dans sa pisse, ça ne me dérangerait pas du tout.

Delia était gênée.

— Vous n'avez pas besoin de faire quoi que ce soit. La maison est en bon état. Il reste seulement le jardin à arranger, et je m'en occuperai moi-même.

De la fenêtre de derrière, Clint observait tous les gestes de Delia tandis qu'elle bêchait et semait. Il lui avait promis son aide. Elle s'acquittait des obligations prévues au contrat. Elle récupérerait ses filles. S'il fallait un avocat, un juge et un jugement du tribunal, elle en passerait par là. Clint avait donné sa promesse et Clint était le moyen d'obtenir ce qu'elle voulait.

Cissy prenait soin d'éviter le corps maigrichon cloué à l'imposant lit capitonné en bois clair, dans la pièce donnant sur l'arrière. Juste à côté se trouvait la grande salle de bains, mais Cissy utilisait le petit cabinet de toilette, près de la cuisine. Elle aurait encore préféré se doucher avec le tuyau d'arrosage plutôt que passer devant le regard de Clint Windsor. Pendant trois jours elle se lava dans le lavabo, jusqu'au moment où Delia perdit patience et la poussa dans la vieille baignoire à pieds griffus. Cissy y grimpa avec précaution et essaya de ne pas faire gicler d'eau. Pendant tout ce temps, elle imaginait Clint allongé sous son râtelier à fusils, de l'autre côté du mur, en train d'épier le moindre bruit et de grincer des dents avec sa haine patiente, horrible.

Cissy avait maintenant presque douze ans et se sentait terriblement pénétrée de tout ce qu'elle avait compris, de tout ce qu'elle avait appris à l'insu de tous. Elle savait que Delia avait quitté Clint pour Randall, son papa, elle savait qu'il en avait eu le cœur brisé et que la moitié de Cayro la détestait à cause de ça. Mais Cissy savait également que pour l'autre moitié de la ville, Clint l'avait bien cherché. Il était exécré par autant de gens que l'était sa mère. Elle avait entendu M.T. et Stephanie dire que Clint était exactement comme son père, un homme qui avait envoyé une demi-douzaine de fois son épouse à l'hôpital, et que toute femme saine d'esprit l'aurait quitté bien avant que Delia grimpe dans le car de Randall Pritchard.

Cissy croyait comprendre cette histoire. À l'époque, Delia n'avait rien dans la tête et Clint était foncièrement mauvais. Elle s'imaginait que Clint ressemblait à grand-père Byrd. Chaque fois qu'il la regardait, il voyait Randall dans la forme de son visage. Ça lui rappelait que Delia ne l'aimait pas, qu'il avait brisé l'amour de Delia et l'avait chassée. C'était seulement un petit peu moins compliqué que les intrigues des romans à l'eau de rose que lisaient Ruby et Pearl, mais beaucoup plus féroce. De toute façon, Cissy se disait que Clint était obligé de détester Delia. Forcément.

Pendant une semaine, Cissy se tint à l'écart de Clint, mais, un dimanche, en fin d'après-midi, tandis que Delia étendait des draps derrière la maison, Cissy entendit des bruits d'étranglement, tout bas, venant de la chambre du malade. Elle se posta dans le couloir et écouta, puis, sur la pointe des pieds, s'avança jusqu'à la porte pour le voir penché d'un côté du lit, en train de cracher péniblement dans une cuvette posée par terre. Il se redressa, retomba sur ses oreillers entassés et l'aperçut. Il vit les grands yeux de Cissy qui croisaient son regard en coin, dans son visage étriqué, vit le teint pâle de la petite fille, qui lui renvoyait l'image de son visage cramoisi. Cissy se rappelait les photos que M.T. lui avait montrées, Delia et Clint le jour de leur mariage, leur corps robuste et leur large sourire. C'était alors un type fort, pas grand, mais massif et vigoureux. À présent, Cissy nota ses os saillants et son long cou squameux. Il n'y avait nulle haine sur son visage, seulement un regard impassible, vieux et fatigué.

— Je peux aller te chercher de l'eau, si tu veux ?

Cissy avait murmuré ces mots.

— D'accord.

Clint inclina à peine la tête.

Cissy dut lui tenir le verre. Elle baissa les yeux sur les cheveux emmêlés, aplatis contre le drap, et sentit que ses joues s'enflammaient. Elle avait entendu tellement d'histoires, fait tellement de cauchemars. Il avait été si fort dans ces histoires et ces cauchemars, violent, ivre et dangereux. Il brisait les os de Delia et maudissait son âme. Il la chassait de Cayro, la précipitait dans les bras d'un autre, utilisait ses filles contre elle et ne la laissait pas en paix.

— Tu veux autre chose ? demanda Cissy.

Clint s'essuya la bouche et secoua la tête.

— Non, non.

Le lendemain après-midi, quand Cissy revint de l'école, Delia était encore au Bonnet. Tout était tranquille dans la maison et elle retourna jeter un coup d'œil sur Clint. Il dormait d'un sommeil agité et avait du mal à respirer dans la chambre confinée. Cissy ouvrit la fenêtre, se retourna et s'appuya au rebord. Elle vit Clint ouvrir les yeux et décrisper la bouche tout en la regardant de haut en bas plusieurs fois de suite.

— Ça fait du bien, dit-il.

Cissy ne savait pas s'il voulait parler du petit coup de vent qui lui agitait les cheveux, mais elle voyait une expression de plaisir sur son visage, un allégement de la douleur. Elle lisait dans son regard qu'il priait pour que quelque chose l'arrache à lui-même, ne serait-ce qu'un instant. Elle en fut pétrifiée. Elle vit alors en Clint Windsor un homme faible, dépendant, quelqu'un qu'elle pouvait réconforter par sa seule présence. Clint mourait d'envie d'avoir de la compagnie, même celle de Cissy. Elle était une inconnue, l'enfant d'un autre homme, mais elle représentait aussi une partie de Delia. En outre, elle voyait en lui quelqu'un qui pouvait la consoler uniquement en la regardant avec des yeux affamés et une patiente acceptation. Chaque fois que Cissy entrait dans cette pièce, il la dévorait des yeux, sans haine mais avec quelque chose qui ressemblait à de l'amour – à l'amour de Jésus, qu'on obtient par la souffrance et une longue patience. Elle se rappela tout ce qu'elle avait entendu dire sur Clint et comprit qu'il n'était plus tel qu'il avait été avec Delia. Il était quelqu'un dont Cissy ne savait rien, à vrai dire, sauf une chose. Elle pouvait le rendre heureux en se tenant devant lui, en ne le haïssant pas et en ne se sauvant pas.

Grand-mère Windsor chercha à gagner du temps, mais le jour arriva enfin où M.T. et Delia louèrent une camionnette orange, entrèrent dans sa cour, descendirent et franchirent le seuil de la maison. Cissy observa ses sœurs qui quittaient la ferme avec leurs paquets faits à la hâte et leurs regards furieux. Elle était intimidée malgré elle par l'obstination et l'inflexibilité dont Delia avait été capable pour rivaliser avec une vieille dame entêtée.

À un moment donné, Cissy plaignit presque grand-mère Windsor. Delia traînait un gros sac noir de vêtements et M.T. haletait sous le poids d'un carton au coin mouillé. Toutes deux regardaient droit devant elles. Ni l'une ni l'autre ne voulaient prendre en compte les sanglots d'Amanda et les grommellements de Dede. Cissy était restée près de la camionnette et fut donc la seule à voir grand-mère Windsor sortir sur la véranda latérale, s'affaisser sur les marches et laisser tomber sa tête sur ses genoux. Au bout d'un instant, elle leva les yeux et agita les mains. On aurait dit qu'elle allait se gifler. Sa mâchoire se rétracta et pendit, comme si la vieille dame gémissait, mais elle ne faisait pas le moindre bruit. Elle oscillait seulement, meurtrissait de ses poings ses orbites enfoncées, parfaite illustration du chagrin.

Clint était fichu, mais Clint n'avait aucune importance. C'était une guerre entre femmes. Pas de quartier. Pas de pitié. Le dernier carton retomba avec un bruit mat à l'arrière de la camionnette.

— Cissy ! s'écria Delia d'une voix dure en regardant derrière Cissy, vers la véranda latérale. Viens, ma petite.

Grand-mère Windsor se leva et rendit son regard à Delia. Cissy se détourna. Elle ne voulait pas voir ce qui allait se passer, elle ne voulait pas voir les affreux dégâts que les deux femmes avaient causés et la peine qu'elles s'infligeaient mutuellement. Le châssis de la moustiquaire se referma bruyamment quand grand-mère Windsor rentra dans la maison. La portière de la camionnette grinça au moment où Delia l'ouvrit.

— Allez, ma petite. Monte dans la voiture de M.T. Je vais prendre Amanda et Dede avec moi.

Bang. Bang. Les portières claquèrent. Un rideau frémit. De la poussière se souleva devant la véranda.

— Seigneur, j'aimerais encore mieux avaler du verre pilé que mettre ta mère en colère.

M.T. s'essuya le visage et fit tourner le moteur de la Buick.

— Tu aurais plus de chances de t'en sortir, acquiesça Cissy en surveillant les rideaux de la cuisine, qui furent brutalement tirés.

Amanda et Dede ne dirent pas un mot pendant tout le trajet. Une fois arrivées, Delia dut les pousser dans la chambre où Clint était allongé, flasque, presque muet. Cissy les suivit. Elle sentait le parfum légèrement floral de Dede et l'odeur insistante d'amidon que dégageait Amanda. Les deux filles étaient debout et fixaient leur père. Quand Amanda se pencha pour embrasser sa joue couverte de poils, Dede fit un vague geste d'impatience.

— Les filles ! Ça fait plaisir de vous voir ici, murmura-t-il avec une politesse maladroite.

Mais ses yeux erraient en direction de Delia et de Cissy. Visiblement, il s'intéressait davantage à elles qu'à ses filles dont il avait eu si longtemps la garde.

Dede sortit d'un air dédaigneux, mais Amanda resta au chevet de son père jusqu'au moment où il croisa enfin son regard.

— Papa, tu n'as pas bonne mine, dit-elle alors d'un ton plus sinistre qu'une malédiction.

Il tressaillit et leva sur Amanda des yeux gris perçants identiques aux siens.

Le soir, Delia les réunit toutes à la table du dîner. Son expression était à la fois dure et ouverte, celle des filles fermée et vide. L'air était électrique : toutes se méfiaient.

— Il faut que vous sachiez que je n'ai jamais voulu être séparée de vous, commença Delia.

Ses mots étaient des pierres qui tombaient de très haut. Amanda entrelaça ses doigts sur la table. Dede s'essuya le coin des lèvres avec l'index. Cissy s'arracha les peaux mortes à la lisière des ongles.

— Je veux vous garder tout le temps avec moi. Je suis allée me perdre en Californie parce que je ne pouvais pas supporter ce qui nous avait séparées. Et je ne savais pas comment vous récupérer.

Delia se tourna d'Amanda vers Dede et, finalement, vers Cissy. Ses lèvres semblaient plus minces sous la tension qu'elle éprouvait en essayant d'employer des termes précis.

Delia prit une inspiration et regarda Amanda.

— Votre père et moi nous sommes réconciliés. Nous allons tous nous occuper les uns des autres.

Elle marqua une pause.

— Vous le savez, votre père est en train de mourir. Il va accaparer toute mon attention pendant un moment. J'aurai besoin de votre aide. Je crois que vous devrez toutes m'aider. D'ailleurs, si vous ne lui consacriez pas un peu de temps maintenant, vous le regretteriez beaucoup plus tard.

Elle s'interrompit une nouvelle fois et son regard passa d'Amanda à Dede.

— Je sais que vous n'avez pas envie d'être ici. Quand vous serez majeures, vous pourrez partir. À dix-huit ans, vous pourrez aller où vous voudrez. Ça ne va plus être très long, Amanda. Deux ans, c'est rien du tout. Et le temps viendra où vous verrez à quel point je vous aime.

Amanda gardait les yeux fixés sur Delia.

— Moi, je ne t'aime pas. Je me fiche pas mal de toi, dit-elle tandis que Dede l'approuvait d'un signe de tête presque imperceptible. Tu n'es rien pour moi.

Delia rougit mais ne cilla pas.

— Et vous, vous êtes tout pour moi. Tout. Toutes les deux.

Elle regarda Cissy.

— Toutes les trois. Vous êtes toutes les trois tout ce que je désire au monde. Si vous ne m'aimez pas, je n'en serai pas surprise. Si vous me détestez, je peux l'encaisser aussi. Mais vous êtes à moi, toutes. Vous êtes tout ce que je suis. Et, quoi qu'il arrive, je vais m'occuper de vous.

Cissy remua sur sa chaise. La bouche ouverte, le teint coloré, Dede tripotait une mèche de cheveux. Amanda serra les mains plus fort devant elle, comme si elle priait.

— Dieu nous regarde tous, dit-elle. Tu crois peut-être qu'Il ne sait pas ce que tu es en train de faire ? Tu crois que nous non plus ? Deux ans, c'est rien du tout dans la perspective du Seigneur.

Ce premier soir, Dede se retira dans la chambre, la chambre que Delia avait si soigneusement préparée. Elle se mit des écouteurs sur les oreilles, se couvrit les yeux d'un bras et s'étendit sur le lit d'une manière qui annonçait qu'elle allait rester là jusqu'à ce qu'elle ait dix-huit ans et puisse quitter cette maison en femme libre. Amanda alla s'installer dans la salle de séjour, sur le canapé, près de l'endroit où Delia aimait s'asseoir pour lire. Cissy resta un instant sur le seuil, hésitant à prendre sa place habituelle sur le canapé ou à aller lire sur son lit, à quelques centimètres à peine de l'endroit où Dede était affalée. Clint toussait beaucoup dans sa chambre. Delia s'affairait dans la cuisine.

Sans accorder un regard à Cissy, Amanda se leva et alluma le poste de télévision. Elle changea de chaîne jusqu'au moment où elle capta les informations. Puis elle retourna dans le territoire qu'elle avait marqué et se laissa glisser par terre pour s'asseoir entre le canapé et la table basse. Elle avait l'air presque détendue.

Cissy la rejoignit et s'assit à l'autre bout du canapé. Elle ne savait pas à quoi s'attendre, sûrement pas à une vraie conversation, mais peut-être à quelques remarques sur les informations, le temps, les sports dans la région.

— Ce type, dit-elle en montrant le présentateur, est le plus horrible de la télé. Un jour, j'ai vu sa perruque glisser sur le côté et il a terminé l'émission comme ça. Dans le studio, quelqu'un rigolait et râlait, mais, apparemment, il s'en est jamais rendu compte. Il a continué à parler avec sa perruque de travers.

Amanda l'ignora. Avec un soin extrême, elle ouvrit le sac à dos qu'elle avait apporté, en retira une grosse boîte de gaufrettes à la vanille et un pot tout aussi énorme de Jiff, et, lentement, se mit à étaler le beurre de cacahuète sur les gaufrettes. Elle concentrait toute son attention sur les petits gâteaux et sur le téléviseur. Une fois toutes les gaufrettes soigneusement enduites d'une couche de Jiff et posées sur la table en arc de cercle, elle commença à les associer deux par deux, à les presser l'une contre l'autre, à aligner précisément les angles. D'un doigt tendu, elle ôta le surplus de beurre de cacahuète qui suintait de chaque gâteau fourré et le glissa dans sa petite bouche pincée. Cissy observa ce manège, incapable de détourner les yeux, jusqu'au moment où la table basse fut jonchée d'une masse de petits gâteaux soudés et où toute la pièce sentit la vanille et l'huile d'arachide.

Amanda jeta un regard inexpressif à Cissy et retourna à son ouvrage. Elle sortit de son sac à dos un grand plastique et entreprit d'y glisser les petits gâteaux. Une fois la table libérée, à l'exception d'un gâteau fourré et de pâles miettes éparpillées, elle referma soigneusement le plastique et le rangea dans les profondeurs de son sac.

Cissy s'aperçut alors qu'elle avait la bouche grande ouverte. Avec un mouvement de la tête, elle la referma et se tourna vers le présentateur de la télévision. Quand elle regarda de nouveau Amanda, celle-ci était en train de mâchonner le gâteau et de la dévisager.

— Je te méprise ! dit Amanda d'une voix sifflante, l'haleine fortement imprégnée de beurre de cacahuète. Et elle aussi !

Elle fit un geste en direction de la cuisine. Ses lèvres remuaient à peine quand elle parlait.

— Même si je dois aller en enfer pour ça, ajouta Amanda en refermant son sac d'un air sinistre. Dieu comprendra.

Elle serra le sac sur sa poitrine.

— Tu y seras, toi, tu sais. Tu vas sûrement aller en enfer.

— Je vais aller me coucher, dit Cissy.

Quand elle entra dans la chambre, Dede avait éteint toutes les lampes et tiré un drap sur ses épaules. Avec nervosité, Cissy enfila sa chemise de nuit et se mit au lit. Elle aurait pu toucher le corps de Dede tant il était proche.

— Qu'est-ce que t'as à l'œil ? demanda Dede.

Elle s'appuya la tête sur une main et scruta Cissy.

— Rien.

— Tu pleures ?

— Non. J'ai seulement les yeux larmoyants de temps en temps.

— Juste un ?

— Et alors ?

Dede haussa les épaules, s'allongea et se tut quand Amanda entra et s'agenouilla afin de réciter sa prière.

Pendant quatre jours, Amanda mangea ses petits gâteaux fourrés et refusa tout ce que lui proposait Delia. Au petit déjeuner et au dîner, gaufrettes à la vanille nappées de beurre de cacahuète. Elle achetait son déjeuner à l'école et jetait le sandwich enveloppé que Delia lui avait préparé. Rien de ce qui appartenait à ces gens ne devait devenir sien. Quand elle allait se coucher, elle restait étendue, toute raide comme si elle ne voulait pas s'allonger sur des draps lavés par Delia.

— Tu vas aller en enfer, disait-elle à Cissy tous les matins. En enfer, répétait-elle quand elles se rendaient à la salle de bains.

Cissy ne répondait pas. Elle ne se sentait pas du tout acceptée. C'était l'expression d'Amanda, pensait Cissy, ses yeux brillants, déterminés. Sa voix était tellement sincère, et ses mots, son odeur... elle était vraiment incapable de compromis. Malgré elle, Cissy était captivée. Amanda était magnifique, et elles étaient du même sang. Amanda était la fille de Delia, sa demi-sœur, quelqu'un dont elle pouvait être fière même si elle regrettait qu'elle fût née.

Amanda et Dede étaient aussi différentes que pouvait l'imaginer Cissy, surtout pour des enfants engendrées par le même père. Sauf que les différences entre elles ne sautaient pas aux yeux. Vues côte à côte, endormies, elles étaient presque semblables, pareillement sveltes et souples. Il est vrai qu'elles avaient aussi les mêmes cheveux blond platine, sans le moindre soupçon du roux de Delia. Mais Amanda avait les cheveux coupés au-dessus des épaules et ceux de Dede lui flottaient dans le dos. On ne pouvait même pas dire que l'une était jolie et l'autre pas. Amanda aurait dû être jolie. Tous les ingrédients de la beauté étaient réunis. Grand-mère Windsor les avait appelées les Roses de Sharon, mais Dede représentait les fleurs et Amanda les épines.

Il fallait passer un moment avec elles pour remarquer leurs différences. Les gens qui les connaissaient oubliaient leurs similitudes. Elles avaient beau avoir hérité de la même charpente, on aurait dit que leurs os étaient assemblés autrement, ceux de Dede finement ciselés et élancés, ceux d'Amanda gauches et lourds. Amanda avait presque le poids de sa sœur, à cinq cents grammes près, mais elle poussait à la façon d'un cactus géant, tout en angles et en dents de scie. Elle avait des yeux gris étonnants, semblables à de la viande restée trop longtemps sur de la glace, tandis que ceux de Dede étaient bleus et faussement placides, et que son sourire, même s'il était en coin, semblait presque gentil. Celui d'Amanda, sévère et féroce, ébranlait les gens. Le sourire d'Amanda les obligeait à vérifier s'ils n'avaient pas un bouton dégrafé, quelque chose qui dépassait.

« Elle est maigre, disaient les gens en parlant d'Amanda. Elle est maigre comme une barre de fer. » Mais, face à Dede, ils avaient une lueur dans les yeux : « Regardez-moi cette petite ! Vous voyez ce joli petit bout de femme ? »

Au fur et à mesure qu'Amanda grandissait, ses traits se faisaient plus austères. Son visage s'allongeait et devenait aussi plat que le dos d'une pelle. Son nez proéminent pointait vers le bas, s'alignait sur les commissures de ses lèvres. C'était un visage triste comme la tombe, toujours baissé, de sorte qu'elle devait lever les yeux sous ses sourcils. Le visage de Dede, lui, était franc. Menton, nez, pommettes et sourcils saillaient sans crainte tout en donnant une impression de gaieté. « Ma parole, elle est encore plus jolie que sa maman », disaient les hommes. Dede semblait toujours regarder droit devant elle, avec espoir et curiosité, et, même si elle pinçait souvent les lèvres, elle ne donnait jamais cette impression de refoulement qui constituait la nature même d'Amanda. Chez Dede, la tristesse était plus atténuée, pas aussi affreuse. Chez Dede, elle en devenait presque attirante.

Cette tristesse était peut-être ce que leur avait légué Clint. Cette tristesse, cette méfiance, cette retenue, ce sens profond de la fatalité. Elles s'attendaient toutes deux à des ennuis ; Amanda baissait le menton, têtue, Dede regardait en face, rejetait la tête en arrière d'un air de dire : qu'est-ce qui va encore nous tomber dessus ?

Leurs silences différaient eux aussi, sans ressembler à ceux de Delia, qui n'avaient rien de tranquille et regorgeaient de fredonnements, de brefs fragments de paroles, de musique assourdie. Les moments silencieux de Dede vibraient aussi fort que la voix de Delia sur ses anciens disques. Et Amanda Louise pouvait en dire plus avec un regard muet que la plupart des gens avec un chapelet d'injures. Chez elle, le calme était un océan de mépris sur lequel flottait de temps à autre une malédiction ou une prière. Cissy se posait parfois des questions sur elle-même. Elle se percevait comme quelqu'un de paisible, d'observateur, mais se demandait si les autres la voyaient ainsi. M.T. l'avait traitée de coléreuse, rancunière, têtue, et M.T. se trompait rarement sur les gens. Mais Cissy avait un objet sur lequel déverser sa colère. Toute son indignation passait par le prisme de Delia. Delia en était le pivot.

— Tes sœurs sont vraiment bizarres, confia M.T. à Cissy après avoir découvert que Dede avait peint en noir le plafond de leur chambre et y avait collé des morceaux de miroir brisé. Chaque fois que je les vois, je me dis que j'ai bien de la chance d'avoir ma Pearl et ma Ruby.

Une partie de Cissy reconnaissait avec M.T. que Dede et Amanda n'étaient pas faciles. Delia était peut-être ravie d'avoir récupéré ses filles, mais elle payait son triomphe de chaque nerf tendu de son corps. Les deux sœurs s'étaient moins installées dans la maison qu'elles n'en avaient pris possession et l'avaient complètement transformée. Dans l'esprit de Cissy, il n'y avait pourtant aucun doute : tout compte fait, elle les préférait aux filles de M.T., des sales gosses à la bouche enfarinée.

Non seulement Dede avait repeint la chambre, mais elle planquait des cigarettes dans le tiroir où Cissy rangeait ses sous-vêtements et lui fit comprendre par un regard sévère qu'elle serait très mécontente si Delia venait à l'apprendre. Amanda, qui était entrée au lycée de Cayro mais ne paraissait pas se soucier de l'opinion des autres filles, s'empressa d'organiser un groupe de prière dont le seul but semblait être d'attirer la faveur particulière de Dieu sur sa famille païenne. Cissy passait beaucoup de temps dans la chambre de Clint pour lire ou se cacher.

Quand les deux sœurs qu'elle avait seulement aperçues de loin ou vues sur des photos franchirent la porte de Clint, sentant encore le trèfle qui poussait tout autour de la cour de grand-mère Windsor, Cissy fut frappée de constater que, derrière la façade de mépris et de rancœur qu'elle avait déjà percée à jour, il y avait autre chose dont elle ignorait tout. Il y avait tout un monde de juste fureur sur les pommettes pâles de Dede, une véritable volonté de fer dans les lèvres fortement pincées d'Amanda. Dede n'avait que deux ans de plus que Cissy, Amanda pas tout à fait cinq. Leur âge était assez proche pour qu'on remarque leur lien de parenté avec Cissy, mais elles ne lui ressemblaient pas du tout, et pas du tout à Delia non plus. Un petit frisson lui courait dans le dos quand elle considérait ses sœurs longtemps perdues. Toute sa vie, elle les avait détestées. Mais dès l'instant où elles avaient franchi le seuil de Clint, les certitudes de Cissy étaient tombées. Delia lui avait toujours dit que ses sœurs constituaient une part d'elle-même et, pour la première fois, Cissy commençait à entrevoir comment une telle chose était possible.

8

Nadine Reitower était hors d'elle.

— Cette effrontée n'a vraiment aucune pudeur ! dit-elle à sa nouvelle coiffeuse, chez Beckman. Déjà que la maison, en bas de la route, était une horreur depuis des années, avec cet ivrogne, ce bon à rien qui entrait et sortait en titubant, voilà maintenant qu'elle y a emménagé avec ces malheureuses filles, et Dieu seul sait ce qui se passe là-dedans ! Et puis, Seigneur, la plus jeune, une enfant diabolique, se balade avec des lunettes noires et embête tout le temps mon fils Nolan.

Nolan Reitower était le premier véritable ami de Cissy.

— Je crois que c'est le seul enfant du coin, avait dit M.T. quand Delia et Cissy s'étaient installées chez Clint. Et sa mère l'empêche de trop s'éloigner de la maison. Elle n'est pas très commode, cette Nadine Reitower.

Cissy ne devait jamais oublier les premières fois où elle aperçut Nolan, planté tous les après-midi sur la véranda de sa maman, un livre à la main. C'étaient les livres qui attiraient Cissy. Nadine avait eu un reniflement de mépris quand la fille de Delia avait grimpé les marches pour demander à Nolan ce qu'il lisait, mais son fils s'était contenté de remonter ses lunettes sur son nez en sueur et avait tendu le volume, un exemplaire tout neuf de *Starship Troopers,* de Robert Heinlein.

— Tu as lu *Stranger* ? lui demanda Cissy.

— Je les ai tous lus. Le seul que je ne relis pas, c'est *Podkayne*. Celui-là me tape sur les nerfs.

— Ouais, on dirait qu'il l'a écrit sous l'influence de la drogue ou quelque chose comme ça. La fille fait pas vraie du tout. C'est le personnage de science-fiction le plus nul ! Moi, je préfère Telzey. Tu la connais ?

Nolan hocha la tête.

— Schwartz, dit-il en citant l'auteur.

Une toux réprobatrice parvint du fauteuil dans lequel Nadine retirait les fils d'un ourlet qu'elle avait décousu.

— Alors, tu aimes la science-fiction ? demanda Nolan.

— Ouais.

Nolan posa *Starship Troopers* après avoir marqué sa page avec un bout de ruban.

— Viens voir, dit-il.

Il la fit passer derrière la maison et la conduisit au sous-sol. Sur un mur de l'atelier que son père utilisait rarement s'alignaient quatre grandes étagères fabriquées spécialement pour contenir des livres de poche. Chacune était bourrée d'ouvrages classés alphabétiquement par auteur et séparés par des petits morceaux de carton.

— C'est ma collection.

La voix de Nolan était gonflée de fierté.

— Ouah !

Cissy fit courir ses doigts sur le dos de quelques titres rangés sur l'étagère du milieu : Harry Harrison, Robert Heinlein, Frank Herbert, Tanya Huff, Fritz Leiber, Ursula Le Guin, et d'innombrables ouvrages de Julian May disposés par séries. Les deux rayonnages inférieurs de chaque étagère contenaient des magazines – *Analog, Fantasy and Science Fiction, Isaac Asimov's Science Fiction* –, rassemblés dans des cartons classés par année, même si beaucoup n'avaient plus de couverture et si les plus anciens étaient tachés et mangés par l'humidité.

— C'est du sérieux, chuchota Cissy.

Elle leva les yeux et vit que Nolan lui souriait.

— Si tu veux, je peux t'en prêter.

Il le dit d'un ton détaché, pourtant Cissy savait que ce n'était pas là une proposition en l'air. Pour un garçon qui classait et arrangeait ses livres aussi méticuleusement, mais avait été obligé de les descendre au sous-sol, les partager ne pouvait être un geste anodin. En examinant la collection de Nolan, Cissy comprit plus de choses sur lui que sa mère n'en avait deviné en plusieurs années.

— Ça me ferait plaisir que tu me confies tes livres, dit-elle. Et j'en prendrai soin, grand soin.

Cissy et Nolan devinrent amis à ce moment-là. Elle ne fut même pas embêtée quand elle s'aperçut qu'il était amoureux de Dede. Un garçon qui, tous les étés, relisait Tolkien et Heinlein était forcément romantique et sa première rencontre avec Dede en apporta la preuve s'il en était besoin.

— Seigneur, c'est pas possible ! s'exclama Nolan.

Il grimpait les marches du perron avec deux nouveaux livres pour Cissy à la main quand il tomba sur Dede qui sortait de la maison en courant.

— Qu'est-ce que tu es belle ! lâcha-t-il.

Dede se mit à rire.

— Pas possible toi-même ! rétorqua-t-elle. Je parie que tu es le petit chéri à sa maman.

Elle lui jeta un regard de mépris adolescent et s'éloigna.

— Qu'est-ce qu'elle a dit ? demanda Cissy en venant à la porte.

Mais Nolan se contenta de hocher la tête. Heureusement, il ne se rappelait pas les mots exacts de Dede, seulement l'impression qu'elle lui avait faite quand elle avait fixé avec fermeté ses yeux bleus sur lui. Magnifique, pensa-t-il, et il rougissait chaque fois qu'il apercevait Dede dans la rue. Aucune importance si elle avait deux ans de plus que lui et ne le remarquait même pas. Nolan était amoureux, frappé au cœur, marqué pour la vie. Dede aurait pu l'accabler d'une flopée d'injures qu'il en aurait redemandé.

Nolan n'était pas le seul à être épris de Dede. Malgré sa jeunesse, elle attirait l'œil comme une pierre joliment taillée, comme un objet précieux. Les garçons regardaient dans sa direction malgré eux et, aimantés, s'approchaient dans le seul but de se trouver près d'elle. C'était une chose qui avait un rapport avec son odeur. Les bons garçons, pieux et respectueux, la humaient et, en un seul jour, se collaient une Marlboro dans le bec, crachaient, disaient des grossièretés et se mettaient inexplicablement à espérer.

Ruby et Pearl avaient eu raison en affirmant que Dede filait en douce avec des garçons, même si elle ne faisait pas la « chose ». Durant presque toute l'année passée chez grand-mère Windsor, elle s'était éclipsée avec les Petrie pendant que Amanda assistait aux réunions de prière. Elle avait raconté à Delia qu'ils lui apprenaient à conduire. Quand ils se présentèrent chez Clint un jour, Delia jeta un coup d'œil aux jumeaux efflanqués, âgés de seize ans, avec leur teint empourpré et leurs yeux fuyants, et elle comprit qu'ils ne lui avaient pas seulement enseigné à passer les vitesses de la camionnette Chevrolet de leur père.

— Vous êtes trop jeunes.

Delia gardait les yeux fixés sur les garçons, qui semblaient nerveux.

— Mes deux sœurs conduisent depuis l'âge de quatorze ans, dit Leroy Petrie.

Il essayait de soutenir le regard de Delia. Il savait que c'était ce qu'il fallait faire s'il voulait la convaincre de son innocence, mais, chaque fois que leurs yeux se croisaient, un choc semblait le frapper des cuisses au nombril. Il consulta son frère, mais il n'y avait aucune aide à attendre de ce côté. Visiblement, Craig était aussi terrifié que lui. Tous deux tentaient de dissimuler l'effet que Dede produisait sur eux et leur crainte que Delia ne leur interdise de la voir.

— Je suis bon professeur, insista Leroy. Vraiment, madame. Je suis prudent.

— Je n'en doute pas.

Delia se retourna vers Dede qui, assise sur le canapé avec un magazine, un demi-sourire aux lèvres, ne faisait pas le moindre effort pour se mêler à la conversation.

Dede avait perdu tout intérêt envers Leroy et son frère, même si, durant des mois, elle s'était battue avec grand-mère Windsor pour chaque moment volé où elle pouvait se glisser entre eux dans la cabine de la camionnette. Elle avait appris à conduire, mais elle le devait moins aux garçons qu'à sa propre passion. Quand elle repensait à ces mois de pratique, c'étaient les leçons de son corps qui se faisaient entendre – ses genoux en feu, contusionnés entre le levier de vitesse et la cuisse de Craig, sa hanche pressée contre celle de Leroy, leurs mains, affamées, insouciantes, parcourant sa peau comme de petits animaux. En fait, les garçons ne l'avaient pas laissée conduire plus de quelques centaines de mètres chaque fois. Son exploit n'avait pas été plus loin que diriger la camionnette et actionner l'accélérateur, assise au milieu de la banquette, un frère de part et d'autre, chacun ayant la main refermée sur un de ses seins, à travers le fin tissu de son chemisier. Tous deux étaient grisés par l'odeur de sa peau et de ses cheveux, au point qu'ils s'affolaient quand elle tenait le volant – redoutant moins un accident que la perte de leur sang-froid.

— Dede se débrouille bien, réussit à dire Craig. Elle est douée pour la conduite. Vraiment douée.

La jeune fille lui adressa un grand sourire. C'était Craig qui lui avait expliqué que, si elle voulait vraiment conduire la camionnette, il lui faudrait retirer les couches de coton et de Nylon qui avaient jusqu'ici gêné leurs tentatives d'approche. C'était là le problème. Si Dede avait réellement envie d'apprendre à conduire, elle n'était pas assez bête pour donner aux Petrie plus qu'ils n'avaient obtenu jusqu'ici – de brefs moments d'accès à son corps, sévèrement limités et soigneusement justifiés, comme l'était son accès au véhicule. Mais elle avait toujours dû céder davantage pour extorquer plus de temps de conduite et, tôt ou tard, la situation allait lui échapper.

— Je suis sensible à ce que vous avez fait, les garçons. J'y suis vraiment sensible. Mais je peux parfaitement apprendre à Dede ce qu'elle a besoin de savoir.

Delia les vit tourner la tête vers Dede. Le désir se lisait clairement sur leurs traits. Elle remarqua également la façon dont Dede leur sourit, la facilité avec laquelle sa fille se maîtrisait et son dédain.

— Tu veux que je t'apprenne à conduire, Dede ? demanda-t-elle.

Dede eut un sourire avisé et se détourna des garçons pour regarder sa mère.

— Avec ta vieille Datsun déglinguée ?

Delia essaya de ne pas montrer sa déception.

— J'adorerais apprendre à passer les vitesses, reprit Dede, le visage embrasé. Ça serait fantastique.

Delia se tourna vers les garçons accablés.

— Leroy ! dit-elle. Craig ! Merci d'être passés.

Elle les poussa gentiment dehors, ignorant les regards mélancoliques qu'ils ne cessaient de jeter à Dede.

Delia dirait toujours que sa décision la plus intelligente était d'avoir enseigné la conduite à Dede. Ce geste brisa la glace entre elles. Elle dirait également qu'elle avait alors passé les six mois les plus effrayants de sa vie. Craig avait raison, Dede était douée. Son instinct était surprenant, sa vue et ses réflexes extraordinaires, mais cette petite ne connaissait ni régulateur, ni frein, ni peur. Pour Delia, la plus grande gageure fut de convaincre Dede que conduire, ce n'était pas faire la course ou pousser un véhicule jusqu'à ses dernières limites.

— Une voiture est un moyen d'aller quelque part, rien de plus. Ce n'est pas une projection de toi-même, quelque chose qui te servirait à te prouver qui tu es. Au volant, quand tu joues, tu joues avec la vie des autres, répétait Delia en observant le visage distrait, insouciant de sa fille. Tu comprends ce que je te dis, Dede ? Tu comprends ?

— Ouais, je sais. Mais je me demandais jusqu'à combien cette bagnole pouvait grimper.

Amanda restait inexorablement hostile. Elle n'essayait même pas d'entraîner Delia et Cissy à l'église, même si elle harcelait impitoyablement sa sœur. L'idée que, le dimanche matin, on pouvait décider d'aller ou de ne pas aller à l'office fascinait Dede.

— Je peux rester à la maison si j'en ai envie, c'est ça ? demandait-elle à Delia tous les dimanches.

— Oui, tu fais ce que tu veux.

Dede souriait et retournait dans la chambre. Elle pouvait alors en revenir tout habillée et prête à partir, mais rien n'était moins sûr.

— Cissy dit que tu as été bouddhiste. Est-ce que les bouddhistes ne croient pas à l'enfer ? demanda-t-elle un jour à Delia.

— Je ne me qualifierais pas de bouddhiste, lui répondit Delia. Et les bouddhistes ont une notion du paradis et de l'enfer complètement différente de celle des prédicateurs. Ils pensent que c'est la vie qui est difficile. Le but n'est pas d'aller au ciel mais de sortir de la roue de la vie.

— Ouah ! fit Dede, rayonnante. Tu crois que je ferais une bonne bouddhiste ?

— Je pense que tu devrais patienter un peu avant de te précipiter sur une religion uniquement pour éviter d'avoir à te lever le dimanche matin.

Quand Dede restait à la maison, Amanda le reprochait à Delia.

— Si ça t'est égal qu'on aille en enfer, moi, ça ne m'est pas égal, disait-elle. Tu ne crois même pas à ton âme immortelle, mais Dieu y croit.

Elle reprenait sa litanie, citait le révérend Hillman, grand-mère Windsor et les différentes brochures religieuses qu'elle avait lues, tandis que Delia hochait la tête, haussait les épaules, refusait de discuter et, finalement, lui rappelait que si elle ne partait pas bientôt elle serait en retard. Amanda suppliait une dernière fois Dede, puis franchissait la porte avec une expression de martyre.

Lorsque Dede allait à l'église, Amanda n'en paraissait pas plus heureuse.

— Tiens ! disait-elle quand Dede apparaissait en tenue d'église. C'est Dieu qui va être drôlement surpris !

Se rendre à Holiness Redeemer depuis la maison de Terrill Road n'était pas facile, mais Amanda refusait que Delia l'y emmène en voiture et s'entêtait à prendre l'autocar. Le premier dimanche après leur déménagement, le révérend Hillman tressaillit quand, avant le service religieux, Amanda courut enlacer grand-mère Windsor, qui se détourna. Dimanche après dimanche, la vieille dame repoussait sa petite-fille comme si c'était sa faute si elle habitait chez Delia. Cette prostituée avait profité de son fils mourant, faible et méprisable, elle l'avait embobiné, de sorte qu'elle avait elle-même été forcée de renoncer aux petites. Lorsque le révérend Hillman lui proposa de prier avec elle, grand-mère Windsor leva vers lui des yeux vitreux et lui dit qu'il en avait déjà assez fait comme ça.

Le cœur brisé par la froideur de grand-mère Windsor, Amanda finit par fréquenter l'église baptiste de Cayro. Les fidèles étaient suffisamment nombreux pour lui permettre d'éviter M.T. et elle aimait bien le révérend Myles. Elle en était arrivée à ne plus attendre grand-chose de Hillman, l'instrument de son exil chez Delia, et, en outre, le révérend Myles lui rappelait le pasteur qui officiait à Holiness avant le retour de Hillman. Ils avaient la même façon de prêcher, avec des mots profondément ressentis et une voix sonore. Grand-mère Windsor disait toujours que l'église avait vraiment été celle de la parole divine au temps du révérend Call.

— En voilà, un prédicateur, déclarait-elle, un véritable évangéliste !

Amanda se rappelait la grosse voix tonnante du révérend Call et les vives taches de couleur qui apparaissaient sur ses joues blêmes lorsqu'il s'enflammait. Il s'enflammait souvent, à tel point qu'Amanda avait peur de lui quand elle était petite. Le révérend Call adorait prêcher sur la menace du monde communiste et la perfidie des libéraux de Washington. Il était régulièrement invité pour parler de « L'Amérique contre le communisme » dans les classes de collège et n'avait jamais accepté que les autorités éducatives aient transformé ce cours en « Les formes de la liberté » après l'élection de Jimmy Carter.

— Les formes de la liberté ! rugissait le révérend Call du haut de la chaire. C'est à Dieu de décider des chaînes qui entravent nos âmes immortelles.

Pour lui, la guerre du Vietnam ne s'était pas terminée et, à Marietta, c'était lui qui apportait le plus grand soutien aux représentants des portés disparus. Les journaux locaux publiaient ses lettres véhémentes au ministère des Affaires étrangères. Il y répétait que des milliers de soldats américains étaient retenus prisonniers dans des endroits secrets de Hanoi.

— Où ça se trouve, Hanoi ? demanda un jour un petit garçon qui suivait les cours sur la Bible à Holiness.

Le pasteur vira immédiatement au rouge violacé, les yeux exorbités, le cou gonflé, et s'affaissa sur une chaise pliante en métal gris.

Une apoplexie, pas vraiment une attaque, plutôt un coup porté par Dieu, dit plus tard le pasteur à ses diacres.

— Les enfants sont élevés dans l'ignorance. Le diable sème dans leurs cœurs.

Des larmes coulaient de ses yeux injectés de sang.

— Vous êtes fatigué, dit l'un des diacres. Vous avez besoin de repos.

— Le diable ne dort jamais, entonna le révérend Call, la bouche molle et humide. Dieu ne fait jamais de petit somme.

— Juste quelques semaines, insista-t-on.

Il ferma les yeux et se cacha le visage dans les mains.

Les vacances ne furent pas une réussite. Le prédicateur remplaçant découvrit qu'une grande partie des fonds servait à payer l'abonnement à des magazines qui parvenaient à Call enveloppés dans du papier marron. Les dames du Secours racontèrent que l'épouse du pasteur passait beaucoup de temps à rendre visite à sa mère.

Le révérend Call fut obligé de prendre sa retraite quand sa femme révéla que c'était lui qui passait des coups de fil nocturnes à la nouvelle enseignante d'anglais au lycée. Le révérend jura que ce n'était pas vrai. Il raconta aux diacres que ce professeur était membre du complot international communiste, ce qui apparut clairement quand elle organisa une représentation de *Jésus-Christ superstar*.

— C'est un blasphème ! déclara le révérend Call à Emmet Tyler en bloquant l'accès à la salle de spectacles du lycée. Un clou de plus planté dans notre cercueil national.

— Oh ! ce n'est pas si terrible que ça, répondit le shérif adjoint. Certains airs sont très accrocheurs.

— Vous avez perdu toute faculté de jugement, souligna tristement le pasteur.

Le shérif adjoint se contenta de hocher la tête. Personne n'avait envie de discuter avec le révérend Call.

Les diacres de Holiness lancèrent un appel qui fit revenir le révérend Hillman. On racontait que le révérend Call était parti dans l'Arizona, où il prêchait à la radio en pleine nuit, s'entretenait avec les auditeurs qui téléphonaient et continuait à fulminer contre la menace communiste. Certains dimanches, au tabernacle baptiste, en écoutant le révérend Myles, Amanda rêvait au révérend Call. Il l'appréciait. Il lui avait donné un bracelet en argent sur lequel était gravé le nom d'un soldat disparu au Vietnam et lui avait étreint les épaules quand elle lui avait expliqué à quel point elle aimait Dieu.

— Reste forte, lui avait-il dit la dernière fois qu'il avait prêché à Holiness.

Grand-mère Windsor lui avait alors préparé un gâteau au beurre et avait insisté pour qu'Amanda aille le lui offrir. En prenant le gâteau, le vieil homme avait posé les lèvres sur le front d'Amanda.

— Tu es une vraie petite Américaine bénie de Dieu, lui avait-il murmuré solennellement.

Elle avait fait un signe de tête et refusé de s'essuyer le front, même si l'endroit qu'il avait embrassé de sa langue rêche et humide la démangeait.

— Je reste forte, promit Amanda à Dieu.

Dans son imagination, Dieu ressemblait au révérend Call, mais avec les yeux de grand-mère Windsor et les galons d'un sergent de l'armée américaine sur le col boutonné de sa chemise blanche.

Amanda ne limita pas ses efforts d'évangélisation à Dede. Au lycée de Cayro, elle décida d'organiser une coalition des chrétiennes, qui se réunissait à la cafétéria pour mettre en œuvre une croisade contre l'avortement et les mœurs dissolues. Elle dit à Dede que leur lycée était son champ de bataille pour faire connaître l'amour de Dieu et n'écouta pas sa sœur, qui lui conseillait de laisser les gens libres de faire ce que bon leur semblait.

— C'est une question de vie ou de mort, Dede, déclara Amanda. Nous sommes en train de parler de la parole divine, pas d'une émission sur les différentes religions à la télévision éducative. Tu peux dire tout ce que tu veux sur le bouddhisme, l'islam, l'adoration du ciel et la poésie, mais c'est l'âme immortelle des gens qui est en jeu. Ce que tu veux, c'est me faire taire pour pouvoir avoir du succès et dire des absurdités ? Pour être comme tout le monde ? Bon, vas-y, sois comme tout le monde et prépare-toi à aller en enfer comme tout le monde !

Amanda n'interrompit pas plus d'un jour ses activités une fois que le chef d'établissement eut refusé de la laisser distribuer des prospectus dans les vestiaires des élèves. Elle persuada simplement deux filles de l'église de distribuer les leurs dans les environs. Quand on l'informa qu'elle ne pouvait plus utiliser la cafétéria, elle réunit les filles sur un parking, derrière le Bonnet, et promit de faire raccompagner chez elles toutes celles qui manqueraient le car scolaire. Elle songeait à rassembler un groupe de militantes anti-avortement pour former une chaîne devant le dispensaire de gynécologie les mardis et jeudis après-midi, les jours où étaient pris des rendez-vous au planning familial d'Atlanta.

— Vous êtes mineures, vous n'irez pas en prison, dit Amanda aux recrues potentielles qui se présentèrent pour sa première réunion improvisée. Pensez un peu à l'impact que nous pourrions avoir sur cette ville. Nous serions des soldats du Seigneur. En moins d'un mois, nous arriverions à mettre ce dispensaire au chômage.

Le problème avec l'idée d'Amanda, c'était que la plupart des lycéennes inscrivaient le numéro de téléphone du service de gynécologie sur la dernière page de leur journal intime. Ce dispensaire fournissait une information sur le contrôle des naissances, des conseils en toute confidentialité, et les adresses des centres qui procédaient effectivement aux avortements. Même si elles espéraient ne jamais avoir besoin d'y recourir, la plupart des filles ne voulaient pas que le dispensaire de Marietta soit obligé de fermer. Une petite erreur, dans un moment de fièvre, et elles risquaient de devoir se faufiler là-bas un mardi ou un jeudi après-midi. Vingt-six jours sur vingt-huit, personne ne voulait penser au dispensaire, mais, parfois, ces deux derniers jours s'abattaient sur une femme comme un fer brûlant sur du métal froid. Deux jours de terreur et la face du monde en était changée. Deux jours de « Mon Dieu, non, pas ça, je vous en prie ! ». Deux jours de « S'il le faut, mon Dieu, je le ferai ». Deux jours passés à prier pour ne pas en être réduite à faire ce qu'on redoutait. Ensuite, le sang et la terreur – une intervention médicale miséricordieuse – et on pouvait respirer un bon coup puis penser de nouveau comme une femme saine d'esprit. Non, le dispensaire était terrible mais nécessaire, un endroit où une femme pouvait faire ce à quoi elle était bien obligée de se résoudre même si c'était la dernière chose au monde dont elle avait envie.

Celles qui vinrent aux réunions d'Amanda étaient des filles qui ne sortaient jamais avec des garçons et n'avaient pas d'amies à qui cela arrivait. Il y eut exactement cinq filles à la première assemblée et deux abandonnèrent après quelques conversations à voix basse dans les toilettes du lycée. Les trois restantes étaient tellement angoissées à l'idée de former une chaîne qu'Amanda se dit que les forces sataniques se mobilisaient contre elle.

Vint le jour où Amanda se retrouva toute seule sur le parking, derrière le Bonnet. Cette nuit-là, elle rêva de la crucifixion. Les mains tendues, percées, elle baissait les yeux sur ceux qui l'avaient trahie. Grand-mère Windsor se cachait le visage dans les mains, tandis que Dede pleurait et tombait à genoux. Un Clint guéri, repentant, se tenait derrière elle, et Delia, portant un pantalon à pattes d'éléphant, des perles et un poncho rouge, s'écriait : « Mon Dieu ! Mon Dieu, pardonnez-moi ! » Une foule débraillée de soldats adolescents vêtus de pyjamas en tissu de camouflage et de religieuses en habits noirs levaient des yeux terrifiés vers Amanda. Appuyée sur son pieu comme s'il s'agissait d'un lit garni de lin et soie, Amanda les regardait tous avec une compassion lasse. Sur son corps, les ecchymoses s'épanouissaient en ombres violettes et un mince filet de sang coulait de sa tempe gauche. Elle était venue à eux en tant qu'infirmière et enseignante, et ils l'avaient battue et clouée là-haut, vouée à la mort. Pendant toute l'épreuve, elle s'était raccrochée au nom de Jésus, avait refusé de renier Dieu pour être libérée. Son courage deviendrait légendaire, son exemple serait prêché aux petites filles au fil des générations.

Amanda ne savait pas exactement comment tous ces gens se retrouvaient là pour assister à son martyre, mais tant mieux s'ils étaient présents car ils voyaient ce qu'elle était véritablement, une fille bénie du Dieu vivant. Sa foi était si puissante qu'elle franchissait les catégories insignifiantes de confession catholique ou baptiste, de nation ou de race. Le lendemain, il y aurait une vague de conversions. Les satanistes renonceraient au diable et, l'un après l'autre, les pays où on raconterait son histoire réclameraient leur rattachement aux États-Unis. Le révérend Hillman prêcherait lors d'un *revival* [1] consacré à la dévotion d'Amanda. Le révérend Call reviendrait d'Arizona. Le professeur de géographie du lycée de Cayro demanderait pardon à Amanda pour avoir raillé son désir de conduire une mission au Cambodge alors qu'elle ignorait où ce pays se trouvait.

Amanda gémit à pleine voix et, en bas, grand-mère Windsor cria son nom. Delia laissa tomber son poncho et tendit les bras vers la fille qu'elle prétendait aimer. Dede secoua la tête et regarda Amanda en ayant l'air de sortir de sa rêverie.

---

1. Rassemblement religieux caractérisé par la véhémence des prédications, l'appel à des confessions publiques. *(N.d.T.)*

— Oh ! pour l'amour de Dieu ! pouffa-t-elle avant de mettre la main devant la bouche.

Amanda se contorsionnait désespérément et levait la tête vers le ciel.

— Non ! dit-elle, et son sang coulait plus vite tandis que la foule s'agitait, que les soldats rigolaient et se poussaient du coude comme des petits garçons dans une cour de récréation. Non, non ! supplia Amanda et les religieuses soulevèrent vivement leurs jupes et détalèrent.

Dede se balançait d'avant en arrière sur ses genoux et riait sans pouvoir s'arrêter.

— Pour l'amour de Dieu, Amanda, ça va trop loin. Ça passe les bornes, même pour toi.

Delia ramassa son poncho et le secoua pour en ôter la poussière.

— Bon, c'est peut-être aussi bien comme ça. Je sais que tu n'as jamais voulu venir habiter avec moi.

Elle regarda la foule qui se dispersait et recula.

— Est-ce que tu aperçois Cissy, de là-haut ? Je ne la vois nulle part.

— Descends de là, dit grand-mère Windsor sans prêter attention aux mouvements de plus en plus violents d'Amanda.

Elle épousseta sa jupe et lui jeta un regard furieux. L'un des soldats alluma la cigarette de la dernière religieuse qui repoussa son voile et gratta distraitement une piqûre de moustique, sous son oreille.

— Mon Dieu, mon Dieu ! s'écria Amanda. Pourquoi m'as-tu abandonnée ?

— Sale garce de hippie !

Cissy entendit ces mots alors qu'elle sortait de l'école de Cayro et se dirigeait vers l'arrêt du bus en lisant un livre prêté par Nolan, *La Main gauche de la nuit*. Elle se retourna et se retrouva face à Marty Parish et à deux garçons aux cheveux tellement courts que leur crâne avait l'air d'avoir été passé au racloir.

— On te connaît, lui dit Marty. On sait tout sur toi.

— Quoi, par exemple ? rétorqua Cissy.

Son cœur cognait mais elle n'allait pas reculer. Son père avait été confronté à des gens de ce type. Elle avait entendu parler d'assiettes renversées et de bouteilles lancées, de visages ricanants, furieux, d'hommes avec des coupes en brosse et de mauvaises manières. Pourquoi aurait-on envie d'avoir les cheveux tellement courts que les oreilles ressortaient et qu'on voyait la forme bizarre du crâne ? Les cheveux de Randall formaient une douce rivière sur ses épaules, luisants, parfumés, encadrant son visage comme sur les portraits de Jésus dans la Bible illustrée pour enfants.

— Ta mère est une coco, une de ces garces libérées qui précipitent le pays dans la ruine. Ton père est un bâtard hippie qui a volé la femme d'un autre.

Marty s'avança.

— Et toi, t'es aussi une bâtarde ! dit-il en lui plantant un doigt dans la poitrine.

Cissy ferma son livre et le serra contre elle. Les trois garçons sourirent et l'encerclèrent.

— Et toi, Marty Parish, tu es encore plus bête que ton idiot de père et ton crétin de grand-père.

Soudain, Dede s'avançait vers l'arrêt du bus, cahier à la main et cheveux blonds virevoltant à chaque pas.

— Encore heureux que tu sois pas aussi bête que tu es moche !

Dede sourit de son trait d'esprit.

Marty serra les poings.

— Ne commence pas à parler de moi, dit-il.

Dede s'arrêta à côté de Cissy et regarda les autres garçons.

— Mais vous deux, je ne dirai pas que vous êtes moches. Dans quelques années, quand vous vous serez un peu remplumés, vous serez peut-être presque mignons.

Le maigrichon Charlie Jones rougit et baissa les yeux. Le troisième garçon, Junior Hessman, recula d'un pas.

— Te sauve pas, Junior, dit Dede en passant un bras autour des épaules de Cissy. Je voulais te présenter ma petite sœur et lui raconter des tas de trucs sur toi. Comme le jour où t'as été envoyé dans le bureau du proviseur parce que tu te tripotais dans le vestiaire.

— J'ai jamais fait ça.

Le visage de Junior fonça autant que celui de Charlie.

— Oh que si ! Tu continues à le faire quand tu crois que personne te regarde. Ça amuse tout le monde, Junior.

Dede adressa un sourire indolent à Cissy mais ne croisa pas son regard.

— Tu ferais mieux de faire attention, Dede Windsor, menaça Marty en levant les poings.

Dede fixa le bas-ventre de Marty et son sourire s'élargit.

— Tu vas me frapper, Marty ? Tu vas me frapper ?

Marty blêmit.

— Va te faire voir ! hurla-t-il.

Et il se retourna tellement vite qu'il heurta Charlie en s'éloignant. Junior le suivit. Charlie hésita un moment, son expression passant alternativement de l'embarras à la frayeur, puis emboîta le pas à ses amis.

Dede lâcha un rire lent, paresseux, et retira le bras des épaules de Cissy.

— Ça va ?

Cissy avait l'impression que le monde tournait au ralenti autour d'elle.

— Merci, balbutia-t-elle.

Dede la regarda de ses yeux bleus ardents. Son sourire indolent s'effaça.

— Tu ne peux pas céder un pouce de terrain à ces petits morveux, dit-elle. Pas un seul pouce. Ça nous ferait tous passer pour des minables.

Elle claqua son cahier contre sa cuisse et leva le menton.

— Mais aussi, t'as vraiment besoin de porter ces lunettes tout le temps ? Elles ont l'air bêtes.

La bouche de Cissy s'affaissa.

— J'suis obligée de les porter, dit-elle. J'ai un œil sensible à la lumière. Il s'enflamme si j'les porte pas.

— Bon, alors, pour l'amour du ciel, que Delia t'en achète une paire qui ait l'air moins bête. Merde, avec ces gros machins antiques, tu ressembles à Ray Charles.

Dede fronça les sourcils en voyant le visage figé de Cissy.

— D'accord ?

— Ouais, d'accord. Mais il faudra que tu demandes à Delia.

— T'as peur d'elle ?

— Non, dit Cissy d'un air dégoûté. C'est seulement que j'aime pas lui demander quoi que ce soit.

— C'est vrai ?

Dede regarda plus attentivement sa petite sœur.

— C'est marrant, moi, ça me gêne pas du tout.

Juste au bord de la pupille gauche de Cissy, il y avait un petit défaut, comme une tache sur une photographie ou une éraflure sur un pare-brise. Presque imperceptible. C'était la seule preuve visible de l'ancienne blessure que Cissy s'efforçait tant de dissimuler. Elle voulait voir le monde des autres – les ombres et la lumière, la profondeur et la distance. Au lieu de quoi, elle avait un cristallin qui accommodait mal, larmoyait à la lumière vive et lui donnait de terribles maux de tête si elle ne portait pas ses lunettes. Ce ne fut qu'après avoir lu un livre sur le Greco que Cissy commença à comprendre son propre angle de vision. Il y avait une différence entre le monde qu'elle voyait – plat, sans profondeur, une photo sans perspective – et l'horizon courbe que les autres voyaient autour d'elle. Elle pouvait imaginer le monde de Dede et de Nolan. Ils ne pouvaient pas imaginer le sien. Du moins, elle l'espérait. C'était déjà assez dur comme ça d'être la fille naturelle du rock and roll enfantée par Delia Byrd sans y ajouter le fardeau de la pitié et du mépris. Cissy avait passé la première partie de sa vie à maudire ses lunettes, puis une fois arrivée à Cayro, elle s'était mise à les porter tout le temps, contente de leur couleur foncée qui dissimulait son regard.

Cissy avait beau être très gênée à cause de ses lunettes, elle n'avait jamais réellement remarqué le défaut de son œil jusqu'au jour où Mary Martha Wynchester l'invita à fêter son anniversaire et à dormir chez elle. Mary Martha était la première à avoir treize ans parmi toutes les petites filles qui empruntaient la ligne ouest du bus scolaire et, comme elle passait officiellement le cap de l'adolescence, sa mère décida de célébrer l'événement. Cissy soupçonnait Mary Martha de ne pas avoir pensé à l'inviter, mais Delia coiffait Gillian Wynchester depuis un bon moment maintenant et les commérages partagés, les ciseaux à effiler et la décoloration pesaient bien trop lourd.

— Évidemment, tu vas inviter la fille de Delia, décida Gillian.

Le soir de l'anniversaire, dès que sa mère quitta la pièce, Mary Martha sortit une bouteille de bourbon chipée à son père et la fit passer à la ronde. Ses meilleures amies, Jennifer et Dawn, sifflèrent rapidement quelques lampées et le jugèrent bon. Cissy avala une petite gorgée et approuva, même si elle n'aimait pas beaucoup ça. Lizzie Jones, la petite sœur de Charlie, but un coup et fit la grimace.

Une fois la bouteille à moitié vide, Mary Martha eut une inspiration : elles allaient regarder le Téléthon et appeler en donnant de faux numéros de cartes de crédit. Mais les standardistes avaient soit un instinct infaillible soit des ordinateurs très malins, et les petites filles ne parvinrent pas à franchir ce barrage. Finalement, juste après minuit, Mary Martha fit asseoir tout le monde en cercle.

— J'ai prévu quelque chose, dit-elle.

Elle éteignit toutes les lampes et installa une bougie bleue devant le miroir à trois faces que sa mère lui avait acheté dans une vente de succession. D'un côté, elle plaça une coupe en métal bleu sur un trépied. La coupe contenait du High John the Conqueror, leur dit-elle, commandé dans une vraie boutique hispanique d'Atlanta. Elle avait obtenu un rabais parce qu'elle avait également acheté des bougies. Elle alluma l'encens et une odeur fétide s'éleva dans la pièce.

— Bon. Chacune d'entre nous va regarder dans le miroir.

Mary Martha toussa.

— Vous regardez la bougie, vous respirez l'encens et vous priez pour voir l'avenir. C'est ma cousine Barbara qui m'a parlé de ça. Elle jure que ça a marché pour elle. Mais il faut le faire au bon moment, vous savez, par exemple au moment des premières règles ou, en tout cas, avant de… euh… vous savez bien.

— Avant d'avoir fait l'amour, tu veux dire ? demanda Lizzie, le visage vibrant d'intérêt. Il faut être vierge ?

Mary Martha le confirma d'un signe de tête.

— C'est logique, commenta Jennifer.

On aurait dit qu'elle avait toute une théorie sur le sujet. L'opinion de Cissy dut se lire sur ses traits.

— Mais si, dit Jennifer.

— J'ai lu quelque chose sur ces temples en Grèce et en Égypte, où il y avait des filles assises dans la fumée, qui prédisaient l'avenir. Des vierges. Des vestales. C'est comme ça que ça marchait.

— Ouais. Moi aussi, je l'ai lu.

Petits amis, maris, enfants, carrières… n'importe quoi pouvait apparaître dans les ombres du miroir. N'importe quoi. On ne faisait qu'entrevoir, prévint Mary Martha avant de s'y essayer la première. De la main gauche, elle alluma la bougie. Cissy mangea le chapeau d'un gâteau en forme de champignon et remit le fond dans le plat. Elle commençait à avoir un peu mal au cœur.

Une immense fortune, deux maris, deux fils – Cissy était un peu surprise. Elle n'aurait pas cru que Mary Martha se retrouverait avec deux maris. Ce fut ensuite le tour de Jennifer : une carrière cinématographique, une statuette dans les mains ! Cissy se mordit le pouce, contente que la faible lumière ne l'oblige pas à se cacher le visage. Ce fut alors le tour de Lizzie, mais elle mit trop longtemps, affirma qu'elle voyait presque quelque chose mais que l'image n'arrivait pas à être nette.

— Je crois que c'était une maison, une grande maison.

Dawn eut des problèmes pour s'installer à son aise. Elle disait que le miroir ne formait pas le bon angle, si bien que tout dut être déplacé. Après avoir beaucoup scruté et s'être penchée de façon mélodramatique, elle suffoqua et rejeta ses cheveux en arrière.

— Une voiture de course. Je jure que je me suis vue dans une voiture de course, avec des numéros sur le côté et tout et tout.

— Oh ! mon Dieu ! Je ne savais même pas que tu conduisais.

— J'apprends.

Mary Martha but une nouvelle gorgée de bourbon, fit passer la bouteille et porta un toast à Dawn.

— Tu pourrais être la première femme vainqueur à Darlington.

Cissy pouffa avant de pouvoir se retenir. C'était un tout petit rire, mais Mary Martha fronça les sourcils.

— Pourquoi est-ce que tu n'essaies pas, Cissy ? dit-elle d'une voix sévère.

Cissy avait mis un point d'honneur à se montrer discrète et assidûment élogieuse, au point qu'elle commençait elle-même à se trouver lassante. Elle accepta et glissa sur la moquette jusqu'à la misérable petite lueur. Elle s'assit en tailleur et observa docilement la flamme. Elle s'accorda une minute puis annonça qu'elle ne voyait rien. Par-dessus la flamme, elle regarda dans le miroir. La bougie y apparaissait plus grande, sa lumière plus vive, mais, tout autour, Cissy ne voyait que des ombres, une partie centrale sombre et le reflet de la pièce obscure. Elle se déplaça légèrement et son visage s'encadra dans le miroir, esquissé à la lueur de la bougie.

La flamme minuscule bougea et Cissy porta son attention sur la boule de chaleur bleue, au centre. Elle était étonnamment brillante, vue de près, pas aussi petite qu'elle en avait l'air de l'autre côté de la pièce. Jaune blanchâtre, vacillant dans un souffle que Cissy ne sentait pas, la lueur lui faisait mal aux yeux. Chaque clignotement semblait éclater et se propager par rides concentriques au bord de sa pupille gauche. Elle vit là un défaut, une fissure sur la surface lisse. Toute petite, mais nettement délimitée par le mouvement de la flamme. Cissy se rapprocha encore. Ses yeux s'agrandirent dans le miroir.

À côté d'elle, Dawn se tortilla et lui donna un coup de coude.

— Cissy ?

Cissy l'ignora. Elle n'avait encore jamais vu cette blessure. Elle s'approcha le plus possible de la flamme.

— Tu aperçois quelque chose ?

Le murmure de Mary Martha était rauque de surexcitation.

Cissy observa le mouvement de son œil. Le gauche suivait généralement le droit quand elle n'était pas très fatiguée et, même maintenant, il ne flottait qu'un tout petit peu. Il ne roulait pas comme celui de Martin Nouvelle. Cissy apercevait Martin à la station-service chaque fois que Delia y faisait réviser sa voiture. Il regardait Delia et souriait tandis que son œil gauche partait en direction du distributeur de glaçons. Cissy avait du mal à ne pas se retourner pour vérifier si quelque chose avait attiré un œil et pas l'autre. Le problème de Cissy était loin d'être évident, mais il était bien là.

— Merde ! murmura Cissy.

— Hein ? Hein ?

Mary Martha commençait à s'agiter.

Delia ne parlait jamais de l'accident dans lequel Randall avait eu le côté gauche écrasé, elle-même le pied cassé et où Cissy, qui se trouvait entre eux, avait été bombardée de verre. Le sujet avait été exceptionnellement abordé juste après l'entrée de Cissy à l'école de Cayro. Intriguée par son œil, l'institutrice l'avait renvoyée à la maison avec un petit mot pour demander un entretien avec sa mère.

Delia avait explosé.

— C'était un accident, dit-elle à M.T. Cissy était si jeune ! Ce n'est pas un problème. Son œil gauche a une acuité visuelle réduite, mais ce n'est pas un problème.

Abattant les mains sur la table de la cuisine elle avait juré :

— Nom de Dieu ! Elle n'avait pas à s'en mêler.

Sa fureur avait choqué Cissy autant que son bref commentaire. Un accident. Cissy n'avait aucun souvenir d'un accident.

— Randall n'aurait pas dû conduire, dit Delia. Je ne l'ai plus jamais laissé conduire quand tu étais dans la voiture.

Son expression était austère, honte et repentir mêlés.

— Merde ! répéta Cissy, le visage brumeux dans le miroir.

Elle ferma les yeux. Elle se rappelait les disputes de Delia et de Randall, l'insistance bredouillée de son père. Après leur déménagement, Randall collait parfois son visage contre celui de Cissy et pleurait. Elle adorait ça, elle adorait le contact de son père, même imprégné par l'amertume du chagrin. C'était Delia qui avait été vraiment furieuse contre lui. À présent, pour la première fois, Cissy comprenait l'expression de sa mère. L'horreur et la culpabilité y étaient gravées. Randall conduisait, mais Delia s'adressait des reproches à elle-même.

— Je me rappelle, souffla Cissy. Oui.

— Qu'est-ce que tu te rappelles ? Raconte-nous, Cissy.

Mary Martha pouvait difficilement se contenir.

Randall avait failli les tuer. Défoncé et négligent, il avait failli tous les tuer. Un si petit détail. Une telle souffrance. Un moment d'absence et tout se désagrégeait. Un fragment de verre, un éclat, en fait, une petite flèche de lumière qui s'était précipitée dans l'œil de Cissy et avait fait couler du sang sur sa joue. Delia avait hurlé et pris Cissy dans ses bras. Ça avait dû faire mal. Cissy entendait presque le hurlement de Delia, sentait presque l'averse de verre. Elle avait rêvé ce hurlement. Elle avait vu en rêve ce petit morceau de verre, cet arc de lumière. Le cauchemar était terrible, mais aucune sensation ne l'accompagnait. Ça ne faisait pas mal quand la flèche lui entrait dans l'œil. Pourtant, elle avait dû avoir mal. Est-ce que les yeux ne sentaient pas la douleur ? Et il n'y avait pas de cicatrice. Tout ce verre n'avait pas laissé de marque.

Du moins, Cissy avait toujours cru qu'elle n'avait pas de marque. Aujourd'hui, elle voyait la cicatrice, la preuve.

Elle continua à fixer le miroir. La forte lueur de la bougie la fit pleurer. Les larmes rendaient la surface de l'œil gauche encore plus luisante, translucide, blanc nacré. Le défaut avait un reflet plus profond, plus lumineux. Un diamant. On aurait dit les feux d'un joyau, son joyau intérieur. C'était beau comme du verre taillé. Elle cilla et sentit les larmes chaudes contre ses cils. Elle regarda une dernière fois la petite alvéole au bord de sa pupille, puis se tourna vers Mary Martha.

— Qu'est-ce que tu as vu ?

— Un monde avec unc fêlure, répondit Cissy. J'ai vu un monde avec une fêlure.

9

Delia se redressa, le cœur battant. Elle s'était endormie sur le canapé et, pendant un instant, s'était retrouvée en Californie, ivre, dans le jardin de Venice Beach. Une ancienne douleur, indistincte, se manifestait dans ses muscles – le besoin de prendre ses enfants dans ses bras – et son cœur explosait de chagrin parce qu'elle ne pouvait pas le faire. Mais c'était un cauchemar. Les petites, dans la chambre du fond, étaient tellement proches qu'elle parvenait presque à les sentir. Elle se rallongea et se frotta les bras. Elle avait un goût aigre dans la bouche. Elle se rendit compte qu'elle avait envie de boire. Tellement envie de boire qu'elle en avait le ventre noué.

— Mon Dieu ! murmura-t-elle à l'obscurité. Quand est-ce que ça sera fini ?

Ça faisait deux ans maintenant, deux ans qu'elle s'était soûlée pour la dernière fois, lors de Thanksgiving, en Californie. Mais elle avait toujours l'estomac qui se tordait et un goût cotonneux, aigre dans la bouche, le goût d'un ancien besoin impérieux. Un verre de whisky le ferait disparaître, chasserait l'aigreur et l'inciterait à chanter de nouveau. Delia se mit en boule et s'enlaça. Sa plus grande erreur avait été d'associer chant et boisson. À présent, elle portait le deuil des deux et n'osait pas attaquer l'un de crainte de voir l'autre surgir.

Elle entendait Clint marmonner et bouger dans son lit. L'odeur de cette chambre empirait. Demain, elle devrait le traîner au soleil, récurer une nouvelle fois le sol et lessiver les murs au vinaigre. Elle avait beau changer les draps et vaporiser du Lysol dans les coins, l'odeur revenait au bout de quelques jours. Est-ce que c'était le cancer qui sentait aussi mauvais ? Ou Clint lui-même, la puanteur de son âme ?

La première fois que Delia l'avait touché avait été la pire. Le contact de sa peau lui avait fait enfler la langue dans la bouche et lui avait crispé les reins. Elle avait dû se concentrer pour ne pas avoir un mouvement de recul. Pourtant, avec le temps, elle était parvenue, sans tressaillir, à coller son épaule à la sienne pour l'aider à aller jusqu'à la salle de bains. Clint serrait les dents, les yeux braqués droit devant lui. Delia fixait ses mains, le sol, n'importe quoi pour ne pas avoir à le regarder en face.

— Je suis désolé, avait-il dit quand elle lui avait donné son bain cet après-midi-là.

Il avait peut-être voulu se faire pardonner sa maladresse, sa lenteur et son poids, mais Delia savait bien qu'il y avait autre chose. Elle grogna et l'entraîna dans le couloir un peu trop vite pour leur faciliter les choses, à l'un comme à l'autre.

Ses mains tremblaient, ses jambes flageolaient. En rougissant, il lui avoua qu'il avait plus souvent pissé dans la baignoire que dans les toilettes.

— Parfois, murmura-t-il, je m'assieds et je ne peux plus me relever.

Delia hocha la tête, le visage inexpressif. Il y avait maintenant une rampe dans le couloir et la salle de bains, avec des poignées à intervalles réguliers. Un type de l'usine Firestone avait effectué le boulot pour cent dollars, mais Delia voyait bien que l'installation ne servirait pas longtemps. Clint pouvait à peine se traîner, même avec son aide.

— Tu aurais plus de confort à l'hôpital, lui dit-elle une fois qu'elle eut réussi à le faire entrer dans la baignoire.

— Pas l'hôpital, tu l'as promis.

Clint avait une expression accablée. Delia ne dit rien. Elle lui retira son pyjama tandis qu'il frissonnait et essayait de l'aider. Il était dans la baignoire, lui tournait le dos et se tenait à la rampe, les bras tendus. Delia ferma le rideau de douche autour de lui, une main à l'intérieur pour aider Clint à garder l'équilibre.

— La maison est pour les filles, dit-il. La maison et l'assurance. J'ai vendu le camion, mais il reste le bateau chez maman, des meubles et des pièces de monnaie anciennes.

Il avait la tête baissée et les yeux mi-clos. Il s'efforçait de ne pas la regarder. Il y avait plus de blanc que de blond dans ses cheveux emmêlés. Sa peau était tellement sèche qu'elle se desquamait sur les épaules et les hanches.

— Les papiers que j'ai préparés pour toi sont à la banque. Ils te les remettront. Après ma mort, ils te donneront tout ça.

Delia fit couler l'eau. Quand elle fut assez chaude, elle manœuvra le levier de la douche. Clint leva la tête. Les muscles qui lui entouraient la bouche et les yeux se relâchèrent, la peau flasque s'affaissa en formant des plis. Il urina avec reconnaissance tandis que l'eau se déversait sur sa carcasse tremblante. Lorsqu'il se détendit un peu, de la merde liquide lui coula le long des jambes.

Delia se détourna. Dieu avait un fichu sens de l'humour, pensa-t-elle. Elle se rappela qu'elle s'était retrouvée par terre dans cette salle de bains, enceinte de Dede, et s'était pissé dessus parce qu'elle avait reçu un trop mauvais coup pour pouvoir se lever. Clint se frottait la hanche gauche, à l'endroit où l'os ressortait. Elle ne lui voyait pas la bite, mais elle savait encore à quoi elle ressemblait. Il y avait eu un temps où elle l'avait aimé, une éternité avant qu'il devienne l'homme qu'elle haïssait. C'était alors quelqu'un de différent, tout comme elle. Pendant toutes ces années, après avoir acheté un revolver au marché aux puces, près de l'autoroute d'Atlanta, elle s'était dit qu'elle devrait le tuer. Elle était revenue dans cette maison, s'était assise à la table de cuisine avec l'arme devant elle. Clint était arrivé et était resté planté là, son regard passant du revolver à Delia.

Le type qui le lui avait vendu était un Texan aux cheveux frisés. Il traitait ses affaires sous une couverture verte, sans poser de questions, contre paiement en liquide. C'était une arme de poing aussi grosse que possible, un 38 noir bleuté, au contact chaud quand le vendeur l'avait abattu dans sa main en riant parce qu'elle avait failli le lâcher.

— Faut faire attention, mon chou. C'est un vrai revolver, pas un jouet.

Elle avait eu envie de lui régler son compte, là, tout de suite, mais elle avait payé et était retournée à la camionnette. Une fois à la maison, elle s'était assise, avait posé le revolver chargé sur la table et avait attendu.

Clint ne l'avait pas crue quand elle lui avait dit qu'elle l'abattrait s'il recommençait à la frapper. Aucune importance si elle était obligée de se tuer ensuite. Et, s'il prenait ce revolver, elle en trouverait un autre.

— Il n'y a plus d'esclaves dans le Sud, lui avait-elle dit. Tu essayais de faire de moi une esclave.

Clint s'était contenté de la regarder. Ses cheveux blond foncé lui retombaient dans la figure, ses mâchoires étaient en mouvement, la haine brillait dans ses yeux comme une lumière noire. Il avait eu un rire dur, s'était retourné et était sorti de la cuisine. Elle avait eu envie de le suivre. Elle avait eu envie de le tuer tout de suite. Au lieu de quoi, elle avait posé la tête sur la table et pleuré dans ses mains.

Quand les gens lui demandaient pourquoi elle s'était enfuie, pourquoi elle avait quitté Clint et les petites comme ça, Delia était toujours incapable de l'expliquer. Elle repensait à ce revolver, à la table en châtaignier, froide sous sa joue. Elle se rappelait le désespoir qui l'avait envahie quand la petite Amanda s'était mise à sangloter sans qu'elle parvienne à aller la voir. Elle avait déjà quitté ses enfants longtemps avant de s'en aller physiquement. Elle était déjà partie bien avant de grimper dans le car de Randall.

Sous la douche, Clint oscilla vers l'avant et grogna. Ses flancs tremblaient comme ceux d'un cheval après une longue course. Delia s'essuya le visage du revers de la main, attrapa la bouteille de gel et en étala sur les épaules et le dos de Clint. Elle utilisa une éponge pour le frotter, avec brusquerie, la respiration sifflante, en aspirant l'air par la bouche. Ses yeux restaient dans le vague, ses gestes étaient mécaniques. Je ne l'ai pas tué alors, pensait-elle. Je n'ai pas besoin de le tuer maintenant. Je dois seulement franchir ce petit cap. Quelques jours, deux ou trois semaines, peut-être quelques mois. Avec tout ce que j'ai déjà supporté, je suis capable d'y arriver.

Quand Clint grogna une nouvelle fois, Delia le retourna avec impatience et lui passa l'éponge sur le devant du corps. Le gel moussa et forma des bulles sur ses cuisses flasques et sa bite recroquevillée. Sur sa poitrine, les maigres poils blonds se dressaient comme des piquants mouillés. Il pencha la tête en arrière et laissa l'eau lui couler sur le menton. Il se concentrait tellement afin de ne pas tomber qu'il ne voyait pas la façon dont Delia le regardait. Une fois le robinet fermé, elle l'enveloppa dans une serviette et il s'effondra dans ses bras comme un enfant épuisé. Elle tituba mais le soutint jusqu'au moment où il fut capable de faire un effort pour avancer dans le couloir avec elle.

Je n'en serai plus capable, pensa-t-elle quand il retomba finalement sur son lit. Elle lui essuya la transpiration devant les yeux et vit qu'Amanda les observait du couloir avec une expression plus sinistre que la honte qui se lisait sur le visage de Clint. Seigneur, elles étaient tout le temps en train de l'épier, l'une ou l'autre, toujours en train de la regarder avec des expressions qu'elle ne parvenait pas à déchiffrer.

Clint leva des mains tremblantes et repoussa les cheveux humides collés sur ses traits émaciés.

— Merci, dit-il d'une voix haletante. J'ai eu du mal à me supporter moi-même.

Delia lui adressa un signe de tête et serra la serviette contre sa poitrine. Elle pourrait peut-être se procurer un fauteuil roulant, demander aux services sociaux de lui envoyer une infirmière. Une fois sur le seuil, elle entendit un demi-sanglot derrière elle. Elle s'obstina à ne pas se retourner. Qu'il remonte le drap lui-même, pensa-t-elle. Qu'il meure mouillé dans ce lit.

Il était plus de minuit quand Delia s'allongea de nouveau sur le canapé. Le lendemain, elle devait arriver tôt au Bonnet. Elle avait tout laissé en désordre en se dépêchant de partir dans l'après-midi. M.T. et Steph passaient toujours derrière elle mais, jour après jour, elle accumulait du retard. Si elle pouvait mettre Clint à l'hôpital, elle prendrait deux jours de congé pour dormir. Elle aurait le temps de parler aux filles, de ratisser le jardin de derrière pour retirer les détritus apportés par le vent, d'éplucher les factures, et peut-être même d'écrire à Rosemary. Elle se cacha le visage dans les mains. Mais si elle mettait Clint à l'hôpital, grand-mère Windsor serait là dans l'heure suivante. Elle serait accompagnée d'un avocat, ou du révérend Hillman, tant qu'elle y était. La vieille dame n'était pas venue voir les petites depuis leur déménagement, mais Delia sentait qu'elle les surveillait. Et le révérend Hillman prenait probablement mal le fait qu'Amanda aille maintenant à l'église baptiste. Il les surveillait sans doute lui aussi. Elle sentait que tout le monde la surveillait et attendait. Au supermarché, les yeux étaient fixés sur elle, les langues mielleuses prononçaient son nom quand elle sortait, les adolescents échangeaient des sourires entendus quand ils passaient devant le Bonnet tous les après-midi. Si Delia mettait Clint à l'hôpital, elle n'obtiendrait jamais les papiers gardés à la banque.

« Marché conclu », lui avait-il dit.

Et elle avait pensé qu'elle pourrait tout faire, le porter jusqu'au cimetière, jeter des pelletées de terre sans effort excessif. Mais le soigner pendant des semaines d'affilée, voir les petites sur le seuil de sa chambre et Cissy à côté de lui, les yeux rivés aux siens, c'en était trop ! Sur ses doigts, Delia sentait l'alcool utilisé pour le frictionner, et aussi la puanteur sucrée, confinée de sa peau. Tout son corps tremblait d'épuisement.

Un chien aboya dans l'obscurité, un hurlement de chien de chasse, aussi prolongé et mélancolique que n'importe quelle chanson de Delia. En Californie, il devait être 3 heures du matin. Rosemary n'était peut-être pas encore couchée. Elle était du soir, elle l'avait toujours dit. Elle pouvait se retrouver sur sa terrasse, en train de regarder le clair de lune sur ces cactus qu'elle aimait tant.

— Je suis moi-même une fleur de cactus, avait-elle dit un jour à Delia. Je suis hérissée de piquants, je sens bon et je suis dangereuse pour ceux qui ne se méfient pas.

Delia entendait son rire, un bas grondement de satisfaction.

— Et puis, je suis comme toi, avait ajouté Rosemary. Je peux survivre avec trois fois rien. Ce rien suffit quand on sait qui on est.

— J'ai besoin d'aide, murmura Delia dans la nuit.

Elle s'essuya le visage avec sa paume. On entendit le bruit d'une porte qui se ferme, l'une des filles qui allait aux toilettes, pensa-t-elle. Elle se força à se lever. Elle remplirait la bouilloire avant de se coucher. Ça lui ferait gagner un peu de temps demain matin. Dans le couloir, elle vit une silhouette indistincte devant la porte ouverte de Clint. On aurait dit Dede, mais le couloir était tellement sombre qu'elle ne pouvait pas savoir avec certitude qui se trouvait là, les épaules voûtées, les yeux fixés sur le mourant.

— Dede ? murmura Delia.

La silhouette ne se retourna pas mais grimpa les trois marches de l'autre chambre et entra. Amanda.

Pourquoi se tenait-elle dans le couloir comme ça, à observer le sommeil agité de son père ? Delia s'immobilisa un instant, écouta la respiration sifflante qui provenait de la chambre du malade, et le silence des filles. Quel effet tout cela avait-il sur elles ? Quel effet cela faisait-il de regarder ce qui se passait sans pouvoir s'en aller ni changer quoi que ce soit ? Elle ne s'attendait pas à une telle colère de Dede et d'Amanda envers Clint, à tant de rancœur accumulée chaque fois qu'elles passaient devant sa chambre. Certains jours, on aurait dit qu'elles le haïssaient encore plus qu'elle. Certains jours, Cissy semblait être la seule à éprouver de la pitié pour l'homme allongé qui les observait toutes de ses yeux brûlants, désespérés.

Oh ! elle savait bien que Clint souffrait. Il expiait ses péchés. M.T. avait qualifié ça de purgatoire, de purgatoire terrestre. Mais il n'y avait pas de purgatoire assez brûlant pour la fureur que Delia éprouvait à l'égard de Clint. Elle savait que Cissy la trouvait cruelle. À voir la manière dont Cissy la regardait maintenant, on aurait pu croire que c'était Delia qui avait péché contre Clint. Parfois, elle avait envie de secouer cette enfant, de lui faire comprendre ce qu'on ne pouvait vraiment pas lui demander de comprendre – qu'une fois qu'une femme apprend à haïr un homme autant que Delia haïssait Clint, elle ne peut plus jamais voir en lui un être humain. Elle est incapable de lui pardonner et de se réconcilier avec lui sans qu'un miracle lui ait transformé l'âme. Ce que Clint leur avait fait à toutes, c'était le seul péché qu'elle ne pouvait pas lui pardonner. Dieu pourrait peut-être, pas Delia.

Elle traversa la maison jusqu'à la chambre des filles et écouta leur respiration, forte et régulière. Puis elle jeta un coup d'œil dans la chambre de Clint. Sa porte était toujours entrebâillée, mais elle n'entendait rien.

Elle s'approcha et poussa doucement le battant qui s'ouvrit sans bruit. La lumière de la petite lampe posée par terre, près du lit, inonda le couloir. La radio marchait si doucement que Delia ne distinguait qu'un murmure, des voix qui venaient d'une station éloignée. Elle se pencha sur le seuil et regarda Clint. Il avait la tête rejetée en arrière et la bouche ouverte. Elle apercevait les poils sur son menton, semblables à de gros grains de poivre. Il avait l'air d'un cadavre. Delia grinça des dents quand elle vit sa poitrine se soulever et redescendre. Non, il était seulement endormi, profondément endormi, et c'était suffisamment rare pour être effrayant. Les cellules cancéreuses de ses os avaient peut-être subi une miraculeuse transformation, lovées comme des grenouilles en hibernation, endormies, allant et venant dans son sang. Le cancer refluait peut-être comme la marée, reculait, s'affaiblissait. Les miracles, ça arrive – même à d'horribles salauds qui méritent de pourrir en enfer.

— Non ! murmura Delia.

Non, ça ne lui arriverait pas. La bouche de Clint s'activait, cherchait de l'air. Son corps remua et la respiration torturée recommença, lente cadence de souffrance dont Delia comptait les semaines. La culpabilité tinta un instant dans son cerveau. Est-ce qu'un miracle était en train de se produire et qu'elle y avait mis fin ?

Delia serra ses bras croisés. Pour plaisanter, elle avait dit un jour qu'elle avait l'impression d'avoir été élevée par des ours. Elle n'avait aucun moyen de savoir comment les gens élevaient leurs petits, comment ils aimaient, guidaient un enfant et en faisaient quelqu'un de civilisé. Mais si Delia venait d'une famille d'ours, Clint, lui, avait grandi parmi les loups. Même sa mère ne lui avait pas tendrement tendu la main. Quand Delia l'avait rencontré, c'était ce besoin qui l'avait charmée, ce désir puéril d'une main douce. Elle l'avait mal interprété. Elle avait cru qu'ils pourraient s'aider mutuellement à guérir. À présent, elle observait son agonie et n'éprouvait absolument rien.

Dieu me jugera, pensa Delia, incapable de changer sa façon de ressentir les choses. Elle frotta les nerfs noués de son épaule gauche. Il lui avait tordu les bras dans le dos et cogné la tête par terre. Elle se le rappelait aussi nettement que l'odeur du corps de ses nouveau-nés. Il l'avait laissée sur le sol, impuissante, il l'avait laissée là pendant qu'Amanda hurlait de terreur dans la pièce voisine. Delia avait été obligée de ramper pour s'approcher de sa fille. Elle avait dû ravaler ses propres cris pour la consoler.

Delia avait les dents douloureuses. Elle crispait tellement les mâchoires qu'elles en tremblaient. Elle ouvrit la bouche et essaya de relâcher les muscles de sa nuque. C'était là que les tensions s'accumulaient toujours, dans les mâchoires, la nuque et les muscles froissés de l'épaule. Mon Dieu, comme elle avait envie de boire ! Elle avait envie de boire du whisky et d'écouter ses vieux disques. Elle avait envie d'être dans les bras de Randall et de ne pas penser à la mort de l'un ni de l'autre. Elle secoua la tête et reporta les yeux sur Clint. Elle s'occupait bien de lui, comme elle l'avait promis. Elle respectait ses engagements. Le Dr Campbell s'était étonné de voir Clint tenir aussi longtemps.

Elle regarda la pièce. Les murs n'avaient plus de couleur uniforme à force d'avoir été frottés. Il y avait une odeur aigre de sueur et de maladie incrustée dans le sol. Il faudrait nettoyer et repeindre toute la pièce. Peut-être poncer le parquet. Elle fit courir un orteil le long d'une latte, près du montant de la porte. Elle mettrait un tapis avec un beau dessin bien vif. Une fois qu'il sera parti, je briquerai tant cette pièce que personne ne saura à quoi elle ressemblait quand il s'y trouvait, songea-t-elle. Quand elle sera en bon état, j'y installerai Amanda. Amanda a besoin d'une chambre à elle. Delia jeta un coup d'œil de l'autre côté du couloir. Que pensait Amanda en regardant Clint ?

Clint gémit et bougea dans son sommeil. Un cauchemar, se dit Delia, et elle vit qu'il remuait la tête. Il remonta un tout petit peu les jambes. Il n'arrivait plus à les bouger beaucoup. Il ne se relèverait plus de ce lit.

— Mon Dieu ! souffla Delia.

Elle pourrait peut-être embaucher quelqu'un pour l'aider. Pas M.T., qui avait un haut-le-cœur chaque fois qu'elle entrait dans la maison, ni Steph, qui ne cessait de faire de terribles plaisanteries sur les corps qui pourrissent et le destin des gros buveurs. Delia trouverait peut-être de l'argent pour engager quelqu'un.

Il y avait eu quelque chose d'effrayant dans la manière dont Amanda était restée à la porte de Clint, quelque chose de terrible dans l'immobilité de ses épaules. Delia avança dans le couloir et posa doucement la main sur la porte derrière laquelle dormaient ses filles. Elle avait un goût aigre dans la bouche, ses yeux la brûlaient, comme si du sable était entré dedans. Tout son corps réclamait de l'alcool, de la tequila pour donner un coup de fouet à ses nerfs, du bourbon pour lui apaiser l'âme ; elle voulait sentir les glaçons contre ses dents, le verre épais et rassurant dans sa main. Elle porta la jointure d'un doigt à ses lèvres et mordit dans un repli de peau. Elle avait un goût de sang et d'amertume dans la bouche, et son pouls lui battait dans les oreilles.

— Tu ne peux pas tout faire toute seule, l'avait prévenue M.T. Laisse tes amis t'aider. Laisse-moi faire pour toi ce que tu ferais pour moi.

Rosemary lui avait dit la même chose. La dernière fois qu'elles avaient parlé au téléphone, son amie s'était mise en colère.

— Il y a quelque chose que tu ne me dis pas, Delia. Tu me racontes ce qui se passe. Dis-moi plutôt ce que je peux faire. Je pourrais être là en cinq jours. Trois, si tu me donnais une bonne raison.

Et elle avait éclaté de rire dans l'appareil.

Voilà ce qu'il fallait à Delia. Non pas boire un verre de whisky, mais entendre le rire de Rosemary. Elle alla dans la salle de séjour et composa le numéro qu'elle connaissait par cœur.

Les premiers instants qu'Amanda et Dede passèrent avec Rosemary Depau furent entachés par l'embarras. Delia avait dit aux filles que son amie de Los Angeles passerait un moment avec elles pour donner un coup de main parce que Clint allait très mal et qu'il y avait beaucoup de travail au salon. Elle n'avait pas précisé que Rosemary était la plus belle femme noire qu'elles rencontreraient jamais.

Le jour de son arrivée, Rosemary portait un chemisier rose en crêpe de Chine et un large collier en or qui couvrait une cicatrice, fine ligne bleu nuit qui commençait deux ou trois centimètres sous le menton et arrivait à un point situé juste sous l'oreille gauche. À l'exception de cette cicatrice, Rosemary n'avait pas la moindre imperfection et son visage était pur et lumineux. Elle avait une peau acajou foncé, avec des nuances plus claires, rosées, et des lèvres grenat magnifiquement dessinées, refermées comme un bouton de rose. Ses courts cheveux châtains luisaient de crème au parfum sucré et montraient la forme délicate de son crâne. Quand Rosemary descendit de sa voiture de location, Amanda fut stupéfaite et intimidée. Dede fut tout simplement ensorcelée.

Rosemary avait d'immenses yeux noirs qui luisaient autant que ses boucles d'oreilles, de petites coquilles Saint-Jacques en or parfaitement placées sur ses lobes. Des bijoux en or, des proportions généreuses, des hanches et des seins épanouis, mis en valeur par une taille fine, un maquillage qui faisait paraître ses yeux encore plus grands et ses lèvres humides de rosée même quand une cigarette s'y balançait... s'il n'y avait eu ces fines lézardes au coin des yeux et de la tristesse dans son regard, Rosemary aurait ressemblé à un mannequin de pub sur papier glacé, dans *Jet*. Une créature de rêve, telle était Rosemary, chimère d'un film noir classique – Dorothy Dandridge en blue-jean et chemisier de crêpe rose.

— Vous étiez amies en Californie ? demanda Dede à sa mère pendant que Rosemary déposait sa valise dans la chambre de Delia. De vraies amies, comme M.T. et toi ?

— Oui. Comme si elle faisait partie de la famille, confirma Delia avec un signe de tête. Rosemary m'a maintenue en vie à Los Angeles. Chaque fois que je croyais mourir, elle était là. Si tu as beaucoup de chance, tu auras une amie comme ça un jour, une femme en qui tu pourras avoir une confiance aveugle. Moi, j'ai été gâtée. J'en ai deux. Aucune femme n'est en sécurité si elle n'en a pas une. Avec une amie, on n'est jamais seule.

— C'est de Dieu que nous avons besoin, intervint Amanda d'un ton acerbe.

— Dieu, c'est bien joli, dit Delia avec une expression solennelle. Mais Rosemary et M.T. m'ont toujours semblé plus proches que Dieu.

Rosemary était perpétuellement enveloppée de volutes de fumée même si, par respect pour le malade alité dans la chambre du fond, elle allait fumer derrière la maison. Cissy était surprise qu'elle se donne cette peine.

Le premier jour, quand Delia la présenta à Clint, Rosemary se contenta d'un bref signe de tête en direction du visage à l'expression contrainte. Elle ne dit rien, lui non plus. Delia se chargea de la conversation, babilla avec nervosité pour montrer qu'elle était reconnaissante à Rosemary d'être venue l'aider, tandis que les longs doigts élégants de son amie se frottaient les uns contre les autres comme les pattes d'un insecte.

Une fois revenue dans la cuisine, Rosemary se tourna vers Delia et dit les choses carrément.

— Je ne veux pas toucher cet homme. Je veux bien faire tout le reste pour t'aider. La cuisine et le ménage pour les petites. Je veux bien te prêter de l'argent ou me battre avec qui tu voudras. Mais je ne toucherai pas ce salaud jusqu'à sa mort.

Delia s'appuya à la table. Elle avait le visage blême et la bouche caoutchouteuse. L'épuisement se voyait dans ses épaules voûtées et l'ombre bleuâtre qui s'esquissait de part et d'autre de son nez.

— Tu n'es pas obligée de rester, dit-elle. Je suis contente que tu sois venue, mais tu n'es pas obligée de rester.

Rosemary enlaça son amie.

— Chut, chut !

Elle serra Delia dans ses bras et lui frotta le dos.

— Je reste. Tu sais bien que je reste. Tu es sur le point de t'écrouler. Tu crois que je ne m'en aperçois pas ? Tu crois que je vais te laisser seule avec ces gamines difficiles et cet horrible bonhomme ? D'ailleurs, j'ai moi-même besoin d'un peu de tranquillité, j'ai envie d'écouter les moustiques voler. Ça va me faire des vacances.

Delia se détendit un peu et posa la tête sur le chemisier soyeux.

— Oh ! Rosemary ! gémit-elle.

— Oui, ma chérie. Oui.

Rosemary fit courir ses doigts sur le dos de Delia.

— Ça va aller. Mais on ne s'est jamais menti et je n'allais pas commencer aujourd'hui. Je déteste ce type et je serais incapable de m'occuper de lui. Je me retrouverais en train de glisser des diurétiques dans son lait.

Delia rit tout bas, puis mit la main devant la bouche. Rosemary lui adressa un grand sourire.

— C'est toi qui seras la sainte, murmura-t-elle à l'oreille de Delia. Tu feras ce que je ne pourrai pas faire et je m'occuperai du reste. Nous allons très bien nous en sortir, très bien.

Elle serra Delia plus fort et son sourire s'élargit.

— Et quand il mourra, je boirai pour nous deux.

— Cette Rosemary est vraiment belle, dit M.T. à Dede quand elle passa, avec un panier de grosses tomates charnues, le dimanche qui suivit l'arrivée de Rosemary.

C'était une journée étouffante et Rosemary et Delia étaient parties faire un tour en voiture, manifestement pour trouver le moyen de parler ensemble. M.T. but un verre de Coca, s'assit un instant à la table de la cuisine et s'éventa pour sécher la transpiration qui lui coulait dans le cou. Amanda se trouvait sur la véranda de derrière avec les notes qu'elle avait prises au cours sur la Bible et Dede repassait en sous-vêtements, près de la fenêtre. Cissy, en train de lire dans la chambre de Clint, s'approcha en entendant la voix de M.T.

— Tu la connaissais à Los Angeles ? lui demanda celle-ci. Qu'est-ce qu'elle faisait là-bas ?

— J'en sais rien.

Cissy épongea la sueur de son front avec une serviette de table.

— Comment est-ce que tu peux repasser par cette chaleur ? lança M.T. à Dede.

Cette dernière haussa les épaules et humecta un chemisier avec le vaporisateur. Elle fit gicler un peu d'eau sur le fer, qui grésilla et fuma.

— Il faut bien le faire et, comme j'ai déjà chaud, ça change pas grand-chose.

Elle s'aspergea les épaules et le ventre.

— T'en veux ? proposa-t-elle en agitant le vaporisateur vers M.T. avec un grand sourire.

— Je suis déjà assez trempée comme ça, merci, rétorqua M.T. avant de se tourner vers Cissy. Rosemary faisait partie du groupe de rock, hein ?

— Ouais, je crois.

M.T. fronça les sourcils.

— Bon, est-ce qu'elle a dit combien de temps elle allait rester ?

— Tant que Delia aura besoin d'elle.

Cissy regarda Dede.

— Quinze jours, un mois, d'après Delia.

— En tout cas, je ne vois pas quel genre de femme peut se permettre de prendre ses affaires et de s'en aller comme ça.

M.T. soupira d'une manière étudiée et jeta un coup d'œil dans la cuisine. Sur l'étagère, près de la machine à laver, une pile de draps rêches en coton côtoyait un tas de jeans délavés et de T-shirts bien pliés. L'égouttoir contenait quatre verres et un bol. Il n'y avait plus de marmite à moitié remplie de pommes de terre écrasées, qui constituaient l'essentiel de ce que mangeait Clint. Et l'odeur de sang et de maladie, omniprésente depuis le jour où Delia s'était installée, avait été remplacée par l'austérité de l'eau de Javel. Pour la première fois depuis des mois, la pièce semblait propre.

— Au moins, sa présence a l'air de servir à quelque chose, dit M.T.

— Rosemary ne reste pas en place, dit Dede. Elle allume la radio et se met à travailler dès le matin. Et elle ne s'arrête pas. Au moment où je me dis qu'elle devrait être prête à s'asseoir pour se reposer un peu, elle se met à énumérer tout ce qu'il reste à faire. Delia dit qu'elle ne sait pas comment elle va se débrouiller quand elle partira.

M.T. fixa le tissu tendu à craquer sur ses cuisses.

— C'est vrai ?

Elle termina son Coca et se leva.

— Passe-lui le bonjour et dis-lui à quel point je suis contente qu'elle soit venue.

Cissy et Dede observèrent M.T. tandis qu'elle marchait vers sa voiture.

— Ça la mine, ça, que Rosemary s'occupe de Delia, remarqua Cissy.

— Oh ! elle s'en remettra, répliqua Dede en retournant à sa planche à repasser. M.T. est drôlement coriace.

Elle orienta le vaporisateur vers le haut et fit retomber une pluie de gouttelettes sur son visage levé.

La visite de Rosemary scandalisa Cayro. Nadine Reitower dit à son mari qu'il se produirait sûrement une tragédie dans cette maison. Si Delia Byrd n'étouffait pas Clint Windsor dans son lit, cette Noire de Los Angeles ne manquerait pas de le faire.

— Regarde-la un peu ! ne cessait de répéter Nadine.

Son mari secouait la tête, mais regardait effectivement Rosemary. Tous les hommes de Cayro regardaient Rosemary. Ils plaisantaient entre eux au Goober's, le vendredi soir.

— T'as vu qui habite chez cette Delia Byrd ?

Une « pute de luxe » était le terme sur lequel ils s'accordaient.

— C'est une garce de négresse yankee, dit Harold Parish, le frère aîné de Marty. À une époque, on l'aurait obligée à tirer ses fesses à New York dare-dare.

— Elle est de Los Angeles, ajouta Richie Biron d'une voix traînante.

Autour de lui, les hommes se mirent à rire.

— C'est quand même une garce yankee, commenta l'un d'eux.

— Oh ! allez, fiston, dit Lyle Pruitt à Richie. Elle aide seulement c'te bonne vieille Delia Byrd et Clint.

— Delia aussi, c'en est une.

Le barman intervint :

— Delia Byrd est née ici, dans le comté de Bartow. Je connaissais son père, avant sa mort.

— Il est peut-être né ici, lui aussi, mais sa fille a l'esprit d'une Yankee.

— J'sais pas. T'écoutes jamais ce groupe, Mud Dog ? Cette bonne femme arrive à chanter exactement comme Maybelle Carter.

— Ah ! non ! Elle a la voix plus grave. Elle me rappelle Rosanne Cash.

— Chrissie Hynde, glissa Pat, la serveuse.

— Qui ça ?

— Les Pretenders. Tu connais sûrement cette chanson, *Got Brass in Pocket* ? Tu vois, ce genre de musique pleine de fureur, chantée d'une voix grave ?

Pat claqua son carnet contre sa hanche et s'essaya à quelques notes de Chrissie Hynde. Les hommes ricanèrent.

— Bon, en tout cas, ça me fait toujours penser à Delia sur l'album *Mud Dog,* insista Pat. Surtout quand elle chante *Lost Girls*.

— T'es folle.

— J'l'ai jamais aimée, celle-là.

— N'empêche que c'est une sale négresse.

— Delia ?

— Non, bon Dieu, cette fille de couleur qu'elle a fait venir chez elle.

— Oh ! Harold, merde ! Laisse tomber.

Les conceptions raciales de Harold Parish ne l'empêchèrent pas d'essayer de flirter avec Rosemary au magasin Piggly Wiggly, un dimanche après-midi.

— Comment ça va ? lui demanda-t-il.

Elle jeta un regard soigneusement inexpressif sur son visage suant et ses petits yeux noirs luisants, et rétorqua :

— Je viens acheter des légumes verts, de l'épaule de porc et des pommes de terre rouges.

Elle examina la joue de Harold, marquée par les cicatrices d'acné.

— Je ne cherche ni les ennuis ni les grands costauds, ajouta-t-elle avant de passer devant lui.

Harold rougit. Il y avait quelque chose dans le regard de Rosemary qui lui donnait l'impression d'être non seulement costaud, mais beau et apprécié. On aurait dit que quelqu'un avait enfin vu ce qui se cachait derrière son corps dégingandé et sa vilaine peau. Par la suite, Harold découragea les propos vulgaires.

— C'est pas que j'aie envie de sortir avec une Noire, dit-il à son ami Beans. Mais, si j'en avais envie, c'est elle qui me plairait.

Pendant la deuxième semaine de son séjour, Stephanie s'acheta un court collier fantaisie qui était presque la réplique du bijou en or de Rosemary.

— Tout le monde en a un, à Los Angeles, expliqua Steph aux clientes du Bonnet qui lui en firent compliment.

M.T. resta éloquemment muette. Quand Dede aperçut le ras-de-cou, elle rougit. Elle songeait elle-même à s'en acheter un.

M.T. était toujours polie quand elle croisait Rosemary, mais elle ne s'approchait pas de la maison et prit même quelques jours de congé pour rendre visite à ses cousins de Tallahassee.

— Ça perturbe son écosystème, dit Rosemary pour plaisanter. J'aimerais probablement M.T. si on s'était rencontrées avant et elle pourrait peut-être même m'apprécier. Mais elle a peur que je persuade Delia de retourner à Los Angeles, je le vois bien.

— Tu vas le faire ? demanda Dede avec espoir.

— Sûrement pas ! répondit Rosemary d'un air rayonnant. M.T. me poursuivrait pour m'arracher le cœur.

Ce n'était pas seulement que Rosemary fût aussi splendide qu'un modèle de magazine, avec ces yeux immenses et ce cou magnifique. Elle était également scandaleuse. Ignorante des usages et des préjugés, elle se promenait en jupe arachnéenne. Parfois, elle couvrait sa cicatrice avec ce collier en or, parfois avec un foulard crème. Un jour, en voyant Amanda la scruter pendant qu'elle faisait la vaisselle, Rosemary lui confia qu'elle songeait à souligner la cicatrice avec du maquillage pour les yeux et du brillant.

— Un défaut dans une pierre précieuse lui ajoute du caractère, dit-elle.

Et, quand Amanda sortit précipitamment, Rosemary se pencha et hurla dans sa direction :

— Tu ne trouves pas que j'ai du caractère ?

Elles se livraient toutes deux à de continuelles escarmouches. Amanda se plaignait qu'il n'y avait pas assez de place pour l'amie de Delia, et Rosemary disait tout haut que certaines personnes feraient mieux de moins prier et de ranger un peu plus la maison.

Amanda prit la mouche.

— Je range mes affaires.

— Rosemary est notre invitée et elle est là pour nous aider, dit Delia. Ne sois pas impolie avec elle.

— Je ne suis pas impolie ! s'écria Amanda.

— Elle a peut-être peur que je t'emmène de force, confia Rosemary à Delia quand Amanda annonça qu'elle allait une fois de plus à la prière et sortit à grandes enjambées.

— Non. À mon avis, Amanda ne regretterait pas mon départ. Mais tu chamboules tout bonnement les notions simples qu'elle a sur la façon dont tourne le monde.

— Alors, je tombe bien, au fond, parce que, de mon point de vue, tes filles ont beaucoup trop de certitudes sur la manière dont tourne le monde.

Rosemary était en train d'écraser des pommes de terre dans une passoire pour le dîner de Clint. Elle ne lui donnait pas à manger, mais s'était chargée de cuisiner pour toute la maisonnée.

— Non, Rosemary, le problème n'est pas là. Elles n'ont pas de certitudes, pas de certitudes du tout.

Delia, qui s'était peu à peu reposée ces derniers temps, eut de nouveau une voix fatiguée.

— Pense à la manière dont elles ont grandi. Pour Amanda et Dede, il n'y a personne ici-bas à qui elles puissent faire confiance comme je te fais confiance en ce moment.

Rosemary fronça les sourcils et se remit à presser les pommes de terre dans sa passoire.

Amanda n'en revint pas quand elle s'aperçut que Rosemary utilisait des produits solaires.

— Je prends des coups de soleil, comme toi, lui dit Rosemary. Plus vite même. J'ai la peau plus fine que toi.

— Ça, c'est bien vrai, confirma Dede tandis que Amanda quittait le jardin, écœurée.

Un autre jour, une fois Amanda sortie de la pièce, Rosemary dit à Dede en souriant :

— Dieu merci, je ne suis pas trop susceptible. Elle est toujours en train d'aller quelque part, hein ?

Dede lui adressa à son tour un grand sourire. Toutes deux avaient fait front pour taquiner Amanda, puis s'étaient découvert une passion commune pour la mode et l'élégance. Rosemary avait montré à Dede comment mettre ses yeux en valeur avec un crayon bleu foncé et comment donner une forme à ses sourcils en suivant la ligne de ses yeux. Elles avaient occupé la salle de bains pendant des heures et posé un miroir sur le plan de travail, dans la cuisine, afin que Dede puisse vérifier son maquillage à la lumière du jour.

— Tu vois, il ne faut pas porter ce fard à joues avant le coucher du soleil, lui apprit Rosemary. C'est parfait pour le soir. Mais au soleil, ça donne l'air d'un clown.

— Ça donne l'air idiot à n'importe quelle heure de la journée, dit Amanda. Excuse-moi, j'ai besoin de l'évier, s'il te plaît.

Plus Dede suivait Rosemary partout, plus Amanda était furieuse. Dans le minuscule univers d'Amanda, les bonnes chrétiennes ne se maquillaient pas avant leur mariage. Le maquillage était une preuve de plus que Dede avait l'intention de pécher.

— Elle a quatorze ans, pas quarante, dit Amanda à Delia, d'un ton outré.

Delia ne voyait pas où était le problème.

— Il n'y a pas de mal à essayer des choses à la maison, rétorqua-t-elle. Je préfère qu'elle demande des conseils de maquillage à Rosemary plutôt qu'elle imite certaines des filles que je vois venir au Bonnet.

— Elle ne devrait pas du tout utiliser ces trucs-là.

— Amanda, ta sœur a sa manière de vivre à elle. Elle n'est pas comme toi et n'est pas obligée de te ressembler.

Delia ne voulait pas se disputer mais elle s'était aperçue qu'avec Amanda, mieux valait se montrer ferme qu'essayer d'esquiver les discussions.

— Une manière de vivre ! Quelle manière de vivre ? Celle du diable !

Amanda tendit un doigt accusateur vers Delia.

— On verra ce que tu diras quand elle courra les rues. On verra ce que tu diras quand elle reviendra enceinte à la maison et ne pourra même pas dire qui est le père.

Elle croisa les bras sous ses seins. Elle s'y connaissait là-dessus. Avec les Graham, elle était allée aux réunions destinées aux familles, à l'église baptiste. Elle s'asseyait près de Lucy Graham et de son frère, Michael, le jeune homme qui, d'après tout le monde, succéderait au révérend Myles quand il serait prêt à prendre sa retraite. Ils se partageaient les brochures sur le pouvoir de la prière et les dangers très réels que le diable faisait courir aux adolescents. Michael désirait qu'Amanda l'assiste dans le cours qu'il donnait aux jeunes sur les miracles dans la vie quotidienne, et il lui avait déjà dit à quel point il aimait son visage bien récuré et son dédain pour les vanités de ce monde, maquillage, poudre et senteurs florales. Amanda savait qu'elle ne pourrait jamais parler de Michael à Delia ni à Dede, leur décrire la façon dont il lui souriait quand elle le regardait et leur expliquer ce qu'elle éprouvait pour lui. Quand il la touchait, elle comprenait, d'une certaine manière, qu'elle n'avait jusqu'ici jamais connu le réel danger au-devant duquel allait Dede.

— Dede va avoir des ennuis, tu verras, déclara Amanda.

— Je ne suis pas sourde, tu sais ! hurla Dede de la chambre. Et je ne vais pas tomber enceinte. Je ne suis pas une parfaite idiote.

— Elle ne court pas les rues, dit Delia en essayant de parler d'une voix égale.

— Attends un peu, attends un peu, tu verras. Je sais ce que je dis.

Les antiennes d'Amanda sur le péché faisaient rire Dede, mais inquiétaient Delia. Amanda se mit à aller voir Clint tous les jours pour lui lire un passage de la Bible. Elle commença avec le Livre de Job et réussit à aller jusqu'aux Psaumes. Le soir où elle atteignit le psaume CVII – « Certains habitaient dans les ténèbres et l'ombre mortelle, prisonniers de la misère et des fers » –, Cissy s'approcha deux fois de la porte et vit Clint les dents serrées et les yeux fixés au plafond. On aurait dit que chaque mot sorti de la bouche de sa fille lui râpait les os.

— Si elle continue, elle va le tuer.

Cissy sursauta. Dede se trouvait dans le couloir, derrière elle.

— Évidemment, ça ne serait pas si mal, pas vrai ?

Dede fit un signe de tête en direction de Clint. Ce dernier commençait à osciller légèrement sous le choc de la récitation implacable d'Amanda.

— Tu le détestes tant que ça ?

— Oh ! ouais ! dit Dede avec un sourire aveuglant. Grand-mère Windsor disait toujours qu'il fallait les liens du sang pour bien se connaître. Mon sang connaît le sien et déteste chaque goutte qui coule dans ses veines.

Son sourire s'estompa et elle jaugea froidement Cissy.

— Toi, tu ne le détestes pas, hein ?

Cissy se retourna pour regarder le lit étroit et le corps blotti sous les draps. La tête de Clint était tournée vers la porte. Ses lèvres découvraient ses dents et ses yeux cherchaient ceux de Cissy.

— Non, répondit-elle. Je ne le déteste pas.

— Tu devrais, fit Dede en riant. Tu devrais.

— D'où est-ce que tu es ? demanda Dede à Rosemary, qui se regardait dans le miroir de la salle de bains pardessus son épaule.

Rosemary utilisa un mouchoir en papier pour retirer l'excès de fond de teint qu'elle avait appliqué sur la pommette de Dede et sourit en voyant l'expression satisfaite de l'adolescente.

— Je suis née dans un hôpital, à New Bedford, dans le Massachusetts. J'ai été élevée à Los Angeles, Rio de Janeiro et Ceylan. Mon père était ingénieur dans une société pétrolière. Il a inventé un procédé pour purifier certains hydrocarbures dont tu n'arriverais même pas à prononcer le nom correctement.

Elle se passa un doigt le long du sourcil droit, puis du gauche, pour lisser les poils fins.

— Je suis le pire cauchemar de ton grand-père, ma petite, une femme noire yankee élevée pour être riche et commander les autres.

Rosemary se mit à rire, un son plein, joyeux que Cissy entendit de l'autre pièce. Elle connaissait ce rire. L'espace d'un instant, elle revit tout, Rosemary en Californie, avec un bikini tigré et de grosses lunettes violettes en forme de cœur. Elle alla jusqu'à la porte de la salle de bains, où Dede et Rosemary gloussaient toujours.

— Tu étais la petite amie de Booger, déclara Cissy, sans se demander comment elle était au courant.

— De cet imbécile ?

Rosemary agita un bras et Dede releva la tête, pleine d'espoir.

— Je ne suis jamais sortie avec ce type. Je l'ai laissé un moment tourner autour de moi, se montrer avec moi. C'est tout. Booger avait du talent, mais aucun style. Mes mecs ont du style, ils en ont toujours eu.

— Amen, dit Delia, qui arrivait dans le couloir, les bras chargés de draps.

Qu'était-elle donc ? se demanda Amanda. Une sorte de prostituée ? Dans son esprit, c'était la seule explication. Sinon, d'où venait tout ça – l'arrogance, les bijoux et les vêtements, l'aspect luisant de cette peau ? Le péché, ça devait venir du péché.

— Est-ce qu'elle n'a pas un travail qu'elle doit reprendre ? demanda-t-elle à Delia, en écho à la question de M.T.

— Rosemary possède des trucs, dit Delia. Et elle a toujours été douée avec l'argent.

— Quel genre de trucs ? demanda Dede, fascinée.

— Surtout des centres commerciaux, répondit Rosemary d'une voix douce, légèrement mielleuse. J'ai un penchant pour le commerce, et pas seulement pour la propriété. J'aime que mon argent rapporte. C'est ce que mon père m'a dit : il faut faire travailler l'argent ou alors le distribuer.

— Tu en as beaucoup distribué ? demanda Dede.
— Oh ! mon chou, j'ai donné plus que ce que gagnent la plupart des gens.
Rosemary entoura de ses bras les épaules de Dede et se mit à rire comme un oiseau, un son aigu et éclatant.
— C'est pas vrai, Delia ? J'en ai pas donné plus qu'on pouvait compter ?
Delia confirma d'un signe de tête et Amanda eut l'air furieuse. Dede s'abandonna à l'étreinte de Rosemary. Delia bougea les draps qu'elle portait et considéra longuement son amie. Cissy avait envie de poser des questions sur tout cet argent, toutes ces années passées en Californie et toutes les choses qu'elle croyait se rappeler de sa petite enfance, mais l'expression qu'elle vit dans les yeux de Delia l'arrêta. Leur lueur sous-entendait tout un monde derrière le récit que Rosemary leur fourguait. Fille adorée, éducation soignée, papa aimant, éclat californien… il y avait autre chose, une autre histoire, pas aussi simple, d'après l'expression qu'on lisait dans les yeux de Delia.
Rosemary attrapa son verre de soda et but avidement.
— Je peux avoir une gorgée ? demanda Dede.
— T'as pas besoin de ce truc-là, rétorqua sèchement Rosemary.

— Elle boit beaucoup, hein ? dit Cissy à Delia quelques jours plus tard.
Rosemary était allée au Piggly Wiggly et elles mettaient de l'ordre dans la cuisine après le petit déjeuner.
— Une fois qu'on est couchées, Rosemary veille et boit comme un poisson, ajouta Cissy.
— Je n'ai jamais compris cette expression.
Delia secoua un torchon au-dessus de la poubelle pour en faire tomber les miettes. Elle termina d'un coup sec et le replia en quatre.
— C'est vraiment curieux de dire ça. Tu t'imagines qu'un poisson absorbe de l'eau comme on aspire de l'air ?
— C'est peut-être qu'elle consomme autant qu'elle déplacerait d'eau si on la jetait dans une mare.

Delia mit la bouilloire sous le robinet et y versa de l'eau froide.

— Bon, elle boit bien la nuit, oui ou non ?

— Tu n'en sais rien, dit Delia.

Amanda apparut sur le seuil.

— Si, c'est vrai. J'ai vérifié. Elle a descendu cinq bouteilles pendant les quinze premiers jours et a vidé la moitié d'une autre depuis samedi dernier. Elle se fait mousser, mais regarde-la un peu. Cette femme se soûle tous les soirs une fois qu'on est au lit.

Delia abattit bruyamment la bouilloire sur le brûleur, puis se tourna vers Amanda et Cissy.

— Rosemary est mon amie, dit-elle. Au cas où vous ne l'auriez pas remarqué, cette maison n'est pas un endroit où une fille comme elle vient par plaisir. Elle est là pour m'aider. Si vous y regardiez d'un peu plus près, vous verriez bien le genre de personne qu'elle est.

Delia s'interrompit un instant. Ses yeux paraissaient sombres dans son visage livide.

— Bon Dieu ! dit-elle, et ce n'était pas un juron. Dieu sait que vous pourriez regarder d'un peu plus près, voir par vous-mêmes, de temps en temps. Tant que Rosemary sera là, vous la traiterez avec respect. Vous ne ferez pas de remarque impolie sur ce que vous ne pouvez pas comprendre.

Cissy baissa les yeux. Même Amanda sembla interloquée lorsque Delia leur tourna le dos. Cissy s'assit à la table pendant un moment et essaya de deviner pourquoi Delia s'était tout de suite mise en colère. Amanda avait déjà dit des choses plus graves, bien plus graves, à plusieurs reprises. C'était visiblement la goutte d'eau qui faisait déborder le vase.

Le soir, Cissy pensait toujours à l'éclat de Delia tandis qu'elle était installée dans la chambre de Clint et lisait *À la poursuite de Cacciato*, de Tim O'Brien, un nouveau livre emprunté à Nolan. Par la fenêtre, elle regarda le jardin de derrière, ombragé. Une colonne de fumée était suspendue, toute droite, au-dessus de la terrasse.

Rosemary était assise sur la troisième marche et ses grands yeux captaient un reflet des lumières de la maison. Cissy sortit la rejoindre, prit une inspiration et sentit une odeur d'alcool dans l'air vespéral.

— Tu as toujours le bikini rayé et les lunettes violettes ? demanda-t-elle.

Rosemary se mit à rire.

— Tu t'en souviens ? Mais merde, pourquoi pas ? Toutes les femmes de Los Angeles ont un bikini rayé et, pendant un moment, nous avions toutes ces lunettes.

Rosemary écrasa sa cigarette et en fit sortir une nouvelle du paquet posé à côté de sa hanche. Elle en tassa le tabac sur le dos de son poignet.

— Les tiennes étaient en forme de cœur, dit Cissy.

La journée avait de nouveau été chaude. Sous les cuisses de Cissy, les marches en bois commençaient à peine à se rafraîchir avec le soir.

— Ouais.

Rosemary porta la cigarette à sa bouche. Avec des gestes gracieux, elle fit jaillir la flamme de son briquet en argent.

Cissy l'observa tandis qu'elle tirait une bouffée et se rappela que Delia lui avait offert ce briquet, lors d'une fête à Venice Beach. En bas, il y avait quelque chose de gravé sur l'amitié et le rire, Cissy le savait.

— Pourquoi t'es venue ? demanda Cissy.

— Bon, Clint est mourant, oui ou non ?

Rosemary souffla la fumée en un jet pâle, puis se pencha et attrapa la bouteille de bourbon posée entre ses jambes. Elle but une gorgée.

— Il faut fêter ça. Et ta maman m'a demandé de venir. Elle ne demande pas facilement de l'aide, tu sais.

— Tu connaissais Clint ?

Rosemary dévisagea Cissy, les yeux brillants. Puis elle se détourna et laissa son regard errer sur le jardin.

— Je connaissais son existence. Je pense que j'en savais un peu plus que beaucoup de gens. Quand il a fait envoyer à Delia cette attestation d'abandon, elle a failli se tuer. Ta maman avait peut-être filé en laissant tes sœurs, mais, pendant des années, elle a essayé d'obtenir un arrangement avec ce type. Il ne lui permettait même pas de leur envoyer des cadeaux, mais elle le faisait malgré tout. Il ne lui expédiait pas de photos et ne donnait pas de leurs nouvelles. Tout ce qu'il voulait, c'était qu'elle revienne à genoux, le supplie de lui pardonner, et le laisse tranquillement la rudoyer et utiliser ses filles contre elle. Voilà beaucoup de raisons de détester un homme que je ne connaissais pas.

— Il n'est pas aussi terrible.

La chaleur monta aux joues de Cissy.

— Ah non ? Tu en es sûre ?

— En tout cas, il regrette.

L'expression de Rosemary ne s'adoucit pas.

— Peut-être. Les prédicateurs assurent que les gens changent. Moi, je n'en sais rien.

— Si, les gens changent.

Cissy le dit avec une assurance qu'elle ne ressentait pas tout à fait. Elle se rappelait ce que M.T. lui avait expliqué : « C'est grâce à toi qu'il veut trouver le chemin du cœur de ta maman. Il ne peut pas y arriver avec Dede ou Amanda parce qu'elles le détestent trop. Il y a que toi. Tu es le moyen. S'il te gagne à sa cause, il l'aura elle aussi. Tu ne crois pas que ce type sait ce qu'il fait ? »

— Peut-être, répéta Rosemary d'une voix aussi sombre que ses yeux, aussi soyeuse que ses cheveux. Mais je pense surtout que les gens meurent et recommencent. Ils auront plus de chance la prochaine fois.

— Dans une prochaine vie ?

Cissy faillit éclater de rire. Une autre bouddhiste à Cayro ! Elle allait dire quelque chose, mais Rosemary agita sa cigarette et ce geste l'arrêta. La joue brune était humide.

— Rentre, dit Rosemary. Ici, les soirées sont trop chaudes pour ne pas picoler. Et je ne peux pas boire correctement avec toi assise là à m'observer.

Cissy se rappela les paroles furieuses de Delia. « Vous devriez y regarder de plus près. » Elle y regarda de plus près. Elle vit de la souffrance et de l'entêtement. Qui était Rosemary ?

— C'est pas trop pénible, dit Cissy. En ce moment, il fait presque frais. Tu aurais dû être là en août dernier. Il faisait tellement chaud que j'avais l'impression de fondre dans ma culotte.

Rosemary haussa les épaules et but une autre gorgée à la bouteille.

Cissy posa les coudes sur ses genoux et appuya le menton sur ses mains. Elle écoutait les grillons et les voitures qui s'arrêtaient sur le gravier du parking, devant l'épicerie, juste après la maison des Reitower. Nadine Reitower s'était plainte avec tant de virulence des gens qui utilisaient son allée quand ils allaient au petit magasin que les propriétaires avaient aménagé le parking. Personne n'avait jamais fait demi-tour dans l'allée de Clint, sauf Tyler, le shérif adjoint, qui restait parfois là un moment pour voir qui achetait de la bière. Delia jurait qu'un de ces jours quelqu'un allait se tuer en repartant soûl de ce magasin pour rejoindre l'autoroute. Le shérif adjoint était apparemment d'accord.

Rosemary semblait écouter elle aussi, tandis qu'elle serrait cette bouteille contre sa hanche. Elle remuait légèrement la tête, on aurait dit qu'elle battait la mesure d'une musique qu'elle était la seule à entendre. Son collier en or luisait.

— Comment tu t'es fait cette cicatrice ? demanda soudain Cissy.

Rosemary s'immobilisa, la bouteille légèrement levée.

— Qu'est-ce que ça peut te faire ?

— Je suis curieuse, c'est tout.

— Est-ce que tu racontes aux gens comment tu t'es blessée à l'œil ?

Le visage de Cissy s'enflamma.

— Personne ne me pose la question.

— Oh ! les gens sont polis à ce point par ici ?

Rosemary but une nouvelle gorgée.

— Excuse-moi, dit Cissy.

— Ouais.

Rosemary agita le whisky dans la bouteille.

— Vraiment, je regrette de te l'avoir demandé.

— Ouais.

Rosemary utilisa son mégot pour allumer une nouvelle cigarette et tira une bonne bouffée.

— C'était comme pour ton œil, reprit-elle après un long silence. Un stupide accident. Je me suis jetée sur une clôture en barbelé à Rio quand j'étais petite. J'ai failli me trancher la gorge.

D'un doigt, elle effleura délicatement la cicatrice.

— En la voyant, la plupart des gens pensent que c'est quelqu'un qui m'a fait ça.

Le doigt caressa la ligne sombre, sous le collier. À la lumière de la maison, on aurait pu la prendre pour un pli de la peau, ou une ombre.

— J'ai toujours détesté avouer aux gens que je m'étais blessée toute seule. J'inventais des histoires, je racontais n'importe quoi pour éviter de dire que j'avais eu ça en faisant quelque chose que ma mère m'avait prévenue cent fois de ne pas faire, à savoir courir dans l'obscurité, tout simplement courir dans l'obscurité.

— Ça a dû être angoissant, dit Cissy en observant les longs doigts refermés sur la gorge.

— C'était un mauvais moment à passer.

— C'est horrible.

Cissy voulait consoler Rosemary d'une manière ou d'une autre, lui rendre ce qu'elle avait le sentiment de lui avoir pris.

— Dede trouve ça plutôt chic, et même sexy.

— Ta sœur a beaucoup d'idées romanesques.

Rosemary fit tomber ses cendres dans l'herbe, la voix inexpressive.

— Elle t'aime bien, dit Cissy.

— Moi aussi, je l'aime bien.

— Pour elle, ton séjour est ce qui est arrivé de mieux à Cayro, qui avait bien besoin de quelqu'un comme toi. Je lui ai dit que je ne comprenais pas pourquoi tu étais venue. Tu avais dit à Delia que tu ne mettrais jamais les pieds en Géorgie.

— Tu te rappelles ça aussi ? Je n'aurais pas cru que tu faisais attention.

L'extrémité de sa cigarette était plus lumineuse qu'une luciole.

— Delia m'avait pourtant avertie que tu n'oubliais jamais rien. Elle m'avait dit : fais confiance à un enfant pour se rappeler ce que tu veux oublier.

— Pourquoi est-ce que tu n'as pas d'enfant à toi ?

La cigarette retomba. Rosemary l'éloigna de sa bouche et rejeta de la fumée.

— Je n'en ai pas, un point c'est tout. Et je n'en aurai plus, maintenant. Delia t'a parlé de ça ?

Elle écrasa sa cigarette sur la marche et lança le mégot dans l'herbe.

— Non. Elle a dit que tu avais tes propres raisons pour venir.

Sur le côté de la maison, le tourniquet se mit en marche. Delia ou Dede arrosait tous les deux jours en plein été. Une poche d'air frais s'avança vers elles et Rosemary leva la main pour arrêter Cissy, répétant son geste précédent.

— Malgré tout ça – toi et tes petits yeux durs en boule de billard, ce type, là-dedans, qui la bouffe à chaque instant, Amanda et sa bouche pincée et ses regards mauvais, Dede et son air de gros serpent qui, comme une ventouse, avale tout l'air disponible partout où elle va –, malgré tout ça, Delia est quand même heureuse.

Elle secoua lentement la tête.

— Plus heureuse que je ne l'ai jamais vue.

Cissy releva le menton. Des yeux en boule de billard. Elle n'avait pas les yeux en boule de billard.

— Il y a peut-être quelque chose de vrai dans toutes ces histoires que les gens racontent sur le fait d'avoir un bébé. On dirait vraiment que ça a plus ou moins neutralisé ce que Delia voulait avant votre naissance. Je ne crois même pas qu'elle se rappelle qui elle était avant de vous mettre au monde.

— En tout cas, toi, tu ne sais pas qui nous sommes, bredouilla Cissy.

— Et toi, tu ne sais pas qui est ta mère.

Rosemary referma la main sur le col de la bouteille ouverte et la fit osciller sur la marche.

— Parce que toi, tu le sais, peut-être ?

Rosemary joua de nouveau avec la bouteille.

— Peut-être pas. Le pire, dans l'histoire, c'est que je me demande si je le sais encore. Je regarde tout ça et je n'y comprends rien. Je ne ferais pas ce que fait Delia pour tout l'or du monde.

— Elle fait seulement ce qu'elle est censée faire.

Rosemary se mit à rire.

— Oui, c'est ça. Elle réagit en mère et Dieu sait que ce n'est pas mon rayon. Oh ! j'ai eu un bébé, tu sais. Voilà une chose qu'on a partagée, ta mère et moi. Elle a laissé les siens, et moi, j'ai donné le mien. Elle disait toujours qu'elle voulait les récupérer tandis que moi, j'étais vraiment soulagée que quelqu'un élève le mien. Nous avions beau nous ressembler énormément, nous n'étions pas pareilles, ta mère et moi.

Cissy en resta interdite.

— Tu as perdu un bébé ?

— Non, non.

Rosemary pencha la bouteille et renversa un peu de bourbon. Cissy fronça le nez.

— Ce que j'ai perdu, c'est une vie. Une vie que je n'avais pas l'intention de mener, de toute façon.

Le liquide couleur de thé ruissela sur les marches.

— Merde, souffla Rosemary. Merde. Pendant tout le temps où je répétais que je ne voulais pas d'enfant, je me disais que je pourrais en avoir un jour. Quand je serais prête, quand les conditions seraient favorables. Et me voilà maintenant sans enfant, sans mari, sans famille constituée. Rien de tout ça. Seulement un ventre maudit et l'obligation de faire contre mauvaise fortune bon cœur. L'arrière-petit-fils de ma grand-mère ne naîtra jamais.

Une porte claqua derrière elles, dans la maison. Les voix d'Amanda et de Dede s'élevèrent ensemble.

— Tu me rends dingue ! hurla Dede.

— Tu es déjà dingue ! lui rétorqua Amanda.

Puis, tout bas, le contralto de Delia murmura quelque chose d'apaisant et d'inintelligible.

— C'est ça, la famille ! souffla Rosemary. Ça ressemble bien à une famille.

Elle leva la bouteille de bourbon, la termina et fit tomber les dernières gouttes dans l'herbe. Puis elle la tendit à Cissy.

— Tu veux donner ça à ta sœur ? Pour qu'elle l'ajoute à sa liste ?

— Non.

Rosemary reposa la bouteille sur la marche. Elles restèrent assises là, à écouter le bruissement mouillé du tourniquet, tandis que l'obscurité tombait et que l'air fraîchissait. Quand Cissy prit enfin la parole, elles en furent toutes deux surprises.

— Delia dit que tu es sa meilleure amie.

Rosemary grogna.

— Elle dit que tu es la seule personne en qui elle ait jamais eu confiance, en Californie.

— En tout cas, la seule à qui elle aurait dû faire confiance. J'étais la seule qui n'essayait pas de lui extorquer quelque chose.

— Tu faisais partie du groupe.

— Seigneur, non !

Rosemary alluma une nouvelle cigarette.

— Je ne sais pas chanter. Nous n'en sommes pas toutes capables, tu sais. Je sais danser, mais pourquoi est-ce que je voudrais le faire ? Non. Mais je lui ai donné cette décapotable jaune.

— Avec les sièges rouges.

— En cuir rouge.

— Je m'en souviens.

Cissy ferma les yeux et revit la voiture, avec ses sièges luisant au soleil, l'arrière chargé de boîtes et de sacs contenant des cadeaux de Noël.

Rosemary la regarda.

— Non, tu ne peux pas t'en souvenir, dit-elle. Tu étais bébé. Mais c'était une voiture sacrément mémorable. La meilleure que j'aie jamais eue.

— Si, je m'en souviens, répéta Cissy, têtue.

Rosemary l'ignora.

— Au début, elle appartenait à Randall. Il me l'a donnée et je l'ai donnée à Delia. Ça a bien emmerdé Randall.

Cissy était perdue.

— Randall te l'a donnée ?

— Plus ou moins. Il me l'a échangée contre quelque chose que j'avais et qu'il lui fallait. Et ne me demande pas quoi parce que je ne te le dirai pas.

— De la drogue.

Rosemary se mit à rire.

— C'est normal que tu penses à ça, mais tu te trompes. Il y avait bien d'autres choses qui circulaient. Demande à Delia.

Cissy haussa les épaules.

— Elle veut jamais rien me dire.

Rosemary tira une bouffée et, de sa main libre, se caressa le front, rêveuse.

— Le second album de Mud Dog, celui qui s'appelle *Diamonds and Dirt*, tu le connais ?

— Celui dans lequel Delia chante *Lost Girls* ? Celui qui a rapporté tout l'argent ?

— Il a rapporté pas mal d'argent. Il a rendu certains de nous presque riches.

Rosemary se passa la main sur la tête. Ses cheveux courts avaient frisotté avec l'humidité. Au moment où Cissy songeait que, pour la première fois, elle ne voyait pas une Rosemary impeccable, cette main se tendit et lui toucha la joue.

— *Lost Girls*, dit Rosemary. *Minor Chords of Grief. Walking the Razor. Tall Boys and Mean Dogs.* Toutes ces chansons sont de moi. J'ai écrit les passages que Delia n'a pas écrits elle-même. Voilà une autre chose dont elle ne se souciait pas. C'est Randall qui se préoccupait de créer sa légende. Dès qu'on était un peu beurrées, Delia s'y mettait. Ça jaillissait, et je notais. Ensuite, elle ne se rappelait rien du tout, même si, parfois, elle pleurait en entendant telle ou telle partie. Tout est tiré des paroles de Delia.

Ça me faisait tellement d'effet que j'allais écrire ma propre version. Je voulais que son nom figure sur ces titres, mais Randall et les types de la maison de disques me sont tombés dessus. Merde, il fallait que tout soit de Randall. Un nouveau Jim Morrison, un petit garçon poète au regard fatal, en prise directe sur le cœur des femmes. Merde !

Rosemary leva les deux mains, puis les laissa retomber. On aurait dit un chef d'orchestre qui donne la mesure. Il y avait de la musique dans ses gestes.

— Delia s'en fichait. Mais pas Randall. Et moi, pas complètement. La moitié des titres étaient signés « Randall Pritchard et R.D. ». Personne ne disait que R.D., c'était moi, mais j'avais un bon avocat. J'ai eu mon fric. Delia, elle, n'a rien eu. Quand elle t'a ramenée ici, j'ai été contente de l'aider avec cette fichue boutique. De toute façon, ça n'était qu'une partie de ce qui aurait dû lui revenir. On avait fait ça toutes les deux, tu sais. C'était nous, les « poètes sensibles à la souffrance féminine ».

Elle soupira.

— Mais c'est à cause de Randall que le disque a rapporté de l'argent. Il était tellement mignon, nom de Dieu, et tellement bon à ce jeu-là ! Les autres n'en savaient même pas assez long pour commencer à y jouer. C'est pour ça que Delia se trouve ici et pas à Los Angeles. Elle ne s'est jamais souciée de tout ça autant que Randall.

— Elle se fiche de Los Angeles.

— Oh ! ouais, c'est bien vrai.

Rosemary haussa un sourcil à l'arc classique.

— Comme je te le disais, tu n'as aucune idée de la personnalité de ta mère.

Cissy tressaillit.

— Tu n'as jamais aimé mon père. Il était extraordinaire. Il comprenait les sentiments. Il comprenait beaucoup de choses.

— Oh ! merde !

Rosemary étreignit ses genoux et remonta les jambes contre sa poitrine.

— C'est sans doute aussi bien que je ne puisse plus avoir d'enfant. Je ne suis pas douée pour leur parler. Même avec toi, je n'y arrive pas.

— Delia est heureuse, c'est toi qui l'as dit.

Cissy se releva. Elle avait des fourmis dans les jambes, d'être restée assise aussi longtemps sur les marches. Elle se planta devant Rosemary et fronça les sourcils.

— Plus heureuse qu'à Los Angeles, ouais, confirma Rosemary. Elle fait ce qu'elle a toujours voulu. Elle se fiche de savoir qu'elle aurait pu se séparer de Randall n'importe quand pour chanter ses propres chansons et devenir plus célèbre qu'il ne l'a jamais été. Ta maman ne se préoccupait pas de ça.

— Elle voulait rentrer chez elle, dit Cissy. Elle préférait être ici à tout le reste.

— Ouais. Exactement, mon petit chou à la crème. Elle voulait ramener son cul en Géorgie pour s'occuper de toi et de tes sœurs jusqu'à sa mort.

Le souffle de Cissy siffla entre ses dents.

— C'est toi qui sais pas qui est Delia, dit-elle. Tu la comprends pas du tout.

— C'est possible, dit Rosemary en s'étreignant les genoux. Il y a peut-être des tas de choses que je ne suis pas capable de comprendre. Regarde-moi un peu, là, en train de te parler comme si tu étais adulte, alors que tu es loin de l'être. Tu ne peux pas comprendre un traître mot de ce que je te dis.

— Je comprends des tas de choses.

Cissy avait envie de pleurer, mais elle était trop en colère pour le montrer.

— Je te jure, tu es comme ton père. Tu crois que Delia ne sait pas à quoi elle a renoncé ? Tu crois qu'elle n'a renoncé à rien ? Tu crois qu'elle se résume seulement à ce que tu as besoin qu'elle soit ?

La voix de Rosemary était rauque.

— Des diamants et de la poussière, des légendes et des mauvais garçons, des poètes qui n'en sont pas, des bébés qui ne naissent jamais ou sont perdus sans que ce soit notre faute. La vie vous emporte comme un flot de pisse.

Le plus triste, je trouve, c'est qu'il n'y a personne qui sache qui est Delia, même pas ses filles. Le plus triste, je trouve, c'est qu'elle est là-dedans avec ce sale type, en train de s'enterrer vivante pour vous sauver, toi et tes sœurs, et qu'aucune de vous ne se rend compte de ce qu'elle fait. Personne ne sait qui est vraiment ma Delia.

Rosemary se leva.

— Personne, répéta-t-elle avant de grimper les marches et d'entrer dans la maison.

Cissy entendit le joyeux : « Hé, Rosemary ! » de Dede, puis une porte s'ouvrit et se referma.

— Où elle va ? demanda Dede d'un ton plaintif.

La voix de Delia se manifesta :

— Laisse-la tranquille.

Cissy rejeta la tête en arrière et regarda le ciel nocturne, les étoiles qui prenaient lentement de l'éclat, au fur et à mesure que l'obscurité devenait plus intense. En Californie, les étoiles n'étaient pas aussi grosses et nettes. Les nuits n'étaient pas vraiment calmes. Le ciel s'embrasait toujours et les soirées étaient pleines de bruit et d'agitation. Cissy s'asseyait derrière la maisonnette de Venice Beach, contemplait le ciel éclatant et écoutait le fredonnement de Delia dans la maison. Ivre ou non, Delia chantonnait de gémissantes mélodies, aux paroles indistinctes et douloureuses. Sa voix riche et forte ressemblait à du chocolat fondu. Les gens venaient lui proposer du travail, voulaient qu'elle chante avec d'autres groupes ou fasse ses propres disques. Cissy se rappelait leur expression passionnée, la manière dont ils prononçaient son nom et le refus catégorique que sa mère leur opposait. Elle aurait pu faire quelque chose de différent. Elle aurait pu mener une tout autre vie.

Rosemary avait peut-être raison : Delia était peut-être plus mystérieuse que ne l'imaginait Cissy.

Cissy se mit à compter les étoiles. Elle commença à l'est, au-dessus d'un pacanier. Elle comptait les brillantes et les ternes, ignorait les constellations et procédait par quarts de cercle, seize, dix-sept, dix-huit, des étoiles californiennes, des étoiles géorgiennes, toutes les étoiles comprises entre les deux, dix-neuf, vingt, vingt et une.

Quand je serai grande, se promit Cissy, je n'aurai pas d'enfants. Et, si j'en ai, je les donnerai.

10

Delia était terrifiée de voir le temps que Cissy passait avec Clint. Elle s'installait maintenant tous les jours auprès de lui et refusait de laisser approcher Amanda.

— Sors de là ! dit-elle à sa sœur un samedi, à la mi-août.

Elle arracha la bible des mains d'Amanda, la referma et la lui rendit avec une expression tellement inflexible que, pour une fois, Amanda ne discuta pas. Elle n'avait jamais vu Cissy comme ça, mais elle lut dans ses yeux une détermination égale à la sienne.

Cissy se trouvait déjà dans la chambre de Clint le lendemain matin, quand Amanda partit à l'église. Delia passa la tête dans l'entrebâillement de la porte.

— Pourquoi ne sors-tu pas un peu ? lui dit-elle. Il fait un temps magnifique et l'atmosphère est tellement confinée, là-dedans ! De toute façon, Clint dort à poings fermés.

— Je suis très bien ici.

Delia fronça les sourcils.

— Vas-y, je vais rester auprès de lui.

— Je suis en train de lire. Vas-y, toi, on dirait que tu as besoin de prendre un peu l'air.

Delia inspira profondément et compta visiblement jusqu'à dix.

— Cissy, je ne veux pas que tu passes toute la journée ici.

— Tu ne peux pas m'empêcher de venir. La maison appartient à Clint et ça ne le gêne pas que je m'installe ici. Ça ne le gêne pas du tout.

— C'est vrai, reconnut Delia, vaincue. Je suis sûre que ça ne le gêne pas.

Parfois, Cissy pensait que Clint était le seul, parmi eux, à avoir finalement tout compris. Il était le seul à disposer de temps, sans aucune distraction. Certains jours, réfléchir valait mieux que les drogues, réfléchir à ce qu'était vraiment le comportement des gens, à ce qu'on était soi-même.

— C'est comme s'il y avait de la musique dans ma tête, dit-il à Cissy un après-midi, tandis qu'elle débarrassait son plateau.

Il ne mangeait plus que quelques bouchées à chaque repas, même si Rosemary veillait à lui faire parvenir des récipients remplis de purée de pommes de terre.

— On dirait que la musique de Delia joue tout le temps dans les os de ma nuque, cette voix qu'elle prend quand elle chante fort.

Les yeux de Clint étaient immenses. Ç'avait été une mauvaise journée, une mauvaise semaine, les médicaments ne semblaient plus vraiment agir. Il était soit une poupée de chiffons au regard vide, soit un buisson ardent, et parfois il passait d'un état à l'autre.

Posée mollement sur le couvre-lit chenille, sa main droite se leva un peu et sembla battre la mesure, version squelettique de celle de Rosemary.

— Bon sang, cette façon qu'elle avait de chanter !

Ses doigts comptèrent.

— *Lord, love, Lord, love*, murmura-t-il de sa voix éraillée. Tu sais, quand elle chante cette chanson, cette espèce de cantique à elle ?

— Delia ne chante pas ça, lui dit Cissy. C'est sur l'un des disques, mais elle ne chante plus ce genre de truc.

— Ouais, j'ai remarqué. C'est bien dommage.

Il sourit, comme s'il savait quelque chose que Cissy ignorait.

Cissy reposa le plateau. Elle pensait à ce long trajet à travers le pays, dans la Datsun, avec les phares qui faisaient apparaître des panneaux, avec la musique grêle de la radio, couverte par le rugissement du vent qui pénétrait par la vitre arrière brisée. En Californie, la voix de Delia avait été une constante, une berceuse sonore et familière, mais, pendant cette course infernale, les paroles s'étaient éteintes. Une fois à Cayro, Delia avait abandonné le chant pour les pleurs. Elle n'avait recommencé à fredonner et à murmurer qu'après avoir repris le Bonnet. Elle chantait parfois une mélodie, mais elle ne le faisait plus jamais comme avant – elle ne fermait pas les yeux, ne rejetait pas la tête en arrière et ne chantait pas en y mettant tout son être.

— Dommage, répéta Clint sans bien articuler le mot.

Sa piqûre de l'après-midi faisait son effet et la musique de la morphine prenait le pas sur les pulsations de la douleur. Sa bouche s'ouvrit et se referma, ses paupières s'agitèrent comme si des billes remuaient doucement en dessous. On entendit un faible bourdonnement et Cissy se rendit compte qu'il venait de Clint. On aurait dit que les paroles que Delia avait délaissées résonnaient encore dans son corps. Il ouvrit les yeux et les leva, le regard errant. Devant la maison, le rire de Dede et de Rosemary résonnait.

— Allume la radio, dit Clint dans un souffle haletant. Allume la radio, que je puisse l'écouter.

Les traits de Clint s'affaissèrent. Il fredonnait toujours. Une petite brise agitait les rideaux et Cissy perçut un écho qui lui répondait dehors, à peine audible derrière la fenêtre. Delia étendait des draps et chantait toute seule, sans penser que quelqu'un pouvait l'écouter. Cissy regarda Clint, regarda les billes mobiles sous les paupières translucides, et ressentit une bouffée de fureur et de pitié si intense que tout son corps en frémit. Elle avança la main sans regarder ce qu'elle faisait et alluma la radio. Il y eut un couac et les mains de Clint se contractèrent, puis se détendirent quand la voix traînante et rauque d'Emmylou Harris leur parvint, douce et lente. Elle chantait quelque chose sur l'âme bercée dans la poitrine d'Abraham, et les mains de Clint oscillèrent avec elle.

Cissy se retourna pour regarder Delia par la fenêtre. Ils étaient fous tous les deux, pensa-t-elle, ils l'avaient toujours été. Elle porta les mains à ses joues et sentit les larmes qu'elle ignorait avoir versées. Emmylou chantait de sa voix plaintive et Clint bougea.

Il était fou, mais il lui ressemblait, ou plutôt elle lui ressemblait. Elle lui ressemblait davantage que ses vraies filles. C'était peut-être le silence, un silence qu'ils revêtaient tous deux comme une longue chemise en coton. Delia, Amanda et Dede étaient toujours en train de parler, de hurler ou de claquer les portes. Elles irradiaient la fureur et pétillaient d'énergie. Seul Clint n'avait plus rien à dire. Cissy ne parlait que si elle y était obligée, mais lui, c'étaient la souffrance et la maladie qui l'avaient obligé à se replier sur lui-même, à s'envelopper d'un cocon d'immense silence. Il s'était mis à beaucoup parler à Cissy durant ses brèves plages de lucidité, pourtant, même dans ces moments-là, c'étaient ses silences qu'elle remarquait, et aussi une éloquence passionnée du corps. Ses membres se tordaient dans ce lit et trahissaient son agonie, ses mâchoires se serraient avec une affreuse endurance. Il avait besoin de toutes ses forces pour rester dans ce corps. Et il n'en avait pas de trop.

À une époque, il avait peut-être été furieux et plein de haine. Il avait peut-être eu honte. Mais, au cours de cette longue agonie, il avait fait du chemin. Clint avait perdu le besoin d'être quelqu'un d'autre que lui-même et semblait constamment tourné vers l'intérieur pour voir qui il était vraiment. On avait l'impression qu'il se recréait dans ce lit, un Clint fort, essentiel, sans rembourrage, sans isolation, sans affectation. En le regardant, Cissy vit soudain quelque chose qui ne figurait nulle part dans les livres qu'elle avait lus. Elle vit tout ce que l'acte de mourir exigeait. Elle tendit la main et la referma sur les doigts glacés de Clint. Il soupira doucement et son corps sembla se relâcher dans les draps. Cissy s'essuya la joue d'un revers de manche et se cramponna à la main de Clint.

Si Clint se rendait compte du genre de colère qu'il provoquait entre Delia et Cissy, il ne le manifestait pas. Chaque fois qu'il était éveillé, il parlait de Delia. Cissy ne comprit jamais clairement le caractère obsessionnel de ses propos.

— Delia t'a parlé de moi ? lui demandait-il inlassablement, incapable de se rappeler qu'elle lui avait déjà répondu oui.

Des poils rêches apparaissaient sur la mâchoire de Clint. Sa barbe poussait lentement, clairsemée, grisonnante, preuve que son corps avait peu de substances à gaspiller. Il avait décidé une demi-douzaine de fois de la laisser pousser. Elle était toujours plus vilaine que la précédente. Clint se passait les mains sur les joues, soupirait et, finalement, demandait à Delia de la lui raser. Il ne pouvait plus s'en charger lui-même. Ses mains tremblaient trop pour manœuvrer un rasoir, fût-il électrique. Il se laissait pousser la barbe en partie pour ne pas les déranger. C'était très compliqué de le raser.

Cissy se plaignit à Delia :

— Il est horrible. Dis-lui qu'il ne peut pas se faire pousser la barbe.

— Il ne la fait pas pousser, il s'efforce seulement de l'ignorer, lui répondit Delia. Laisse-le faire les choses à son rythme.

Cissy bouillait de colère ; elle ne voulait pas non plus dire à Clint qu'il était affreux. Le problème, c'était que, si Clint se plaignait parfois que ça le démangeait, il se regardait rarement dans un miroir et ne se rendait pas vraiment compte que son visage était devenu aussi émacié et gris, que son nez osseux et son menton pointu se faisaient toujours un peu plus saillants. La peau de ses joues creuses était si fine qu'on voyait sa langue remuer dans sa bouche. Tant mieux si Clint ne se regardait pas souvent, se disait Cissy. Allongé là, avec la radio et les fenêtres ouvertes, il pouvait feindre de se reposer, de guérir. Se regarder dans le miroir, c'était lire la mort sur ses os. Le temps viendrait peut-être où son aspect lui serait égal. Le temps viendrait peut-être où mourir lui serait égal.

— Delia te parle de moi ? demanda-t-il à Cissy. Est-ce qu'elle t'a dit pourquoi elle m'avait quitté ?

Cissy lissa l'une des serviettes qu'elle avait pliées au pied du lit.

— Oh ! allez ! Elle te l'a dit. J'en suis sûr.

Cissy releva la tête. Les yeux aux paupières rougies étaient fixés sur elle.

— Elle t'a dit que je la frappais, hein ?

— Elle m'a dit certains trucs.

— Ah, ah !

Ses mains reposaient sur le couvre-lit. Les poignets paraissaient trop fins et trop fragiles pour les supporter. Les articulations étaient enflées, la peau curieusement décolorée. Ses poils semblaient avoir déjà cessé de pousser, mais ses ongles s'allongeaient constamment et, à présent, la peau était tout le temps gris-bleu en dessous.

— Elle a eu raison de partir, tu sais, reprit Clint d'une voix neutre. Elle n'avait pas tellement le choix. Le soir où elle s'est enfuie, j'étais vraiment fou furieux. Je me suis même fait peur.

Cissy le regarda en face et croisa ces grands yeux têtus qui ne cillaient pas.

— C'est pas facile de réfléchir à certaines choses, mais c'est plus ou moins tout ce que je fais, repenser à cette époque. À ce que j'ai fait. À ce que j'ai pas fait. À ce que j'ai dit. À ce que j'étais prêt à faire. Tu sais, je crois que j'aurais pu tuer Delia si on avait continué. J'en prenais le chemin. J'étais tellement enragé, tu peux pas imaginer. Maintenant, ça m'étonne, je me demande comment je me suis laissé entraîner aussi loin. C'était de la folie. De la folie au sens propre. Je t'assure, j'étais aussi prêt à me trancher la gorge qu'à l'égorger, elle. Chaque fois que Delia me regardait – avec son air tout triste, blessé et entêté –, je devenais un peu plus fou. Comme quelqu'un qui dégringole une pente. S'il ne se rattrape pas, il arrive au fond. J'ai vraiment touché le fond.

Il leva légèrement les mains, doigts écartés. Des ailes d'oiseau qui tentaient de prendre leur vol, déplumées et tristes. C'était un de ces jours où il dépensait beaucoup d'énergie, où il avait besoin de parler, où il avait besoin que Cissy l'écoute.

— Seigneur ! C'est une bonne chose qu'elle ait filé.

Les os de Cissy semblaient frémir, confrontés à la réalité des paroles de Clint, à l'aveu franc qu'il avait été aussi mauvais que tout le monde le disait. Elle se demanda s'il pouvait voir aussi profondément en elle qu'il en avait l'air – s'il pouvait radiographier ses os, capter les pulsations de son cœur.

— Pourquoi ?

Cissy n'avait pas eu l'intention de parler. La question avait jailli toute seule.

— Pourquoi ? répéta Clint en hochant la tête. Exactement. C'est là toute la question. Pourquoi ? Pourquoi est-ce qu'un homme devient fou comme ça ? Je l'aimais. Je l'avais toujours aimée. Delia n'est pas comme la plupart des gens. Elle a quelque chose en elle… quelque chose de dur, de fort et de beau. Un homme qui s'approche d'elle s'en rend compte.

Il s'interrompit et détourna la tête. Quand il reprit la parole, sa voix était plus basse, plus prudente.

— La plupart des gens, en tout cas, la plupart des filles, des jeunes comme l'était Delia, sont toutes molles à l'intérieur. On s'approche d'elles et on sent ce côté fondant qu'elles vous réservent. Et c'est ce que veulent beaucoup d'hommes. Une sorte de noyau d'argile, qu'on peut façonner à sa guise, cuire, durcir. On pense qu'on pourra en faire quelque chose qui vous convienne. J'en étais au point où je m'attendais à ce qu'une femme s'adapte à moi. Avec toutes les femmes que j'avais connues, j'avais senti ce noyau tourné vers moi, prêt à être modelé. Je n'arrivais pas à croire que Delia n'était pas comme ça. Je me suis trompé.

Cissy se tordit les mains dans la serviette et ses articulations craquèrent bruyamment. Clint marqua une pause et lui lança un nouveau coup d'œil, le visage empourpré.

— Merde, j'en sais rien. La plupart des hommes pensent peut-être comme ça. J'étais tellement jeune, pas encore vraiment un homme. J'étais encore un gamin, mais je me donnais beaucoup de mal pour paraître adulte et coriace. J'avais peut-être peur que Delia voie mon côté malléable, tourné vers elle. C'est moi qui me suis plié à elle. Delia, elle, est restée elle-même, aussi vraie que les maillons d'une chaîne d'arpenteur. Belle, délicate et elle-même. Les types devenaient nerveux près d'elle, même si elle leur faisait envie. Merde, surtout si elle leur faisait envie.

Il sourit, toujours fier de ce qu'il revoyait mentalement. Cissy comprenait de quoi parlait Clint. Pendant des années, elle avait vu des gens devenir nerveux près de Delia. Comme un aimant, elle attirait tout le monde. Quand elles étaient revenues à Cayro, elle avait paru assez terne pendant une longue période. Toute son énergie puissante, bruyante semblait refoulée. Cissy ne savait pas si c'était à cause de Randall, ou parce qu'elle avait quitté Los Angeles pour venir à Cayro, ou pour une autre raison encore, mais cette Delia brisée n'était pas elle, pas la Delia que Clint décrivait. C'était peut-être à cause de Randall. Delia s'était peut-être pliée à Randall. Mais, dans ce cas, elle serait redevenue elle-même ensuite, elle serait redevenue la femme qui rendait les hommes nerveux.

— Je pense qu'à l'époque je croyais vraiment que Delia changerait, poursuivit Clint. Je m'imaginais qu'elle allait fondre une fois que je l'aurais vraiment à moi, je suppose, alors j'essayais de la rendre vraiment mienne. C'était comme essayer de courber un rayon de lumière. Je n'avais aucune prise. Je m'efforçais de l'attraper. Maintenant, je m'en rends compte, et ce souvenir est cuisant, je suis tout brûlant de honte.

Des larmes s'accumulaient dans ses yeux.

— La fichue vérité, c'est que je me suis foutu en l'air à force d'essayer de briser la femme que j'aimais. Je me suis seulement brisé moi-même et Delia n'a rien compris.

Un sanglot s'échappa de ses lèvres, tellement étouffé qu'il pouvait s'agir d'un juron. Cissy braqua les yeux sur les serviettes, dans le panier à linge.

Clint s'éclaircit la gorge, gémit et jura une fois de plus.

— Nom de Dieu ! dit-il. Nom de Dieu !

Cissy ramassa le panier et se dirigea vers la porte.

— Il faut que j'emporte ça, dit-elle. Appelle-moi si tu as besoin de quelque chose.

Elle alla dans la cuisine et fit tomber le panier sur une chaise. Certains jours, elle avait l'impression de se faner. Ses cheveux avaient éclairci depuis qu'elles étaient revenues à Cayro, le soleil avait transformé l'auburn en cuivre. Et ses yeux semblaient eux aussi plus clairs, de plus en plus gris perle, comme ceux de Clint. Elle devenait spectrale, telle une apparition de roman, tel l'esprit d'une fillette assassinée dans son sommeil.

Delia arriva du jardin, un sécateur à la main.

— Tu veux bien aller prendre un peu l'air ? dit-elle en regardant le visage hagard de Cissy.

— Il devrait être à l'hôpital, dit Cissy.

Delia soupira.

— Nous en avons déjà discuté, Cissy. Il veut rester ici. Et je lui ai promis qu'il le pourrait.

Delia détestait ces discussions ; face à la rage de Cissy, elle avait l'impression de se trouver devant le trône de Dieu, sauf que Dieu ne lui aurait sans doute pas infligé un tel complexe de culpabilité.

— Et puis, à l'hôpital, ils ne pourraient rien faire de plus que nous, ajouta-t-elle.

— On ne fait rien ! tempêta Cissy. Il est en train de mourir. Il est en train de mourir, là-dedans.

— Oui.

Les traits de Delia étaient lisses et sa voix ferme.

— Il est en train de mourir comme il le souhaite. Il a le droit de mourir comme il l'entend.

Cissy eut alors envie de la frapper, de se jeter sur sa mère. Sauve-moi, avait-elle envie de dire. Sauve-moi de cette longue, lente usure de mon âme. Elle se mit à pleurer.

— Tu disais que tu le détestais. Tu disais que c'était un monstre. Tu disais que tu l'aurais tué si tu avais pu. Et voilà que tu le laves, tu lui donnes à manger et tu lui tiens la main la nuit. J'comprends pas. J'comprends pas.

Delia lui tendit les bras mais Cissy s'écarta.

— Mon bébé, ça ne va plus durer bien longtemps, dit Delia.

— Ça dure déjà depuis trop longtemps.

Cissy s'essuya les joues et son regard se durcit.

— Il est là-dedans à cause de toi, dit-elle. Il s'est rongé à cause de toi.

— Cissy ! s'écria Delia, blême.

— Bon, regarde-le. Ça lui est égal de mourir. Il se fiche de tout sauf de toi. Si tu entrais maintenant là-dedans pour lui dire que tu l'aimes, il s'arracherait probablement à ce lit.

C'est vrai, pensa Delia. C'était ce que Clint désirait plus que tout. Ça ne le guérirait peut-être pas, mais peut-être que si. Peut-être que si. Est-ce qu'il n'y avait pas de la magie dans l'amour ?

Cissy vit le choc et le chagrin faire leur chemin sur le visage de Delia.

— Tu lui as promis, hein ? C'est le marché que tu as conclu ? Il te donne Amanda et Dede, et toi, tu le conduis jusqu'à la tombe en toute sécurité. Donnant donnant. Deux filles à condition de laver et d'enterrer un homme que tu n'aimes pas.

Delia se laissa tomber sur une chaise de cuisine et s'étreignit les mains. Ce moment s'éternisa.

— Tu n'es pas encore adulte, Cissy, lâcha-t-elle enfin. Tu crois tout savoir. Tu penses que tout est net, tranché et correspond exactement à ce que tu dis. Mais ce n'est pas le cas. J'aimerais bien que ça soit comme ça. J'aimerais bien être capable d'aimer quelqu'un parce que je l'ai décidé.

Clint se mit à tousser en rendant un son creux qui résonnait. Cissy se passa les mains sur les yeux, puis dans les cheveux. Delia lissa le coton de sa jupe. Toutes deux tournèrent la tête vers la chambre du fond.

— Je suis désolée, dit Delia.
— Ouais, railla Cissy. Sûrement.

Cissy n'adressait plus la parole à Delia. Elle évitait Rosemary et parlait à Dede ou à Amanda uniquement si elle ne pouvait pas faire autrement. Elle passait ses soirées dans la chambre de Clint, blottie dans le fauteuil qu'elle y avait installé. Elle lisait ses romans et le laissait lui parler s'il en avait envie. Quand Delia ou Amanda s'avançait sur le seuil, elle lançait un regard furieux, prête à se battre pour défendre son droit de se trouver là. Dede ne venait pas dans ses jambes. Amanda priait pour elle. Rosemary l'observait avec des yeux noirs impartiaux.

Lorsque Delia entrait pour apporter de l'eau ou vider le seau posé près du lit, Cissy sortait. Delia changeait les draps chaque fois qu'elle épongeait le corps de Clint.

— Parle-moi, lui murmurait toujours Clint.

— Il n'y a rien à dire.

— Raconte-moi ce que tu fais. Dis-moi ce que tu penses. Nous ne sommes pas obligés de parler de nous.

Il s'exprimait dans un souffle haletant et dévorait Delia des yeux.

— Il n'y a pas de nous, disait Delia.

Elle ne levait pas les yeux du corps qu'elle lavait. Elle rinçait soigneusement le gant dans un mélange de sa composition, alcool et eau, l'essorait et le passait sur les cuisses amaigries de Clint.

— Et les filles ?

La voix de Clint était rauque de désespoir.

— Les filles vont bien.

Delia tira le drap jusqu'en haut. Elle jeta un coup d'œil sur le seuil, d'où Cissy l'observait.

— Elles vont très bien.

Clint s'accrochait à Cissy comme à une bouée de sauvetage. Il lui parlait quand il avait assez de souffle, ou la fixait pendant qu'elle lisait.

— Tu ne m'oublieras pas, hein ? ne cessait-il de demander.

— Non, répondait Cissy. Non.

Clint lui souriait, de ce sourire infiniment doux, infiniment satisfait qui lui venait lorsqu'elle était installée dans sa chambre. Il semblait un instant très content, tout à fait réconcilié avec lui-même. Puis il reprenait la parole et alors, l'autre expression revenait, ce regard incertain qui errait dans la pièce, cherchait quelque chose qu'il ne parvenait pas à trouver.

— Le pire, dit-il, le pire, c'est que, certains jours, si je pouvais, si je pouvais me lever de là, je ferais encore quelque chose de terrible. Une obscurité me tombe dessus et je reste allongé à grincer des dents, comme si je voulais réduire des os en bouillie. Ceux de Delia, les tiens, les miens. Merde, je crois que je suis né fou. Depuis, je ne cesse d'essayer de m'en sortir. Parfois, je suis vraiment complètement dingue, nom de Dieu !

Clint fut pris d'une toux grasse. On aurait dit qu'il soufflait dans le tuyau d'une pipe pour le déboucher. Puis il retomba sur ses oreillers. Ses yeux étaient devenus rose sombre.

— Nom de Dieu ! haleta-t-il.

Il frémissait tant respirer lui coûtait d'efforts.

— Delia dit que Jésus a parlé à ton cœur, déclara Cissy, surtout pour lui changer les idées.

— Ah bon ?

Sa respiration se fit un peu plus aisée.

— Bon, ça peut bien être Jésus ou n'importe qui, je suppose. Pourquoi pas Jésus ? Même si, parfois, je me dis que c'était plutôt la déesse-vache.

Un sourire bizarre s'élargit sur le visage de Clint.

— Dans l'armée, j'ai entendu parler de peuples lointains. Y en a qui pensent que les vaches sont sacrées. J'ai trouvé ça pas mal. Ça m'a plu, cette histoire. Ça me disait, les taureaux, l'idée des taureaux. On dit bien foncer comme un taureau. On parle d'un cou de taureau. D'une force de taureau. Ah ! quelles bêtises, nom de Dieu !

Il émit un grondement guttural, nouvel effort pour s'éclaircir la gorge. Il se détendit un peu quand le besoin de tousser passa.

— J'savais rien du tout au sujet des vaches sacrées, j'avais juste vu un film, un jour, un de ceux qu'on vous montre dans l'armée. Un gros taureau en laiton, et on en a tous plaisanté. Une bite de taureau. Des couilles de taureau. Jésus ou les taureaux, je m'en suis toujours tapé. Ça m'est revenu le jour où j'ai plus pu me supporter, où j'ai plus pu supporter ma puanteur.

Il se tut un instant, regarda Cissy en face et hocha légèrement sa tête décharnée sans rien bouger d'autre.

— Tu peux pas savoir, petite. Tu peux pas imaginer. C'est terrible, cette odeur. Quand on est tout le temps soûl ou fou furieux. Ta sueur sent pas pareil quand tu t'es mis en colère pendant un bon moment, que tu es vieux, méchant et aigre. J'ai pas pu le supporter. J'ai passé presque toute la journée dans la baignoire, chez ma mère, à pleurer des larmes d'ivrogne et à faire couler de l'eau chaude. Je sentais ma puanteur et je me détestais. L'eau se refroidissait, j'en faisais couler de la chaude. Ma mère venait tout le temps cogner sur la porte et me hurler de virer mon cul de là. C'était après la mort de mon père, tu sais. Elle n'aurait jamais parlé comme ça quand il était en vie. Je ne faisais pas attention à elle, je me fourrais seulement un chiffon dans la bouche et je continuais à pleurer. J'ai troué ce chiffon en essayant de pas faire de bruit.

Cissy regarda attentivement Clint. Il semblait tirer une certaine force du souvenir de son état pitoyable. Il respirait maintenant sans effort et avait presque repris une couleur normale.

— Je pensais que j'allais être obligé de me tuer. J'ai décidé que j'allais sortir de cette baignoire et me tirer une balle dans la tête. En mettant le canon dans la bouche, pour que la balle ressorte par le crâne. Je ferais ça bien. Je me servirais de la carabine de papa, juste pour marquer le coup. Je m'y préparais. J'ai retiré la bonde et j'ai laissé l'eau se vider. Je me suis essuyé le visage et j'étais prêt, y a pas à chier. Mais, tout d'un coup, on aurait dit que l'air avait changé dans la salle de bains. J'ai vu à quoi allait conduire mon suicide. J'ai vu comment ça allait se passer.

J'étais là, assis, nu sur l'émail froid, les genoux remontés contre la poitrine, la peau toute ratatinée, le ventre vide.

Il se mit à rire et secoua la tête.

— Bon Dieu, j'ai vu ce que ça allait donner. J'ai vu qu'il me faudrait tuer Amanda, Dede et maman, bien sûr. Je ne pouvais pas les laisser seules face à ça. Quelqu'un risquait de venir : il faudrait que je le tue aussi. Et puis, il faudrait que je mette le feu à la baraque. Merde, tant qu'à faire, autant mettre le feu à tout Cayro.

Il se tut et baissa les yeux sur ses mains.

— C'est marrant, les moments comme ça, où on se représente tout bien clairement. C'est peut-être dingue, sanguinaire et odieux, mais, dans ta tête, c'est plus logique que tout le reste. Tu comprends comment tout se tient, où ça va mener. J'ai vu à quoi ça m'entraînerait de me tuer.

Il joignit les mains et entrelaça ses doigts, comme s'il était en train de prier.

— Dieu nous donne peut-être une seule fois la capacité de voir aussi clairement. Parce que je t'assure, c'était vraiment clair, ma vie horrible, le chagrin que j'avais causé. Dieu attend sans doute qu'on soit au fond du trou pour qu'on puisse survivre à cette vision et c'est à ce moment-là qu'il vous assomme avec. Ça m'a assommé comme une tonne de mal absolu. Delia, ça n'était pas le pire. Mon père, mes frères, mes petites amies, j'avais toujours effrayé ou exaspéré tout le monde. Il n'y avait pas un seul regard plein d'amour dans ma vie, et c'était moi qui avais fait en sorte que ça soit comme ça. J'avais rendu ma vie détestable.

Il dénoua les mains, ses yeux brillants fixés sur le visage de Cissy.

— Je l'ai vu clairement. J'ai vu que je pouvais mourir et que personne ne me pleurerait. Les gens seraient soulagés, ceux qui, un jour, m'avaient aimé. Les gens seraient seulement débarrassés de moi et continueraient leur vie.

Ses pupilles se dilatèrent. On aurait dit que Clint s'échappait de lui-même par les yeux.

— Dieu m'a peut-être touché, souffla-t-il. Jésus m'a peut-être posé la main sur le cœur. Ou le taureau qui est dans le ciel de quelqu'un d'autre s'est tourné vers moi. J'avais jamais cru en rien et j'suis pas sûr de c'que j'crois maintenant. Sauf que, parfois, pendant une minute à peine, je retrouve la sensation que j'ai eue à ce moment-là. J'étais dingue. Ensuite, j'étais encore plus dingue. Et après, j'en suis ressorti plus ou moins normal, assis dans une baignoire vide, en train de m'dire que j'voulais pas qu'les choses soient comme elles étaient.

Il avait maintenant la respiration sifflante, luttait contre un nouvel accès de toux.

— Si on te pose la question, tu diras que c'est comme ça que les gens changent. D'un coup ou pas du tout. Parce qu'ils sont stupides, dingues, ou seulement qu'ils ne veulent surtout pas être ce qu'ils ont été. Bien sûr, ensuite, il faut mettre ça en pratique, être transformé dans sa vie quotidienne, et ça, c'est une fois de plus l'enfer.

Sa main droite se leva et les doigts osseux, qui semblaient écorchés, passèrent sur sa bouche.

— Changer ma vie au jour le jour a été plus terrible que tout ce que que tu pourrais imaginer. Et, comme je le disais, y a des jours où j'y arrive pas très bien.

Clint ferma les yeux. Des larmes s'échappèrent de ses paupières et, quand il reprit la parole, sa voix était tellement basse que Cissy parvenait à peine à l'entendre.

— Y a des jours où j'suis aussi horrible que je l'étais. Y a des jours où c'est pas plus mal que je meure, parce que Dieu voudrait sûrement pas que j'vive pour faire c'que j'ferais.

— Mais tu as été touché par Dieu, dit Cissy, et elle savait qu'elle parlait en fait pour elle-même.

Sans ouvrir les yeux, Clint sourit.

— Ouais.

Le menton émacié se baissa pour le confirmer. Puis le visage s'immobilisa et Cissy crut que Clint s'était endormi. Elle recula vers la porte.

— Parfois, j'ai l'impression que quelque chose me touche et j'suis pas tellement effrayé ni furieux. Ça dure juste une minute, mais c'est… c'est déjà quelque chose. Que ce soit un taureau ou de la foutaise, c'est déjà quelque chose.

Les mains de Clint frappèrent faiblement le matelas, ses yeux restèrent bien fermés, ruisselants de larmes.

— C'est déjà quelque chose.

— Oui, murmura Cissy.

Tandis qu'elle ouvrait la porte, la voix de Clint la retint, faible mais insistante.

— Tu m'oublieras pas ?

— Bon Dieu, non ! dit Cissy.

— Bon Dieu, non.

Clint les entendait, sa femme et ses filles. Elles parlaient, se disputaient et se déplaçaient. Il en fut un instant irrité, mais la morphine rendait la colère compliquée. Il ne pouvait pas dire ce qui l'étourdissait et l'embrouillait. Les choses se décalaient, changeaient d'aspect – le visage de Dede était exactement le même que celui de Delia, Amanda parlait comme sa mère, Cissy était un miroir placé devant lui. Quoi qu'il ait été, il ne l'était plus. Un homme pouvait changer. *Un homme pouvait changer.* Il haleta. L'air ressemblait à du whisky. La sueur à du sang. Dieu l'emmènerait là-haut, lui purifierait les os et le donnerait à manger aux taureaux.

— Emmène-moi là-haut, mon Dieu ! murmura Clint et il se rappela comment ça s'était passé.

Il n'avait pas connu Delia avant le lycée. Ils avaient été réunis par défaut, chacun étant trop timide et têtu pour prendre la peine de séduire les autres élèves du lycée de Cayro.

Avant Delia, Clint était sorti avec des filles, sans grande conviction. Il semblait toujours se produire quelque chose entre lui et ces filles à qui il donnait rendez-vous. Il était plutôt pas mal, mais timide, maladroit, et il boitait légèrement à la suite d'un éclatement de la rotule qui l'empêchait de pratiquer des sports de compétition. À l'époque, le fait que son genou lui épargnerait le service militaire ne lui apparaissait pas aussi avantageux qu'il le devint quand la guerre du Vietnam hanta l'esprit des garçons capables de lancer un ballon. Au lycée de Cayro, comme dans presque toute la Géorgie rurale, les sports représentaient tout. Même les garçons qui avaient de l'argent en poche et se baladaient en voiture tramaient des intrigues pour remporter l'enjeu le plus important de tous, à savoir une place dans l'équipe. Clint n'avait jamais pu gagner sur ce terrain-là.

Il souriait facilement et ça lui ouvrait des portes, mais le reste ne suivait pas.

Les filles le dévisageaient d'un air plein d'espoir. Il leur rendait leur regard, puis baissait la tête et souriait en contemplant ses pieds. Qu'est-ce qu'il était censé faire ? Parler de son père, un homme qui, lui, ne parlait jamais ? De sa mère, une femme qui se réveillait avec une prière à la bouche et disait rarement autre chose que « À table » ou « Le facteur est passé ? ». On n'entendait que des expressions toutes faites et des grognements chez les Windsor. Des mots marmonnés, des excuses murmurées, de soudains sifflements d'un souffle retenu.

— Non, je t'en prie.

— Si, la vieille.

Clint serrait les dents pendant que des hymnes secs, atonaux s'engouffraient dans sa tête et écornaient son orgueil. Mieux valait ne rien dire. Mieux valait sourire et détourner la tête. Mieux valait ne pas voir ce qu'il ne pouvait pas comprendre, la colère grise de son père et l'endurance aux lèvres minces de sa mère.

Ce fut en chantant que Delia retint son attention, cet après-midi-là, derrière le gymnase. Il tombait une légère bruine froide et Clint avait décidé de rentrer chez lui par le car suivant. Il pourrait dire à son père qu'il avait glissé à cause de la pluie et raté le premier. Il aurait ainsi un peu de temps à lui, pour changer. Un rare moment de liberté, loin de la ferme et des exigences insistantes de son père. Clint sortit prudemment pour fumer et regarder les joueurs de football américain qui effectuaient leur tour de piste. Comme il ne voulait pas que quelqu'un le surprenne à les observer et le croie jaloux ou dépité, il prit soin de ne pas se faire remarquer tandis qu'il longeait le bâtiment de son pas claudicant. Mais à peine s'était-il posté sous l'auvent de l'entrée latérale que Delia tourna le coin du gymnase, un doux écho la précédant un peu, une mélodie aussi tendre qu'une prière.

De surprise, Clint resta bouche bée. Sa surprise s'extériorisa.

— *« Lonesome. »*

Delia s'arrêta, tourna la tête, regarda Clint droit dans les yeux. Il sentit une étincelle au niveau de la ceinture. Le rouge lui monta immédiatement aux joues. On aurait dit une photographie et son négatif, Clint avec son visage assombri, dénué d'expression, et Delia avec ses cheveux lustrés, auburn, et ses traits indistincts.

— *« I could die. »*

L'embarras le poussa. La chaleur et la transpiration.

— *So lonesome I could die* [1]. Hank Williams. J'ai reconnu cette chanson.

Sa voix avait un son rauque après les notes sirupeuses de Delia.

— Ouais, j'aime bien ces vieux disques.

Sa voix parlée, traînante, était aussi pleine que sa voix chantée. Semblable à du caramel. Clint n'avait jamais rien entendu de tel. Delia se balança un peu sur la pointe des pieds, les deux mains enfoncées dans les poches de son trois-quarts.

— Mais je m'imagine toujours que c'est une femme qui chante ces paroles, un peu comme Joan Baez le ferait… si elle les chantait.

Clint vit le tissu de son manteau former des renflements et comprit que Delia serrait les poings. Elle a la trouille, pensa-t-il. Pourtant, elle leva la tête et le scruta de ses yeux perçants, avec une intrépidité obstinée.

— Elle devrait, lâcha-t-il. Joan Baez. Elle devrait. Elle le chanterait bien.

---

1. Solitaire à en mourir. *(N.d.T.)*

Surprenant. Il avait parlé. La rougeur céda un peu et il risqua un nouveau coup d'œil sur les poches de Delia. Elle avait la tête penchée sur le côté, comme si elle le considérait depuis un point de vue intérieur rare et privilégié, mais ses mains avaient relâché le manteau. Clint lui sourit et fut récompensé par un sourire qui semblait aussi facile et lumineux que sa chanson.

— Tu peux m'en donner une ?

Elle désigna la cigarette humide qu'il avait à la main, oubliée, mais toujours soigneusement coincée entre le pouce et l'index. Il baissa les yeux, puis les posa de nouveau sur Delia. Une fille qui fumait, une fille qui se fichait qu'il soit au courant. Sa mère et son père auraient eu horreur de ça. Lui, il fumait constamment, chaque fois qu'il pouvait leur échapper, et ils lui disaient toujours que c'était une habitude dégoûtante qui révélait sa nature faible et inconstante.

— Mon gars, tu te détruis.

Tu vas te détruire, faillit-il dire à Delia ; au lieu de quoi, il chercha le paquet de Winston dans sa veste. Delia s'approcha et il se rendit compte qu'elle attendait qu'il lui donne du feu. Il eut un coup au cœur. Il avait utilisé sa dernière allumette et savait qu'il ne pouvait lui tendre le mégot qu'il fumait. Nom de Dieu, jura-t-il mentalement.

Comme par magie, Delia ne parut pas remarquer sa détresse. D'un geste décontracté, ses doigts pâles lui attrapèrent le poignet pour appliquer à sa cigarette l'extrémité rougeoyante du mégot. Elle creusa et gonfla les joues, les creusa et les gonfla, puis lui lâcha la main et avala la fumée bienvenue.

— C'est bon-on-on ! souffla-t-elle avec reconnaissance.

Elle s'adossa au mur, à côté de lui, et ignora sa brusque inspiration. Elle rejeta la fumée en une mince colonne dirigée vers le toit du gymnase.

— C'est vraiment bon. À la fin de la journée, c'est la seule chose qui me fasse envie.

Clint garda le visage tourné vers le terrain de foot, les yeux à l'abri du regard de Delia. Le fait qu'elle lui ait tapé une cigarette aussi facilement et sans la moindre gêne suscitait chez lui l'envie sexuelle la plus forte qu'il ait connue en ses dix-sept ans d'existence. Qu'elle ait allumé sa cigarette à son mégot le rendait ivre de désir. À l'abri, sous son jean, ses genoux se mirent à flageoler et une nouvelle source de chaleur commença à battre dans son bas-ventre. La seule chose à laquelle il pouvait penser, c'était que cette fille qui fumait, là, à côté de lui, était magnifique. Sa cigarette flamboya et une nouvelle colonne de fumée s'échappa vers le ciel. Clint leva une main tremblante et tira une dernière bouffée en aspirant profondément la nicotine dans ses poumons. La fumée semblait différente, douce, électrique. Près de lui, Delia continua à tirer sur sa cigarette dans un silence amical. Elle soupira une fois et il sentit le choc quand elle donna un petit coup de tête contre le bâtiment en brique.

— Regarde-les courir, dit-elle si doucement qu'on aurait cru qu'elle fredonnait tout bas.

L'équipe titubait dans les derniers tours de piste, certains garçons trébuchaient tandis que leurs jambes épuisées retombaient lourdement sur des pieds plats.

— Pauvres enfants d'salauds ! dit Clint.

C'était le dédain de Delia qui lui avait arraché ces mots.

— T'as bien raison.

Delia balança de nouveau la tête et bougea les épaules. Il entendit le tissu de son manteau frotter contre la brique. Tous ses sens s'étaient apparemment aiguisés et percevaient l'odeur séparée des deux cigarettes, le petit craquement des muscles de Delia.

— On dirait qu'ils s'entraînent pour l'armée, les pauvres. Ils n'ont pas l'air de s'en rendre compte.

Delia secoua la tête.

La vision de Clint redevint nette. Il regarda les garçons sur le terrain et, pour la première fois, vit qu'ils couraient vers leur destin, un destin qu'il ne partagerait pas. Il s'aperçut qu'il n'avait aucune idée de ce qui l'attendait, de ce qu'il allait faire de sa vie. Il n'était pas très intelligent, il le savait. Son père le lui avait répété assez souvent. Il ne serait pas capable de décrocher une bourse, d'obtenir des avantages quelconques. Mais il comprit soudain qu'il n'avait pas envie de faire pousser des cacahuètes ni de s'occuper d'une ferme. Et, s'il ne travaillait pas avec son père, qu'allait-il faire d'autre ?

Dieu me vienne en aide, pensa-t-il, et il oublia un instant le mur dans son dos et Delia à son côté. La meute de garçons aborda le virage le plus proche, les épaules à l'oblique, puis s'éloigna, tandis que les hanches moulinaient et que les pieds soulevaient des mottes de terre rouge. Pitoyables et courageux à la fois, ils s'avançaient en titubant vers l'entraîneur, qui frappait son bloc-notes contre sa cuisse et observait leur progression d'un air mauvais. Clint sentit sa gorge se serrer.

— C'est triste ! murmura Delia.

— Courez, espèces de salopards ! rugit l'entraîneur.

Son mépris était une vague palpable qui venait s'échouer sur le cœur de Clint.

— Bon Dieu !

Clint secoua sa main, brûlée par le mégot minuscule.

— Ouais, fit Delia en écho, avant de jeter sa cigarette à moitié fumée, qui rejoignit les autres, dispersées par terre. Ça oblige à se poser des questions sur le monde, hein ?

Elle se tourna vers lui. Elle serrait son manteau contre son corps. L'expression de ses yeux était plus chaleureuse qu'un sourire. Tu as raison, y lut-il. Nous savons bien de quoi il retourne, pas vrai ? Clint ne pouvait regarder ailleurs. Je suis normal, pensa-t-il. Y a rien qui cloche chez moi. Delia lui adressa un signe de tête et s'éloigna en reprenant son fragment de chanson, tout bas.

Clint se retourna vers les coureurs. Deux étaient tombés. Il fourra les mains dans ses poches.

— Je suis normal, dit-il et, d'une poussée, il s'écarta du mur.

Dans ses draps chauffés par la fièvre, Clint essaya de se retourner sur le côté. Sa hanche se bloqua à cause des vieux tendons raccourcis qui couraient jusqu'au genou. La douleur perça à travers le brouillard de morphine. Delia avait convaincu le Dr Campbell d'augmenter les doses pour lui donner des répits et des rêves détachés du temps. Ses rêves avaient fait la navette entre passé et avenir. Tous les instants qu'il avait partagés avec Delia se mêlaient à des scènes rapides de sa vie avant elle et à des visions éclatées de ce qui suivrait sa fin. Le monde était prêt à le lâcher, à le libérer. Il le soulevait très haut et Clint voyait loin, jusqu'à ses filles devenues adultes et odieuses, puis revenait à lui, bébé, accroché à un sein : il ne pouvait imaginer que sa mère ait pu le lui donner. Delia continuerait indéfiniment. Mais pas lui, et c'était bien comme ça. Il le savait enfin. C'était bien.

— Nom de Dieu ! gémit Clint.

Il avait la langue sèche et raide. Ça devenait trop difficile de parler. Bon Dieu, dit-il quand même. Il le dit mentalement et sentit qu'il reprenait son voyage, s'élevait de plus en plus haut. Il entendit le raclement du trois-quarts contre le mur, sentit l'odeur de la fumée, de la terre humide et fertile, sentit la fille près de lui et les années à venir, le sang de Delia sur ses propres mains et les larmes qu'il versait. Il perçut une brusque chaleur au niveau du bas-ventre pour la première fois depuis si longtemps qu'il ne comprit pas tout de suite de quoi il s'agissait.

— Bon Dieu !

Il le dit fort et s'élança haut, plus haut qu'il n'était jamais monté.

Et il s'abandonna.

11

Ce fut le révérend Hillman qui officia à l'enterrement de Clint. Il n'était pas venu grand monde, mais plus que M.T. ne l'avait annoncé à Rosemary. Il y avait quelques paroissiennes de Holiness Redeemer auprès de grand-mère Windsor, quelques employés de Firestone, anciens collègues de Clint, et au moins une douzaine de clientes du Bee's Bonnet, que personne ne pensait voir.

— Certaines doivent être là uniquement pour vérifier qu'il est bien mort, murmura M.T. à Rosemary sous le dais, devant la tombe.

Rosemary cacha son sourire derrière sa main. M.T. s'était montrée gaie et amicale dès l'instant où elle avait appris la mort de Clint par téléphone. Rosemary savait que le soulagement dû à cette disparition n'expliquait pas tout. M.T. n'était pas mécontente de la voir repartir dans quelques jours et, d'ailleurs, elle était elle aussi plutôt satisfaite. Elle en avait plus qu'assez de cette petite ville de Géorgie et désirait la quitter depuis plusieurs semaines. Elle s'était juré de flanquer de la terre sur le cercueil de Clint d'un bon coup de pied et attendait que la foule se disperse pour pouvoir le faire. Elle murmura à M.T. :

— Une fois de retour à Los Angeles, je vais aller dans un de ces centres de remise en forme très chers où on te masse, on te revitalise et on t'enduit le corps de crème. Viens me voir, je te paierai le voyage. Tu ne peux pas imaginer le bien que ça fait.

— Oh ! je pourrai jamais faire un truc comme ça !

M.T. paraissait tentée. Elle jeta un regard en coin à Steph, qui tenait la main de Lyle et essayait vainement de prendre l'air triste.

— Tu devrais. Los Angeles est une ville formidable pour les femmes de notre âge, elle regorge de beaux jeunes gens prêts à apprécier les dames mûres qui ont de l'étoffe.

Rosemary sourit et posa le bras sur les épaules de M.T.

— Des gigolos, tu veux dire.

— Ha, ha, de magnifiques gigolos, beaux, jeunes, costauds. Exactement ce que recommande le médecin contre la mauvaise circulation et les malaises diffus. Bon, toi, je ne sais pas, mais moi, après tous ces mois, j'éprouve un vague malaise.

Rosemary pressa le bras de M.T. et modifia la position de son corps pour le soustraire aux coups d'œil furieux de grand-mère Windsor. La vieille dame dardait sur elle des regards haineux depuis qu'elles étaient sorties de l'église.

— T'as une de ces manières de parler !

M.T. pinça les lèvres pour se retenir de pouffer. Dommage que Rosemary déteste Cayro. M.T. aurait pu se mettre à aimer cette femme.

— Exactement comme toi, lui dit Rosemary. Je parle comme toi. Pourquoi est-ce que Delia nous aime autant toutes les deux, à ton avis ? Nous avons beaucoup de choses en commun, Marjolene Thomasina. Plus que notre amitié pour Delia Byrd.

Elle tourna la tête et adressa un large sourire à grand-mère Windsor. La mère de Clint la fusilla du regard et commença à s'éloigner de la tombe.

Cissy entendit à peine les propos du révérend Hillman. Elle pensait à son père. Elle se rappelait la fois où ils étaient tous allés à l'enterrement d'un de ses amis. La chapelle était pleine de grands paniers de fleurs, ceinturés de rubans colorés. Delia portait un gilet en velours avec une étoile morcelée, cousue dans le dos avec du fil orange vif. La gamine coincée sur sa hanche, Randall avait fait le tour de la petite église, enlacé des gens et échangé des souvenirs. À un moment donné, il l'avait soulevée et déposée dans un grand panier de fleurs, des marguerites jaunes et des chrysanthèmes blancs et roses qui montaient tellement haut que les pétales se refermaient presque au-dessus de sa tête.

— La mort est un changement de circonstances, avait dit un type aux nattes entrelacées de cuir et au T-shirt en batik.

Puis il avait bu une gorgée à une bouteille Thermos, en titubant.

Randall avait extirpé des fleurs Cissy, couverte de pollen et de pétales.

— La mort est la mort, avait-il répondu avec colère.

Il avait serré sa fille contre lui et regardé le type de travers.

— Aux enterrements, on ne pense pas aux morts mais au bonheur d'être encore en vie.

Devant la tombe de Clint, Cissy se rappela distinctement cet échange, alors qu'elle n'y avait pas repensé depuis toutes ces années. Ensuite, Randall l'avait emmenée se promener au milieu des pierres tombales en plaisantant sur les anges en ciment et les chérubins en béton.

— Moi, je me ferai incinérer, lui avait-il dit lorsqu'ils s'étaient assis à l'ombre d'un chêne trapu. Je serai réduit en cendres et utilisé comme compost pour un arbre bien gros et bien vieux. Je me transformerai en fleurs et en feuilles vertes luisantes.

L'idée semblait le réjouir, surtout après les visages solennels de ses amis.

Cissy ne comprenait pas pour quelle raison tout le monde était aussi triste. Randall avait dit qu'il valait mieux pour son ami avoir quitté cette vie et que, parfois, c'était très bien de continuer à nourrir les arbres. À la grille du cimetière, quand il avait raccompagné Cissy vers la longue file de voitures qui patientaient afin d'entrer, l'un des conducteurs avait fait une réflexion sur les hippies et Randall lui avait ri au nez.

— Ouais, on est des hippies riches, avait-il déclaré en hissant Cissy sur ses épaules.

Elle se rappelait le rire de Randall et la manière dont il parlait de se transformer en feuilles vertes luisantes. Voilà ce que faisaient les hippies, avait-elle pensé à l'époque. Ils donnaient des fêtes pour leurs amis et servaient d'engrais.

Dommage que Clint n'ait pas eu un peu de hippie en lui. La dernière semaine avant sa mort, il avait tout le temps peur. Il avait demandé à Delia d'appeler le révérend Hillman et pleuré pendant la visite du pasteur. Quand Cissy était entrée, il lui avait agrippé les mains dans ses poings noueux, en serrant si fort qu'elle avait cru qu'il allait lui briser les os. Ensuite, incapable de parler ou de dormir, il s'était tourné et retourné dans le lit et avait gémi jusqu'au moment où Delia et le médecin lui avaient administré davantage de morphine. Quand il était mort, Delia avait fait sortir les filles de la pièce. Rosemary l'avait aidée à laver et à habiller Clint d'un costume de laine sombre. Pour la première fois, il ressemblait à l'homme qui figurait sur les anciennes photos de Delia, avec son visage sévère, vêtu d'habits bien trop grands pour sa charpente amaigrie.

— On devrait l'enterrer tout nu, avait glissé Dede d'une voix fêlée.

— On devrait le brûler, avait murmuré Cissy, et Dede lui avait lancé un coup d'œil. Le réduire en cendres. En faire de l'engrais pour les fleurs et les arbres.

Dede avait frémi.

— Pour les rocs, peut-être. Le répandre sur les rocs et laisser les oiseaux emporter les os pour s'en servir dans leur nid.

Elle ne voulait pas aller à l'enterrement, mais Delia les avait toutes obligées à l'accompagner et à s'aligner à côté d'elle.

Quand elles revinrent à la maison, Rosemary posa la main sur la joue de Cissy et lui sourit gentiment.

— Ça va, mon chou ?

Cissy lui rappelait l'enfant qu'elle avait été à son âge, pas très en grâce dans une maison remplie de voix exigeantes, puissantes. Cissy avait une expression fermée et inquiète.

— Ça va très bien, répondit-elle en repoussant la main de Rosemary.

— Grand-mère Windsor était dans un triste état, dit Amanda. Ses cheveux ressemblaient à une queue de rat et son cou était horrible, on aurait dit un cou de poulet.

— Ta grand-mère vieillit et c'est dur de perdre son fils, dit calmement Delia.

— Je me disais que je devrais aller la voir.

Le ton d'Amanda était hésitant.

— Si tu veux, acquiesça Delia.

Elle n'avait pas aussi mauvaise mine que grand-mère Windsor, mais elle n'était pas brillante. Sous ses yeux, les cernes étaient aussi sombres que le raisin, dans la corbeille de fruits que quelqu'un avait laissée sur la véranda ce matin-là. Debout, près de la table où ragoûts et plats de viande froide enveloppés de papier alu côtoyaient des fruits et plusieurs petits pots de fleurs fanées, elle tendit la main pour toucher un récipient couvert, puis la laissa retomber.

— Je crois que je vais aller m'allonger un moment, dit-elle. Je crois que j'ai besoin de m'allonger un peu.

Rosemary lui posa un bras sur les épaules. M.T. s'approcha de l'autre côté. Ensemble, elles guidèrent Delia dans le couloir. À chaque pas, Delia s'affaissait un peu plus, jusqu'au moment où les deux femmes eurent l'impression de la porter.

— Qu'est-ce que tu paries qu'elle va dormir jusqu'à demain ? dit Dede à Cissy.

— Jusqu'à après-demain, répliqua Cissy. Ou après-après-demain. J'ai cru qu'elle allait basculer dans la tombe.

— Moi, je me suis dit que c'était Rosemary qui allait glisser. T'as vu comment elle s'est approchée du bord une fois qu'ils ont descendu le cercueil ?

— J'ai vu.

Cissy souleva un papier alu. Elle avait envie de quelque chose, mais pas de nourriture. Son cœur cognait et ses yeux brûlaient.

— C'est de l'allergie, lui avait dit Rosemary. Tu as les yeux tout gonflés.

Aucune ne voulait reconnaître qu'elle avait pleuré. Amanda s'était essuyé les yeux plusieurs fois, mais ni Delia ni Dede n'avaient versé une larme. Seule Cissy paraissait et se sentait aussi éprouvée que grand-mère Windsor. Elle ne cessait de repenser à Randall et à son enterrement, avant leur départ de Los Angeles.

— Tu sais de quoi j'ai envie ?

Dede avait un morceau de jambon dans une main et une tranche de quatre-quarts dans l'autre.

— J'ai envie de boire un verre, un vrai verre, comme ces cocktails que les gens commandent toujours à la télévision. Un gin-tonic ou un whisky sour.

Elle mordit dans le jambon et hocha solennellement la tête.

— Ah ouais ?

Cissy souleva ses lunettes et s'essuya l'œil gauche. Le coin en était tellement sensible qu'elle éprouva une brûlure au contact de son doigt. Elle avait l'air très malheureuse ; Dede dut faire un effort pour se retenir de rire.

— Que boit Rosemary, du bourbon ou du scotch ? demanda Dede.

— J'en sais rien.

— Bon, aucune importance. Tout est bon avec du Coca. On va aller se préparer un verre et on va piqueniquer derrière la maison.

— Tu crois qu'on devrait ?

Cissy regarda dans le couloir. Elle ne voulait pas être obligée de parler à M.T. ou à Rosemary, et encore moins à Amanda.

— Bien sûr que je crois qu'on devrait ! affirma Dede catégoriquement. On va le faire pour Clint. De toute façon, c'est le seul qui aurait apprécié ça, dans la baraque.

Il restait du scotch et du bourbon dans la cuisine, mais très peu. Dede prépara les boissons et donna le scotch à

Cissy en lui disant qu'elle savait que Rosemary le préférait et que ça devait donc être bon. Au bout d'une gorgée, Cissy se dit qu'elle avait découvert la seule chose qui n'allait pas bien avec du Coca. Après la seconde, elle décida que ce n'était pas aussi mauvais. Ça donnait bien meilleur goût au sandwich au jambon. Quant à Dede, elle annonça que le bourbon allait devenir sa boisson d'élection. Elles étaient assises sous les pacaniers, près du garage, et, au bout d'un moment, Cissy commença à se sentir mieux qu'elle ne s'était sentie depuis une semaine. Peut-être que c'était comme Randall le lui avait dit, la mort n'était pas aussi terrible. Mort, Clint avait paru presquc paisible.

— Comment était ton père ? demanda Dede, la voix un peu hésitante mais déterminée. J'ai vu sa photo, j'ai lu des trucs sur lui. J'ai l'impression que c'était un fichu dingue.

Dede était adossée au mur extérieur du garage et tenait un mégot entre deux doigts. Cissy avait cru qu'elle faisait seulement semblant de fumer, mais clle venait de griller deux cigarettes. Elle conservait les mégots dans une petite boîte en fer. Elle se vantait de fumer depuis des années et, à la manière dont elle s'y prenait, ça pouvait bien être vrai.

— Il n'était pas dingue. Il était comme tout le monde.

Cissy avait son expression têtue, bouche pincée, regard décidé.

— Il aimait faire de la vitesse. Il se soûlait trop. Il ne restait jamais en place. Il appelait ça régler des affaires. Il disait : « J'ai des affaires à régler, bout de chou. Te bile pas ! »

Elle lança un regard prudent à Dede.

— Je ne comprenais pas ce que ça voulait dire.

Dede haussa les épaules.

— Tu le voyais souvent ?

— Quand j'étais petite, ouais. Plus ou moins.

Cissy réfléchit un instant. Connaissait-elle vraiment Randall, ne fût-ce qu'un tout petit peu ?

— Plus ou moins ? répéta Dede avec un sourire forcé, comme si elle soupçonnait Cissy de lui mentir.

— Ben, c'était pas facile, tu sais.

Cissy fronça les sourcils à ce souvenir.

— Ils étaient toujours en train de voyager ou d'enregistrer, d'aller quelque part, de faire des trucs. Quand on vivait encore avec lui, il y avait Sonny et Patch. Ils travaillaient pour lui, s'occupaient de la maison, comme ils s'occupaient de tout. Ils prenaient soin de moi quand le groupe partait en tournée.

— Tu n'as pas réussi à monter dans le car ?

Dede était déçue.

— Pas avant un certain âge. Rosemary m'a raconté ce qui se passait quand j'étais petite et que Randall et Delia m'emmenaient avec eux. Je dormais dans les coulisses ou sur un siège du car. Elle avait même des photos. Y en a une, assez célèbre, où on me voit avec une flopée d'autres gosses. On est complètement nus, au fond de la scène, à côté d'une batterie. Je ne m'en souviens absolument pas.

— Tu ne te souviens pas de grand-chose, hein ?

— Pas de ce qui arrangerait les gens.

Cissy fit la grimace.

— Je me rappelle des trucs. Je me rappelle que dans les hôtels, je mangeais des repas qu'on faisait monter dans la chambre, avec Delia et Randall couchés dans le lit et moi au milieu. Je jouais dans les escaliers mécaniques. J'adorais les escaliers mécaniques. J'aimais bien être avec Delia et Randall, mais je ne sais pas, je ne me posais pas de question. La vie était comme ça, tout simplement. J'ignorais qu'elle était à ce point différente de celle des autres. Quand je restais à la maison, c'était pas mal non plus. J'aimais bien Sonny et Patch. Ils étaient gentils avec moi. Ils avaient un petit garçon à eux, Wren. Il avait mon âge, mais il ne parlait pas.

— Il était attardé ? demanda Dede.

— Il était normal. Il était intelligent, mais il ne parlait pas.

Cissy se rappelait le grand sourire et les yeux timides de Wren. C'était un mignon petit garçon et Sonny le trimballait tout le temps sur ses épaules. Quand Delia et Randall restaient absents trop longtemps, Cissy se racontait que Sonny était son père et Wren son frère, qu'ils étaient une famille miraculeusement rescapée d'un grand tremblement de terre qui avait détruit le reste de la ville. Puis, quand ses parents revenaient, elle avait honte et était méchante avec Wren, jusqu'au moment où Delia la grondait. Une fois qu'elles eurent quitté la maison de Randall, Cissy ne revit plus jamais ces gens-là.

— Grand-mère Windsor avait Blanche pour l'aider à s'occuper de nous.

Dede semblait se rendre compte que Cissy ne voulait plus parler de Wren.

— Blanche était une cousine éloignée, ou quelque chose comme ça. Je crois qu'elle n'avait pas plus de quatorze ans quand elle est venue habiter avec nous. J'en sais rien. J'étais encore bébé. Amanda ne l'aimait pas, mais, moi, elle m'a toujours paru gentille.

Dede agita le Coca éventé au fond de son verre, qu'elle vida et posa entre ses pieds avant de sortir un paquet de cigarettes.

— D'après ce que m'a dit Amanda, Blanche avait eu un bébé et s'était fait virer de l'école. Le bébé était peut-être mort, ou le père de Blanche l'avait donné. Quand elle est venue vivre chez grand-mère Windsor, elle n'en parlait jamais. Elle n'était pas attardée non plus, mais elle n'était pas très intelligente. Elle avait de grands yeux ronds, bleu pâle, beaux mais vides. Des cheveux bruns et un teint olivâtre. Assez jolie pour avoir des problèmes. Assez bête pour s'en coller encore plus.

— Est-ce qu'elle était gentille avec toi ?

Cissy essayait d'imaginer Blanche, avec ses quatorze ans, sous la férule de grand-mère Windsor, en train de tout nettoyer derrière deux enfants insupportables sans jamais parler de celui qu'elle avait perdu. À la place de Blanche, elle aurait été méchante avec Amanda et Dede. Elle leur aurait pincé les fesses et tiré les cheveux quand personne n'aurait regardé.

— Assez, oui. Elle jouait beaucoup avec nous. Je ne crois pas qu'elle l'aurait autant fait si elle avait été plus intelligente. On était ennuyeuses, mais ça ne semblait pas la gêner. Elle faisait seulement ce que lui disait grand-mère, ranger, briquer, nous surveiller. Je l'aimais ni plus ni moins que n'importe qui.

Dede sourit.

— Rudement plus que beaucoup de gens.

— Alors, pourquoi est-ce qu'Amanda ne l'aimait pas ?

— J'en sais rien.

D'un ongle verni, Dede ôta un brin de tabac collé sur l'une de ses dents.

— Je n'ai jamais pu comprendre Amanda. Quand Blanche est morte, elle a fait comme si elle s'y attendait.

— Blanche est morte ?

Cissy était scandalisée.

— Un accident. La Cocotte-Minute a explosé.

Dede porta la main à sa gorge et tapota à gauche de son menton.

— Ça lui a tranché la gorge.

Ses doigts tracèrent une ligne allant de la mâchoire à l'oreille.

— Mon Dieu !

— C'est le couvercle, dit Dede. Il lui a fait un trou dans le cou, assez grand pour y loger une tasse.

Elle se caressa brièvement la gorge, puis laissa retomber la main.

— Grand-mère Windsor en a été terriblement retournée, mais elle a dit que ça devait arriver. Blanche n'avait jamais bien compris la manière dont ce truc marchait. Elle laissait toujours le repas cramer, la baignoire déborder, le fer à repasser brûler les draps. Elle ne faisait jamais attention. Elle n'avait pas dû fermer correctement le couvercle de la Cocotte-Minute et il avait sauté. Manque de pot, elle était juste devant.

— C'est horrible !

Cissy avait la nausée. La gamine brune qu'elle imaginait la regarda avec un grand sourire et un trou béant dans le cou.

— Grand-mère a dit que c'était étonnant que Blanche n'ait pas mis le feu à la maison. Elle avait toujours les yeux dans le vague, elle semblait toujours se raconter une histoire dans sa tête, une aventure bien plus intéressante que la vie qu'elle menait. Parce que c'était sacrément ennuyeux d'être notre bonne, à grand-mère et à nous.

— Tu étais là ? demanda Cissy. Quand c'est arrivé ?

— Aux toilettes, répondit Dede d'une voix terne. J'ai entendu l'explosion. Je suis sortie en courant, la jupe prise dans la culotte. Blanche était assise par terre, les mains sur la gorge, et un flot rouge foncé lui coulait sur la poitrine. Tout était rouge foncé. Elle ne m'a même pas regardée. Elle est seulement retombée en arrière, tout d'un coup. Grand-mère dit qu'elle était déjà morte. Quand on perd autant de sang, on est mort avant de s'en rendre compte.

— Seigneur Dieu !

Dede se frappa le genou avec sa boîte à mégots.

— Merde, ça vaut mieux que la façon dont Clint est parti, beaucoup mieux.

Elle s'interrompit.

— Un peu plus, et c'était moi. À peine quelques minutes plus tôt, je me trouvais au même endroit. D'après grand-mère Windsor, je devrais me demander pourquoi j'ai eu envie de faire pipi à ce moment-là et quel était le destin qui m'était réservé. Mais je ne peux pas raisonner comme ça. Qui sait quelle est la part du destin ?

— C'est effroyable de penser à ça, dit Cissy en observant la main de Dede.

— Ouais, pendant un moment, j'ai fait des cauchemars à cause de Blanche. Je rêvais que je venais vérifier la Cocotte, que je serrais bien le couvercle et que Blanche ne mourait pas. Je rêvais qu'elle m'appelait juste au moment où elle explosait. J'ai même rêvé qu'elle venait s'asseoir sur mon lit pour me parler.

Cissy frémit. Elle repensait aux rêves dans lesquels Randall venait lui parler. Elle avait souvent rêvé à ça, au cours des deux derniers mois. Il s'asseyait sur le lit, l'appelait son « bout de chou » tout en se grattant la moustache et en examinant la chambre.

— Je sais que j'ai pas du tout été un papa correct, disait-il. Je voulais l'être, mais j'ai jamais eu la fibre paternelle. Il faut dire que personne ne m'a élevé, moi non plus. D'ailleurs, regarde un peu comment j'ai tourné.

Puis il souriait largement. On aurait dit qu'il savait que ses paroles n'avaient rien de rassurant.

— Je plaisante, bout de chou, ajoutait-il. Je veille sur toi.

— Grand-mère m'a dit que c'était mauvais signe de rêver à un fantôme. Elle a répandu du sel tout autour du lit et m'a dit que ça ferait cesser les cauchemars. Au bout d'un moment, ça a marché, ou alors ils se sont arrêtés tout seuls. Ils se seraient peut-être arrêtés de toute façon.

Cissy se demanda si elle avait envie de ne plus rêver à Randall. Est-ce qu'elle devrait verser du sel sous son lit ? Est-ce que Clint allait maintenant se manifester dans ses rêves ?

— Raconte-moi ton plus beau souvenir d'enfance.

— Le plus beau ?

Cissy ferma les yeux et serra les lèvres pour mieux se concentrer. Lentement, un sourire fleurit. Elle ouvrit les yeux.

— Le spectacle de feu que Randall a organisé pour mes cinq ans.

— C'est quoi, un spectacle de feu ? demanda Dede avec une sincère curiosité.

— Un truc qu'il avait inventé.

Le sourire de Cissy s'élargit à ce souvenir.

— Randall avait une grande statue d'oiseau près de sa piscine. Elle était vieille, affreuse, en métal noir, avec des angles coupants. Delia la détestait. Mais Randall s'en servait pour y accrocher des trucs – des mobiles, des rubans, des ballons pour les fêtes. Ce soir-là, il y a scotché tous les sacs-poubelles que Delia gardait. Elle ne jetait jamais rien et il a dit qu'il était temps d'utiliser ce qu'elle accumulait. Après le coucher du soleil, il a mis le feu aux sacs, l'un après l'autre.

— Il a brûlé un tas de sacs-poubelles ? Qu'est-ce qu'il y a là d'extraordinaire ?

— Ils ont brûlé en couleurs. Des tas de couleurs. Certains ne voulaient pas prendre feu et faisaient seulement de la fumée dégoûtante, mais d'autres explosaient dans une lueur rouge, vert, bleu, doré, tout mélangé, comme de l'eau huileuse. La couleur changeait à mesure que la flamme consumait le sac. Randall a alors attrapé un paquet de sacs, les a reliés avec une ficelle, il y a mis le feu et les couleurs changeaient quand la flamme passait d'un sac à l'autre.

Cissy se balançait tout doucement, perdue dans ses souvenirs.

— C'était vraiment dingue, étrange et merveilleux. Une fois la nuit tombée, c'était encore mieux : Randall a fouillé la maison pour chercher des trucs en plastique. Il a tout brûlé, même les rideaux de la cabane, près de la piscine.

— C'est bizarre.

Dede souleva le couvercle de la boîte, prit un mégot et l'alluma.

— Ouais. Delia a été furieuse quand elle est revenue à la maison. Des trucs noirs traînaient partout sur l'herbe et du plastique fondu était collé sur la statue et les dalles en pierre. J'avais une brûlure au pied et Randall avait les manches de sa veste déchirées. Elle était vraiment en pétard.

— J'imagine.

— Mais ça m'avait plu.

— Bon, t'avais cinq ans. C'est normal.

— C'était beau, insista Cissy.

Dede inhala la fumée.

— J'aime le feu, dit-elle. J'ai toujours aimé ça. Grand-mère Windsor ne me laissait rien brûler. Elle me faisait rassembler toutes les feuilles et les ordures, mais ne me laissait pas les brûler. Elle demandait à Amanda de le faire. Amanda déteste le feu.

Cissy pensa à Amanda. Oui, elle détestait sûrement le feu.

— Et toi, c'est quoi ?

— Quoi ?

— Ton plus beau souvenir d'enfance.

Dede haussa les épaules et souffla sur l'extrémité de son mégot.

— J'sais pas. J'aimais bien les vaches. Grand-père Windsor avait deux très bonnes laitières, des vieilles dames vaches avec les pis gonflés qui pendouillaient. Il s'arrangeait pour qu'elles donnent encore du lait et elles avaient beaucoup de place dans la grange. De la paille à l'odeur douceâtre et des murs bien récurés et passés à la chaux. Cette grange à traite était plus propre que la maison et j'aimais bien m'y cacher. En hiver, je chipais des tasses de lait tiède dans les seaux, je grimpais dans le râtelier et je le buvais lentement.

— C'était sucré ?

Cissy essayait de s'imaginer quel goût avait le lait tiède tout juste sorti du pis.

— Non, pas sucré. Mousseux et drôle. Si les vaches avaient eu peur ou avaient mangé quelque chose de pas bon pour elles, le lait était un peu aigre, ou prenait un goût curieux. Mais ça m'était égal. Je mettais du pain à tremper dedans et je mangeais ça à la place du dîner quand grand-mère était en colère contre moi. On n'avait pas envie de s'asseoir à table quand elle était en colère.

— Elle a l'air du genre à se mettre facilement en colère.

— Ouais, mais c'est surtout qu'elle était tout le temps fatiguée. Amanda disait qu'elle donnait l'impression d'être usée et de vouloir débrayer jusqu'à sa mort. Les seules fois où elle avait l'air heureuse, c'était quand elle était seule. Tu arrivais dans le jardin ou quelque part où elle te voyait pas, et elle avait un bon gros sourire aux lèvres, bien détendu. Et puis, elle t'apercevait et son visage devenait sévère et triste. Je ne crois pas qu'elle ait tellement de souvenirs heureux.

Cissy songea à l'expression de grand-mère Windsor, pendant l'enterrement, et à Amanda et Dede qui avaient grandi chez elle. Les deux filles se trouvaient à quelques pas d'elle et elle ne leur avait pas accordé un seul regard.

— Quel est ton plus mauvais souvenir ?

Dede ne prit même pas le temps de la réflexion.

— Clint, il représente tous mes mauvais souvenirs.

Cissy tressaillit. Elle avait chaud aux joues et, sous ses yeux, la peau était collante de transpiration. Elle se rappelait à quel point il avait été terrorisé et désespéré la semaine précédente.

— Qu'est-ce qu'il faisait ?

— Ce qu'il faisait ? dit Dede d'une voix irritée. Il n'avait pas besoin de faire quoi que ce soit. Il suffisait qu'il arrive et tout allait de travers. Grand-père Windsor se mettait à jurer et à être méchant avec grand-mère. Et elle, elle courbait l'échine et commençait à être méchante avec nous.

Elle secoua la tête.

— La plupart du temps, Clint ne faisait rien. Il arrivait soûl ou paraissait tout juste dessoûlé. Tu peux pas t'imaginer ce qu'il sortait à grand-mère, et il nous regardait comme si on était des chiens en travers de son chemin. C'était mauvais signe quand on le voyait, c'est tout.

Dans la main de Dede, le mégot s'était consumé jusqu'au filtre. Elle l'écrasa sur une pierre, entre ses jambes.

— Grand-mère nous obligeait toujours à aller lui rendre visite. On mettait une belle robe, on allait là-bas, on s'asseyait à table et il restait là à nous regarder de son air idiot, comme s'il venait d'être renversé par un camion. À son odeur, on aurait pu croire qu'il avait posé les fesses dans du lait tourné. Il semblait toujours s'être arraché la peau en se rasant. On pouvait rien dire, rien faire. On mangeait ce que grand-mère avait envoyé et on essayait de bavarder un peu, mais c'était pas la peine. Le pire, c'est que tout le monde savait qu'il était notre papa et nous regardait en se disant qu'on allait devenir des bonnes à rien, comme lui. On avait l'impression d'être les enfants d'un criminel ou quelque chose comme ça. Mon Dieu !

Cissy se passa la langue sur les lèvres.

— Les gens me dévisageaient aussi de la même façon. À cause de Randall, de Delia et tout.

— C'est parce qu'ils étaient célèbres, dit Dede en crachant par terre. C'est pas la même chose.

— Peut-être, mais, parfois, c'était pas marrant.

Cissy se frotta les tempes. Elle se rappela la gêne qu'elle éprouvait. Une fois, Randall s'était fait arrêter pour excès de vitesse. Les journalistes étaient venus chez eux et avaient pris des photos de Delia et d'elle à travers les vitres.

— Bon, c'est ton tour, dit Dede. Raconte-moi la pire chose que tu te rappelles.

— Des disputes ! s'écria immédiatement Cissy. Delia et Randall qui se disputaient. Ils gueulaient, cassaient des trucs, s'injuriaient. Delia pleurait et hurlait. Avant qu'on déménage, ils se bagarraient beaucoup.

Dede haussa un sourcil.

— Il la frappait ?

— Non. Randall n'a jamais frappé personne.

Cissy gigota, mal à l'aise.

— Il cassait des choses. La fois la plus horrible, il était tellement furieux qu'il s'est mis à traverser la salle de séjour en renversant les meubles à coups de pied. Il a fait voler en éclats les petites tables et les lampes, il a arraché les rideaux et jeté des tas de trucs dans la cheminée – les cendriers, la vaisselle, tout ça.

— Tu étais là ?

— J'étais dans l'escalier. Ils ne savaient même pas que je les observais.

— Oh !

Dede avait l'air déçue.

— Randall a continué à beugler et à tout renverser, poursuivit Cissy. Quand Delia lui a dit qu'il était un minable, moins qu'un chien, il s'est mis à balancer des coups de pied dans la grande table basse devant le canapé. Delia a hurlé : « Espèce de sale dingue ! » mais ça ne l'a pas empêché de continuer. Il s'est cassé le pied.

— Il s'est cassé le pied ? répéta Dede en riant.

— Ouais, il est resté deux mois dans le plâtre. Il m'a dit que c'était une leçon pour nous tous, qu'il ne fallait pas laisser la colère vous faire perdre la tête.

Cissy s'appuya au mur du garage et scruta l'amoncellement des nuages dans le ciel. Si Randall prenait vite la mouche, sa colère retombait aussitôt, comme des nuages qui se dispersent. Son sens de l'humour était pareil, brusque, tordu, et virait à la tristesse sans avertissement. Il avait un caractère changeant. Comme son père. Cissy avait encore du mal à croire qu'il s'en était allé, qu'il ne réapparaîtrait pas un jour avec son sourire paresseux pour la serrer très fort contre lui. Il ne pouvait pas être mort. Elle ne parvenait pas à se le mettre dans le crâne. Certaines pensées ne voulaient pas y rester.

— Il s'est cassé le pied !

Dede se pencha en avant et se releva en pesant sur ses talons.

— J'aurais bien aimé voir ça. Et si Clint s'était cassé son triste cul, un jour, j'aurais bien voulu être là aussi.

Elle fourra sa boîte à mégots dans une poche arrière et sourit à Cissy.

— Tu racontes bien les histoires, petite sœur. Vraiment bien.

En retournant vers la maison, elle flanqua des coups de pied dans les feuilles pour qu'elles se dispersent devant elle.

Cissy baissa les yeux sur le verre posé entre ses jambes. Il était vide, à présent, mais contenait une pellicule collante de Coca et de scotch. Clint lui avait dit qu'il aimait boire du whisky, du Wild Turkey ou du Jim Beam. Il en avait parlé comme s'il n'y avait rien de meilleur au monde. Elle essaya de se rappeler ce que buvait Randall… tout ce qui lui revenait, c'était le souvenir d'une bouteille brun rougeâtre, sans marque, posée à son chevet. Cette fois, elle ne savait plus qui la faisait pleurer, Clint, Randall ou elle-même.

La dernière visite qu'Amanda avait rendue à grand-mère Windsor remontait à quelques semaines après son emménagement chez Clint. Elle avait été brève et humiliante. Équipée de sacs en papier, sa grand-mère vint à sa rencontre sur la route et lui demanda de se rendre utile en ramassant les détritus apportés par le vent. Obéissante, Amanda traînait derrière elle, ramassait boîtes de conserve, bouteilles, journaux, cartons à lait.

— Ne les mets pas ensemble. Trie-les ! lui beugla la vieille dame, et, quand Amanda essaya d'évoquer Delia, grand-mère Windsor l'envoya ramasser les ordures de l'autre côté de la route. Si tu veux m'aider, aide-moi, dit-elle en lui faisant clairement comprendre qu'elle ne voulait parler ni de Delia, ni du déménagement, ni de Clint, ni de ce qui se passait dans cette maison.

Amanda traversa enfin la route pour embrasser sa grand-mère sur la joue, attrapa ses sacs de détritus et se rendit à l'arrêt du car. Elle ne retourna plus chez grand-mère Windsor et n'en donna la raison à personne.

Trois jours après l'enterrement, Amanda décida de faire une nouvelle tentative.

— Je t'ai apporté des noix de pécan, annonça-t-elle à grand-mère Windsor en posant un sachet sur la table de la cuisine.

La vieille dame pinça les lèvres.

— Elles viennent de ces arbres rachitiques de Terrill Road ?

— Oui, de chez Clint, acquiesça Amanda avec un signe de tête.

Grand-mère Windsor eut un reniflement de mépris.

— Ils donnent des petites noix farineuses tout juste bonnes pour les cochons.

Amanda rougit. Elle ne s'était pas attendue à ce que la vieille dame lui fasse fête, mais pourquoi se sentait-elle obligée de l'insulter ? Ça la vexait qu'elle détourne tout le temps la tête. Le cou de grand-mère Windsor semblait encore plus minable qu'à l'enterrement, ses joues et ses mains étaient rouges et crevassées. C'était l'automne, les arbres lâchaient leurs feuilles dans tout le jardin et tous les fossés. Grand-mère Windsor emmena Amanda à l'endroit où elle dépotait ses fleurs, vidait la vieille terre et alignait les pots pour les rincer avec le tuyau d'arrosage. Elle avait un sécateur dans son tablier et ne cessait de le sortir pour couper des choses – une tige de mûrier sauvage qui dépassait de la clôture, une mauvaise herbe dans le carré de légumes, quelques branches dans les buissons près des marches.

— Grand-mère, je voudrais te dire quelque chose.

— Me dire quelque chose ?

Grand-mère Windsor cessa de s'activer, le temps d'apercevoir les joues cramoisies d'Amanda. À contrecœur, elle s'installa sur le banc, à côté des bidons d'engrais, près d'un tas de branches de pommier coupées à l'automne. Amanda se souvint qu'elle insistait toujours pour faire élaguer les arbres en automne. Grand-mère Windsor tira vers elle deux longues branches et se mit à les cisailler pour obtenir des petits bouts, bons à jeter dans sa brouette. Elle aimait le bois de pommier pour y fumer de la viande, se rappela Amanda. Elle regarda le visage sévère de sa grand-mère et constata une nouvelle fois à quel point elle avait vieilli. La culpabilité l'envahit. Pendant tout ce temps, elle n'était même pas allée la voir.

— Alors, qu'est-ce que tu voulais me dire ?

Les yeux de grand-mère Windsor étaient fixés sur les morceaux de bois qu'elle coupait. Elle voulait peut-être se montrer gentille, la laisser parler sans la bousculer, mais Amanda prit cette attitude pour de l'impatience, une impatience identique à la sienne. On aurait dit que grand-mère Windsor s'était débarrassé l'esprit de ses petites-filles quand elles étaient allées vivre avec leur mère et que, maintenant, elle éprouvait de l'irritation à se retrouver face à Amanda.

Il ne faut pas que je pense ça, se dit Amanda. Je vais me montrer aimante. Elle s'obligea à prendre plusieurs inspirations profondes.

— C'est au sujet de papa, dit-elle enfin. Pendant tous ces derniers mois, je me suis assise auprès de lui et j'ai essayé de prier comme tu m'as appris à le faire. Tu sais bien – mon Dieu, que ta volonté soit faite, et non la mienne. Sauf que je n'étais pas bien sûre de ce qu'était ma volonté, de ce que je voulais.

Grand-mère Windsor continua à cisailler les branches et remplit lentement la brouette.

— Je ne l'aimais pas.

Amanda parlait tout doucement mais le sécateur de grand-mère Windsor s'arrêta.

— Je regrette, s'empressa d'ajouter Amanda avant de se cacher le visage dans les mains.

Comme grand-mère Windsor gardait le silence, Amanda poursuivit :

— J'ai toujours eu peur de lui. J'ai toujours dû lutter pour ne pas le détester. Je me rappelle la fois où il t'a frappée.

Elle entendit que sa grand-mère maniait de nouveau le sécateur, plus vite, maintenant.

— Je sais qu'il était soûl. Je sais, tu as dit qu'il n'en avait pas l'intention. Mais, apparemment, chaque fois qu'on le voyait, c'était terrible. Ou bien il était soûl, ou furieux, ou bien il se disputait avec grand-père ou était méchant avec toi. Je n'ai jamais pensé à lui comme à un vrai père.

— C'était ton père. Je t'ai appris à le respecter.

Les mots étaient bas mais distincts.

— Oui, oui. Et j'ai fait ce que tu as dit, grand-mère. J'ai fait semblant de croire que Jésus était avec lui, veillait sur lui et l'attendait. Mais quand nous avons dû aller vivre là-bas, dans la même maison que lui – et avec elle –, je n'ai pas pu le supporter. Je me suis rendu compte que rien ne pouvait m'empêcher de ressentir ce que je ressentais et que je le détestais.

Les épaules d'Amanda tremblaient.

— J'avais tellement honte, tellement honte...

Grand-mère Windsor la regarda. Elle avait une expression indéchiffrable, les paupières rougies, les yeux écarquillés.

— Il était ton père, dit-elle. Mon fils. C'est à Dieu de le juger, pas à nous.

Amanda se mit à pleurer.

— Allons, c'est pas la peine, ma petite.

Grand-mère Windsor posa les deux mains sur ses genoux, une paume refermée sur le sécateur.

— Dieu connaît notre âme. On ne peut pas être meilleur qu'on n'est. Tu tiens de ta mère autant que de Clint ou de moi.

Elle pinça les lèvres.

— Je doute qu'elle t'ait beaucoup enseigné la charité. Vu la haine qu'elle éprouvait pour lui, qu'est-ce que tu pouvais apprendre d'autre que la haine ?

— C'est pas ça, dit Amanda. Elle s'est bien occupée de lui. Elle ne l'a jamais critiqué devant nous.

Grand-mère Windsor grogna.

— Elle le détestait.

Amanda se pencha en avant.

— Il était mourant. Ça faisait presque deux ans que je n'avais pas vu papa et, dès que je suis arrivée là-bas, j'ai compris que ça n'allait plus être long. Il avait un tel aspect et une telle odeur... On aurait dit que des souris se reproduisaient dans cette chambre. Ça puait l'herbe et le sang pas frais. J'entrais là-dedans pour lui lire la Bible, mais ça me donnait des haut-le-cœur de me trouver dans la même pièce que lui.

Amanda s'essuya les yeux.

— Mais elle, elle y allait, elle et Cissy. Delia y allait pour s'occuper de lui et Cissy lui donnait à manger ou restait simplement assise près de lui pour lui parler. On entendait leurs voix à travers la cloison de notre chambre.

— Qu'est-ce qu'ils disaient ?

— Je n'en sais rien. Je ne comprenais pas les mots.

— Ils racontaient des mensonges.

La note d'impatience était revenue dans la voix de grand-mère Windsor.

Amanda prit une nouvelle inspiration profonde et ferma les yeux. Elle ne voulait pas voir le visage de grand-mère Windsor quand elle dirait ce qu'elle était sur le point de dire. Elle ne voulait pas y lire la pitié, le mépris ou l'incrédulité.

— Je crois que j'ai vu le Saint-Esprit.

— Le Saint-Esprit ? demanda grand-mère Windsor d'une voix prudente.

— Oui.

La vieille dame leva une main et se frotta le cou. Son regard erra du visage affligé d'Amanda à son jardin. Tant de travail, disait son expression. Tant de travail à faire et je reste les bras croisés.

— Grand-mère, je croyais qu'il était damné.

Le débit d'Amanda était précipité.

— J'étais sûre qu'il irait tout droit en enfer. Il ne voulait pas de pasteur dans la maison. Il a dit que ce n'était pas avec Dieu qu'il avait besoin de se réconcilier. Il nous a demandé de lui pardonner. Un soir, il nous a fait venir sur le seuil, Dede et moi, et nous a demandé de lui dire si on lui pardonnait. Bien entendu, j'ai dit oui, mais je sais que je ne le pensais pas. Je crois qu'il s'en est aperçu.

— Et Dede, qu'est-ce qu'elle lui a dit ?

— Qu'il était un imbécile et qu'il ferait mieux de la laisser en dehors de son merdier.

Grand-mère Windsor sourit.

— Ensuite, j'ai eu peur d'entrer là-dedans. Quand Cissy m'a dit de le laisser tranquille, j'étais contente. Mais je continuais à aller jusqu'à la porte et à jeter un coup d'œil. Je m'imaginais que je devais faire la paix avec lui, d'une manière ou d'une autre. Je savais que Dieu parlait à mon cœur. Un soir, je me suis avancée sur le seuil pendant que Delia le lavait.

— Elle le lavait ?

Grand-mère Windsor semblait sceptique.

— Avec de l'alcool. Elle le nettoyait et le séchait. Il arrêtait pas de répéter : « Seigneur Dieu ! Seigneur Dieu ! » et j'ai pensé que c'était étrange de l'entendre dire ça. Tout ce qu'il avait sur lui, c'était ce caleçon trop grand, et les draps formaient une espèce de coque autour de lui. On aurait dit une peinture du Moyen Âge, Jésus au tombeau avant que les anges viennent le chercher.

Elle se tut, frissonnant à ce souvenir. Pendant ce silence, grand-mère Windsor dit :

— Elle le lavait.

— Oui. Oui, je sais. C'était vraiment curieux. Comme un rêve. Dans cette petite pièce sombre éclairée par une seule lampe, on avait l'impression qu'ils se trouvaient dans une grotte. Et lui qui répétait : « Seigneur Dieu ! Seigneur Dieu ! » de sa voix caverneuse pendant que Delia lui disait : « Chut, chut ! »…

— J'arrive pas à l'imaginer en train de le laver. Après tout ce temps, après la manière dont elle s'est conduite.

Grand-mère Windsor regardait les branches de ses pommiers. Amanda sentit une nouvelle bouffée d'irritation monter en elle.

— Mais je ne t'ai pas encore raconté ce que j'ai vu, dit-elle.

Grand-mère Windsor se tourna vers elle.

— Eh bien, vas-y.

— J'étais à la porte et je les observais, comme je te le disais. Ils se trouvaient dans le petit cercle de lumière projeté par la lampe. Et, tout d'un coup, bizarrement, ça s'est inversé. À un moment donné, ils se trouvaient dans le cercle de lumière, entourés par l'obscurité, et, l'instant d'après, ils étaient tout sombres et le reste de la pièce était vivement éclairé. J'ai regardé les murs, ils rayonnaient. J'ai levé les yeux, le plafond semblait avoir pris feu. Il brillait comme un diamant, et puis, il s'est adouci, il est devenu jaune comme du beurre. Il est descendu sur eux jusqu'au moment où ils ont été de nouveau éclairés d'une couleur jaune et chaude. Ça les éclairait tellement que je voyais les os à l'intérieur de leur corps, la lumière leur traversait la peau. Seuls les os de papa tremblaient et bougeaient et je me suis rendu compte que par « Seigneur Dieu ! » il ne voulait pas dire merci ou ça fait du bien. Il disait : « S'il te plaît, s'il te plaît, mon Dieu ! » Et Dieu l'a entendu.

Grand-mère Windsor fronça les sourcils, mais Amanda confirma ses paroles en hochant fermement la tête. Là-dessus, elle était catégorique. Voilà ce qu'elle avait voulu raconter à sa grand-mère. Voilà de quoi il s'agissait.

— Ça n'a duré qu'un instant, grand-mère. Pas plus, mais c'était un instant plein de lumière. Je comprenais ce qui était en train de se passer. Je voyais l'âme de papa dans le tremblement de ses os. Je sentais l'amour de Dieu dans cette lumière jaune.

— Allons, Amanda !

Grand-mère Windsor se gratta le front.

— Non, grand-mère. Non. Écoute, j'ai vu tout ça, dit Amanda, les lèvres tremblantes de concentration. Quand cette lumière est passée du sombre au brillant, de plus en plus brillant, quand le plafond et les murs ont été embrasés et qu'elle est descendue sur eux, elle a bougé entre eux, comme quelque chose de vivant. Elle passait de l'un à l'autre, les illuminait de l'intérieur, et puis elle est remontée. Je l'ai vue traverser le plafond, l'air, arriver au ciel et venir se placer près de la main droite de Dieu.

— Tu as vu la main de Dieu ?

— Non, je l'ai sentie. J'ai senti la main de Dieu et la lumière qui s'en dégageait. C'était le Saint-Esprit, grand-mère, et il soufflait sur papa. Je l'ai senti. Je l'ai reconnu. Et j'ai tout de suite compris que je n'avais pas besoin de pardonner à papa, parce que Dieu l'avait déjà fait.

— Oh ! Seigneur !

Grand-mère Windsor sembla soudain fatiguée. Elle regarda une nouvelle fois sa petite-fille et vit son visage s'affaisser.

— Je l'ai compris, grand-mère, je l'ai entendu en moi. C'était un murmure qui sortait de la bouche même de Dieu.

— De Dieu.

La vieille dame leva les yeux vers le ciel.

— Bon, dit-elle. Bon.

Elle agrippa le sécateur à deux mains.

— Elle n'a jamais rien dit sur moi ? demanda-t-elle soudain.

Amanda s'essuyait les yeux.

— Quoi ?

— Delia. Elle n'a jamais rien dit sur moi ?

Amanda la dévisagea.

— Elle nous a dit de t'appeler. Que nous devrions venir te voir. Elle a dit qu'elle nous amènerait en voiture.

— Hum !

— Elle ne parle pas de toi, grand-mère.

— Tant mieux.

La vieille dame se remit à couper les branches de pommier. Amanda l'observa, perplexe.

— Tu n'as rien à me dire ?

— À quel propos ?

— À propos de ce que je viens de te raconter. À propos de l'Esprit et de la lumière.

Grand-mère Windsor soupira.

— Je crois que tu réfléchis trop, Amanda. Beaucoup trop, et beaucoup trop sur toi-même. Pourquoi est-ce que tu ne retournerais pas à la maison pour faire quelque chose d'utile au lieu de me raconter toutes ces sornettes ?

Amanda en resta bouche bée. Elle avait les yeux inondés de larmes. Grand-mère Windsor se leva, attrapa les bras de la brouette et la poussa vers le hangar à bois.

À la maison, pensa Amanda. Pour grand-mère Windsor, la maison, c'était chez Delia, maintenant. Elle jeta un regard dans le jardin où elle avait vécu plus de dix ans. C'était là qu'aurait dû être sa maison ; ce n'était pas le cas. Amanda ravala un sanglot et se rappela cette lumière beurre frais, la manière dont les mains de Delia se déplaçaient sur le corps amaigri de Clint. Elle l'avait lavé avec une si grande tendresse, comme une mère baigne son enfant.

Dans cette chambre, il y avait eu de l'amour, Amanda en était sûre, du pardon et l'acceptation du destin. Dieu avait envoyé Son amour dans cette pièce et en avait fait un lieu protégé pour deux personnes qui avaient des raisons de se détester. Amanda frissonna à ce souvenir et le compara à la froideur qu'irradiait sa grand-mère. Toute sa vie, Amanda avait eu l'impression d'être gelée. Toute sa vie, elle avait été seule. Mais Dieu avait rempli cette pièce de chaleur et de sécurité. Dieu pouvait réchauffer le fer. Dieu pouvait réchauffer le cœur le plus glacé.

— Seigneur ! murmura Amanda dans l'air frais de l'automne. Seigneur, pardonne-moi, à moi aussi. Seigneur, bénis mon cœur noir et amer, et je T'honorerai comme mon Père. Je glorifierai Ton nom et répandrai Ta lumière. Seigneur, bénis-moi et je serai Ton enfant.

Elle se baissa, ramassa un morceau de bois sec couvert d'épines, le roula dans sa main et serra le poing. Elle vacilla légèrement, sentit sa peau se déchirer et imagina le sang en train de couler dans sa paume.

— Je serai Ton enfant, répéta-t-elle.

Le sentiment qu'Amanda avait d'être aimée de Dieu était sincère et absolu. Elle était née dans le péché. Elle avait été élevée à la dure, mais Dieu veillait sur elle. Elle allait œuvrer à répandre la lumière divine, cette lumière qu'Il lui avait personnellement montrée. Elle allait à l'église comme d'autres allaient se coucher, reconnaissante, heureuse, l'âme en paix. Elle laissait Michael Graham lui prendre la main, levait les yeux vers lui et sentait le souffle de Dieu se mêler à sa propre respiration. Sa seule inquiétude était de ne pas être digne de la lumière qu'elle avait vue, et que personne ne s'occupe de son corps mourant, ne le baigne tendrement, ne l'aime profondément. Dans un coin de son cerveau, il y avait toujours la voix de sa grand-mère, qui prononçait son nom avec impatience : « Amanda, retourne à la maison. »

Amanda s'examina longuement, sans complaisance. Elle vit son visage ingrat, son cœur stérile. Dieu, apprends-moi à aimer, supplia-t-elle. Rends-moi estimable. Elle était la fille de Delia Byrd, celle de Clint Windsor. Elle était cette enfant qu'aucun d'eux n'avait suffisamment aimée pour la garder auprès de lui. Elle comptait parmi ceux qui devaient faire des efforts afin de mériter la lumière, mais la vie était semée d'embûches et la sienne n'était pas aussi dure que bien d'autres.

Amanda serra les dents et s'attela à la poursuite d'un amour qu'elle n'imaginait que confusément.

12

Quatre mois après la mort de Clint, Emmet Tyler entra au Bonnet avec un grand sac en papier marron serré sous le bras et une expression d'infini désespoir gravée sur son visage.

— C'est à ma femme. Elle est malade.

Avec hésitation, il tendit le sac à Delia.

— J'espérais que vous pourriez en faire quelque chose.

Le sac contenait la perruque de rechange d'Amy Tyler. La plus belle avait subi ce que l'infirmière à domicile appelait un « regrettable accident ». En effet, elle ne voulait pas reconnaître qu'elle avait laissé Amy seule assez longtemps pour qu'elle s'endorme en fumant une cigarette qui avait fait un gros trou noir sur le côté de la perruque. Amy n'aurait pas dû être seule, et n'aurait certainement pas dû fumer.

— Bon, ce genre de choses, ça arrive, avait dit l'infirmière à Emmet.

— Apparemment, avait-il répliqué.

Ses mains en tremblaient. Il avait eu envie de la frapper, lui qui n'avait jamais frappé une femme de sa vie.

La perruque de rechange était maintenant tout ce dont disposait Amy, même si elle parlait encore d'une voix rêveuse de celle qu'elle avait perdue, une perruque en cheveux naturels commandée dans un atelier de Floride et offerte par ses amis du cabinet d'assurances.

— Où est-elle passée ? ne cessait-elle de demander.

Elle semblait croire qu'Emmet la lui avait cachée, ou l'avait donnée à une femme, au tribunal.

Amy avait tendance à oublier où étaient les objets, ces temps derniers. Entre le brouillard que les drogues faisaient peser sur son cerveau et la lente dégradation de sa mémoire, beaucoup de choses lui échappaient. Parfois, elle se rappelait qu'elle avait mis le feu à la perruque et devait s'estimer heureuse de ne pas avoir brûlé avec elle. Parfois, la perruque, le cancer et même le visage d'Emmet s'éloignaient, réalité qu'elle ne pouvait plus appréhender. Était-elle vraiment une femme adulte, avec deux enfants mort-nés et un mari qui travaillait trop souvent la nuit, patrouillait sur les routes secondaires et buvait du café noir ? Ou bien était-elle toujours la jeune fille qui ne s'était pas encore décidée à épouser ce Tyler au joli visage, la jeune fille qui envisageait d'aller à Nashville pour préparer son diplôme d'infirmière ? Comment avait-elle fini par taper des imprimés d'assurances, par faire tant de fausses couches qu'elle se croyait marquée par Dieu, puis à devenir si malade, et à une telle rapidité ? Est-ce que tout cela n'était pas un mauvais rêve ? Emmet ne savait plus vraiment à quelle Amy il parlait. Tout ce qu'il savait, c'est que sa femme était effrayée, embrouillée, et souffrait.

— C'est difficile de mourir, lui dit le pasteur baptiste.

Emmet se doutait bien qu'il voulait le réconforter, mais les mots étaient durs.

— C'est du boulot, concéda Emmet. J'aurais jamais cru que ça donnait autant de boulot.

Il était venu au Bonnet pour faire nettoyer et coiffer la perruque, mais sans grand espoir qu'on parviendrait à un résultat. C'était seulement un modèle de secours, bon marché, que l'hôpital avait donné à Amy avant l'arrivée de sa belle perruque. L'infirmière avait suggéré à Emmet d'aller acheter à Kmart deux ou trois turbans en velours, qui feraient l'affaire, mais Emmet savait qu'Amy en pleurerait. Il voulait que cette perruque soit transformée, d'une manière ou d'une autre, pour ressembler aux vrais cheveux d'Amy, avant que le traitement et l'alitement prolongé ne les aient réduits à de la paille fine, clairsemée. Il voulait que rien de plus ne vienne humilier Amy, interrompre ces moments durant lesquels elle s'imaginait que le lit était un rêve et elle-même une jeune fille qui riait tout bas quand il lui faisait la cour. Il voulait qu'elle reste dans ce rêve pendant tout ce qui allait être, selon l'avertissement du médecin, une maladie à évolution lente et terrible. Mais, si elle devait être consciente, il voulait qu'on s'occupe d'elle aussi bien que possible. Il voulait être prêt, juste au cas où elle se réveillerait complètement ; il voulait qu'elle puisse mettre cette perruque et voir une dernière fois ses amis sans honte ni embarras. Il voulait qu'Amy meure sans devoir montrer son crâne presque chauve à quiconque sauf à lui.

Tout ce chagrin, tout cet espoir se lisait sur ses traits au moment où il tendit le sac à Delia. Quand il bredouilla sa requête, elle entendit un écho des derniers mois qu'elle avait passés avec Clint. Elle le considéra du regard d'acier de la femme qui n'a pas encore surmonté l'enterrement de deux maris. Elle comprit immédiatement l'amour épuisé qui motivait cet homme. *J'peux pas faire grand-chose, mais j'peux faire au moins ça.* Elle connaissait ce sentiment. En regardant Emmet Tyler, Delia se revit quelque temps plus tôt.

Quand on aide quelqu'un à mourir vient le moment où tout ce qui n'est pas nécessaire s'efface. Les anciennes colères et rancunes s'intensifient d'abord, puis perdent leur relief. La passion recule. Delia avait dû mobiliser toutes ses forces pour continuer à avancer pendant la maladie de Clint et, la moitié du temps, elle avançait pour échapper à ce qu'elle savait inévitable – le soulagement honteux qui surviendrait, une fois le travail accompli, le corps enterré, une fois que le vrai chagrin aurait débuté. Dans les mois qui avaient suivi le décès de Clint, elle avait enfin commencé à se souvenir de lui tel qu'il était quand elle l'avait épousé, tel qu'elle se l'était imaginé. Certains jours, elle avait l'impression d'atteindre les limites de l'exercice et prenait conscience de choses qui auraient été trop pénibles à entrevoir auparavant.

— C'est quoi… qu'elle a ?

Delia était sûre qu'Emmet la comprendrait. C'est quoi – un cancer. C'est quoi – un emphysème. C'est quoi – n'importe laquelle des manières redoutables de mourir lentement, de vider ceux qui entourent le malade jusqu'à ce qu'ils marchent comme marchait Emmet, qu'ils aient l'expression qu'il avait et qu'avait Delia quand Clint était mourant. Il y a un stade qui dépasse l'épuisement et rend non pas engourdi mais doué de prescience, et Delia s'adressait à quelqu'un qui avait atteint ce stade.

— Cancer du foie, dit-il.

Son regard l'obligea à s'approcher. Elle sortit la perruque du sac et la secoua. Derrière elle, M.T. toussa et annonça qu'elle allait balayer sous les bacs à shampooing.

— Vous en avez besoin pour quand ?

Le ton de Delia était pratique. Elle gardait les yeux fixés sur la perruque, laissait courir les doigts dans les boucles auburn emmêlées. Elle se demandait si la couleur avait été choisie parce que c'était celle des cheveux qu'avait eus la femme d'Emmet ou si c'était tout ce dont disposait le comité de soutien, à l'hôpital. Elle avait vu arriver des femmes avec les perruques les plus laides et toutes avaient ce comportement curieusement impérieux, fragile. On ne savait jamais si elles allaient se mettre à pester ou à pleurer et, parfois, elles faisaient les deux à la fois. Les pires étaient celles qui essayaient de prétendre qu'elles n'étaient pas malades.

Delia leva les yeux et regarda Emmet. Il fixait la perruque, aussi bouleversé que les femmes qui éclataient en sanglots sous les doigts apaisants de Delia.

— Vous en avez besoin rapidement ? s'empressa-t-elle de demander d'une voix douce.

À deux mains, il repoussa ses cheveux de son visage. Il parlait d'une voix pâteuse tant il luttait pour ne pas montrer sa souffrance.

— Assez rapidement. Ouais. Si c'est possible.

Emmet repoussa de nouveau ses cheveux en arrière, même si aucune mèche ne dépassait. Il n'avait pas l'air de savoir quoi faire de ses mains. Il les laissa tomber le long du corps, puis les fourra dans ses poches arrière.

— Je vous paierai ce qu'il faudra, vous savez. Je… je voudrais juste l'avoir le plus rapidement possible.

Tous les muscles de son corps étaient crispés et le léger mouvement de sa tête indiquait que c'était le seul endroit détendu dans un écheveau de nœuds. Delia sentit une bouffée de chaleur la gagner. Ce n'était pas du désir, mais de la rage. Dieu exagère, songea-t-elle avant de se mordre la lèvre. Elle ne voulait pas recommencer à penser comme ça.

— J'arriverai peut-être à la laver et à faire la mise en plis ce soir. Vous pourriez la récupérer demain, une fois que je l'aurai coiffée. Vous avez un style particulier en tête ?

— Non. Juste ondulé, pas guindé. Amy n'a jamais eu de frisettes ni rien. Elle détestait les permanentes. Elle disait toujours qu'elle ne comprenait pas les femmes qui se donnaient tout ce mal pour un résultat qui n'était pas joli, de toute façon.

Il sourit pour la première fois. Delia se demanda s'il se rendait compte qu'il parlait déjà de sa femme au passé.

— C'est un drôle de zèbre, remarqua M.T. après son départ. Un peu tendre pour un shérif adjoint, dit-on.

— Shérif adjoint ?

— T'as pas vu sa chemise ? C'est celle de l'uniforme. Il ne portait pas sa veste, mais je sais comment sont les chemises. Je ne le connais pas, mais je connais ce type d'hommes. Tellement intègres qu'ils ne savent pas ce qu'est le péché, tu vois ?

Delia fit la grimace. Un shérif adjoint, la police. Elle n'aimait pas beaucoup la police. Pourtant elle avait aimé ce qu'elle avait lu sur le visage d'Emmet. Il faisait de son mieux dans une situation impossible. Il était peut-être intègre, mais il ne manquait pas de cœur.

Delia travailla tard ce soir-là pour laver et mettre la perruque en plis. Elle s'en occupa comme si c'était la sienne, fit deux shampooings, passa dans les fibres synthétiques une crème qu'elle avait découverte dans un catalogue de produits de beauté, puis les enroula sur de gros bigoudis en plastique. Enfin, elle plaça la perruque sur une étagère haute pour la laisser sécher naturellement pendant la nuit. Le lendemain matin, elle arriva tôt, la parfuma légèrement pour couvrir l'odeur tenace de chambre de malade, et la coiffa simplement, tout en souplesse. À l'heure du déjeuner, Emmet se présenta. Il avait l'air de ne pas avoir dormi du tout, de crainte que la perruque n'ait pas meilleure allure. Delia avait une drôle d'impression en se rendant compte qu'elle avait fait tout ça pour une femme qu'elle ne verrait jamais vivante.

Le respect se manifesta sur le visage d'Emmet.

— C'est parfait, murmura-t-il. Merci.

Quand Amy mourut, la semaine suivante, Delia assista à l'enterrement catholique. Elle fit un signe de tête au shérif adjoint et alluma un cierge avant de partir. Quelques mois plus tard, Emmet arriva au Bonnet juste avant la fermeture. Il vacillait sur ses jambes comme un bambin ou un très vieil homme. Ses cheveux plats lui tombaient dans les yeux, et ces yeux étaient larmoyants, avec des paupières rougies. Il est ivre, se dit Delia en regardant son visage en sueur.

— Madame Delia…

Il traîna sur le nom. Ivre mort, rectifia-t-elle en s'apercevant qu'il ne portait pas de chaussettes.

— Mame Delia…

— Byrd, je m'appelle Delia Byrd. Qu'est-ce que vous venez faire ici ?

— Je me disais que peut-être vous accepteriez de prendre un verre avec moi, ou de manger un morceau.

Il était à bout de souffle. Il oscilla sur ses pieds. Delia secoua la tête.

— Vous voulez lui faire honte dans sa tombe ? demanda-t-elle.

Emmet la regarda droit dans les yeux. Depuis des jours et des jours, il repensait à elle, dans l'église, à la manière dont elle s'était penchée sur ce cierge, avec la lumière qui se reflétait sur son cou. Elle avait eu la même douceur lorsqu'elle lui avait rendu la perruque d'Amy. Il s'était imaginé qu'il allait venir la voir, qu'il pourrait se reposer sur elle, qu'elle le prendrait dans ses bras. Elle était seule, d'après ce qu'il avait entendu dire. Elle avait perdu son mari de la même manière qu'il avait perdu sa femme. Il s'était imaginé qu'elle comprendrait, qu'elle l'accueillerait, le consolerait, que le contact de sa bouche était ce dont il avait besoin. Il ne s'était pas représenté ça, cette expression d'hostilité, ces bras serrés sur le ventre, comme si elle savait ce qu'il désirait et lui en voulait.

— Vous voulez bien venir boire un verre avec moi ? demanda-t-il.

— Non, dit-elle. Je prendrai un café avec vous, mais pas maintenant. Revenez quand vous ne serez pas ivre, et j'essaierai de me rappeler l'homme intègre que vous étiez. À ce moment-là, j'irai boire une tasse de café avec vous.

Honteux, il leva les mains et se les passa dans les cheveux.

— D'accord, dit-il. Je comprends. D'accord.

Il réussit à pivoter et à se diriger plus ou moins droit vers la porte.

Deux jours plus tard, Emmet revint, la peau à vif de s'être rasé de près, la tête basse, comme un petit garçon qui a besoin d'une maman pour lui donner une tape dans le dos et lui dire de se tenir droit. Delia l'observa tandis qu'il passait le seuil, remarqua la souplesse avec laquelle son corps se mouvait sur ses hanches robustes. Randall marchait comme ça, et Clint aussi. C'était quelque chose qu'elle remarquait toujours, ça, la manière dont un homme marchait quand il désirait une femme. Emmet n'avait pas revêtu sa tenue de shérif adjoint. Il avait soigné sa mise. Cheveux coiffés, chemise repassée, pantalon à pinces, étroit en bas, chaussures cirées.

Elle soupira et vit le visage d'Emmet se figer, obstiné. Nous verrons bien, pensa-t-elle. Elle dit tout haut :

— D'accord, un café.

Dede trouva finalement les limites de la Datsun un soir d'été, sur le viaduc de la Bowle River. Elle avait la permission de conduire la voiture de temps en temps, et uniquement avec Delia. Elle n'avait pas le droit de s'en servir seule la nuit, mais elle avait la conduite dans le sang et Delia ne semblait pas se rendre compte du risque qu'elle prenait en laissant les clés suspendues au crochet, sur la porte de la cuisine. Les premières fois qu'elle les chipa, Dede eut des remords pendant un instant, mais ce sentiment passa. Elle voulait conduire seule dans l'obscurité, filer sur les routes presque désertes et sentir l'air frais, humide de la nuit sur son visage. Elle avait quinze ans, elle était prudente et elle savait ce qu'elle faisait.

Elle attendait que Delia dorme à poings fermés et, prudemment, poussait la Datsun dans l'allée jusqu'au moment où elle pouvait mettre le contact sans risque. Dès la première fois, elle fut accro. La nuit était le meilleur moment pour conduire, vraiment le meilleur. Accompagnée par la brise qui s'engouffrait par les vitres, et par le tintamarre des grillons, elle ouvrait la bouche et se mettait à chanter. Elle faisait semblant de s'être enfuie de la maison. Quelque part, devant elle, l'homme qu'elle aimait l'attendait, un homme riche, fort, impatient qu'elle s'allonge à côté de lui et lui fredonne dans le cou.

— « *Whoa, sinner man* », chantait Dede.

Sa voix transformait l'hymne religieux qu'avait aimé grand-mère Windsor en rock and roll, le meilleur des blasphèmes, l'appel et l'éloge du pécheur qui guettait le baiser de Dede. Elle avait tout un lot de cassettes achetées d'occasion, ou envoyées en cadeau par Rosemary. Ses préférées étaient le Patti Smith Group et Todd Rundgren, des morceaux qu'elle chantait avec un accent passionné et brut. *GLORIA !*

— Ils ne passent jamais les meilleurs titres de Patti Smith à la radio, se plaignit Dede à Delia. Juste celui qu'elle chante avec Bruce Springsteen, mais jamais ses trucs plus agressifs. Je crois qu'elle leur fait peur.

Dede essaya même de convaincre Amanda que Patti Smith était une sorte de chanteuse de gospel si on y regardait bien.

— Son sujet, c'est Dieu. Écoute les paroles.

Son argument aurait pu remporter davantage de succès si elle n'avait pas été aussi portée à citer l'introduction de *Gloria*, où le rythme s'étire et où Patti chante d'une voix traînante : « *Jesus died for somebody's sins – but not mine*[1] *!* »

— Tu es folle, lui dit Amanda. Sérieusement folle.

— « *Jesus died for somebody's sins* », lui chantait Dede. Ça doit être pour tes péchés.

La nuit où Cissy grimpa dans la Datsun, Dede avait préparé la cassette de Wave, qu'elle passerait dès qu'elle aurait descendu une bonne partie de Terrill Road. Elles se disputèrent tout bas, furieuses.

— Je veux y aller.

— Tire ton cul de là, j't'emmène pas.

— Tu m'emmènes ou je le dis à Delia.

— Espèce de sale rapporteuse, de pleurnicheuse ! T'as intérêt à rien dire à personne.

Finalement, Dede accepta qu'elle vienne, mais seulement après lui avoir extorqué une promesse sacrée.

— Tu le jures ? Tu jures que tu ne me trahiras jamais ?

— Je le jure.

Cissy posa une main sur son ventre et l'autre sur son cœur.

Dede se mit à rire, mais accepta son serment. C'était plus facile d'être deux pour pousser la voiture dans l'allée, même si la présence d'un passager diminuait le plaisir de conduire et exigeait un moment d'adaptation. Cissy se taisait, mais elle était visiblement impressionnée par les capacités de Dede. Régulièrement, elle demandait à celle-ci de lui apprendre.

— Pas tant que je serai en vie, jura Dede. Tu ne décrocherais jamais ton permis. Tu serais recalée au test de vue.

— Je pourrais le réussir les doigts dans le nez, dit Cissy avec un sourire en coin. J'ai appris le tableau par cœur.

Dede se mit à rire.

---

1. Jésus est mort pour les péchés de quelqu'un – mais pas pour les miens. *(N.d.T.)*

— Tu te prépares, hein ? Bon, si tu y arrives, préviens-moi. Le jour où tu te lanceras sur les routes, je ne conduirai plus dans le comté de Bartow.

Dede les balada dans Cayro et regarda bien si elle n'apercevait pas Tyler. Elle pouvait abuser Delia, mais ce gars-là ne se laissait pas avoir aussi facilement. Certaines nuits, elles allaient jusqu'à la Bowle River et se garaient juste sous le sommet de la colline, à l'endroit où les arches du pont étaient illuminées par la compagnie de chemin de fer. Dede fumait, Cissy restait assise et, parfois, elles bavardaient. Ça amusait Dede de voir que Cissy ne voulait pas apprendre à fumer. À son âge, Dede avait piqué des cigarettes dans la veste de Clint pour les fumer dans les champs, derrière la maison de grand-mère Windsor.

— J'aime pas l'odeur, lui dit Cissy. J'parie que tu la sens plus. Mais Delia pue toujours le tabac, comme toi. Tu crois qu'elle le sent pas sur toi ?

— Elle m'a jamais rien dit.

— Elle te dit jamais rien. Et à Amanda non plus. Elle essaie encore de tout faire pour que vous l'aimiez.

Dede haussa les épaules.

— À mon avis, c'est plutôt qu'elle essaie encore de nous aimer. Elle nous regarde comme si on était des créatures bizarres qu'elle aurait trouvées au fond des bois.

— Ouais, bon, elle vous a cherchées depuis ma naissance.

Cissy posa les pieds sur le tableau de bord.

— Allez, putain ! Fumes-en une.

Dede jeta le paquet à Cissy et ajouta :

— Tu commences à me taper sur les nerfs.

— J'veux pas d'cigarette.

— Qu'est-ce que t'as ? Peur d'attraper un cancer ?

Dede souffla de la fumée vers Cissy.

— Ou t'as peur de Delia ?

Cissy rougit. En fait, elle avait peur que Dede ne pense qu'elle essayait de l'imiter. Elle sortit une cigarette du paquet, l'alluma et tira une bouffée. Ça lui brûla la gorge et le goût était horrible, mais elle n'allait pas se ridiculiser en crachotant et en toussant.

— C'est pas terrible, réussit-elle à dire.
Dede sourit.
— Bon, c'est probablement comme la bière et le whisky – le goût vient au fur et à mesure, comme disaient toujours les Petrie.
Elle tira une nouvelle bouffée et pensa à Craig. Elle le trouvait amusant quand il ne la ramenait pas trop. Elle aurait aimé disposer de lui endormi ou soûl. En état de faiblesse. Ç'aurait été intéressant. Elle aurait bien aimé effleurer ce garçon à sa guise, le caresser et le troubler autant que les frères avaient réussi à la troubler. Elle se demandait s'il était possible d'avoir un rapport sexuel avec un garçon sans être enceinte et sans qu'il se croie obligé de le crier sur les toits.
S'il était évanoui, peut-être ? Est-ce qu'on pouvait avoir un rapport sexuel avec un garçon évanoui ? Elle pouffa.
— Qu'est-ce qui te fait rire ? demanda Cissy.
— Conduire, dit Dede. Simplement la puissance d'une voiture.
Le plus souvent, Dede les emmenait au viaduc. La première fois qu'elles l'empruntèrent, la vieille Datsun n'atteignit qu'un peu plus de quatre-vingt-dix kilomètres à l'heure. Dede vérifia la jauge d'essence. Il faudrait qu'elle remplisse le réservoir avant de rentrer ou Delia remarquerait la baisse du niveau. Elle en avait déjà siphonné deux fois à la voiture de M. Reitower, garée en haut de la rue. Ce coup-ci, il lui faudrait trouver quelqu'un d'autre, à moins de demander à Cissy d'en acheter pour deux dollars sur le chemin du retour. Cissy paraissait avoir de l'argent, de temps en temps. Elle caressa le volant. C'était une gentille petite voiture, qui devait pouvoir avancer plus vite. Dede se tourna vers Cissy.
— Je parie que si on descendait d'abord la colline depuis le passage à niveau, on aborderait le pont plus vite.
— Tu crois ?
Cissy avait l'air tentée.
— Oui, dit Dede.
La Datsun atteignit les cent vingt en descendant la colline. La carcasse vibrait mais le moteur tournait bien.

Quand le compteur dépassa la limite, Dede hurla : « Nom de Dieu ! » et Cissy poussa elle aussi un cri de joie. Sans avoir regardé le compteur, elle eut l'impression que la voiture s'envolait après avoir franchi la crête et pris de l'élan. Elle leva les deux mains, paumes à plat contre le toit du véhicule, et laissa échapper un sifflement étonné et joyeux. Elle était surprise de trouver tant de joie à sentir l'air s'engouffrer par les vitres, à voir défiler à toute allure les lumières de la montée au viaduc. Elle n'avait jamais roulé aussi vite de sa vie, jamais eu aussi peur tout en se sentant aussi intrépide. Les cheveux de Dede claquaient au vent. L'humidité de la rivière faisait venir une fraîcheur sucrée à la bouche de Cissy.

— Nom de Dieu ! Nom de Dieu ! beugla-t-elle en jetant sur Dede un regard rayonnant, plein d'exaltation.

Elle avait l'estomac un peu bizarre. C'est la cigarette, se dit-elle en avalant de l'acidité. Puis le pneu avant droit éclata et on entendit un terrible bruit aigu. L'avant tournoya, les poteaux et les arbres défilaient à toute vitesse. Dede rugissait des jurons en direction du toit tout en bataillant avec le volant. Elles amochèrent une borne, puis une autre en ralentissant un peu chaque fois qu'elles en touchaient une. Cissy se rendit compte que Dede les visait délibérément pour essayer d'arrêter la voiture.

— Bon Dieu, bon Dieu, bon Dieu ! hurla Cissy dans une poussée d'adrénaline.

— Bon Dieu, oui ! gueula Dede tandis que la voiture heurtait un jeune cornouiller et stoppait soudain en dérapant dans la boue et les herbes d'un fossé peu profond.

— Mon Dieu ! souffla Cissy.

— Ça y est, petite sœur, c'est fini.

Dede tremblait, les mains crispées sur le volant.

— Ça va ?

— Oui, dit Cissy.

— Oh ! Seigneur !

Dede posa la tête sur le volant.

— Merde ! Maintenant, Delia va être obligée de s'en apercevoir.

Cissy sentit son estomac se soulever.

— Bon sang ! gémit-elle avant de vomir par la vitre. J'ai toujours détesté cette voiture.

Et elle vomit une deuxième fois.

Miraculeusement, la Datsun survécut. C'était la carcasse qui avait tout pris.

Delia eut beau hurler et accuser, Cissy n'avoua jamais à quelle vitesse elles roulaient.

— C'est moi qui ai demandé à Dede de m'emmener, affirma-t-elle. On a eu un accident, c'est tout. Et, grâce à Dede, on s'en est sorties.

Avec espoir, Cissy fixa le visage sévère de Delia.

— Tu aurais pu tuer ta sœur, dit Delia.

Dede regarda Cissy, le visage soudain blême et terrorisé.

— Je sais, dit-elle, je sais.

Et, pour la première fois de sa vie, elle se mit à sangloter comme une enfant.

Delia l'observa et se rappela toutes les fois où elle avait dit la même chose à Randall. *Tu aurais pu la tuer.*

— Mais ça ne s'est pas produit, dit-elle avant de prendre sa fille dans ses bras.

Amanda mit environ une minute et demie pour se décider à épouser Michael Graham quand il la demanda en mariage à Noël, après la fin de leurs études secondaires. À ce moment-là, elle décorait l'église avec la mère du jeune homme, apportait des poinsettias dans de gros pots et des brassées d'œillets blancs.

— Laisse-moi t'aider, lui dit-il.

Il se précipita vers elle et se cogna brutalement le front au sien.

Sa mère se mit à rire et sortit chercher d'autres fleurs. Amanda fut étourdie et vit la vive lueur d'embarras qui gagnait le visage déjà rose de Michael. Il est superbe, pensa-t-elle, et elle dit oui presque avant que la question ait franchi les lèvres du jeune homme.

— C'est Dieu qui m'a conduit jusqu'à toi, lui répétait-il souvent en le pensant de tout son cœur.

Son père approuvait le mariage. Sa mère rayonnait. Cette Amanda était une bonne chrétienne, un peu sérieuse et manquant parfois d'assurance, mais une jeune fille très bien. Les gens critiquaient sa mère, mais Amanda, elle, n'avait rien de dissolu. Elle était un membre fidèle de la congrégation religieuse. Elle ferait une excellente épouse de pasteur.

Au début, la seule chose que se demandait Amanda, c'était si elle méritait Michael, si elle était assez pieuse pour devenir sa femme. Devant ses doutes, Dede s'enfuyait, Delia sortait dans le jardin et Cissy rêvait longuement au fonds le plus secret de la bibliothèque du comté. Puis, une fois persuadée qu'elle pouvait réussir à devenir l'épouse dont Michael avait besoin, Amanda fut saisie d'angoisse à l'idée de tout ce qui pouvait mal tourner avant le mariage. Elle passa plusieurs semaines à gémir dans la maison, certaine que Michael allait s'écrouler raide mort ou que le ciel allait leur tomber sur la tête. Elle devenait fanatique dès qu'il s'agissait de pousser les gens à aller à l'église, mais ni Dede ni Cissy ne réagissaient bien au harcèlement. Parfois, Delia cédait et accompagnait Amanda à l'église baptiste de Cayro, où elle n'avait pas mis les pieds depuis la saison des pleurs. Là, elle s'agitait, mal à l'aise, sur le banc voisin de celui où était assis l'oncle de Michael, et prenait un air doux et modeste. Cette expression s'évanouissait après l'office, quand Delia se retrouvait dehors, parlait et riait avec M.T.

— Seigneur Dieu ! s'exclama un jour Delia.

Elle anéantit ainsi la bonne impression qu'elle avait donnée en endurant sans broncher deux semaines de sermons.

— Tu m'as fait honte ! gémit Amanda une fois de retour à la maison.

— Pourquoi ne peut-elle pas épouser ce garçon et me laisser en dehors de tout ça ? dit Delia à Cissy quand Amanda courut dans sa chambre.

Les espoirs qu'entretenait Amanda pour le salut de Delia étaient soudains et acharnés. Elle semblait déterminée à amener Delia à Dieu – et plus particulièrement à l'église baptiste, que fréquentait la famille de Michael –, pour prouver ainsi sa propre valeur, son destin de femme de pasteur. Cissy doutait fort que Delia, même repentante, pût résoudre le problème d'Amanda. Celle-ci ne parviendrait jamais à se considérer comme un membre à part entière de la famille pieuse, respectable qui avait engendré son Michael.

— Il faudra probablement que tu me renies, suggéra Cissy à Delia avec un sourire affecté. Une fois que tu auras rallié l'Église, tout ça.

Delia lui lança un long regard éloquent, mais se tut.

Amanda se maria le deuxième dimanche de mars, une semaine après son dix-huitième anniversaire. Ce matin-là, elle chassa tout le monde de la salle de bains et du miroir à maquillage. Dede ne cessait d'aller fumer derrière la maison. Craig Petrie avait fait sa réapparition à Thanksgiving avec un sourire décidé et un petit sachet de marijuana. Quand il était reparti, son sourire s'était élargi, et sachet et papier à rouler étaient bien cachés au fond des cartons de livres d'occasion de Dede, dans le garage.

— Ne crois pas ce que racontent les gens sur ce truc, dit Dede à Cissy en lui offrant de tirer une bouffée. C'est comme une bouteille de bière, sauf qu'on n'est pas soûl ni rien. Mais ça donne un peu faim, il faut faire attention à ça.

Elle dénicha un autre garçon, qui lui vendit un sachet à un prix intéressant. Elle n'allait pas accepter de devenir dépendante d'un Petrie pour quelque chose qu'elle aimait autant.

Cissy et Dede pouffaient en voyant les horribles robes de demoiselles d'honneur qu'elles devraient porter, quand éclata une nouvelle dispute au sujet de la religion.

— Ça serait pas si terrible si on raccourcissait la jupe, échancrait le col, changeait la couleur et arrachait ces conneries de galons, déclara Dede d'une voix traînante.

Cissy se tordit de rire et remarqua que Dede avait déjà taillé dans l'ourlet de sa robe.

— À mon avis, la meilleure chose à faire serait d'avancer toutes nues derrière Amanda en tortillant du cul pour rappeler à tout le monde ce qu'est vraiment un mariage, dit-elle.

Amanda sortit de la chambre à moitié maquillée, une serviette autour du cou.

— J'ai entendu. J'ai entendu.

Les gros bigoudis métalliques qui lui couvraient la tête cliquetèrent dangereusement. Déjà, des mèches molles lui retombaient sur les tempes. Ces boucles n'allaient jamais tenir pendant toute la cérémonie, pensa Cissy.

— Ce mariage, c'est l'union de nos âmes devant Dieu, afin de nous consacrer au service du Seigneur, bredouilla Amanda.

— Oh ! je t'en prie, Amanda !

Cissy savait bien qu'il ne fallait pas répondre, mais elle ne put se retenir.

— Tu vas te marier, pas prononcer des vœux de célibat. D'ailleurs, Dieu ne tient pas le registre de chaque minute de ta vie. Je suis sacrément sûre qu'il a d'autres chats à fouetter.

— Tu ne connais rien à Dieu ! hurla Amanda. Dieu est juge de notre vie. On verra bien ce que tu diras quand tu rôtiras en enfer, quand les flammes du jugement divin lécheront ton âme encrassée.

— Qu'est-ce qui se passe ? demanda Delia, qui arrivait du fond de la maison.

— On plaisantait juste au sujet des robes, expliqua Cissy.

— Elle me parlait de Dieu !

Le mascara d'Amanda avait commencé à couler.

— Et alors, qu'est-ce qu'elle t'en a dit ?

Le visage de Delia était aussi empourpré que les roses thé épinglées au voile qu'elle tenait dans la main gauche. Elle était en train de le repasser quand l'altercation avait éclaté.

Cissy, qui tendait la main pour attraper un Kleenex, retint son geste.

— J'ai rien dit, bordel, mais je te préviens, elle ferait mieux de demander à Dieu de lui rendre l'âme un peu plus agréable. Il faut qu'elle arrête de vouloir régenter la vie de tout le monde.

— Si je régentais ta vie, je te flanquerais à la porte de cette maison. Je te chasserais de Cayro. Je te chasserais même de Géorgie. Tu te rends compte que tu vas aller tout droit en enfer ?

Le regard de Cissy passa de l'expression rageuse d'Amanda à la joie franche de Dede, que cette dispute amusait. Puis elle baissa les yeux sur la jupe cloche jaune et mauve qu'Amanda tenait à lui faire porter. Elle n'avait qu'une taille de moins que la jupe destinée à sa sœur, mais Amanda ne semblait pas remarquer à quel point Dede avait raccourci la sienne. Maintenant que Dede était debout, Cissy constatait qu'elle avait ajouté suffisamment de pinces pour avoir la poitrine et les hanches moulées de manière très suggestive. Dede surprit le regard de Cissy et lui adressa un sourire fixe. C'est le sourire de quelqu'un qui n'est pas dans son état normal, pensa Cissy. Comment fait donc Amanda pour ne pas s'en apercevoir ?

— Oh ! ouais ! si quelqu'un est damné, c'est bien Cissy, dit Dede d'une voix traînante. Y a pas à discuter là-dessus.

Dede n'était pas une fervente du dogme chrétien. On l'avait même entendue se déclarer bouddhiste un jour qu'on lui posait la question avec insistance, mais elle avait des accès de foi sporadiques et devenait une croyante acharnée quand elle était d'humeur à ça, même si elle faisait généralement la grasse matinée le dimanche à l'heure de l'office et, avec les garçons, apportait de la bière en douce aux matches de l'après-midi. Dede priait avec le plus grand sérieux à Noël et à Pâques, mais presque jamais l'été. À Noël, l'année précédente, juste après les fiançailles d'Amanda, Cissy l'avait trouvée défoncée, affalée par terre, au pied d'un arbre, en train de sangloter bruyamment sur le sort du petit Jésus. La Croix, expliqua Dede, était comme le sapin. Elle avait abrité le Fils de Dieu. Dede avait plongé les mains dans les branches et s'était tout égratignée. Cissy ne mettait en doute ni sa bonne foi ni sa peine. Elles avaient beau être le résultat d'une réaction chimique, la croyance de Dede n'en était pas moins sincère, quand bien même elle frottait distraitement ses écorchures presque invisibles et, quinze jours plus tard, refusait d'un haussement d'épaules l'invitation d'Amanda à se rendre à un revival.

— J'ai la foi, rétorqua Dede à Amanda qui l'accusait d'en manquer. Seulement, j'en fais pas tout un plat.

Au fond de leur cœur, les deux aînées de Delia étaient croyantes. Amanda s'inquiétait de sa propre valeur, mais ne pouvait pas concevoir qu'il n'y eût pas de Nazaréen pour la juger. La foi de Dede était saisonnière, mais le blasphème lui était inconnu. En revanche, la notion de Dieu démangeait Cissy comme un prurit à l'âme. C'était Cissy, la païenne, tout le monde s'accordait à le reconnaître.

— Seigneur ! Est-ce qu'on ne pourrait pas mettre ce sujet entre parenthèses pendant au moins une journée ?

Delia secoua le voile avec impatience.

Dans un brusque accès de rage, Cissy retira la ridicule robe de vieille dame et la jeta à Delia. En combinaison et collant, elle sortit à grands pas dans le couloir et claqua la porte de la chambre.

— Cissy ! Pour l'amour du ciel, Cissy ! S'il te plaît ! s'écria Delia.

Cissy enfila un jean et un chemisier sans s'occuper des autres. Dede se mit à pouffer et Amanda à pleurer. Delia s'approcha de la porte à deux reprises pour supplier Cissy, qui refusa de répondre. Une fois la maison enfin calme, Cissy sortit et trouva Nolan assis sur le canapé.

— Tu veux que je te dépose ? demanda-t-il.

Il avait revêtu son costume noir mais était visiblement prêt à faire ce qu'elle déciderait.

— Tu es horriblement fagoté, lui dit Cissy.

Nolan examina ses chaussures cirées à la hâte, son pantalon trop court, trop serré.

— Ouais, reconnut-il. Tu veux aller là-bas ?

— D'accord, dit Cissy.

Elle arriverait en retard au mariage d'Amanda, mais elle y assisterait. Si elle n'y allait pas, Amanda en pleurnicherait jusqu'à la fin de ses jours. Quand elle se glissa au fond de l'église avec Nolan, elle vit qu'une cousine de Michael avait été enrôlée pour la remplacer dans l'affreuse robe. La pauvre fille semblait la plus malheureuse de la terre, mais, derrière son épaule, il y avait Amanda, et Amanda, elle, avait plutôt belle allure. Une épaisse couche de fond de teint masquait les effets de sa crise de rage et, par moments, elle paraissait presque jolie, presque heureuse. À son côté, Dede avait l'air ridicule, mais gaie. Durant le court trajet jusqu'à l'église, elle avait poussé encore plus loin ses péchés en arrachant le galon et en se dotant d'une nouvelle couche d'isolation chimique ; on aurait dit une Marie-Madeleine dans une tulipe fanée, à l'envers. Apparemment, elle avait oublié qu'elle était censée être en colère. Son grand sourire traversa l'église et, de la main, elle fit signe à Cissy de s'avancer.

— Viens ! dit-elle dans un demi-murmure qui tenait du hurlement. Viens me dire au revoir. Demain, t'auras une chambre pour toi toute seule.

Cissy secoua la tête et aperçut le visage éprouvé de Delia et la silhouette penchée d'Amanda. Dede agita la main une nouvelle fois. Cissy renonça et remonta l'allée pour les rejoindre. Devant, la chaleur était extraordinaire dans l'église. Cissy fut assaillie de parfums, l'odeur du bouquet d'Amanda, la lotion après-rasage astringente de Michael, l'aura de tabac qui flottait autour de Dede, l'après-shampooing de Delia. Elle se rendit compte qu'elle faiblissait et avait envie de sortir de là au plus tôt. Le maquillage d'Amanda était strié de larmes. Dede tirait sur les quelques bandes de tissu jaune qui restaient accrochées à sa jupe. Michael leva alors les yeux et adressa à Cissy un large sourire de bienvenue.

La famille, disait son sourire. L'amour de Dieu, promettaient ses yeux. C'est pour ça qu'Amanda l'aime, pensa Cissy.

Amanda se tourna dans sa direction. Les larmes coulaient librement de ses yeux, suite à la proclamation de son nouveau statut par le révérend Myles.

— Oh ! Cissy ! gémit-elle. Qu'est-ce que je vais bien pouvoir faire avec toi ?

— L'amour, c'est fini pour moi, répétait Delia après le mariage d'Amanda. C'est tellement loin que j'ai même oublié ce qu'on ressent. Mais, parfois, ajoutait-elle, je regarde mes filles et j'en ai une petite idée – une idée de ce que ça devrait être. Dieu sait qu'elles ont plus de chance que moi.

Une fois Amanda partie, Dede se mit à tanner Delia pour qu'elle transforme la maison de Terrill Road. Elle ne se contentait pas d'occuper la chambre d'Amanda, celle dans laquelle Clint était mort – ce qu'aucune d'elles n'évoquait jamais. Elle voulait que Delia agrandisse la véranda de derrière et la protège d'une moustiquaire, accroche des jardinières fleuries aux fenêtres et fasse poncer et cirer tous les parquets. Ce qu'elle désirait en réalité, c'était une nouvelle maison, un foyer refaçonné maintenant qu'Amanda était partie.

— Ça coûterait trop cher, lui disait Delia. Nous ne pouvons pas nous le permettre.

Dede ne se décourageait pas. Elle enrôla Cissy et Nolan pour l'aider à retirer les tapis et loua chez B & B Hardware une ponceuse pour vingt-quatre heures, au tarif minimum. Tous trois poncèrent, balayèrent, passèrent la serpillière et poncèrent une nouvelle fois. Ils mettaient la chaîne à fond, écoutaient Patti Smith et Kate Bush. Delia restait à l'écart de la maison, en partie pour se soustraire au bruit. Elle voyait une étrange ironie dans les goûts musicaux de Dede. Sa fille était une fan de rock and roll pur et dur, ne se souciait pas des hit-parades et ne s'intéressait pas à la dance music – elle trouvait Madonna ridicule, mais décréta un jour devant Cissy que Cindy Lauper n'était pas trop mauvaise. Cissy aimait Prince and the Revolution. Elle se passait ses cassettes la nuit sous les couvertures.

— On dirait Mud Dog, dit-elle à sa mère.

— Non, rétorqua Delia. Pas du tout.

Nolan travailla comme un fou, mais Dede ne lui accorda pas une seule minute d'attention, même quand il se mit à quatre pattes pour lisser avec une serviette les trous rebouchés. Il s'avéra qu'il savait aussi retirer les disques à poncer et adapter la vieille meule à polir que Sally, la sœur de M.T., avait conservée d'un précédent boulot. Durant les dernières heures de la location, Nolan et Dede se relayèrent avec le polissoir et obtinrent des parquets aussi luisants que ceux qu'on voyait dans les magazines de décoration collectionnés par M.T.

— Seigneur ! s'exclama Delia quand ils lui permirent enfin d'entrer dans la maison. Qu'est-ce que c'est beau !

Elle serra Dede dans ses bras, regarda Nolan et Cissy d'un air rayonnant.

— Vous devriez aller travailler chez les gens pour vous faire des sous.

— Merde, non ! dit Dede. Pas question que je bosse aussi dur pour quelqu'un d'autre.

Cissy et Nolan se mirent à rire, mais Delia approuva d'un signe de tête.

— Je te propose quelque chose, dit-elle à Dede. Tu choisis un tissu et je couds de nouveaux rideaux, et peut-être même une nouvelle housse de canapé.

— D'accord ! Ensuite, il ne manquera plus que des vrais meubles et un nouveau téléviseur.

— Qu'est-ce qu'ils ont, les meubles ?

— Delia ! dit Dede avant de donner un coup de pied dans l'un des guéridons esquintés, fabriqués avec une bobine à câble. Ce truc-là est plus vieux que moi.

— Ça en fait une antiquité, pas un vilain meuble.

Delia jeta un coup d'œil sur ce qu'elles possédaient. Le canapé était bel et bien affaissé, et la table basse était elle aussi une bobine à câble que Clint avait obtenue par un ami qui travaillait pour la compagnie de téléphone. Delia l'avait décapée et repeinte à l'époque où elle était enceinte d'Amanda. Elle pourrait peut-être dénicher quelque chose de mieux. Elle adorait démonter et remonter n'importe quoi quand elle était petite. Elle pourrait acheter de vieux meubles et les rafistoler.

— Je vais y réfléchir, dit-elle.
— Bon, pendant que tu y es, tâche de penser aussi à acheter de nouveaux draps. C'est gênant quand tu mets les tiens à sécher sur la corde.
— Ne commence pas avec mes draps.
— Quels draps ? murmura Nolan à Cissy au moment où ils sortirent.
— Kermit la grenouille, Snoopy et Linus, Miss Piggy, des vaisseaux spatiaux et des trains. Delia les a eus en solde au rayon enfants, chez Sears, et Dede lui casse toujours les pieds avec ça.
— Ah ouais ?
Nolan se retourna vers Delia et Dede, debout sur le parquet pour lequel il avait travaillé si dur.
— Je trouve ça plutôt sympa.
Delia acheta de nouveaux guéridons dans une vente de particuliers et un énorme fauteuil à haut dossier dans une vente de charité, à Saint-Vincent-de-Paul. Elle sortit les vieilles tables-bobines dans le jardin et les utilisa pour y poser des pots de fleurs. Poussée par Dede, elle installa des rideaux neufs et céda pour le téléviseur, mais s'accrocha à ses draps. Ça ne la dérangeait pas qu'ils aient été conçus pour un lit d'enfant. Quand elle ne s'endormait pas sur le canapé de la salle de séjour, elle allait se coucher dans son lit à une place, étroit, dur et solitaire, installé dans la plus petite chambre. S'il n'y avait pas eu les draps et, par-dessus, un couvre-lit à motifs de dessins animés, cette couche aurait convenu à une nonne.
— J'aime les couleurs vives, précisa Delia quand Dede lui montra une publicité pour des draps en solde, à fines rayures. C'est pas parce que je suis une adulte que je dois dormir dans des carreaux ou des rayures.
— Mais ça fait tellement bête.
— Qui le voit, à part moi ? Et c'est moi qui compte, non ? J'aime les couleurs vives, criardes, pleines d'énergie. Je n'ai pas besoin de les laver aussi souvent et ils ne virent pas au grisâtre tristounet. D'ailleurs, ça fait gai sur la corde à linge.

C'était vrai. Cissy s'occupait de toute la lessive, sauf des draps de Delia. Elle ne mettait même pas les pieds dans sa chambre. Delia aimait laver ses draps elle-même et les suspendre aux cordes tendues entre l'arrière de la maison et le garage délabré, où elle rangeait ses outils de jardinage. Le dimanche matin, elle se levait tard et les mettait dans la machine, réglée sur le programme froid, pendant qu'elle buvait son café. Elle arrachait quelques mauvaises herbes dans le petit jardin de derrière le temps que le lave-linge tourne. Puis elle les étendait au soleil et s'asseyait sur les marches pour observer les dessins qui se soulevaient et claquaient au vent. Les genoux remontés, une main dans les cheveux, elle fredonnait doucement tandis que Dede et Cissy faisaient du bruit dans la cuisine. On aurait pu la prendre pour une jeune mère avec ses bambins et non pas pour une femme de quarante ans, qui portait toujours le deuil de ce qu'elle avait perdu.

Le lit de Delia était un sujet de plaisanterie tout trouvé.

— Il me convient, disait-elle. Et, comme ça, personne ne s'imagine que j'espère avoir de la compagnie.

— Tu n'es pas encore morte.

M.T. n'approuvait pas son attitude.

— Et je ne suis pas folle non plus. J'aime mon lit et j'aime y être seule.

Après la mort de Clint, les hommes s'étaient mis à lancer des regards à Delia, mais peu avaient le cran de l'approcher. Elle s'en apercevait à peine. Pour elle, tout ça, c'était fini. Oh ! elle sortait bien avec Emmet, mais il n'y avait rien là-dessous. Elle avait déjà eu assez d'ennuis dans sa vie, disait-elle à M.T. et, quand Rosemary l'appelait, elle plaisantait sur le nombre d'hommes dont une femme pouvait être folle au cours de son existence. Un, peut-être deux, jamais trois.

— Bon, j'ai eu mes deux, jurait Delia. Je ne pourrai pas en supporter davantage.

Le secret, c'était que les draps de Delia ne servaient pas beaucoup. Elle était devenue tellement insomniaque qu'elle utilisait sa chambre presque uniquement pour ranger ses vêtements. Son sommeil était agité et bref. La plupart du temps, elle avait besoin de bouger. Elle tendit des guirlandes électriques entre l'arrière de la maison et le côté du garage, et se mit à jardiner la nuit, à la faible lueur des ampoules multicolores. Quand il ne lui resta plus rien à faire dans le jardin, elle commença à rafistoler des meubles. Elle décapa et recolla des fauteuils de jardin que Steph lui avait donnés, puis s'attaqua aux tables et aux chaises de la maison. Elle dénicha de nouveaux meubles dans des ventes de charité, les remit en état et les donna – une table de salle à manger à M.T., un fauteuil à bascule à Amanda et un magnifique guéridon en merisier, avec des petits tiroirs qui s'ouvraient des deux côtés, à Emmet.

— Tu m'as fabriqué un guéridon ? s'écria Emmet, un grand sourire aux lèvres, quand elle le lui apporta.

— Tu n'es pas obligé de le prendre, lui dit-elle. Une fois le bois bien frotté, le lustre m'a plu et je me suis rappelé que tu avais une armoire en merisier. Je me suis dit que ça ferait joli à côté.

— Ça oui, reconnut Emmet.

Il le dit tête baissée. Ses doigts caressaient la surface luisante. Il avait demandé à Delia de l'épouser quand Amanda s'était mariée avec Michael. Elle l'avait regardé d'une telle manière qu'il avait bien cru qu'elle ne voudrait plus jamais le revoir, mais, tant qu'il prétendait qu'il s'agissait d'une plaisanterie, elle faisait semblant de ne pas avoir pris peur. Ils sortaient ensemble presque un week-end sur deux, mangeaient du graillon au Goober's et allaient voir un film au drive-in, près de Marietta.

— Ça valait le coup, dit Delia. Tu ne peux pas savoir ce que les gens jettent parfois. Ce trésor était tout bêtement au bord de la route.

— Merci, dit-il.

Il leva la tête.

— Oh ! pas de quoi.

Delia s'apprêtait déjà à retourner vers sa voiture.

— Pourquoi est-ce que tu ne viendrais pas dimanche prochain ? Je te montrerai sur quoi je suis en train de travailler pour l'anniversaire de Stephanie.

— Entendu, acquiesça Emmet, les doigts refermés sur le bord du petit guéridon.

— Alors là, bon Dieu de bon Dieu ! s'exclama Steph quand Emmet et Delia lui apportèrent son cadeau d'anniversaire – une coiffeuse ancienne. Ma fille, tu devrais ouvrir un magasin.

— J'en ai déjà un, dit Delia. En tout cas, poncer, c'est comme coiffer. On dirait que je sens ça davantage avec mes muscles qu'avec mon cerveau. Ça me fait du bien et j'aime l'aspect que prend le bois quand on le polit vraiment très bien.

— Tant que tu ne te mets pas à construire des appartements et des caissons à compost comme cette folle qu'on voit à la télévision !

Steph fit un clin d'œil à Emmet.

Parfois, Delia songeait à abandonner le Bonnet pour gagner sa vie en restaurant des meubles. Elle ne serait plus jamais obligée de sourire à une femme à la tête enveloppée d'une serviette, ce qu'elle apprécierait sans doute. Mais, la vérité, c'est qu'elle ne tenait pas en place. Quoi qu'elle fasse elle avait mal aux hanches, et, quel que soit l'endroit où elle dormait, le lit, le canapé ou une natte sur l'herbe, elle avait l'impression d'être écrasée.

George, l'un des nouveaux petits amis de M.T., posa une grande antenne sur la véranda de derrière pour lui permettre de régler son poste de radio sur des villes aussi éloignées que Phoenix. Après 2 heures du matin, on pouvait capter plusieurs stations du Sud-Ouest qui toutes semblaient diffuser des émissions où des commentateurs religieux à la voix grave répondaient aux appels des auditeurs. Ce genre d'émissions que Delia n'avait pourtant jamais supporté était soudain devenu sa passion. Elle s'installa un établi au fond du jardin, sous les ampoules de couleur, et y plaça la radio. Tout en passant du papier de verre sur des meubles, elle fredonnait du rock country et changeait de station pour trouver de la musique qui s'accordât à son rythme de travail. Elle essayait d'organiser ses différentes tâches de façon à pouvoir appliquer de la teinture ou reboucher des trous dès le début des interventions des auditeurs, qui la faisaient bouillir.

— Ça m'énerve tellement, dit-elle à Cissy. Ça m'énerve et ça m'agace tant qu'on le voit sur le bois. Parfois, un peu plus et j'enlèverais tout le grain, ou je creuserais de grands sillons avec ma gouge.

— Alors, pourquoi tu écoutes ces émissions ?

Delia regarda sa fille en ayant l'air de trouver la réponse évidente.

— Parce que parfois, j'ai besoin de m'énerver. Il me faut une bonne colère ou une bonne crise de larmes. Jurer tout haut, envoyer un seau dinguer à travers la véranda. Quelque chose de violent. De temps en temps, une femme a besoin de piquer une bonne grosse colère.

Ce que Delia ne pouvait pas deviner, c'était à quel point les rythmes de son corps trouvaient un écho chez Amanda. Elle ne pouvait pas savoir que, tandis qu'elle transpirait sous sa guirlande électrique de Noël, grognait et engueulait un pasteur éloigné, Amanda se déplaçait avec elle de l'autre côté de Cayro, repassait des T-shirts, psalmodiait ses prières. Pour chaque « Imbécile ! » de Delia, Amanda murmurait un « Amen ! ». De temps à autre, comme si elles étaient à l'unisson, elles s'arrêtaient toutes deux, le cœur battant en contrepoint, levaient la tête au même instant et soufflaient : « Seigneur ! »

13

À quatorze ans, Cissy Byrd adorait la musique folk – tout spécialement Gordon Lightfoot et les vieux disques de Joan Baez, qui appartenaient à Delia –, l'équipe de natation du lycée, les biscuits salés à la saucisse que Nolan lui apportait et qui étaient confectionnés par son père de bon matin au Biscuit World, les jeans cigarettes que Dede trouvait super, et les livres de science-fiction dans lesquels il y avait des orphelines aux pouvoirs secrets. Elle détestait le gombo, la fanfare – dont elle avait été exclue après avoir craché sur Mary Martha Wynchester –, sa sœur Amanda, et tous les fidèles de l'Église baptiste de Cayro, où Amanda passait tout son temps. Et enfin Delia. D'une manière parfaitement terre à terre, Cissy détestait Delia et tâchait de se débrouiller pour bien le lui montrer, mais Delia n'y faisait jamais allusion et, parfois, Cissy en oubliait presque sa haine.

Le samedi qui suivit les quinze ans de Cissy, Nolan vint la voir dès le matin.

— Tu es libre ? demanda-t-il quand Cissy apparut à la porte de derrière.

Il avait téléphoné la veille pour lui poser la même question.

— Libre comme l'air, lui répondit Cissy. Qu'est-ce que tu as en tête ?

— C'est une surprise. Une surprise d'anniversaire. Est-ce que tu as prévenu ta mère que tu allais passer la journée avec moi ?

— Ouais.

Cissy coiffa le cadeau d'anniversaire que lui avait donné Dede, un chapeau de paille en forme de bouchon de radiateur, avec un ruban rouge, blanc et vert attaché autour de la calotte.

— Elle m'a dit d'aller me faire foutre.

— Ah bon ?

Nolan était choqué.

— Mais non ! Enfin, Nolan ! Je plaisantais. C'est ce qu'elle dirait si elle exprimait ce qu'elle pense. On ne s'entend pas très bien.

Nolan n'était aucunement ébranlé.

— Bon, t'en fais pas. Mon cousin Charlie va arriver dans vingt minutes. Il va nous déposer quelque part.

— Où ça ?

Cissy n'était pas sûre d'aimer ce Nolan autoritaire.

— Là où se trouve la surprise.

Nolan sourit et, d'un mouvement de tête, repoussa ses cheveux bruns en arrière.

— Ne pose pas de question. Tu verras.

Charlie arriva en retard et n'était pas terriblement emballé par la balade.

— Tu me revaudras ça, cousin, dit-il.

Nolan acquiesça d'un signe de tête et évita de croiser le regard de Cissy. C'était là une sorte de marché, elle le voyait bien au concentré de détresse peint sur le visage de Nolan. Quelle que fût sa surprise, il s'était vraiment donné du mal. Il avait emporté une grosse sacoche de matériel à laquelle Cissy n'avait pas eu le droit de toucher, une glacière remplie de sandwiches et de Coca, et une couverture qui, d'après l'expression vantarde de Charlie, avait été « épicée par les Keenan mâles depuis des générations ». Cissy ne voyait pas trop ce qu'il voulait dire par là.

— Elle est sacrément maigre, dis donc ! remarqua Charlie pendant que Cissy grimpait dans la camionnette.

Elle le fusilla du regard tandis que Nolan rougissait et transpirait à grosses gouttes tant sa honte était brûlante.

— Ne parle pas d'elle de cette façon, protesta-t-il.

— Oh ! je n'ai pas l'intention de vexer ta petite amie, reprit Charlie en lançant un clin d'œil à Cissy. Merde, mon p'tit gars, je suis vraiment fier que t'aies fini par t'en dégotter une.

Sur la route de Little Mouth, ils s'arrêtèrent pour se procurer des glaçons et Nolan présenta des excuses à Cissy pendant que Charlie achetait des cigarettes et prenait de l'essence avec l'argent qu'il lui avait donné.

— L'an prochain, j'aurai mon permis de conduire, annonça-t-il. Papa m'a dit qu'il était d'accord. On pourra aller se balader où on voudra. On ne sera pas obligés de supporter Charlie.

— Ne t'inquiète pas pour ça, le rassura Cissy. C'est seulement ton cousin, pas ton frère. Tu n'y peux rien s'il est sacrément idiot.

— J'ai tout organisé, dit Nolan. Maintenant, c'est le moment pénible. Une fois qu'on sera là-bas et que Charlie s'en ira, tout se passera beaucoup mieux.

Mais, une fois là-bas, Charlie n'eut pas envie de repartir. Il but deux bières pendant que Nolan traînait la glacière et le matériel dans les bois. Il ne cessait d'adresser des clins d'œil à Cissy et de taquiner son cousin, si bien que Cissy crut que Nolan allait se fâcher. Finalement, Charlie lui demanda cinq dollars supplémentaires. Il reviendrait au coucher du soleil, dit-il, mais l'essence allait être un peu juste et il valait mieux ne pas risquer la panne sèche, pas vrai ? Nolan lui donna l'argent et Charlie repartit.

— Quel emmerdeur ! dit Cissy tandis que la camionnette crachait de la poussière et des cailloux derrière ses roues.

— Il l'a toujours été, reconnut Nolan.

Puis il sourit pour la première fois depuis une heure.

— Viens, dit-il. J'ai quelque chose à te montrer.

C'était un trou dans le sol, un trou profond. Cissy se pencha et vit qu'il y avait une sorte de chemin tortueux qui descendait d'un côté. Il faudrait s'accrocher aux racines et aux pierres, mais on pourrait descendre assez facilement par là. Nolan montra quelques endroits où la pente avait été creusée ou étayée pour former des marches grossières.

— Plutôt rudimentaire comme escalier, fit remarquer Cissy.

— Il ne faut pas que ça soit trop facile, lui dit Nolan. Sinon, il y aurait tout le temps des gens en bas. Ça s'appelle Paula's Lost. Le terrain était à nous, à une époque. Mes oncles se le partageaient. Il y a près de quatre-vingts hectares.

— Quel drôle de nom ! dit Cissy.

— En tout cas, il a été perdu pendant plus de dix ans. Trouvé et perdu plusieurs fois, disait toujours oncle Tynan. Il n'était pas indiqué sur les cartes, jusqu'au moment où ils en ont fait don à l'État, dans les années cinquante. Maintenant, c'est une réserve naturelle. Le sol contient trop de pierres et de sable pour être bon à cultiver. Oncle Tynan a conclu un marché en le cédant pour ne pas payer d'impôts, mais, depuis toujours, les cousins s'y exercent au tir pendant le week-end. C'est un endroit célèbre. Le shérif vient sans arrêt pour foutre leur campement en l'air, mais, juste en bas, là, le site est fabuleux pour le tir. On ne risque pas de tuer quelqu'un d'une balle perdue dans ce trou.

— Pourquoi est-ce qu'il est célèbre ?

— Oh ! c'est toute une histoire.

Nolan s'essuya le visage, rayonnant. Il ouvrit la glacière, tendit un Coca et un sandwich à Cissy, puis sourit une nouvelle fois.

— C'est mon oncle Brewster qui l'a rendu célèbre. Il a tracé le relevé des trois premiers passages souterrains, puis s'est mis à organiser des tas de fêtes là-dessous. Il tendait un fil avec des ampoules électriques. Il lançait des invitations avec des cartes détaillées. Il appelait ces fêtes les « week-ends de foire avec oubli garanti ». Elles étaient gratuites et Brewster distribuait beaucoup de bière et de marijuana.

Cissy mordit dans son sandwich aux œufs et aux condiments. Nolan savait qu'elle aimait les œufs en salade. Il avait vraiment tout prévu, constata-t-elle. Elle cacha un sourire derrière une bouchée de sandwich et observa Nolan, ravi de lui raconter l'histoire de Paula's Lost.

Quand Brewster était revenu du Vietnam, il avait perdu presque toutes ses dents, trois orteils, la moitié du cartilage du genou gauche, et pas mal d'os du pied gauche. Ses copains avaient essayé de lui remonter le moral en le rapatriant avec un gros stock de marijuana. Dans leur idée, Brewster pouvait gagner un peu d'argent en le revendant, mais en réalité, il n'était pas doué pour le commerce. Il partagea jusqu'à épuisement de ses réserves et ne se plaignit jamais de ne pas se voir offrir grand-chose en retour.

— Merde, il faut prendre la vie comme elle vient, et pas s'en faire, disait-il à tout le monde en riant. On n'y peut rien, après tout.

Il rit de plus belle lorsque les shérifs adjoints effectuèrent unc descente sur les lieux de la dernière fête et ne trouvèrent pas le moindre joint.

— Vous auriez dû venir le mois dernier, dit-il à Emmet Tyler, qui lui avait passé les menottes. Vous auriez pu me mettre définitivement à l'ombre.

Emmet grogna mais ne répondit rien. Il était nouveau dans ce boulot et, pour commencer, il n'avait pas eu une envie folle de s'enfoncer autant dans les bois. Et puis, Brewster était trop sympathique pour soulever une bien grande indignation. Ils n'avaient que quelques années de différence et Emmet ne pouvait pas regarder Brewster sans se réjouir de ne pas être revenu du service militaire dans le même état – partiellement invalide et plus que partiellement fou. Cette descente n'était qu'une plaisanterie, de toute façon. Il n'y avait même pas de mineurs parmi les buveurs et, à supposer qu'on ait voulu couper court aux activités de Brewster, le comté aurait dû déposer une plainte pour vandalisme. Techniquement, la grotte se trouvait en effet sur le domaine public et les supports des ampoules étaient cloués aux murs.

— Il est grand, ce trou, hein, Emmet ?

Brewster était plein d'entrain quand on l'aida à monter à l'arrière de la voiture de patrouille, vert et beige.

— À votre avis, comment on s'est débrouillés pour le perdre ?

— Tout le pays fout le camp, répondit Emmet. On pourrait probablement perdre n'importe quoi.

Il s'essuya le cou et chassa un moustique, les yeux tournés vers la pente qui descendait jusqu'à l'entrée de la grotte.

— Il y avait ici des arbres et des cochonneries jetées par les éboueurs avant l'ouverture de la décharge. Tout poussait par-dessus, les mauvaises herbes et un tas de trucs.

Il donna un coup de pied dans une motte de terre rouge et observa son effritement. Des fragments noirs et argentés brillèrent à la lumière crue des lampes.

— On ne pouvait pas se douter qu'il y a avait là quoi que ce soit. La terre est tellement mûre que, si on crache, il pousse de la verdure.

Le fait qu'on ait pu oublier un aussi grand trou auréolait Paula's Lost de mystère. Dans les dernières années, des arbres étaient tombés et l'entrée avait été repoussée un peu plus bas sur la pente. Le service d'entretien des parcs fut obligé de planter des panneaux pour avertir les curieux du danger de la spéléologie pratiquée en amateur – le sol pouvait facilement céder ; les crevasses comblées par des pierres et de la boue attendaient les imprudents, notamment ceux qui avaient entendu parler des anciennes fêtes de Brewster et venaient voir ce qu'il en restait. La plupart d'entre eux arrivaient avec seulement deux lampes de poche, un pack de bière et pas la moindre idée des risques encourus quand on descendait dans ce trou sombre et dangereux. Ceux qui en ressortaient étaient bien contents. Ils aspiraient l'air pur et sifflotaient en abandonnant les profondeurs boueuses derrière eux.

Cissy se pencha de nouveau au bord.

— Jusqu'où ça va ?

— Personne ne le sait, répondit Nolan en ouvrant la sacoche. Assez loin. Les gens disent que Paula's Lost rejoint Little Mouth, mais personne n'a trouvé où. Little

Mouth est plus grande, mieux connue. Celle-ci est seulement une grotte de famille.

Il sortit les torches munies de passants pour pouvoir être fixées à la taille. Il avait même apporté une ceinture supplémentaire, au cas où Cissy n'en aurait pas, et deux chemises à manches longues en flanelle.

— Il fait frais, en bas, dit-il. Toujours quatorze degrés cinq sous la terre. On dirait une climatisation qui fonctionnerait en permanence. Avec la chaleur qu'il fait ici, c'est agréable au début, mais, au bout d'un moment, on a froid. On se fatigue alors plus vite.

Il la regarda avec un sourire franc.

— T'es prête ?

Les pierres roulaient sur la pente. Cissy faillit tomber deux fois, mais, après quelques minutes, elle apprit à se servir de la corde que Nolan avait accrochée à un grand arbre, tout en haut. Heureusement que je fais de la natation, pensa-t-elle quand Nolan lui demanda d'agripper la corde et d'attendre qu'il ait le pied un peu plus sûr pour le suivre. Une fois en bas, elle avait un peu mal aux épaules, mais c'était amusant de descendre. Comme quand on nageait, on dépendait seulement de ses muscles et de ses nerfs.

Cissy traînait derrière Nolan. Ce n'était pas du tout l'idée qu'elle s'était faite d'une grotte. Elle avait vu un jour un film dans lequel des gens allaient explorer une grotte, mais ils se contentaient d'enjamber quelques rochers et pénétraient immédiatement à l'intérieur. La réalité était bien différente. Après la descente, il y avait une vaste entrée qui se rétrécissait aussitôt en une galerie.

— C'est Brewster qui a creusé un peu par ici, d'après oncle Tynan, dit Nolan en envoyant un coup de pied dans le sol grossier. Mais la véritable entrée se trouve là, derrière.

C'était une étroite fente dans le roc. Cissy dut se tourner une première fois pour s'y engager, puis une seconde. Deux mètres plus loin, le passage obliquait et ils furent obligés de se courber. Bientôt, ils rampèrent et tinrent leur lampe devant eux. Ça ressemblait vraiment à la natation, pensa Cissy. Il fallait se servir des épaules, des hanches, et se plier en deux pour éviter de se cogner la tête. De temps à autre, le roc s'ouvrait pour se refermer aussitôt. Non, finalement, ça ne ressemblait à rien de connu.

Ils haletaient tous deux lorsqu'ils franchirent un autre passage donnant dans une petite grotte aux parois inclinées et au sol parsemé de sable rougeâtre. Nolan fit agenouiller Cissy à côté de lui et sortit une gourde.

— Bois un coup, dit-il. Et après, on éteindra les lampes.

— On éteindra les lampes ?

Cissy but une gorgée à la gourde. Nolan balayait les parois avec sa torche. Les surfaces inclinées étaient aussi fissurées et irrégulières que le sol. C'était là le plus gros problème, pensa Cissy. Elle ne s'était jamais rendu compte qu'un sol devait être bien plat pour faciliter la marche. Elle posa la main à côté de son genou. Le roc était frais et lisse, mais elle avait l'impression qu'il se serait effrité si elle avait cogné dessus. Du calcaire, presque tout était du calcaire. Tendre, facilement sculpté par l'eau.

— T'es prête ?

Nolan dirigea le faisceau de sa torche sous son menton, de sorte que son visage parut fantomatique. Il avait un grand sourire heureux aux lèvres.

— Éteins ta lampe.

Cissy obéit. Le sourire de Nolan s'élargit encore pendant un instant, tandis qu'il tendait la main pour prendre la sienne. Puis il y eut un petit déclic et l'obscurité se fit totale.

Seigneur !

Les pupilles de Cissy se dilatèrent pour tenter d'intercepter la moindre lueur. Mais le noir était absolu. Il fit courir des frissons glacés dans ses nerfs et la sueur s'accumula dans les creux de son corps. Pourtant, au bout d'un moment, des reflets rougeâtres apparurent dans le noir, braises posées sur un spectre de velours sombre. Somptueux. Magnifique. Elle entendait la respiration de Nolan.

Un souffle lui effleura la joue et elle tourna la tête pour le suivre. Des étincelles. De la lumière. Immédiatement, elle eut l'impression que l'espace s'étendait au-dessus d'elle, tandis que des synapses jaillissaient et prenaient feu. Une boule colorée s'enflamma lorsqu'elle serra les dents. Tous les sons donnaient de la couleur. Le sable crissa sous elle et ce bruit se transforma en bande de ciel, petit ruban bleu. Elle serra encore un peu plus les jambes et le sable se déplaça bruyamment. Une vague azurée passa devant elle. Cissy tourna la tête et le bruit de sa respiration devint une lune d'un rubis sanglant. Elle retint son souffle et un diamant d'un jaune glacial s'épanouit derrière sa nuque. Elle se mit à rire. La joie lui montait à la gorge.

— C'est joli, hein ? dit Nolan en exerçant une pression sur son bras. Je me rappelle le jour où oncle Tynan m'a amené ici. Il a éteint sa lampe. Certaines personnes ne supportent pas l'obscurité, mais, moi, je m'y sens comme chez moi. Je me disais que tu aimerais ça.

— J'aime ça, murmura Cissy.

— C'est humain d'avoir peur du noir.

La voix de Nolan était légèrement coupante et Cissy perçut la frayeur derrière la dureté, une frayeur maîtrisée, mais néanmoins présente. Elle était vert tilleul et acide.

— Je n'ai pas peur, dit Cissy avant de se remettre à rire.

Ses mots étaient vert pomme et sonnaient faux. Elle était terrorisée, mais c'était très bien comme ça. Elle était capable de contrôler sa peur, de la chevaucher comme le courant de la Bowle, dans laquelle elle aimait se baigner. Delia protestait quand Cissy allait nager à la nuit tombée. Ici, c'était un peu la même chose, redoutable, mais stimulant. Son rire jaillit, noir sur fond noir, comme des perles d'ébène sur un col de smoking.

— Est-ce que tu vois...

Cissy hésita. Nolan n'allait-il pas la trouver bizarre ?

— Quoi ?

— Des couleurs.

Comment expliquer ? Quand elle essayait de voir les couleurs, elles explosaient et s'estompaient. On les sentait plus qu'on ne les voyait.

— Oh ! c'est les yeux qui font ça, c'est une sorte d'hallucination. Ça peut devenir très intense. Il faut apprendre à ne pas en tenir compte.

Nolan semblait sûr de lui et Cissy se demanda combien de fois il était venu ici. Elle se passa la langue sur les lèvres, curieuse de savoir si elle apprendrait un jour à ne pas tenir compte des couleurs. Quel avantage y avait-il à ça ? Elle remua légèrement sur le sable et ses hanches lui donnèrent l'impression d'être en chocolat fondu.

Le toit de la grotte était tout proche. Le sable était gris et rouge à la lueur crue de la lampe, avant que Nolan l'éteigne. L'était-il toujours ou avait-il été englouti par la nuit, comme ses pupilles ? Cissy l'imagina avec un reflet nacré. Elle se rendit compte qu'elle avait mal aux yeux. Elle les avait tellement écarquillés qu'ils étaient secs et fatigués. Elle baissa les paupières et perçut un soulagement immédiat, les releva et sentit un courant d'air qui venait du fond du passage.

Si le blanc était la somme de toutes les couleurs et le noir aucune, quelle était celle qui passait à présent devant ses pupilles desséchées et douloureuses ? Elle sourit et se détendit. Rien, ici, ne lui ferait du mal.

— Écoute ! souffla Nolan. Écoute !

Cissy pencha légèrement la tête en arrière. Son crâne lui faisait l'effet d'une peau de tambour, sensible aux frottements les plus subtils, prête à produire les sons les plus délicats, chaque note éclatante, enrobée de pigments. Elle referma les yeux et l'impression douloureuse de dessèchement reflua avec un murmure pourpre. Elle avait envie de fredonner, mais n'osait pas. Ça lui aurait pourtant fait du bien, de chanter du fond de la poitrine, comme Delia parfois, de laisser le son sortir d'elle, prendre couleur et forme dans l'obscurité. Sa nuque lui semblait réceptive et forte comme la table d'harmonie d'un instrument gigantesque. Une larme coula sur sa joue, d'un œil brûlant jusqu'au menton. Elle l'essuya. Dans sa tête, les mots s'inscrivaient en blanc sur fond blanc : je suis en sécurité, ici. Rien ne viendra me chercher ici si je ne le veux pas. Si je ne bouge pas, l'obscurité va m'envahir, faire de moi quelqu'un d'autre, un être entier, qui ignore la peur. Ça doit être ce que ressent Amanda quand elle prie avec tant de ferveur, elle doit avoir l'impression que Dieu lui donne la main. Cissy avait vraiment l'impression de se trouver dans le pays de Dieu.

Nolan ralluma brusquement. La douleur déferla sur Cissy en une vague brûlante. Tous deux tressaillirent et Cissy se cacha le visage. La lumière était trop puissante, trop chaude, trop pénible. L'obscurité avait disparu, le noir immense, beau, apaisant.

— Ça va ?

Nolan l'observait en clignant des yeux.

— Tout va bien ?

— Très bien.

Cissy sécha ses larmes et garda un visage inexpressif pendant que sa vision se précisait.

Les torches fonctionnaient avec des piles et leur pinceau lumineux était intense et bien circonscrit. Leur reflet formait une flaque d'ombre diffuse tout autour d'eux. Cissy fut stupéfaite en s'apercevant que Nolan ne voyait pas mieux qu'elle, qu'en fait elle évaluait mieux les distances. L'obscurité et les étroits cônes de lumière tassaient les volumes dans la grotte. Impossible de dire s'il y avait un gouffre plus bas ou si une ombre cachait une simple fissure. Tout était proche ou invisible, noir et blanc, impitoyablement trompeur. Mais Cissy avait appris à calculer les distances grâce à des indices subtils et, instinctivement, estimait les contrastes qui lui servaient de repères aussi bien à l'air libre que sous terre. Ils progressèrent régulièrement, à quatre pattes. Nolan lui apprenait ce qu'il savait sur la disposition de la grotte, mais la laissait s'orienter par elle-même la plupart du temps.

— Attention, une corniche.

— Tu as raison, dit-il, et Cissy se contenta de confirmer d'un signe de tête.

Je suis ici chez moi, pensait-elle. Elle n'aurait pas pu exprimer ce qu'elle voulait à ce moment-là. Elle agrippa plus fort le roc et ne dit rien. Mais elle se posait des questions. Quand Nolan la ramena lentement vers l'entrée de la grotte, Cissy se demanda ce qui se passerait si elle venait toute seule dans cet endroit, éteignait sa torche et restait assise, environnée d'obscurité. Quel effet cela ferait-il de rester un moment ici, la nuque largement réceptive à tout ce qui pourrait arriver ?

— Tu as été formidable ! s'exclama Nolan quand ils émergèrent du fond de la grotte.

Il haletait, le souffle court. Cissy frissonnait.

— C'était fantastique ! lui dit-elle. Quel cadeau !

Nolan s'assit à un endroit éclairé par le soleil déclinant. Ils se reposeraient une minute, puis grimperaient jusqu'à l'air libre. Il restait des sandwiches, des Coca et une Thermos de thé, là-haut. Il étira joyeusement les bras. Tout avait marché comme il le souhaitait, à l'exception de Charlie. Quel salaud ! pensa Nolan en se penchant en arrière pour s'appuyer sur les coudes. Il était épuisé.

— C'est vraiment du boulot de descendre dans cette grotte.

Elle fit jouer ses épaules jusqu'au moment où la douleur s'atténua un peu. Elle avait les yeux encore écarquillés, remplis de la terreur que l'obscurité avait provoquée.

— C'est ton oncle qui l'a trouvée ?

— Trouvée et perdue. Elle était dans la famille depuis un moment.

Nolan examina la lumière qui diminuait.

— On ferait bien de remonter, dit-il. Là-haut, je te raconterai tout ce que je sais sur Brewster pendant qu'on attendra Charlie.

Il tendit la main pour aider Cissy, mais elle rampait déjà vers la corde. Elle lui en tendit l'extrémité et se débrouilla toute seule. C'est vraiment quelqu'un, songea Nolan. Un peu comme une sœur.

Une fois qu'ils furent installés au bord de la route avec un gobelet de thé, Nolan tint sa promesse.

— Brewster était marié à ma tante Maudy, mais c'était un de ces mariages qui ne durent pas. Ils sont pourtant restés amis, même après leur séparation.

Maudy, la sœur du père de Nolan, avait passé toute sa vie à Cayro avant de partir dans l'Arizona, deux ans plus tôt.

— Brewster l'avait épousée avant ou après le Vietnam ?

Cissy fouilla dans la glacière et porta à son front une boîte de Coca humide. L'eau lava la transpiration qui avait séché sous sa frange.

— Oh ! avant. Presque tous les gars envoyés là-bas sortaient tout juste du lycée. Dix-huit ans, et hop… un, deux, trois, c'est parti. C'était le cas du grand frère de Brewster, par exemple. Comme bien d'autres qui n'ont pas eu de pot, il est mort trois mois après son arrivée. En tant que seul fils survivant, Brewster a pu échapper à la conscription. Tout le monde disait qu'il avait de la chance, mais lui, il ne voyait pas les choses de cette façon. Il a épousé Maudy et s'est inscrit à l'université, mais rien de ce qu'il a entrepris n'a marché, ni les études ni le mariage.

Nolan se tut et tendit l'oreille au bruit d'un moteur, puis, ne voyant pas arriver Charlie, il se retourna vers Cissy, d'un air ravi. Il adorait raconter l'histoire de sa famille. Dans son esprit, elle ressemblait à ces petits feuilletons télévisés où les personnages dévoilent toujours une relation compliquée – par exemple, une mère épouse un homme qui a déjà un enfant et ce dernier, une fois grand, assassine le frère qu'il n'a jamais connu.

— Tout le monde a des liens de parenté avec tout le monde, déclarait de temps à autre Nolan à Cissy.

Il ne voulait pas dire par là que tous les habitants de Cayro étaient effectivement liés par le sang, mais que toutes les histoires qu'on racontait ressemblaient probablement à celles qu'on ne connaissait pas et se rapprochaient beaucoup plus de la vie réelle qu'on ne voulait bien le reconnaître – une tragédie, presque à coup sûr, si on regardait les choses en face ou si on les racontait convenablement.

— Papa dit que Brewster a atteint une phase de sa vie où il s'est mis à croire que rien ne pourrait marcher tant qu'il n'aurait pas fait ce qu'il était censé faire. Il s'est donc engagé et il est parti. Les gens trouvaient qu'il avait vraiment eu de la chance. Au moins, il est revenu. Beaucoup de garçons de Cayro ne sont jamais revenus.

— Trop bêtes pour baisser la tête.

Cissy pensa à Marty Parish et aux autres garçons du lycée. Elle se servit de son petit doigt pour retirer une graine qui flottait à la surface de son thé, puis le but.

— Ou trop obéissants. Des types qui acceptent n'importe quoi. De bons petits gars.

Nolan fit un signe de tête, sûr que Cissy serait d'accord avec lui.

— Il y a exactement les mêmes aujourd'hui.

— Ouais, reconnut Cissy en cassant un bout de son gobelet en polystyrène. Mais l'époque était différente. Tout le monde le dit – en tout cas, Delia. Elle répète toujours que les gens ont oublié comment les choses se passaient à l'époque.

— Oh ! ta mère a raison. Il n'y a aucun doute. Tu devrais entendre mes oncles. Merde, tu devrais entendre mon père. À un moment donné, il s'était même laissé pousser un peu les cheveux. Il se mettait à passer ces disques des Allman Brothers, racontait que seul un imbécile se serait engagé dans l'armée, comme Brewster. Comme si ça ne l'avait pas démangé d'y aller. D'après tante Maudy, la seule chose qui a retenu papa à la maison, c'est une hernie discale qu'il a chopée en poussant son camion.

Nolan fit rouler la Thermos vide sur ses cuisses et observa Cissy tandis qu'elle se levait.

— C'est comme le genou de Clint.

Elle ramassa quelques morceaux de polystyrène et regarda vers le bas de la route de terre. Il leur faudrait emporter les détritus. Il valait mieux ne pas les laisser là.

— Clint n'a pas été obligé d'y aller parce qu'il s'était abîmé le genou dans un accident à la ferme de son père.

— Ouais, c'étaient eux, les veinards. Les estropiés et les infirmes, dit Nolan avec un grand sourire malicieux. C'est la marche de l'évolution, comme dit tante Maudy. Les vrais fous, les faibles d'esprit et puis, ouais, les malchanceux y ont eu droit. Ils sont partis dans les premiers et ne sont jamais revenus. Les veinards et les mal fichus sont restés pour semer la nouvelle génération. Mon père nous a faits, Steve et moi, et le tien vous a faites, toi, Amanda et Dede. Si les choses avaient été un peu différentes, les fils de Brewster auraient pu se trouver ici et vous autres, les trois filles, vous auriez pu ne jamais naître.

— Tu trouves pas que ç'aurait été terrible ?

Cissy lui adressa un sourire acerbe. Elle ne prit pas la peine de lui faire remarquer son erreur : Clint Windsor avait fait Amanda et Dede, mais pas elle. Contrairement à Nolan, elle n'avait pas la moindre envie de raconter les légendes de sa famille. Randall avait réussi à échapper à la conscription grâce à une série de marques le long des deux bras et à l'intervention énergique d'un producteur de disques dont l'unique mission consistait à soustraire à la tenue kaki des gens qui pouvaient rapporter du fric. Clint, en revanche, ressemblait à Brewster. Il serait allé au Vietnam s'il l'avait pu. C'était une décennie folle. Clint parlait de cette époque en termes presque bibliques : « Tout était sens dessus dessous. Les femmes tombaient amoureuses de garçons qui avaient plus l'air de filles que les filles. Et les vrais hommes se faisaient traiter comme des chiens. »

Sur le bas-côté de la route de terre, Cissy apercevait l'un des panneaux que l'Église baptiste avait placés partout à Cayro. « Chacun est le bienvenu dans Sa maison », lisait-on en caractères rouges et blancs. Elle pensa à Clint et aux paroles qu'il disait. « Les hommes, les vrais », c'était là une de ses expressions magiques. Chaque fois qu'il la prononçait, même de sa voix chuchotée, caverneuse, les mots sortaient avec force et dureté. Les Vrais Hommes. Les Femmes Douces. Dieu et la Vertu. Le Prix du Péché. Ce qu'une femme veut vraiment. Les phrases sonnaient comme les paroles d'une chanson que seuls les justes chantaient – des incantations religieuses transposées sur une mélodie country. Avec le trémolo exténué de Clint, les mots, insistants, avaient un rythme staccato. Il savait à qui il ressemblait : il parlait comme son père ou l'un de ces hommes qui erraient dans Cayro, pas rasés, la casquette enfoncée pour cacher colère et traits ravagés. Parfois, il allait jusqu'à se moquer de lui-même.

On aurait dit que Clint s'était scindé en eux, était devenu pour moitié l'homme qu'il avait été avant sa maladie, pour moitié celui qu'il essayait d'être. Il prononçait ces mots durs, puis reniflait de mépris et les répétait d'un ton moqueur. Parfois, en écoutant Amanda, Cissy entendait l'écho de Clint dans ce langage tranché, fort, l'écho de l'homme qu'il avait été sans le vouloir.

— Mes oncles jurent que Brewster est enterré dans l'une de ces grottes, disait Nolan. Peut-être dans Little Mouth, peut-être dans Paula's Lost. Tante Maudy le sait, mais elle ne veut pas me le dire.

Brewster avait fait une mauvaise chute quelques semaines seulement après qu'Emmet Tyler l'avait obligé à retirer ses ampoules et à renoncer à ses fêtes. Ivre et furieux, il avait bousillé sa cheville blessée. Il avait été admis à l'hôpital des anciens combattants, où les médecins avaient affirmé qu'ils pourraient le soigner. Mais chaque jour qui passait voyait son état empirer. Tynan, l'oncle de Nolan, alla lui rendre visite et s'aperçut qu'au lieu de soigner la cheville les médecins avaient coupé le pied. Tynan piqua une crise et tenta de le ramener à la maison, mais Brewster l'arrêta.

— Laisse-moi tranquille, dit-il. J'retourne pas à la maison.

C'était le début de l'après-midi, mais il avait les yeux rouges, le regard vague, et Tynan décela une odeur de whisky dans son haleine.

— Tu bois ?

Tynan était choqué et furieux.

— On peut se procurer n'importe quoi, ici, lui dit Brewster dans un murmure sonore. N'importe quoi. Parfois, on n'a même pas besoin de payer.

Son regard se détacha de Tynan pour errer sur le lit voisin, où un homme à moitié nu bavait, pris de convulsions.

— Oh ! Seigneur !

Tynan tourna les talons et sortit.

Chaque fois qu'un membre de la famille venait voir Brewster, il entendait la même chose.

— Laissez-moi tranquille. J'retourne pas à la maison.

À chaque visite, Brewster était plus ratatiné, plus distant. Il était toujours défoncé ou soûl.

— D'où est-ce que tu sors l'argent, mon garçon ? lui demanda Tynan.

— J'ai des amis, répondit Brewster en souriant. J'ai des amis.

— De drôles d'amis ! rétorqua Tynan.

Mais il ne pouvait rien faire. À l'hôpital, personne n'écoutait ses récriminations.

À chaque opération, les médecins juraient que ce serait la dernière, mais la gangrène revenait et la jambe partit par petits bouts. Quand Maudy finit par venir le voir, les médecins levèrent les bras au ciel et avouèrent qu'ils ne pouvaient plus rien. Elle souleva le drap et vit un moignon de vingt centimètres à l'endroit où s'était trouvée sa jambe.

— Oh ! Brewster ! s'exclama-t-elle.

Mais il semblait à peine remarquer sa présence. Comme l'avait prévenue Tynan, il était soûl, pas seulement drogué, mais bourré au whisky en pleine journée.

— J'retourne pas à la maison, répétait-il. J'retournerai plus jamais à la maison.

— Tu es mourant, lui dit Maudy.

Brewster fixa enfin les yeux sur elle.

— Ouais.

Il se passa la langue sur les lèvres et sourit.

— Ah ! Maudy ! murmura-t-il. Tu as vraiment bonne mine.

— Et toi, une mine affreuse.

— Ouais.

Il jeta un coup d'œil autour de lui, comme s'il voulait s'assurer que personne ne l'observait, et tendit la main pour prendre la sienne.

— Il faut que tu m'aides. S'il te plaît, Maudy, ne les laisse pas m'enterrer ici. Emmène-moi à Cayro. Ne les laisse pas me mettre sous cette pelouse pour que des malades me marchent dessus quand je serai mort.

Il lui serra la main. Il délire, pensa-t-elle, mais elle apercevait le cimetière par la fenêtre. Il n'y avait pas de clôture, pas de pierres tombales, seulement de petites bornes posées dans l'herbe. Des hommes s'y promenaient, tête basse, comme s'ils lisaient les noms sur les pierres, et sautaient négligemment de l'une à l'autre.

— D'accord, promit Maudy.

Les doigts de Brewster relâchèrent leur pression. Il devait mourir avant la fin de la semaine. Il délirait peut-être, mais Maudy n'en transporta pas moins le corps chez elle et l'enterra dans la région des grottes.

— Tu crois qu'il est par ici ?

Cissy regarda les pentes couvertes de pins et de cornouillers.

— Peut-être.

Les yeux de Nolan étaient tristes.

— Tante Maudy raconte que Brewster l'a amenée ici juste après leur mariage pour lui montrer les chauves-souris, mais qu'au coucher du soleil, ils étaient occupés à autre chose et ont oublié de les surveiller.

Nolan sourit.

— C'est la seule histoire gaie qu'elle ait jamais racontée sur Brewster. Apparemment, elle s'est vraiment bien amusée avec lui, ici. Je crois que c'était l'endroit qu'il préférait et qu'elle l'a peut-être elle aussi bien aimé pendant un temps.

Cissy se retourna vers les profondeurs souterraines. La grotte sifflotait d'une voix creuse, inarticulée, dépourvue d'idiome. Une grotte ne pouvait pas lancer d'avertissement, mais celle-ci semblait le faire. Cissy fixa l'ouverture rocheuse, bouche rigide aux lèvres de terre fendillées, grande ouverte dans un hurlement sans fin. Elle respire, pensa-t-elle. Elle respire comme Clint ou une vieille femme qui souffre d'emphysème. Elle ferma les yeux et écouta tandis que le soleil déclinait un peu plus dans le ciel.

— Ouais, Brewster adorait cet endroit, c'est sûr, dit Nolan.

Cissy hocha la tête. Elle se représentait bien la scène, un homme brisé qui tombe amoureux d'un trou dans la terre. Elle le comprenait.

— C'est merveilleux. C'est vraiment le plus bel anniversaire que j'aie jamais eu, nom de Dieu !

Les gens n'ont aucune raison logique pour explorer des grottes. L'alpinisme est plus enivrant. Le saut en parachute offre une plus belle vue. Le ski, l'escrime ou même l'équitation procurent un aussi bon exercice. La spéléologie n'est pas un sport, mais un défi, c'est plus une épreuve qu'une excursion. Un trou sombre, profond, en pente est le meilleur endroit pour tester ses nerfs, ses muscles, son instinct de survie, mais le risque est énorme, la terreur primitive. Depuis l'instant où elle s'était allongée sur le dos dans les fragments de schiste, à Paula's Lost, Cissy avait compris qu'elle aimait ça autant que Brewster. Elle aimait l'obscurité et la sécurité, le risque et les profondeurs inconnues.

— Est-ce qu'on pourra revenir ? demanda-t-elle. Avec de meilleures lampes ?

Nolan lut l'avidité et la peur dans son expression.

— Bien sûr. Quand tu voudras.

— Bientôt, dit Cissy.

Son cœur s'emballait et elle ressentait une doucereuse surexcitation dans les entrailles.

— On reviendra très bientôt, d'accord ?

— D'accord. Nous demanderons des lampes à mes cousins. Nous reviendrons quand tu voudras.

Il se força à ne pas froncer les sourcils. Il pensait à ce que son père racontait sur Brewster, à la tristesse avec laquelle il parlait de ce garçon qui avait gâché sa vie. « J'aurais dû me douter qu'il était fou, disait M. Reitower, quand il s'est mis à descendre dans cette grotte. C'était une chose de donner des fêtes, c'en était une autre de rester assis tout seul dans un trou noir. » Il s'adressait à tante Maudy, qui l'approuvait et prononça des mots qui restèrent gravés dans l'esprit de Nolan :

— La première question à poser à tous ceux qui descendent dans ces grottes, c'est toujours « pourquoi ? ». Mais, je te jure, il ne faut jamais croire ce qu'on commence par te répondre.

14

Nolan Reitower avait deux obsessions : il jouait de la clarinette et se languissait d'amour pour Dede Windsor. La première passion était récente et il s'y révélait extraordinairement doué ; il poursuivait la seconde depuis plusieurs années sans aucun résultat. Dede ne lui avait jamais accordé un seul regard.

— Ça ne sera jamais un homme, disait-elle de lui.

Elle avait une façon bien à elle d'exprimer ce que d'autres hésitaient à formuler, mais, une fois qu'ils l'entendaient, ils se rendaient compte qu'ils pensaient la même chose. Son jugement sur Nolan était extrêmement juste. Avec son visage de bébé, Nolan avait l'air d'un petit garçon même s'il avait atteint la taille d'un homme. Ce qui ennuyait Dede, ce n'était pas seulement qu'il avait une bonne année de moins qu'elle, plutôt que, dans son esprit, faire la cour revenait à rouler des yeux de merlan frit et à la regarder bouche bée en public. Et puis, à l'époque où il avait commencé à suivre Dede partout, Nolan était encore assez rondouillard. Ses épaules avaient eu beau s'élargir, il n'en restait pas moins mollasson. La seule chose positive qu'on disait de lui, c'était qu'il était gentil avec son papa et sa maman, qualité qui n'avait rien pour séduire une Dede non conformiste – les bons petits gars n'étaient pas ce qui attirait son œil.

— Il est trop gentil, disait-elle. Il n'a donc rien de fou en lui ?

Non, pensait Cissy. Non. La seule folie de Nolan, c'était sa passion pour Dede Windsor. Depuis qu'il l'avait croisée sur les marches, le premier jour, quand Dede l'avait traité de « petit chéri à sa maman », il était sous le charme. Un autre se serait vexé. Nolan, lui, s'enflamma et n'en démordit jamais. Pour lui, il n'existait pas d'autre fille que Dede Windsor.

Quelques mois après la balade d'anniversaire à Paula's Lost, Nolan se mit à travailler avec son père au Biscuit World. D'après l'expression unanimement employée, M. Reitower venait d'avoir une « toute petite attaque ».

— Ce n'est qu'un avertissement, déclara Nadine. Un avertissement pour que tu mettes un peu d'ordre chez toi, mon chou. Mange mieux. Repose-toi davantage. C'est Dieu qui te demande de ralentir le rythme.

Pour des raisons que Nolan ne parvenait pas à comprendre, Nadine ne semblait pas s'inquiéter. Elle était apparemment incapable d'imaginer qu'une menace sérieuse pût peser sur ce qui avait toujours été. Pour elle, la vie continuait, aussi lisse que la surface d'une assiette en porcelaine.

Nolan examina attentivement le visage livide de son père et se fit immédiatement sa propre idée de l'ordre qu'il convenait de mettre chez eux. En bon fils, il réorganisa son emploi du temps pour pouvoir passer tous les matins trois heures à aider son père et arriver au lycée avant la deuxième sonnerie. Quand il entrait dans le vestiaire, il sentait la levure, le beurre et le sel, et serrait dans sa main un sachet fumant de biscuits à la saucisse. Bientôt, les yeux de Nolan – ce qu'il avait de mieux, tout le monde s'accordait à le reconnaître – s'enfoncèrent dans son visage boursouflé comme un biscuit et il dut se tourner sur le côté pour franchir les portes. Aux yeux de Cissy, le pire était qu'il ne pouvait plus descendre dans la grotte de Paula's Lost.

— Je regrette, je n'ai pas le temps, lui répétait-il.

Et c'était vrai. Entre le Biscuit World et ses exercices à la clarinette, il n'avait plus une seule minute.

L'idée de la clarinette revenait à Nadine. Elle avait poussé Nolan à entrer dans la fanfare du lycée en espérant que ça l'arracherait à ses livres. Elle avait suggéré la clarinette car, pour elle, c'était un instrument convenable, moins lourd et moins pompeux que le tuba, sans la forme suggestive du piccolo. Et, si elle aimait bien le son du saxhorn, elle ne savait pas quel air aurait Nolan en le serrant sur sa poitrine. Il avait la carrure de son père, et allait devenir gros et maladroit. Non, décida-t-elle, son fils pourrait réussir à jouer de la clarinette sans perdre sa prestance.

Nadine était sûre que la clarinette serait un passe-temps qui ne durerait pas. Nolan finissait toujours par se désintéresser de tout. La musique le distrairait utilement, mais passagèrement des problèmes d'adolescence. Elle lui acheta une Vito Leblanc, un modèle de débutant, acceptable, bon marché, fabriqué en plastique, avec des clés plaquées nickel.

— C'est en résonite, Nolan, en résonite. C'est ce qu'a dit le vendeur.

Nadine ne pouvait pas deviner que son petit garçon timide trouverait le but de sa vie dans des doubles croches. En effet, dès qu'il se mit à actionner ses joues, Nolan s'aperçut qu'il arrivait à respirer grâce à cette clarinette. Il s'élevait alors dans un monde que personne ne connaissait, un monde baignant dans l'ivresse glorieuse que son talent faisait naître en lui.

Nolan s'exerçait dès qu'il en avait la possibilité, surtout après l'école, quand son père était de retour à la maison. Le Biscuit World fermait tous les jours à 13 heures, plus tôt en cas d'intense activité.

— Quand y en a plus, y en a plus ! disait M. Reitower en riant.

Tout en essuyant le comptoir, il pensait déjà à se fourrer au lit. Le père de Nolan dormait chaque après-midi, entre le moment où il rentrait à la maison et l'heure du dîner. Il s'inquiétait car Nolan se levait très tôt pour l'aider et ne s'accordait pas le moindre somme avant d'avoir terminé sa journée d'école et répété avec l'orchestre.

— Les garçons en pleine croissance ont besoin de manger, d'accord, mais ils ont aussi besoin de dormir, rappelait-il plusieurs fois par semaine à Nolan, qui n'en tenait pas compte.

M. Reitower se plaignait à Nadine.

— Et le temps de rêvasser, alors ? Ce gamin n'a pas le temps de rêvasser, le temps de se détendre, sans rien faire, de traîner et de réfléchir. Voilà ce qu'il faut à un garçon pour faire de lui un homme. Du temps pour réfléchir à ce qu'il va devenir.

Le plus souvent, somnolent, Nolan voyait défiler les heures jusqu'au moment où il pouvait mettre le bec de l'instrument dans sa bouche. Il se réveillait alors tout à fait et se sentait pleinement heureux. Ce que son père ne comprenait pas, c'était que pendant qu'il jouait, Nolan rêvait. Il ne s'était pas mis à la clarinette pour imiter Benny Goodman, ni même pour se cacher derrière le plastique noir et les clés luisantes. Nolan avait toujours apprécié la musique. Nadine s'obligeait à choisir une station de musique classique en début de soirée et, tous les matins, M. Reitower réglait la radio sur la station de jazz d'Atlanta pendant qu'ils découpaient la pâte à biscuits. Mais ce goût dépourvu de passion n'avait rien à voir avec ce que Nolan ressentit après avoir pratiqué la clarinette pendant six mois.

M. Clausen, son professeur de musique, s'inquiétait autant que son père. Nadine l'avait déniché quand le responsable de l'orchestre du lycée lui avait conseillé de « trouver quelqu'un qui comprenne ce qu'il fait ». M. Clausen enseignait au centre universitaire local [1] et dirigeait un petit orchestre d'instruments à vent, qui répétait beaucoup mais se produisait rarement en public. Cayro n'était pas un endroit où les gens couraient écouter un

---

1. Les *community colleges*, subventionnés par le gouvernement, dispensent une formation courte de deux ans dans certaines matières. *(N.d.T.)*

ensemble d'instruments à vent. M. Clausen s'était montré presque grossier lorsque Nadine l'avait contacté, mais, après quelques cours donnés à son fils, il était devenu remarquablement poli.

— C'est un miracle. Avec sa façon de jouer, personne ne peut dire de quoi ce garçon est capable. Je l'écoute et j'ai l'impression de devenir fou. Je l'écoute et je commence à me dire qu'il y a un dieu.

— Monsieur Clausen !

Nadine était horrifiée.

— Ne me dites pas que vous ne croyez pas en Dieu.

Nadine était prête à passer sur beaucoup de choses pour procurer à son fils un bon professeur, mais pas sur le blasphème. Elle savait que les musiciens étaient dangereux sous ce rapport. Des libres-penseurs, des hippies, des athées, des pédés, des intellectuels – tous avaient le même genre, et pas un genre qu'elle avait envie de voir Nolan trop fréquenter. Elle adorait son fils, elle savait qu'il adorait la musique, mais elle savait aussi à quel point les jeunes garçons se laissent influencer. Elle avait déjà dû renoncer à un fils, après tout. Si Clausen représentait un danger pour Nolan, elle ferait en sorte qu'il ne l'approche plus.

— Oui. Oh ! oui, je crois en Dieu. Bien sûr.

La perspective de perdre son meilleur élève ajoutait de la sincérité à sa profession de foi.

— Qui d'autre m'aurait envoyé ce prodige alors que j'étais sur le point de tout abandonner ? Vous n'avez pas idée du nombre de jeunes qu'on m'adresse à titre de punition. Surtout pour moi, d'ailleurs. Votre fils pourrait devenir virtuose s'il arrivait à dormir un peu plus…

M. Clausen hésita. Il ne voulait pas froisser la mère de Nolan.

— Je pense seulement que nous devons tout faire pour lui prodiguer les encouragements dont il a besoin.

Dès qu'elle entendit ces mots, Nadine fronça encore davantage les sourcils. Elle se faisait elle aussi du souci pour son enfant. Elle s'était égarée avec Stephen, son aîné, et ne voulait pas que Nolan prenne la mouche, file de la maison et ne l'appelle qu'une ou deux fois par an.

Nolan était le seul à ne pas s'inquiéter. Hormis le désespoir continuel dont Dede était la cause, il faisait preuve de patience et de confiance en soi. Il dormait quand il le pouvait, rêvassait quand il ne le pouvait pas, et reprenait vie en jouant de la clarinette, tout d'abord dans la fanfare du lycée, puis dans l'orchestre et, enfin, dans l'ensemble de M. Clausen. Nolan ne ressentait pas le besoin de rêver parce qu'il vivait dans un rêve. Il ne connaissait que deux états de veille, l'un pendant qu'il tirait des sons purs et étonnants de sa clarinette, l'autre quand il observait Dede Windsor de ses yeux marron de toutou. Nolan avait pour seule ambition de jouer de son instrument d'une manière telle que les gens sentiraient l'exultation qui le soulevait, et de conquérir l'amour de Dede.

Quinze jours avant la fin des études secondaires de Nolan, M. Reitower mourut d'une crise cardiaque, non pas en transpirant sur ses plateaux de biscuits, mais allongé dans son lit, au milieu d'un sommeil profond et calme. Son décès coupa court à toute chance, pour Nolan, de partir étudier la musique. Une bourse aurait pu payer toutes ses dépenses, mais pas subvenir aux besoins de sa mère. Et ce que les gens avaient toujours dit de Nolan était vrai : c'était un bon fils. Une fois M. Reitower décédé, Nadine avait bien besoin d'un bon fils.

Dès la mort de son mari, elle sombra dans un silence groggy et furieux. Comme un chiot assommé par le soleil, elle ne semblait pas comprendre ce qui lui était arrivé ni ce qu'il fallait faire désormais. Son brave mari, cet homme digne de confiance, avait l'assurance la plus petite jamais contractée. Ils n'étaient pas indigents, mais, bon sang, c'était tout juste, et Nadine ne parvenait pas à l'accepter.

— Comment a-t-il pu ? lâcha-t-elle en jetant un regard noir à Nolan et aux voisins venus l'aider.

Peut-être faisait-elle allusion à la mort de son mari, ou à son assurance de misère, qui ne couvrait même pas le prix de l'enterrement le meilleur marché qu'elle ait pu trouver. Ou alors, elle parlait de Stephen, qui téléphona mais ne se déplaça pas et envoya un chèque tellement modeste qu'il ne servit à rien. Enfin, elle accusait peut-être Dieu. Nolan se dit qu'elle n'en était pas loin, franc reproche adressé à une divinité qu'elle n'avait jusque-là jamais remise en question. Mais, en fait, ce qu'il croyait vraiment, c'était qu'elle l'accusait, lui. C'était sa faute, son échec.

Quelques semaines après l'enterrement, Nadine sortit de chez elle d'un pas furieux, repoussa violemment le châssis de la moustiquaire qui rebondit et lui heurta le front. Elle vacilla, tomba sur les marches du perron et se cassa le bras gauche, et, plus grave encore, la hanche gauche.

— C'est un maillon faible chez les vieilles dames, dit le médecin.

Cette hanche prouvait à quel point Nadine était devenue fragile. Le médecin laissa également entendre qu'elle avait pu avoir une petite attaque, mais il n'y avait aucune preuve, hormis la colère noire, imprévisible, qui brûlait maintenant en elle. Nolan n'hésita pas. Il avait déjà commencé à travailler à plein temps au Biscuit World. Il savait s'y prendre et personne n'allait lui refuser ce boulot ni le diplôme de fin d'études secondaires qu'il méritait, tout le monde le savait. Il était déterminé et inflexible. Il se débrouillerait. Il subviendrait aux besoins de Nadine, prendrait le temps de décider quoi faire, et, entre-temps, jouerait de la clarinette tous les après-midi sur la véranda. De là, il pourrait regarder la petite épicerie, en bas de Terrill Road. Dede y travaillait à présent et, s'il avait assez de cran, il pourrait savourer une boisson fraîche qu'elle serait obligée de lui remettre dans la main.

Quand Nolan commença à se dire qu'il allait devenir fou, il y eut les cours de musique, l'après-midi, au centre universitaire local, et les auditions pour les chefs d'orchestre venus prospecter. Ils le dévisageaient, terrifiés. Aucun d'eux ne parvenait à comprendre qu'il soit capable de jouer de cette façon, puis d'ignorer leurs conseils concernant son avenir professionnel.

— Mon Dieu, mon garçon, vous pourriez faire quelque chose.

— Je fais déjà quelque chose.

Il souriait, refermait son étui et repartait. Ce sourire crispé était très révélateur pour Cissy. Plusieurs fois, elle avait accompagné Nolan à Atlanta. La plupart du temps, elle traînait au sud de Peachtree et faisait les magasins de disques pour chercher des enregistrements pirates de Mud Dog ; une ou deux fois, elle s'installa au fond d'une salle obscure et observa Nolan pendant qu'il s'adonnait à ce qui semblait être son seul vice. C'était sûrement un péché, à en juger par l'affreuse satisfaction qu'il trouvait à ces auditions. Il souriait du début à la fin, jouait comme un ange pervers jusqu'au moment où le pupitre des clarinettes virait à l'aigre et blêmissait. On aurait dit que Nolan abritait une rage plus grosse que celle qui déferlait sur sa mère ; elle sortait en successions de doubles croches piquées alternant avec des sons purs, perçants. C'était peut-être comme ça que la musique fonctionnait vraiment, pensa Cissy. Le talent était sûrement une lame qui s'enfonçait dans la chair de ceux qui possédaient peu. En observant Nolan, Cissy vit en lui un garçon profondément blessé, qu'un accident du destin avait enrichi et qui maintenant thésaurisait sa fortune. La façon dont il souriait pendant l'audition, alors que tous les autres se désespéraient, lui donna un léger vertige.

Mais ensuite, Nolan redevenait lui-même, timide, impatient de connaître les impressions de Cissy. Il lui offrait un repas plantureux et riait gentiment en pensant à la frustration du chef d'orchestre. Elle retrouvait son ami, quelqu'un de profondément gentil, et avait alors du mal à se rappeler comment il avait réagi pendant l'audition. Ce fut seulement le jour où il parla des autres musiciens que la nature de son grief apparut.

— Oh ! ils se croient toujours très forts jusqu'à ce que je leur montre ce que je sais faire. L'humilité, voilà ce qui leur manque. C'est ce que je les oblige à éprouver.

Il fit un grand sourire et mastiqua avec une satisfaction qui effraya Cissy, la força à parler.

— Tu devrais partir, dit-elle, l'expression sévère.

Nolan but une gorgée d'eau et regarda Cissy d'un air interrogateur. Elle l'aimait bien, il le savait, et cela depuis le jour où Dede l'avait rabroué. Mais elle n'était pas musicienne. Elle ne savait pas ce qu'il éprouvait lorsqu'il s'asseyait parmi ces instrumentistes animés d'une ambition démesurée. Et il ne pouvait pas le lui expliquer. Il essaya de sourire et, d'un geste, chassa les paroles qu'elle venait de prononcer, mais elle lui agrippa la main et parla avec véhémence.

— Laisse-moi te dire une chose. Va à Atlanta, à New York, à Boston, où tu pourras. Va quelque part. Fais quelque chose. Passe une audition pour de bon. Accepte un engagement ou prépare un diplôme de musique. Il faut que tu arrêtes tout et que tu partes.

Lorsque Nolan se contenta de sourire une nouvelle fois et de hausser les épaules, le poids de son propre ressentiment faillit écraser Cissy. Il aurait suffi à Nolan de partir de Cayro pour que des gens l'accueillent à bras ouverts. Dès l'instant où il serait capable d'affronter son destin et de quitter sa mère, il pourrait se lancer dans une carrière qui compenserait tous les mauvais choix qu'il avait faits jusque-là. Mais personne n'attendait Cissy nulle part. Parfois, le sourire de Nolan l'enfonçait encore plus que ces clarinettistes suants qu'il venait de ridiculiser.

Qui était-elle ? La fille de Delia Byrd. Elle n'avait aucun talent, rien de spécial. Elle ressemblait à ces insectes pris dans de l'ambre, figés pour l'éternité. Elle n'avait jamais été amoureuse, n'était jamais sortie avec personne. Pas de petit copain, pas d'amis, sauf Nolan et Dede, et Dede, ça ne comptait pas. Qu'avait Cissy ? Rien. Rien hormis les grottes.

Cissy était retournée à Paula's Lost une demi-douzaine de fois avec Nolan avant qu'il cesse d'y aller, et à deux reprises avec Charlie, mais elle y avait renoncé car ce dernier, ivre, avait essayé de la plaquer au sol dans la première galerie, juste après l'entrée. Cissy ne pouvait expliquer à personne ce qu'elle ressentait sous terre. Nolan était trop occupé, Charlie voulait la déshabiller et Dede trouvait tout ça idiot. Au printemps, Cissy avait réussi à convaincre trois filles de l'équipe de natation de l'accompagner. Elles se rendirent à Little Mouth avec un garde forestier pour guide. Cissy l'impressionna. Ce qu'elle ne disait pas, parce qu'on l'aurait trouvée franchement folle, c'était qu'elle saisissait toutes les occasions de se faire emmener en voiture jusqu'à une grotte et y descendait toute seule. La plupart du temps, elle allait en stop jusqu'à Paula's Lost et s'installait dans la première galerie, environnée par une obscurité bienvenue. Parfois elle fredonnait, ravie ; le plus souvent, elle s'endormait. Aucun sommeil ne valait celui auquel elle succombait, enveloppée d'une vieille couverture, dans le sable de la première salle, site des anciennes fêtes de Brewster. Mais dormir ne donnait pas de carrière, d'avenir, de but, pas plus que les grottes.

Quand Nolan lui adressait ce sourire terne, Cissy se surprenait à le harceler, uniquement pour le vexer.

— On peut manger quelque chose sans se gaver de sauce, lâchait-elle, ou : Dede va épouser ce Tucker, tu verras.

Le sourire s'évanouissait et, à son regard, on aurait dit qu'il voyait tout au fond d'elle, là où elle cachait ses péchés.

Cissy se taisait alors, confondue par le pouvoir qu'elle avait de faire souffrir Nolan. C'était affreux de connaître aussi précisément les faiblesses de quelqu'un. Nolan était d'une douceur inaltérable avec elle, même quand elle manifestait sa frustration et sa rancœur. Il s'était peut-être endurci en essuyant les colères de sa mère, ou alors le mauvais ange qu'elle avait aperçu dans la salle d'audition n'était pas un aussi grand pécheur qu'elle l'avait imaginé.

— Au moins, toi, tu es doué pour quelque chose, disait-elle à Nolan.

— Je ne suis pas aussi doué que ça, répliquait-il prudemment.

Il attendait que la cruauté vire à l'embarras, que son amie revienne à de meilleurs sentiments.

— Pas encore. Je suis loin d'être aussi bon que je vais le devenir, ajoutait-il, avant de lâcher un petit rire sarcastique : quand j'arriverai à ce que ta sœur remonte Terrill Road jusqu'à ma véranda, nous en reparlerons. Nous en reparlerons.

La musique qui faisait les délices de Nolan était un mystère pour Cissy, la clarinette restait aussi impériale et étrange que le concept d'un ensemble d'instruments à vent ou d'un orchestre de jazz. La fille de Delia Byrd et de Randall Pritchard était dans son élément avec la guitare, la batterie et le rock and roll. Les chansons. Paroles et musique. M. Clausen avait déniché une Buffet dans une vente entre particuliers et l'avait achetée pour Nolan avec l'aide des autres musiciens de l'ensemble. Nolan avait failli refuser ce geste. Ce qu'il jouait sur cet objet d'art luisant en ébène et argent était d'un autre ordre, un langage que Cissy n'avait jamais appris à maîtriser et n'était même pas sûre de bien discerner. Quand Nolan jouait pour elle, Cissy avait l'impression d'être une petite fille baptiste qui assiste à une messe catholique – intimidée, effrayée et méfiante. C'était magnifique et redoutable. À peine reconnaissables ou parfaitement familières, mais, en même temps extraordinaires, les mélodies lui envoyaient parfois des décharges électriques. Le plus incroyable, c'était que cette musique sortait de Nolan, un Nolan aux joues rouges gonflées et aux yeux bouffis. Les cascades de notes faisaient surgir des souvenirs de levure à biscuit. Cissy en restait bouche bée et se sentait soudain petite, stupide, complètement provinciale, géorgienne, tandis que Nolan grandissait et prenait les traits de Bacchus ou d'Orphée, d'un dieu adoré dans des contrées lointaines, prestigieuses, aussi distantes de Cayro que Paris ou New York. Si elle fermait les yeux en écoutant Nolan jouer, elle voyait les silhouettes légères de ballerines qui dansaient sur un ciel en velours et diamants. À chaque trille, elles s'élançaient, et le cœur de Cissy sombrait.

Peut-être Delia connaissait-elle cette impression – l'immense pouvoir ténébreux d'une mélodie, qui pouvait accélérer ou ralentir votre pouls, vous arracher complètement à votre état normal. Delia avait vécu dans ce monde à part. Il y avait là de la magie, une magie que seuls les musiciens connaissaient, une magie qui transformait tout et aurait pu transformer Cissy. Mais elle lui était refusée. Comme Dede, elle avait une voix agréable, prosaïque, ordinaire. Rester assise à côté de Nolan en sachant qu'elle n'avait ni son talent ni celui de sa mère était une affreuse torture. Quand Cissy se sentait aussi diminuée, une seule chose l'aidait : savoir que Nolan, lui aussi, désirait désespérément quelque chose qu'il ne pouvait pas obtenir. Ils auraient dû éviter d'aborder la question, mais tel n'était pas le cas. Nolan revenait invariablement à Dede, un sujet de référence pour tous deux.

— Qui est-ce que Dede voit en ce moment ? demanda-t-il lorsque Cissy vint le rejoindre pendant qu'il s'adonnait à ses exercices de l'après-midi sur la véranda, le lendemain de leur excursion à Atlanta.

De tout son corps émanaient une frustration et une tension nerveuse qu'il ne pouvait chasser. Le bec de sa clarinette était à quelques centimètres à peine de sa lèvre inférieure et son désir se lisait clairement sur son visage.

— Elle ne court quand même plus après ce Tucker ?

Il sortit la langue, la passa lentement sur les fibres humides de l'anche. Il essayait de paraître décontracté.

— Oh ! Nolan !

Le morceau qu'il avait joué résonnait encore dans la tête de Cissy. Avec reconnaissance, elle se secoua pour revenir au moment présent, au monde bien terrestre de désir contrarié et d'obsession sexuelle. Même les musiciens étaient soumis aux lois des peines de cœur.

— Laisse tomber. Dede ne voudra jamais sortir avec toi. Même si elle ne voyait pas Billy Tucker, elle ne te remarquerait pas.

Du pouce droit, Nolan se frotta la lèvre inférieure.

— Je sais, je sais.

Il avait les yeux dans le vague et son visage ne laissait pas espérer un sourire.

— Je posais seulement la question.

Il pencha la clarinette et la regarda sur toute sa longueur, comme si la réponse se trouvait dans son lustre.

Ce n'était pas un jeu. Il ne faisait pas semblant. Sa détresse ne cédait jamais. Chaque fois que Dede cassait avec un nouveau petit ami, le cœur de Nolan s'enflammait. Il pressait Cissy de questions, faisait les courses pour Delia et cherchait des cadeaux qu'il apportait à l'épicerie – des petites attentions, barrettes recouvertes de tissu ou moufles fourrées de cycliste, qui lui protégeraient les mains quand elle ouvrirait les cartons d'œufs et de beurre ou tirerait sur la languette des boîtes de viande séchée.

— On ne choisit pas la personne qu'on aime, dit Nolan à Cissy.

Il parlait de Brewster, mais pensait à son propre cas.

— Certains ont de la chance. Ils trouvent tout de suite la personne qui leur convient. D'autres ne la trouvent jamais. Papa disait toujours que Brewster aurait dû rester marié à tante Maudy, même si, comme il le jurait, elle n'était pas son véritable amour. Il disait que le véritable amour est rare et qu'on ne peut pas espérer grand-chose de plus qu'un bon foyer. Et puis, de toute façon, tante Maudy aurait pu avoir un peu d'influence sur lui. Il souffrait de diabète, tu sais, ce qui rendait l'alcool encore plus redoutable. D'après papa, ça lui a bousillé la circulation. C'était presque du suicide, quand on y réfléchit. Il n'était pas forcé d'en arriver là. Il s'était montré stupide, en fait, et négligent. Plus ou moins un trait de famille.

Il laissa tomber la tête.

— La marche de l'évolution ? plaisanta Cissy.

Mais Nolan la fusilla du regard. On ne pouvait pas prévoir quand il allait se vexer, pensa-t-elle. Elle regarda les doigts délicatement posés sur la clarinette avec une précision infaillible. Une infinie fragilité, une énorme puissance, une force de la nature dans un corps profondément humain.

Même quand elle allait encore au lycée, Dede avait des difficultés à trouver un boulot stable. Une fois ses études secondaires terminées, elle chercha désespérément du travail, sans relâche. Son problème n'était qu'en partie le faible nombre d'emplois disponibles à Cayro. Les vrais obstacles étaient son caractère et ses aptitudes. La plupart des filles qui sortaient du lycée étaient prêtes à quitter la ville ou à travailler dans les usines d'électronique récemment implantées dans la nouvelle zone industrielle, vers Marietta. Mais Dede ne voulait pas quitter Cayro – elle prétendait que, hors de ses limites, il n'y avait que chaos et drogue de mauvaise qualité – et elle ne voulait certainement pas gagner sa vie en fabriquant des systèmes de guidage de missiles, ni être obligée de s'attacher les cheveux.

— La paye n'est pas si bonne que ça, de toute façon, se plaignit-elle. Une fois que tu t'es acheté assez d'herbe pour être défoncée pendant que tu travailles sur cette chaîne, t'as plus de quoi te payer de vacances agréables ni une voiture convenable. Et, merde, je préfère fumer pour le plaisir, pas pour pouvoir supporter une journée de travail chiante.

Delia approuva d'un signe de tête et dissimula un sourire. Une journée de travail chiante, c'était ce que la plupart des gens pouvaient espérer, après tout.

Pendant un moment, Dede dépanna Benny Davis, au magasin de toilettage pour chiens. Elle s'occupait des caniches et des chows-chows, administrait un traitement contre les puces et les tiques à des bêtes tellement énormes que Benny n'avait plus le cran de les affronter. Ce n'était pas un travail régulier, cela ne rapportait pas grand-chose, mais Benny acceptait qu'elle vienne quand elle voulait et ne se formalisait pas de la façon dont elle s'habillait.

Quand un groupe de femmes porta plainte contre les services de police d'Atlanta, Dede s'intéressa immédiatement à leur lutte. L'État organisa un examen pour recruter des shérifs adjoints et des agents de la circulation, et Dede essaya de s'inscrire pour passer celui de shérif adjoint. Quand elle vint chercher le formulaire, Emmet Tyler, assis sur le bord de son bureau, écarquilla les yeux.

— Tu veux être shérif adjoint ? demanda-t-il, étonné. Combien de fois t'as failli te retrouver en prison ?

Il était atteint d'une invalidité partielle après avoir fait un tonneau avec sa voiture de service, alors qu'il poursuivait deux adolescents ivres sur la route de Little Mouth. Il avait le bras gauche raide, mais refusait qu'un médecin le lui tripote. Depuis l'accident, il travaillait au tribunal, escortait les prisonniers et remplissait les papiers pour le juge chargé des infractions au code de la route. Le week-end, il était censé se reposer et faire de la rééducation, mais, la plupart du temps, il traînait près du tribunal ou au café, en bas du Bee's Bonnet.

— Failli, ça compte pas, répliqua Dede. Et j'me fous pas de la circulation. J'ai autant le droit de circuler que n'importe qui. J'ai mon diplôme de fin d'études. Personne ne peut rien venir me reprocher.

— Non, ma petite, ça, c'est pas vrai, dit tranquillement Emmet.

À force de se chamailler avec Dede depuis qu'elle avait quatorze ans, il avait appris à l'aimer. Il connaissait son caractère et l'admirait, même s'il priait pour ne jamais avoir à se frotter à elle tant qu'il vivrait.

— Qu'est-ce que tu ferais si tu devais arrêter un ami, un garçon avec lequel tu es sortie ? Hein ? Comment tu te sentirais ?

— Certains garçons avec lesquels je suis sortie mériteraient d'être arrêtés.

Dede se mit à rire en y pensant.

— Pour les autres, bon, ce serait comme le juge Winkler quand il a demandé à ne pas assister au procès de son cousin. Est-ce que tout le monde ne peut pas se faire excuser dans certains cas ?

Elle était pensive et ses sourcils froncés accentuaient le pli au-dessus de son nez.

Emmet repoussa ses cheveux en arrière et prit une profonde inspiration.

— Dede, mon chou, ces cas risqueraient d'être trop nombreux pour que tu puisses t'en tirer.

Il leva la main en voyant son expression se durcir. On aurait cru qu'il voulait arrêter la protestation qui n'allait pas manquer de suivre.

— Tu es intelligente. Tu es même l'une des filles les plus intelligentes que j'aie rencontrées, et tu dois te rendre compte de la difficulté qu'il y a à conduire tes amis du tribunal en prison, à passer les menottes à des gens que tu as toujours connus.

Sensible à sa colère, mais ferme, son regard retint Dede.

— Je l'ai fait. Je sais.

Il détourna les yeux.

— Des gens m'ont lâché à cause de ça. Des gens que j'aimais. Je ne voudrais pas que ça t'arrive.

Dede grinça des dents. Elle savait qu'Emmet pensait à Delia, qui était assez aimable avec lui mais n'acceptait plus, maintenant, qu'il l'invite au restaurant ou au cinéma. Delia n'avait jamais fait remarquer qu'Emmet avait arrêté deux fois Dede – une fois pour excès de vitesse et une fois pour détention d'une petite quantité de marijuana –, mais tous deux savaient que c'était la raison pour laquelle elle avait cessé de le fréquenter.

— Je ne peux pas sortir avec un type qui a passé les menottes à mon enfant, expliqua Delia à M.T. Je me fiche de savoir si elle était soûle en plein milieu de la rue ou non.

Sourcils froncés, Dede lui lança un regard de travers, mais, en partant, elle n'emporta pas les formulaires d'inscription.

Tandis qu'il la suivait des yeux, Emmet lâcha un profond soupir. Il avait essayé de ne pas prendre le rejet de Delia trop à cœur et de s'affairer tout le temps ; pourtant, chaque fois qu'il pensait à elle, son pouls battait si fort que sa gorge semblait se fermer. Il savait qu'il aurait donné son âme pour s'allonger une fois de plus sur le corps de Delia, pour s'enfoncer en elle le plus fort possible, avant de reposer, exténué, sur son épaule – même si c'était le dernier acte qu'il lui était permis d'accomplir. Mais elle était à des kilomètres de distance, bien trop loin pour pouvoir être rejointe en ce bas monde. L'amitié qu'elle lui accordait était tout ce qu'il obtiendrait jamais, et il s'y accrochait. Depuis longtemps, il ne lui avait plus proposé de sortir, il trouvait seulement des prétextes pour passer manger son casse-croûte avec elle quand il le pouvait. Il travaillait tout le temps qu'on l'y autorisait et se rendait à Panama City quand il avait besoin d'une femme. De temps en temps, il aidait les gars qui entretenaient les parcs, plaçait un ou deux panneaux et racontait des histoires que les gardes forestiers n'avaient pas encore entendues. Certains incriminaient ses talents de conteur quand des imbéciles continuaient de se perdre à Paula's Lost.

— Vous pouvez toujours descendre dans une grotte obscure, mais remonter, ça, c'est une autre affaire, disait Emmet aux jeunes qui se renseignaient sur les anciennes fêtes.

Son ton était morne et il hochait la tête, comme si son avertissement devait régler la question pour tout homme sain d'esprit. Il ne semblait jamais remarquer les sourires qu'échangeaient ces gamins. Il avait perdu tout souvenir de l'époque où on est jeune, fou et impatient de sauter à pieds joints dans l'obscurité.

— En fait, je voudrais un boulot de chauffeur et c'est le seul que je n'arrive pas à décrocher. Je suis douée pour la conduite. Je pourrais peut-être livrer des trucs – des trucs pas trop lourds. J'suis pas complètement idiote.

Dede leva ses bras maigrichons et claqua des doigts en souriant largement à Cissy.

— Je sais bien que je serais incapable de livrer des caisses de boissons gazeuses. Ni conserves, ni boissons. Tu me vois en train de trimballer des caisses de soupe ou de nourriture pour chiens ?

Cissy sourit à cette idée. Dede pesait au grand maximum cinquante-deux kilos. La plupart du temps, elle restait bien en dessous. Dans les mauvais moments, par exemple pendant les mois où elle alternait amphés et vitamine B 12, elle descendait au-dessous des quarante-cinq kilos.

— Squelettique, disait alors Amanda à Delia. Cette petite est squelettique.

Cissy était bien d'accord, mais n'intervenait pas. Ça ne servait à rien de parler de Dede avec Amanda. Peut-être avec Delia, mais pas Amanda, qui avait passé une bonne année à harceler sa mère pour qu'elle envoie Dede au centre de rééducation chrétienne de Savannah. Il y eut un moment critique où Delia sembla prête à céder, et Dede dut le sentir. Elle passa à ce qu'elle appela son régime santé, abandonna le Xanax, le ginseng de Sibérie et le calcium chélaté pour se repaître de sucres lents et de légumes verts frais. Elle s'étoffa rapidement et claironna que c'était bien agréable d'être saine pour changer un peu.

Dede croyait qu'il convenait de compenser les drogues par des vitamines, comme si les bonnes intentions neutralisaient les plus folles et, parfois, Cissy se persuadait qu'elle savait ce qu'elle faisait. À l'exception d'un petit joint fumé avec Nolan et de quelques bières bues après une expédition dans une grotte, Cissy n'avait pas essayé de drogues. Elle savait qu'elle ne pouvait pas en juger les effets.

Mais elle comprenait Dede quand elle se plaignait du manque d'emplois à Cayro. Si on ne voulait pas coiffer les gens avec Delia ou travailler à la chaîne chez Frito-Lay ou dans l'usine de guidage de missiles, il n'y avait pas grand choix pour une jeune fille sans fortune familiale. Les deux dernières affaires montées à Cayro étaient l'atelier de réparation de motos, près de l'autoroute de Marietta, et la boutique d'artisanat, au centre commercial Stop'n'Go. Toutes deux avaient périclité.

Avant même d'avoir obtenu l'autorisation officielle de conduire avec quelqu'un à côté d'elle, Dede avait rêvé de piloter un gros camion sur les petites routes. Sexy, elle trouvait qu'être chauffeur était sexy – elle aimait même les chemises d'uniforme et les poches plaquées. Elle pourrait peut-être livrer de la papeterie ou des gâteaux, dit-elle à Cissy.

— Peut-être. Des meringues ? suggéra Cissy pour la taquiner.

Dede piqua une colère quand elle découvrit que les articles de papeterie n'arrivaient pas dans des camions qu'elle pouvait conduire. Ils étaient acheminés au Piggly Wiggly dans d'énormes semi-remorques, mélangés à des conserves et à de gigantesques sacs de nourriture pour animaux. Même les gâteaux étaient livrés dans un gros camion et le chauffeur se mit à rire lorsque Dede essaya de lui parler.

Ce fut un été pénible. Dede se terrait dans sa chambre avec du Dilaudid et d'énormes doses de vitamine C. Un après-midi, Cissy la trouva allongée sur son lit. Là, elle disserta pendant une heure sur les effets bénéfiques de la vitamine C contre la constipation.

— C'est mieux que la bière, dit-elle avant de lever la tête et de rire tout bas. Je croyais que c'était Dan qui arrivait, murmura-t-elle, évoquant le garçon avec lequel elle était sortie le mois précédent et que Cissy n'avait pas vu depuis plusieurs semaines. Je croyais que c'était Dan. Celui-là, il en a bien besoin, de vitamine C.

Puis elle ferma les yeux et se laissa dériver. Cissy s'assit et l'observa un instant. Inquiète, elle se demanda s'il était temps de mettre Delia dans le coup. Finalement, elle décida d'attendre.

Pendant un moment, Dede s'enthousiasma pour la conduite sur longues distances et, afin de se faire une petite idée, sortit avec deux chauffeurs qui parcouraient de courtes distances. L'un d'eux était propriétaire de son camion et Dede vit immédiatement que c'était le bon système, même si, comme elle le dit à Cissy, elle ne pourrait probablement pas emprunter assez d'argent pour s'en payer un. Et qui lui ferait confiance pour transporter des marchandises ? Elle dénicha bien quelques femmes chauffeurs, mais la plupart faisaient partie d'une équipe, étaient mariées avec leur associé ou dépannaient seulement de temps en temps pour améliorer l'ordinaire.

— Saloperie ! jurait Dede tandis que ses rêves de camions s'éloignaient.

Un soir, elle déversa sur Cissy le long récit compliqué de ses fantasmes. Elle allait se rendre à Atlanta, trouver du travail en tant que chauffeur de taxi, coucher avec quelqu'un ou louer un smoking et se dégotter un de ces fiacres qu'on voit dans le quartier Underground. Si elle ne pouvait pas dorloter un moteur, elle était sûrement capable de claquer la langue pour faire avancer un cheval. Elle avait les yeux vitreux et, autour du nez, la peau semblait tirée et grise. Cissy l'observa et s'inquiéta.

Un jeudi, en fin d'après-midi, Amanda appela le Bonnet pour avertir Delia que des coups de feu avaient été tirés à l'épicerie, en bas de chez Nolan. Deux femmes étaient assises sous les casques, de gros bigoudis roses et bleus fumant sous le bonnet en plastique.

— Qu'est-ce qui s'est passé ? demanda M.T. d'une voix effrayée. Qu'est-ce qui s'est passé ?

— Un idiot a sorti la chose à ne pas dire à la mauvaise personne.

Pour être précis, ce n'était même pas un cambriolage. C'était une histoire entre un garçon et sa petite amie, et il y avait de la drogue là-dessous. Un garçon trop bourré pour prendre le temps de réfléchir, une fille trop défoncée pour se soucier de ce qu'il pensait, un autre garçon trop beurré pour faire attention. Et puis, une arme et une histoire de fous, dont personne n'était bien sûr. Personne n'était capable de dire comment tout avait commencé, mais le garçon était mort, la fille était dans un sale état, avec du sang partout et la moitié d'un doigt arrachée. Dans la confusion, quelqu'un était retourné dans la boutique et avait vidé la caisse – un tiers étranger à la fusillade, d'après ce que la police put conclure.

Dede était assise dans le fauteuil de Steph, en train d'étudier un journal dans l'espoir d'y trouver une entreprise ou une idée qu'elle n'avait pas encore essayée.

— J'aurais pu vous dire que ça allait arriver un jour ou l'autre, déclara-t-elle avant de se lever et de sortir du salon.

Un nouveau gérant, temporaire, remplissait les rayonnages quand Dede arriva au magasin. Le gérant habituel avait démissionné dès qu'il avait vu arriver les flics.

— Je n'ai pas envie de tremper dans des meurtres, avait-il décrété. Le sang, très peu pour moi.

— Moi, j'ai du flair pour repérer les ennuis, dit Dede au nouveau type.

Il avait dans les mains une caisse fendue contenant de la garniture pour les glaces – des petites boîtes de caramel mou et de chocolat. Il la regarda d'un air déconcerté.

— Y a pas beaucoup de gens avec lesquels je ne saurais pas me débrouiller, poursuivit Dede.

Le type se contenta de la dévisager.

— Je pourrais très bien me débrouiller.

— Très bien vous débrouiller ?

— Ici, avec ce boulot. Je m'y connais un peu.

— Ah bon ? Vous avez déjà fait du 7-23 heures qui s'éternise ?

Il se mit à rire et poussa quelques boîtes supplémentaires sur l'étagère.

— Si, j'vous assure.

Dede n'était pas d'humeur belliqueuse. Elle disait la stricte vérité. Son regard balayait les rayonnages, la vitrine, le présentoir à journaux et à magazines, où la moitié des couvertures étaient cachées sous des bandes marron.

— Je suis capable de m'occuper de tout ça.

L'homme reposa sa caisse et se tourna vers elle.

— Vous n'êtes qu'un petit bout de fille, dit-il.

Il avait l'air de vouloir être patient, mais parlait d'un ton dissuasif.

— Et puis, vous ne savez donc pas que quelqu'un est mort, ici, ce soir ? Quelqu'un a été tué d'un coup de feu.

— Je ne me ferai pas tirer dessus, rétorqua Dede en le regardant droit dans les yeux. Je sais me débrouiller et il n'y a pas grand-chose qui puisse m'arrêter quand j'ai décidé quelque chose. Bon, je ne suis pas un stupide malabar de cent kilos, mais je sais travailler. Je pourrais m'occuper de ce magasin d'une manière que vous n'imaginez pas.

Malgré lui, l'homme était intrigué, mais ne savait que dire. Il essaya de congédier Dede d'un geste de la main, mais il y avait déjà une offre d'emploi affichée sur la vitrine et une pile de formulaires derrière le comptoir.

Quand Dede insista, il sortit son recueil d'instructions pour voir s'il pouvait refuser sa candidature. Il ne vit rien qui pût l'aider. Il n'y avait ni taille ni poids exigés. Il y avait bien un âge minimum, mais Dede l'avait atteint… tout juste.

Elle remplit le formulaire et passa deux fois afin de vérifier s'il l'avait bien envoyé au siège de la société. Delia l'avertit que ça n'allait rien donner ; tout ce que Dede répondit fut :

— Je suis capable de faire ce boulot.

On la fit commencer à la journée, avec des horaires impossibles. Tôt le matin et tard le soir, aux heures d'affluence. Le bonhomme qui la formait pensait qu'elle n'allait pas tenir une semaine.

— On a des individus plutôt grossiers, ici, prévint-il.

Dede sourit.

— Ah ouais.

Si Delia s'inquiétait, Amanda, elle, était indignée.

— Vendeuse ! C'est ça que tu veux être ? Vendeuse ?

— Je suis capable de le faire, rétorquait Dede, refusant de se laisser embringuer dans une dispute.

Elle avait les yeux brillants et clairs. Elle buvait du café noir et avalait de grosses gélules de fer.

Des gens grossiers, des adolescents, des jeunes tout juste majeurs, avec des papiers d'identité maculés et de mauvaises manières. Des alcoolos des deux sexes. Des mères furieuses qui entraient en coup de vent et laissaient dans la voiture des tripotées de bambins braillards. Personne ne faisait peur à Dede. Elle les jaugeait du regard et savait d'avance ce qu'ils voulaient. Bière et cigarettes, lait et pain de mie, gâteaux au beurre de cacahuète ou bouteille de quatre litres de glace au parfum Rocky Road. Faux papiers d'identité ou mains agiles, Dede repérait tout avant que ne survienne un problème.

Elle connaissait tous les trucs parce qu'elle en avait utilisé pas mal, et plus souvent qu'à son tour. Elle connaissait les risques et savait s'y prendre avec les enfants fatigués ou pleins d'espoir. D'une raillerie, d'une plaisanterie, elle désamorçait la colère. Elle lançait un regard mauvais aux petits emmerdeurs qui en avaient bien besoin. Elle arrêta même la fille qui raflait les pièces de vingt-cinq cents récoltées pour la lutte contre la paralysie cérébrale, près du congélateur à crèmes glacées.

— C'est pas une chose à faire, dit-elle.

Et il n'en fut plus question. Dede connaissait ce jeu et l'aimait. Conduire un semi-remorque aurait bien sûr été préférable, mais, pour l'instant, c'était déjà bien, dit-elle à Delia et à Cissy. Elle se sentait maintenant chez elle dans cette boutique et elle allait la faire tourner correctement.

Il fallut six mois à ses supérieurs pour admettre ce qu'elle savait déjà. Ce petit bout de fille avait du talent et du sang-froid.

— Elle connaît son affaire, déclara le directeur à Delia. C'est la meilleure que j'aie jamais eue. Qui aurait pu le penser, hein ?

— J'en suis capable, clamait Dede.

Ses yeux luisaient de conviction, de vitamine E et de bêta-carotène.

Elle en était effectivement capable.

15

Après l'expédition avec le garde forestier, Cissy passa deux ans à rassembler des monographies sur les grottes ; elle ne trouva que quelques rares mentions de Paula's Lost, mais trois articles sur Little Mouth, tous rédigés par des spéléologues amateurs compétents qui désiraient se voir attribuer le statut de spécialistes, de braves garçons aux yeux habitués à l'obscurité, qui n'avaient pas peur de la promiscuité. La spéléologie est une occupation non lucrative, un passe-temps privilégié par les anciens athlètes et les jeunes extrêmement maigres qu'on voit s'obstiner à faire des longueurs de piscine ou de la marche au pas de gymnastique pendant que d'autres recherchent les sports d'équipe. On ne récolte pas de médailles, pas de trophées, seulement l'estime de ses pairs. Les monographies imprimées sur du papier bon marché, reliées à la main ou agrafées, et rarement publiées dans des revues, étaient exagérément modestes, prosaïques, pleines de ces euphémismes discrets qui ont cours parmi les élites clandestines. Qu'avez-vous fait ce week-end ? J'ai parcouru cinq kilomètres en rampant dans la boue et le gravier, tracé la carte d'une galerie où personne n'était jamais allé et, oh ! oui, je me suis cassé le fémur en heurtant une bonne vieille stalagmite. Cissy avait pour ambition de rédiger ses propres articles, de voir la tête de Delia et de Dede quand elles découvriraient sa vie secrète, quand elles découvriraient la Cissy qui descendait dans le noir sans peur, la Cissy capable et plutôt fière de ses prouesses.

À huit kilomètres au nord de Paula's Lost, Little Mouth était une fosse à la verticale, avec un puits en pente ; rien d'extraordinaire, une grotte calcaire où coulait un ruisseau alimenté par une source, une grotte qu'on explorait peu mais dont on parlait beaucoup. Un tas d'histoires circulaient à son sujet, racontées, la plupart du temps, par des gens qui n'avaient pas dépassé la première caverne ni la seconde pente rocheuse. Une seule personne était morte à Little Mouth, et il n'y avait aucune raison de s'en souvenir. N'eussent été des études géologiques récentes, cette grotte aurait pu elle aussi disparaître pendant quelques années. Elle ne présentait pas d'intérêt, au dire des spécialistes, contrairement aux petites grottes situées au nord, ou aux fosses humides du nord de la Floride. La descente était aussi dangereuse que celle de Paula, à cause des roches tendres. Les parois avaient tendance à s'effriter et à s'effondrer. Beaucoup de gens racontaient qu'ils l'avaient échappé belle, des garçons qui ressortaient couverts de poussière et se vantaient d'avoir failli y rester. Les gardes forestiers s'étaient moqués de ces histoires jusqu'à la mort d'un garçon, en 1972. Ensuite, ils avaient traité Little Mouth comme les bétoires. Situées plus au sud, là où le niveau de l'eau est plus élevé et les disparitions plus probables, les bétoires étaient des mares aussi fréquentées et dangereuses que les carrières du Nord-Est. Les racines des cyprès lâchaient de l'acide tannique dans l'eau stagnante, ce qui la rendait couleur de thé et, de temps en temps, rouge foncé. Les eaux sombres réduisaient la visibilité des plongeurs qui périssaient parfois dans leurs profondeurs. De tels trous étaient entourés de chaînes solidement fixées à des piliers en béton ou à de vieux arbres imposants. On avait planté de robustes croix blanches au bord, une pour chaque plongeur qui n'était pas remonté. Pourtant, les gens continuaient à venir. Ils appelaient ces trous l'Œil du Diable, la Dame Rouge ou le Trou de la Nuit, et, d'après les histoires qu'ils racontaient, ils avaient tous vu à travers l'eau noire frémissante un unique œil rouge de lumière.

Les grottes du nord de la Géorgie n'arborent pas moins d'une douzaine de croix. Depuis 1972, il y en a toujours eu une au-dessus de la descente de Little Mouth, même si personne ne se rappelle le nom de celui qui y est resté. Les adolescents jurent que c'est une feinte, que les shérifs adjoints l'ont plantée uniquement pour faire peur aux gens. Les garçons y clouent des préservatifs et des languettes de canettes de bière, signent avec des jurons et des sobriquets et, de temps à autre, la criblent de balles ou l'arrachent complètement, mais les gardes forestiers viennent régulièrement contrôler le site. Chaque fois que la croix disparaît, ils en apportent une nouvelle et la fichent en terre.

— La mort, ça dépasse la compréhension d'un adolescent, déclara Emmet à Cissy un après-midi. Et on la trouve trop facilement au fond d'un trou, à l'entrée à demi enfouie de Little Mouth, par exemple.

Le regard qu'elle lui lança disait clairement qu'elle en savait beaucoup plus long sur la mort qu'il ne l'imaginait.

Jean et Mim étaient deux filles brunes et maigres que Nolan avait rencontrées au centre universitaire. Leurs yeux s'allumèrent quand il leur raconta l'histoire de Brewster et elles le harcelèrent de questions sur les grottes. Nolan fut heureux d'y répondre et encore plus heureux de leur présenter son amie Cissy. Quand Cissy fit leur connaissance, sa première impression fut qu'elles ne paraissaient pas originaires de Cayro. On aurait dit ces héroïnes qui peuplaient les romans de science-fiction qu'elle avait partagés avec Nolan. Sous le regard de Jean, Cissy rougit en s'imaginant qu'elle pouvait lire dans ses pensées, et éprouva une sorte de panique qui lui fit répondre oui à toutes les questions.

Nolan leur avait appris qu'elle était souvent allée dans des grottes. Elles essayaient de fonder un groupe de femmes spéléologues et désiraient qu'elle se joigne à elles. Tandis qu'elles la fixaient, Cissy sentit une onde de chaleur lui remonter la colonne vertébrale et exploser au niveau de sa nuque. Elle ne pouvait pas y croire. Non seulement elles lui adressaient la parole, mais elles lui parlaient de ce qu'elle aimait par-dessus tout.

— Si on y arrive, ça nous donnera des points en éducation physique, lui expliqua Jean.

— Et on n'aura pas à aller avec le groupe masculin. Il est plein d'hommes de Neandertal qui nous laissent grimper devant eux simplement pour nous regarder les fesses.

Mim parlait vite et sans séparer ses mots, au point que Cissy avait du mal à suivre tout ce qu'elle disait.

— On a essayé, intervint Jean. Ils sont assez lamentables, tous autant qu'ils sont. D'ailleurs, ils ont un vieil équipement, affreux, dont ils sont très fiers. Ils ne voulaient pas qu'on se serve de leurs trucs. T'imagines un peu ?

— Ouais, dit Cissy, sans trop savoir à quoi elle acquiesçait.

Elle avait bien exploré des grottes avec Charlie, elle pouvait y aller avec ces filles, même si elles parlaient trop vite.

Avant même leur première expédition, Jean et Mim se mirent à prêter des livres à Cissy et à l'inviter au cinéma. Elles se comportaient comme si elles se connaissaient depuis l'école primaire et se retrouvaient après une brève séparation, comme si elles avaient quelque chose de commun, que seules les jeunes filles qui aimaient la spéléologie et portaient un jean tous les jours pouvaient partager. Elles avaient en outre le geste aussi facile que la parole. Mim embrassa même Cissy sur la bouche parce qu'elle lui avait montré les grossières cartes de Paula's Lost qu'elle avait dressées avec Nolan. Cette familiarité stupéfia et ravit Cissy. Elle avait envie d'être aussi libre, aussi à l'aise dans son corps, aussi cosmopolite, adulte et exotique tout à la fois – elle avait envie d'embrasser des gens et d'employer des jurons de marin, comme Mim.

— D'où sort cette fille ? demanda un jour Delia alors que Jean venait de raccompagner Cissy et de prendre le thé. Elle ne ressemble à aucune famille du coin.

— Je ne sais pas exactement, avoua Cissy.

— Elle ne paraît même pas vaguement chrétienne, dit Amanda, comme si elle seule savait à quoi ressemblait une chrétienne.

Amanda était venue en visite avec ses deux enfants, Michael junior, âgé de un an, et Gabriel, le nouveau-né. Dans son petit porte-bébé, Gabriel accaparait toute l'attention de Delia. Cissy lança un regard mauvais et fila dans sa chambre pour lire *La Couleur pourpre.* D'après Jean, ce livre était assez triste pour convaincre les femmes qu'elles devaient s'armer dans le but de se défendre.

Non, pas chrétienne, exotique. Même si elle en voulait à Amanda, Cissy comprenait ce qu'elle avait voulu dire. Jean et Mim ne ressemblaient pas du tout aux filles de Cayro, qui avaient le visage étroit, le teint brouillé et les cheveux filasse. Elles étaient brunes, avec des pommettes hautes, une belle peau et un long cou. Des cils épais, joliment recourbés, captaient la lumière et attiraient l'attention sur leurs yeux brillants. On aurait dit les modèles du magazine *Seventeen,* et c'était vrai que Mim était juive, même si Jean, elle, ne l'était pas. Jean venait du comté de Bartow, elle était née au nord de Cayro, sur l'une de ces anciennes fermes réputées pour leurs cacahuètes et leurs plants de pommes de terre à pousse rapide.

Si Jean avait eu les cheveux blonds et raides, si Mim avait ressemblé à Sally, la sœur de M.T., avec son large visage et son air indifférent, Cissy n'aurait pas été aussi fascinée. Mais elles avaient l'air de venir de Los Angeles ou de New York, et parlaient de livres, de films et d'endroits lointains avec autant de naturel qu'elles s'étreignaient quand elles se séparaient.

Les trois filles commencèrent à passer beaucoup de temps ensemble, même si Cissy ne fut jamais aussi à l'aise avec Jean et Mim qu'elle l'était avec Nolan. En dépit du fait qu'elles savaient des choses qu'elle ignorait, Cissy voulait se faire accepter, et elle fut surprise de constater qu'apparemment elle y parvenait.

Cissy espérait que la spéléologie cimenterait cette amitié. Ensuite, elles s'assiéraient pour bavarder. Et puis, pouvoir redescendre dans l'obscurité ! La pensée de faire plus qu'explorer la première galerie de Paula's Lost avait un attrait considérable. Cissy aurait probablement accepté de les accompagner de toute façon, malgré sa timidité. Elle avait la nostalgie des grottes et, quand elle ne pouvait pas s'y rendre, elle en rêvait dans son sommeil agité.

Jean et Mim avaient du mal à trouver deux autres filles pour former un groupe. Les gens disaient qu'explorer une grotte seul était du suicide et qu'il fallait être cinq pour ne pas prendre de risques. Trois était un peu juste. Les accidents, ça arrivait. Une fois fatigués, les gens commettaient des erreurs stupides. Quatre personnes au moins étaient nécessaires s'il fallait remonter quelqu'un d'une grotte profonde. Cissy appela une fille de l'équipe de natation.

— Tu continues ? lui demanda cette dernière. Cissy, tu devrais te trouver un autre passe-temps.

— Oh ! merde ! dit finalement Mim. Tu étais dans l'équipe de natation, d'accord ? Nous avons toutes les deux fait du judo pendant des années et nous pouvons chacune porter un poids mort de cinquante-cinq kilos. Nous y arriverons.

— On n'a pas envie de mourir, renchérit Jean en riant. C'est pas comme si on descendait dans des grottes inexplorées. Celles-ci sont connues. Et, comme disait mon père, la vie est plus agréable si on prend un petit risque une fois de temps en temps.

C'est comme flirter avec Dieu, pensa Cissy. Dieu, ou un danger mortel, ou simplement son propre espoir de transfiguration. Les bouddhistes s'efforcent d'atteindre le nirvana. Les chrétiens visent le ciel. Mais une fille qui ne croyait en rien, qui aimait seulement l'obscurité, où allait-elle ? Cissy devait bien prendre ce risque.

Dans la grotte, Cissy se sentait aussi bien qu'elle l'avait espéré. Elle regarda le roc du plafond de Little Mouth et s'imagina qu'elle entendait du gospel. Chaque fois que Cissy descendait dans une grotte, elle se surprenait à penser à Dieu, le dieu qui empilait les pierres les unes sur les autres et veillait sur les petites filles sans père.

Quand Cissy était fatiguée, Dieu était la voix de Delia dans le noir, tellement douce et claire qu'elle croyait presque à sa réalité. Dieu était cette chose, à l'extérieur d'elle, cet énorme désir d'éclater en mille morceaux vivants et de brûler. Dieu était le moment juste après l'orgasme, où elle était épuisée, allongée à plat ventre sur son lit, la main sur la bouche – pour que sa famille ne se doute de rien.

Plus jeune, Cissy s'était amusée à choquer Amanda avec son athéisme, mais, ces derniers temps, elle n'en éprouvait plus le même plaisir. La capacité d'indignation perpétuelle d'Amanda semblait avoir diminué avec la naissance de ses enfants et les cours d'instruction religieuse qu'elle organisait pour Michael.

— Quel dommage ! protesta Dede. Amanda s'est tellement assagie ! Avant, elle vous donnait de ces coups de pied au cul !

Cissy était bien d'accord. Leur sœur maniaco-évangélique était presque aussi rangée que M.T.

Je parie que Dieu la regrette, pensa Cissy tandis qu'elle s'agrippait à un roc dans la descente de Little Mouth. Je parie qu'il la regrette, avec son insistance bruyante, ses défis lancés à tout et à tout le monde. N'importe quel dieu devait aimer une attitude pareille. Chaque fois que Cissy voyait une Amanda toujours plus défaite, elle se rappelait à quel point elle était forte quand elle avait emménagé dans la maison de Clint, à Terrill Road. Elle possédait une énergie brûlante qui devait être impie. Amanda avait tempêté tel l'un de ces affreux prophètes de l'Ancien Testament, dans le désert, ceux qu'elle citait mais ne semblait pas aimer, des hommes capables de maudire Dieu et de mourir la malédiction à la bouche. Cissy comprenait parfaitement qu'on puisse avoir la foi et blasphémer. Il n'y avait pas de vrai blasphème sans la foi, sans le genre de foi que possédait Amanda.

Dede appelait le verset 16 du chapitre III de l'Apocalypse, l'un des préférés d'Amanda, l'impératif de l'eau chaude :

— Tu n'es ni froide ni bouillante, disait Amanda, et l'enfer regorge de tièdes.

Le mépris de Dieu frappait ceux qui n'étaient ni froids ni bouillants, ceux qu'Il vomirait de Sa bouche, Cissy, Dede et probablement Delia. Cissy savait que le mot tiède les qualifiait toutes plutôt bien, mais l'Apocalypse semblait marquer le retour du Dieu de l'Ancien Testament, celui qui ne voyait pas d'inconvénient à ce que les filles de Lot soient jetées aux voyous, dans les rues de Sodome. Pour la pitié ou la compassion, il faudrait s'adresser à Jésus. La dernière grande dispute familiale était survenue quand Dede, défoncée, s'était mise à proposer des acteurs pour un téléfilm sur la Bible.

— Alan Alda pour jouer Jésus, suggéra-t-elle. Quoique... non, il est trop vieux. Peut-être Timothy Hutton ou Richard Gere, un de ces mecs sensibles qui ont eu des problèmes avec leur papa.

Amanda avait viré au violacé.

— L'enfer ne sera pas assez horrible pour toi ! Le diable devra te creuser une fosse spéciale et la bourrer de charbon.

Non, même enceinte et exténuée, Amanda n'avait rien de tiède en elle. Pour elle, Jésus était le Christ qui avait chassé les usuriers du Temple. Au tabernacle baptiste, il y avait une peinture sur verre de Jésus, éclairée à contre-jour avec des ampoules de 60 watts, qu'on remontait vers le plafond lors des baptêmes. On y voyait un Jourdain pastel qui reflétait le vert brumeux des fonts baptismaux, en dessous. Pour le mariage d'Amanda, on l'avait accrochée au plafond, près des lumières plus vives, et les traits de Jésus, tassés par l'effet de perspective, ressemblaient à un masque de comédie, joues trop roses et cils visiblement maquillés – on aurait dit une star du rock dans un vidéo-clip, les bras grands ouverts et la sueur en train de dégouliner. Jésus a l'air bizarrement féminin, avait pensé Cissy en voyant cette peinture. Prends plutôt Sigourney Weaver, avait-elle failli dire à Dede, prends une brune aux yeux de braise pour jouer Jésus. Dede en aurait peut-être été aussi bouleversée qu'Amanda.

Féminine, pensait Cissy à Little Mouth chaque fois qu'elle baissait la tête dans l'air glacé qui balayait les galeries débouchant sur l'extérieur. L'obscurité était féminine et Dieu était obscur. Dieu était dangereux, grand, effrayant, mystérieux et féminin. Et impie. Parfois, Cissy aurait bien voulu exposer à Amanda sa conception du divin. Un divin familial, pas biblique. Pas Jéhovah, mais Delia, la tête rejetée en arrière, un chant brut jaillissant de sa bouche ouverte. C'était spirituel, c'était le pouvoir du Très-Haut. Mais comment Cissy pouvait-elle parler de ça à quelqu'un ? Après s'être disputée aussi longtemps et aussi âprement avec Delia, comment était-ce possible ?

Le Dieu d'Amanda n'était pas celui de Cissy. Le Dieu d'Amanda comptabilisait les péchés et distribuait des pénitences. Celui de Cissy soufflait la justice et le feu. Le Dieu d'Amanda vous récompensait avec de gros bébés et des vérandas. Celui de Cissy était le risque pur d'une expiation impossible – Jésus sur la croix, ou le corps à l'agonie, la chance d'une rédemption dans l'horrible obscurité. Son Dieu était un sourire ironique dans le noir, la souffrance qui lui taraudait les épaules quand elle nageait si longtemps que ses muscles la lâchaient, l'énorme secousse qui l'avait parcourue quand Dede et elle avaient eu l'accident avec la Datsun. Chaque fois que Cissy enfilait ses chaussures alourdies par la boue et de vieux vêtements pour une nouvelle expédition souterraine, elle ressentait le frisson anticipé d'une rencontre avec le mystère. Dieu doit probablement se cacher dans des grottes, de nos jours, se disait-elle.

Dans le noir, tout semblait possible. N'importe quoi pouvait naître. La grotte était une scène sombre, courbe, pleine d'une agitation invisible. Dans cette obscurité, Cissy n'appartenait ni à l'Église baptiste ni à l'Église de la Pentecôte, mais Dieu l'aimait sûrement quand même. Les pierres qui attendaient à ses pieds évoquaient la chute, une chute qui ne l'effrayait pas du tout. Escalader du schiste réclamait une concentration absolue. Il fallait poser le pied exactement au bon endroit, se déplacer lentement et ne jamais glisser. À force de contrôler son corps à ce point, Cissy avait envie de se relever, d'écarter largement les bras et de hurler. Ne pas céder à cette pulsion procurait une impression de puissance canalisée, un constant picotement dans la nuque. Au cœur de la grotte, Cissy sentait ce qu'elle risquait de faire, ce qui risquait d'arriver. Son corps pourrait heurter les parois rocheuses, ou les parois elles-mêmes pourraient s'abattre inexorablement sur sa chair tendre, la précipiter dans l'étreinte de Dieu, mystère d'obscurité et de gloire. Dans la troisième salle de Little Mouth, à l'élégance de cathédrale, Cissy leva la tête et sentit une brise lui effleurer la joue. Dieu ou un fantôme, Clint ou Randall, le mort innocent, en sueur, ou la terreur brûlante d'un éternel désir. Quelqu'un arrivait derrière elle et sentait le tabac et la tequila de son père. Un spectre rancunier lâcha une toux caverneuse, murmura le nom de Delia et souffla dans le cou de Cissy. Tous les sons renvoyés par l'écho étaient asthmatiques. Les chutes de pierres résonnaient, notes graves. Jésus, la magie ou la mort… tout était possible dans une grotte.

Cissy se déplaçait comme quelqu'un qui rêve. Elle adorait le goût âcre de sa propre peur quand la corde glissait sur la surface rocheuse, le son régulier, lointain de l'eau qui gouttait, les brusques mouvements d'humeur des deux autres filles. Chaque fois que Jean criait après Mim, la pierre renvoyait le bruit de sa voix et Cissy se redressait pour absorber ce cri dans son ventre, pour le laisser trembler à l'intérieur de son corps, puis ressortir. L'aimée de Dieu devait crier comme ça, sans hésitation, sans peur. Cissy ouvrait la bouche et sentait l'écho lui revenir dans les dents. Elle adorait vraiment Jean et Mim pour leurs hurlements francs, intrépides. L'amour lui chauffait le sang, lui accélérait le cœur. Pour la première fois de sa vie, elle ne se sentait pas seule.

Sa famille ne comprenait pas que, malgré sa nature réservée, elle puisse éprouver de l'intérêt pour autre chose que les livres. Dede s'en aperçut à peine, mais Delia et

Amanda se rejoignirent, chose rare, dans l'inquiétude que suscitaient en elles cette nouvelle passion encore plus forte et cette amitié tout aussi surprenante avec ces filles étranges.

— Tu es toujours en train de partir quelque part ou de revenir, ces temps-ci, dit Delia en fronçant les sourcils.

Amanda renchérit :

— Qu'est-ce que tu essaies de prouver ? Tu ne nous parles plus jamais.

Comme si je vous avais jamais parlé, pensa Cissy, mais elle ne dit pas un mot.

Mim donna un grand coup de pied dans le tas de vêtements boueux qu'elle venait de retirer après leur troisième expédition à Little Mouth.

— Beurk ! De la boue rouge et de l'argile jaune. Laver ça va être pire que de laver le chien de papa.

Jean se mit à rire.

— Je propose qu'on les mette dans ce baquet, derrière la maison, et qu'on les laisse tremper dans l'eau un jour ou deux. Si on les passe à la machine, ça va bousiller le moteur.

— On pourrait peut-être utiliser le tuyau d'arrosage.

— Ouais, ou alors demander aux types de la station-service de nous laisser utiliser les leurs.

Cissy avait approuvé et ri avec elles. Parler de la lessive et de la boue collante faisait partie du rituel de leurs retours d'expédition. Les plaisanteries – toujours les mêmes, et les mêmes doléances – étaient un moyen d'abandonner derrière elles l'exultation et la peur des souterrains. Rire, tremblement nerveux et lente relaxation, autant ce qui suivait leur retour était prévisible, autant l'expédition elle-même ne l'était pas. Elles ne parlaient pas de leur terreur claustrophobe, du son terrifiant de la peau glissant sur le roc, de l'irritation du menton provoquée par la lanière du casque, de la manière dont les étroits passages glissants se refermaient sur leurs épaules et dont l'odeur de roche humide collait à leurs vêtements. Boire du café chaud et manger des petits gâteaux brisés achetés au rabais, se plaindre de la saleté de la grotte, c'était aussi un moyen sécurisant de se vanter de ce qu'elles venaient de faire.

— Regarde-moi ! Je suis couverte d'argile de la tête aux pieds.

— Seigneur ! J'ai du sable dans les cheveux !

— Nom de Dieu, nous sommes vraiment dégoûtantes !

L'appartement que partageaient Jean et Mim présentait un confortable désordre, livres éparpillés au milieu de vêtements, de chaussures et de boîtes de soda vides. Chaque fois qu'elles revenaient d'une expédition, Mim et Jean se déshabillaient dans le vestibule, entre la véranda de derrière et la cuisine. Tous les vêtements boueux qu'elles retiraient étaient jetés dans un baquet vide placé près de la porte. Ensuite, elles se douchaient ensemble dans la petite salle de bains donnant dans la cuisine. Cissy les observait avec une terreur gênée. Essayant de jouer à la décontractée, elle retirait ses vêtements boueux dans le vestibule, mais assez lentement pour ne jamais se retrouver nue devant Jean et Mim. Dès qu'elles avaient quitté la pièce, Cissy accélérait le rythme, s'essuyait à la hâte et enfilait les vieilles affaires propres qu'elle réservait au trajet jusque chez elle. Elle s'asseyait à la table de la cuisine, buvait de l'eau de source et écoutait Jean et Mim rire sous la douche. Elle s'imaginait qu'avec le temps elle finirait par s'habituer aux filles et prendrait elle-même une douche – elle entrerait tout simplement nue dans la salle de bains et attendrait son tour pour se mettre sous l'eau chaude. Ça devait être merveilleux d'être tellement à l'aise dans son corps qu'on n'hésitait pas à se balader cul nul et seins à l'air devant les autres. La décontraction de Jean et de Mim donnait à Cissy l'impression d'être encore plus coincée.

Cissy avait son propre système pour retirer la saleté de ses vêtements d'expédition. La buanderie de Delia avait servi de labo photo quand Dede sortait avec le garçon qui avait pris tous les clichés pour le rapport d'activité des élèves, au lycée. Ils avaient séparé le double évier et en avaient monté un troisième, de sorte que l'eau tombait de là dans les deux autres. Si l'amourette de Dede n'avait pas tenu longtemps, Cissy avait trouvé les éviers très utiles pour le lavage à la main. À un moment donné, elle avait songé à proposer d'emporter les vêtements de Mim et de Jean pour les laver avec le linge de Delia, de Dede et celui d'Amanda, lorsqu'elle habitait encore là. Avant que les mots aient pu franchir ses lèvres, elle s'était retenue.

Non, elle ne voulait pas être comme ça avec Mim et Jean. Elle ne voulait pas qu'elles connaissent la Cissy qui s'occupait de la lessive familiale. Elle ne pourrait plus rire de la même façon si elle devenait celle que Delia et ses sœurs voyaient en elle. Ni Mim ni Jean ne la taquinaient à cause de ses silences, de la mèche qu'elle laissait habituellement tomber sur son œil gauche, de sa timidité et de l'hésitation avec laquelle elle répondait aux questions. Pour elles, elle n'était pas cette Cissy bizarre, mais simplement Cissy. Elles se comportaient comme si elle leur ressemblait et, pour cette raison, Cissy commença à s'imaginer que c'était le cas. Sur le chemin des grottes, elles parlaient de choses banales, convenues – combien de temps il fallait pour aller en voiture de Cayro à Little Mouth, la qualité et le poids de la corde disponible dans le magasin de l'armée et de la marine du comté de Bartow, l'impossibilité de se lever après avoir passé un jour et demi sous terre. Pour Cissy, parler à Jean et à Mim, c'était un peu se glisser dans une nouvelle peau. Quel luxe de ne plus être la fille de Delia pendant un petit moment ! Elle se joignait à elles pour se moquer de son propre jean boueux.

— Tâte un peu ça. Je crois que mon pantalon a pris dix kilos.

— Tu as des cailloux dans tes poches ?

— Ouais. C'est quand j'ai glissé. J'ai récolté un kilo de gravier dans mon pantalon.

Jean et Mim se mirent à rire et Cissy se réchauffa à la flamme de leur approbation. Elles étaient tellement différentes de ses sœurs.

— Tu viens d'une autre planète, lui avait souvent répété Amanda. Il n'y a pas une once d'être humain normal en toi.

Cissy ne discutait pas. Elle pensait qu'Amanda avait raison. Après tout, Delia n'était peut-être pas sa véritable mère. Elle tenait peut-être elle-même de ces êtres surnaturels que les fées substituent aux enfants, créature de contes qui avait été échangée contre la vraie fille de Delia. Comment expliquer autrement qu'elle soit aussi différente de tous les gens qu'elle connaissait ?

— Tu n'es pas aussi différente que ça, lui disait toujours Nolan.

Mais, ct lui ? Si les enfants de fée existaient, il en était un, lui aussi. Pour Cayro, en Géorgie, tous deux étaient ce qui se rapprochait le plus des extraterrestres.

La vieille machine à laver de Delia claquait quand elle était trop chargée. Pour arriver à laver des draps, Cissy était obligée de s'asseoir dessus. Son poids fournissait alors le lest nécessaire pendant que le moteur travaillait et tournait. Elle s'appuyait d'une main au mur en préfabriqué et tendait une jambe ; son pied poussait sur le rayonnage métallique, près de la porte. Calée de cette façon, la machine fredonnait sans peine et Cissy avait une main libre pour tenir un livre, changer de station de radio ou agripper le côté de la machine quand elle était de nouveau déséquilibrée à cause de la surcharge et se mettait à vibrer sous ses cuisses.

Cissy aimait la sensation que procurait cette machine chauffée qui cognait sous son corps. Dans la moiteur de la buanderie, elle sombrait dans une rêverie si profonde qu'ensuite elle était incapable de dire à quoi elle avait pensé. Elle chargeait la machine, grimpait dessus dès qu'elle commençait à faire du bruit et se sentait immédiatement transformée, comme un derviche qui a tournoyé tellement d'années qu'il peut entrer en méditation sans effort. La vapeur exsudait l'extase. La chaleur suintait le mystère.

— Tu prends ton pied, hein ? Avec un vibromasseur géant sous les fesses ? lui lança un jour Dede d'un air accusateur.

Et elle courut avertir Delia, qui l'ignora avec une telle détermination qu'à l'évidence elle aussi croyait savoir à quelle activité se livrait Cissy. Celle-ci imaginait le spectacle qu'elle devait offrir – là, en train de chevaucher cette machine à laver, le teint empourpré et les yeux vitreux, les jambes écartées, les pieds en l'air sur les étagères, en face d'elle – mais il ne s'agissait pas de quelque chose d'aussi prosaïque. Tout ne tournait pas autour de la sexualité.

La buanderie, avec son odeur permanente de détergent et d'eau de Javel, sur laquelle flottait le bouquet floral de l'adoucissant, représentait une retraite pour Cissy. Des senteurs plus corrosives émanaient des produits à récurer stockés dans des caisses en plastique, dans un coin, à côté de vieilles bouteilles, de bidons d'ammoniaque, de white-spirit et de pétrole.

— Rien de tout ça ne peut aller à la poubelle, tu sais, reprocha Amanda à Delia. Il faut que tu l'emportes à la décharge. Débarrasse-t'en avant qu'un de mes enfants tombe dessus.

— Cissy va s'en occuper, dit Delia. Cissy sait ce qu'il y a là-dedans.

Cissy ne débarrassa pas la buanderie avant le printemps où Delia remit la maison en état. Avec l'aide de Nolan, elle retira les rayonnages et les machines des murs, récura toute la pièce, puis installa un ventilateur pendant une journée pour accélérer le séchage. Elle posa deux couches de peinture blanche, du blanc tout simple pour le plafond, une peinture laquée à base d'huile pour les murs afin qu'ils ne moisissent pas. Elle frotta le sol à l'eau de Javel et le laissa tel quel. Ensuite, la pièce, purifiée et propre, ressembla à un temple. Il n'y avait rien à manger pour les insectes, pas de détritus dans les coins pour attraper la poussière et se couvrir de toiles d'araignées. Quand Dede ou Amanda déposait des cartons d'objets au rebut ou des sacs de vieux vêtements, Cissy les emportait tout de suite à la décharge. Rien d'étranger à ce lieu ne pouvait y rester.

Ce que Cissy ne parvenait pas à exprimer en mots, elle le disait dans cette buanderie, dans ces paniers de culottes et de tricots blancs d'une propreté irréprochable, de sous-vêtements délicats lavés dans un filet à linge, de draps impeccables, de serviettes parfaitement pliées qui seraient empilées dans le placard, de jeans tellement délavés que le coton gris perle caressait la peau. Vêtements propres, T-shirts, chemisiers et lingerie devenus comme neufs dans les mains de Cissy, tout cela évoquait une aspiration qu'elle n'exprimait pas tout haut et des relations familiales qui semblaient partout trop minces en dehors de cette pièce – l'unique endroit dans lequel elle savait où chaque chose se trouvait et comment elle y était arrivée.

Mais la buanderie faisait partie de la maison, cette autre réalité qui n'incluait ni Mim, ni Jean, ni le rire facile qu'elle partageait avec elles. Le seul moment où Cissy se sentait une fille dévouée, la petite de Delia, c'était quand elle faisait la lessive. Ce désir d'un endroit sécurisant représentait une autre vie. Dans la vie qu'elle voulait mener, elle se souciait seulement de ce qui était du domaine des muscles ou des tendons. Sous terre, Cissy avançait une hanche, pliait un genou ou levait les bras au-dessus de la tête afin de pousser son corps vers l'avant et de voir une lueur de satisfaction admirative dans les yeux de Mim, par-dessus l'épaule de Jean. Là, elle n'était le bébé de personne. Elle était une adulte, forte et compétente. Cissy redoutait d'assembler les fragments épars de sa vie – le mépris d'Amanda, la confusion de Delia, l'amitié scrupuleuse de Nolan, les blagues corrosives de Dede, Mim et Jean qui se promenaient nues dans leur cuisine. Entre tous ces gens, qui était Cissy ? Qu'est-ce qui était possible pour elle et qui allait-elle devenir – la Cissy fière qui descendait dans les grottes obscures ou la timide qui se cachait dans la buanderie ?

Après la dernière expédition, quand elles ressortirent de Little Mouth, le soir, elles étaient tellement crasseuses que Jean refusa de les laisser monter dans la voiture avant qu'elles se changent. Elles se déshabillèrent toutes trois à côté du coffre et Cissy dissimula son teint empourpré sous ses cheveux, contente que l'obscurité ne permette pas de distinguer grand-chose. Quand Mim versa de l'eau sur ses épaules nues, tandis que Jean attendait de lui essuyer le dos, Cissy leva le visage vers le ciel et sentit l'air lui effleurer la peau comme du satin. Son pouls énergique fredonnait à son cerveau, content d'être en vie.

Elle avait rampé dans le noir, en était ressortie, avait tout risqué, était remontée jusqu'à la lueur des étoiles, couverte d'une couche de boue et de sable, de merde de chauve-souris et de poussière antique. Retirer cette boue était un baptême. Cissy déboutonna son pantalon acheté d'occasion et retira ses chaussures sales. Comme Mim. Comme Jean. Elle se mouvait avec une inconscience délibérée, ne baissait pas les yeux pour voir sa propre nudité, se tournait vers Jean pour lui frotter le dos et le sécher avec une serviette rêche. Elle pouvait faire confiance aux muscles qui couraient sous sa peau.

Cissy enfila un pantalon propre, sec, qui sentait l'adoucissant et le soleil, et se mit à rire bruyamment. Chaque fois qu'elle remontait d'une grotte obscure, elle se rappelait les émissions de télévision du dimanche matin qu'elle avait regardées en arrivant à Cayro. Entre les véritables sermons, il y en avait de plus courts, petites pièces en un acte dans lesquelles les leçons de morale étaient données avec une brutale efficacité – le père qui jurait avait un cancer de la gorge, le fornicateur perdait un enfant. La spéléologie, c'était comme ça. Si vous posiez mal le pied, vous étiez châtié. Si vous négligiez la poussière, elle étouffait votre lampe. Si vous ne serriez pas assez les lacets de vos bottillons, vous risquiez de vous fouler la cheville ou l'humidité pouvait pénétrer dans vos chaussettes. Si vous péchiez contre le roc, l'obscurité pouvait vous rappeler à elle. Mais, à condition de persévérer, vous réussissiez à ressortir à la lumière. Tout devenait alors juste. Vous saviez avec une parfaite certitude qui vous étiez et ce que vous étiez.

16

Au cours des années qui suivirent la mort de son mari, Nadine Reitower se cassa trois fois la hanche. Elle n'était pas remontée au premier étage de sa maison depuis que Nolan avait commencé ses études universitaires.

— Elle n'y remontera plus, dit le Dr Campbell à Nolan. Elle va rester dans ce fauteuil roulant jusqu'à sa mort.

Malgré tout, Nadine était heureuse. Quelque chose lui était arrivé lors de sa troisième chute, quelque chose de terrible et de merveilleux. Une petite attaque, un moment de grâce, comme disait Nolan. Peut-être Dieu avait-il quelque chose à y voir, le Dieu qui faisait des poissons sans yeux et des veaux à deux têtes.

La mère de Nolan resta un tout petit peu plus d'une minute et demie sans respirer. Les secouristes la mirent sous la tente à oxygène dans l'ambulance et elle reprit connaissance la bouche ouverte, la langue dehors.

— On aurait dit un oisillon, raconta Nolan à Cissy. Un oisillon heureux.

Un oisillon affamé.

C'était un changement total pour une femme qui, depuis trente ans, consommait moins de mille calories par jour. Son mari et ses fils étaient gros, mais Nadine faisait de la minceur une religion. Elle était mince comme un fil, maigre tant elle se sous-alimentait, une vie de bouillon et de côtes de céleri. À ses yeux, les hommes devaient être forts et les femmes frêles, et elle défendait son opinion avec causticité. Elle était caustique de nature, sujette à des remarques coupantes et à une soudaine cruauté, alors qu'elle se croyait gentille. Elle savait tout simplement comment devaient être les choses, et le monde adoptait si rarement ses convictions ! Nadine Reitower préparait de la sauce, mais n'en mangeait jamais, étalait de la pâte à tarte, faisait des gâteaux et des puddings. Elle nourrissait ses hommes comme s'il s'agissait d'un sacrement et s'affamait carrément, si bien que ses os devenaient fins comme de la dentelle et se fracturaient en lignes arachnéennes.

— J'aurais dû lui donner du calcium et l'obliger à marcher davantage depuis dix ans, grommela le Dr Campbell. J'aurais dû prévoir ce qui allait se passer.

Il était vexé parce qu'il avait cru Nadine en pleine santé. Il se réjouissait d'avance chaque fois que son nom apparaissait sur son carnet de rendez-vous – une créature éthérée, à l'ossature délicate, qu'il vénérait presque. C'était une mère dévouée, une épouse heureuse, peut-être un peu directive et difficile de temps en temps, d'après ce que les gens disaient, mais pas plus qu'il ne fallait. La mort de son mari avait changé tout cela et le Dr Campbell se trouva finalement confronté à la Nadine Reitower que tout le monde connaissait. Celle qu'il admirait avait été remplacée par une femme qu'il supportait à peine d'examiner, une femme indignée, méprisante, soudain devenue vieille et fragile, qui le traitait ouvertement d'imbécile. Quand cette créature changea une nouvelle fois, il perdit son ton assuré. Il fallait s'occuper du cas présent. Il n'était pas compétent pour prédire ce qui pourrait survenir ensuite.

— Nolan ! dit Nadine en se réveillant après le dernier trajet en ambulance. Nolan, j'ai faim.

Et c'était vrai. La nature de Nadine fut transformée par cette minute et demie durant laquelle l'irrigation avait été suspendue, par l'acquisition du fauteuil roulant, des rampes, et par les visites de l'infirmière. Sa bouche d'oisillon souriait souvent, elle saluait les gens depuis sa véranda, les appelait par leur nom.

Cissy. Dede. Amanda. Tous ceux qui passaient. Même Delia. Nadine aimait tout le monde, maintenant, et, plus elle engraissait, plus elle le clamait. En une minute et demie, la vie de Nolan fut changée.

Nadine Reitower était une nouvelle femme et tout le monde le comprit. En revanche, la transformation de Nolan ne se remarqua pas aussi vite. Seule Cissy parut s'en rendre compte, peut-être parce qu'elle le voyait très régulièrement. Au fur et à mesure que Nadine s'élargissait dans son fauteuil, Nolan semblait se détendre et s'épanouir. Sa poussée de croissance tardive s'intensifia. Il se mit à la musculation à l'aide des poids que son père gardait dans le garage tout en jurant que ça n'avait rien à voir avec sa dernière altercation avec Dede. Elle lui avait dit qu'elle ne sortirait jamais avec un garçon ressemblant à un biscuit monté sur pattes.

Nolan s'obstina à répéter à Cissy :

— Ça me fait plaisir, c'est tout.

— Tu parles ! Tu te forces. Bon sang, Nolan, dans quelque temps, tu auras vraiment une belle plastique !

Cissy le taquinait avec tant d'acharnement qu'elle était étonnée qu'il ne se fâche pas.

— C'est pour le côté pratique. Je dois soulever une femme qui est un poids mort et devient de plus en plus lourde. La transporter du lit à la salle de bains et au fauteuil m'a presque cassé les reins. Son toubib m'a dit que je devais devenir beaucoup plus fort si je ne voulais pas me retrouver avec une hernie. La seule solution serait d'engager une infirmière à temps complet, mais nous arrivons tout juste à payer celle qui vient la soigner de temps en temps.

— Ouais, ouais.

— D'ailleurs, j'ai besoin d'être efficace et rapide. Il n'est pas conseillé de traîner en déplaçant maman. Il vaut mieux se dépêcher.

Le teint de Nolan était très empourpré.

— Ah ouais, pourquoi ?

Cissy était curieuse. Elle ne l'avait jamais vu aussi gêné.

— Elle pouffe.

— Elle pouffe ?

— Mon Dieu, oui !

Le visage de Nolan fonça encore d'un ton, devenant presque carmin sur les pommettes. Il ferma les yeux.

— Avec l'aide de l'infirmière, je l'attrape, je la mets dans la baignoire et, là, elle se cache les yeux et se met à pouffer. Elle dit : « Ne regarde pas, mon fils, ne regarde pas ! » et elle rit du début à la fin. Toute nue, là, alors que je ne l'avais jamais vue à poil de ma vie. Avant, elle serait morte plutôt que de me laisser la voir comme ça. Et maintenant, voilà qu'elle me taquine et rigole. Mon Dieu ! si elle se sentait aussi gênée que moi, ce serait affreux. Je suppose que si elle n'était pas aussi gaie je n'arriverais pas du tout à le supporter. Mais même comme ça...

Il se tut et Cissy ne sut que lui dire.

Nolan garda les yeux résolument fermés. Il y avait d'autres choses, beaucoup d'autres choses qu'il ne pouvait pas raconter à Cissy. Pendant qu'il travaillait à devenir plus fort, il essayait également de convaincre Nadine de suivre un régime – une perspective horrible pour tous les deux. La nouvelle Nadine détestait les régimes, détestait tout ce qui n'était pas riche en graisses et savoureux. Et Nolan adorait cette nouvelle version de sa mère, cette femme extraordinaire qui se léchait les doigts et éclatait de rire tandis qu'elle roulait son fauteuil dans la cuisine, fredonnait pour accompagner le morceau qu'il jouait, lui disait qu'il était très beau, qu'il la rendait extrêmement fière, répétait tout cela à la première personne qui passait les voir.

Mais le médecin expliquait à Nolan que la masse osseuse ne se reformait pas. Elle ne reviendrait pas et une nouvelle chute pourrait tuer Nadine.

— Si elle grossit encore, les os s'affaisseront d'autant plus vite, conclut-il fermement. Mon garçon, il faut que vous soyez le chef de famille.

Nolan comprenait ce qu'il voulait dire. Le corps de Nadine n'était pas conçu pour supporter le poids qu'elle lui infligeait. Si Nolan n'y veillait pas, il perdrait sa maman, cette nouvelle créature qu'il aimait presque autant que sa musique et ses rêves.

Nolan prit soin d'elle et s'employa à se durcir les muscles. Il inventa des jeux pour l'aider à pratiquer des exercices sans risque, procéda à des modifications dans la cuisine pendant qu'elle était occupée à sa rééducation avec l'infirmière. Il remplaça le sucre par un édulcorant, bannit le sel de sodium, introduisit les légumes frais, les soupes à faible teneur en graisses. Il refusa d'apporter des biscuits à la maison malgré les pleurs de Nadine et, finalement, utilisa l'amour de sa mère pour lutter contre elle.

— Maman, supplia-t-il, il faut que tu m'aides. Comment veux-tu que je trouve une femme si tu ne m'aides pas à maigrir un peu ?

Lentement, régulièrement, Nolan s'allongeait et mincissait tandis que Nadine souffrait, regrettait son beurre, ses glaces et ses tartes au chocolat, mais admirait la transformation de son gros garçon mollasson. Elle vit ses épaules devenir larges et musclées, ses hanches et ses jambes s'affiner, gagner en puissance. Il ressemblait à un footballeur américain, un arrière, fort et élégant, qui manœuvrait le corps fragile de sa maman avec autant de soin et de sentiment qu'il jouait de la clarinette.

— J'ai un fils tellement beau ! disait Nadine aux gens qui venaient en visite.

Ils le confirmaient d'un signe de tête désinvolte, puis levaient les yeux et s'apercevaient qu'elle avait raison. Grand, étrange, timide, Nolan n'était plus le petit garçon qu'il avait été. Grand, fort, Nolan était un homme qui soulevait sa mère de son fauteuil, la nourrissait de tranches d'orange et d'ananas, baissait les yeux quand les femmes le regardaient, jouait si joliment de la clarinette que la moitié de Cayro savait qu'il pourrait aller n'importe où dans le monde.

La seule qui ne le regardait pas était Dede Windsor. La seule pour laquelle Nolan aurait fait n'importe quoi, serait allé n'importe où, ne levait jamais les yeux sur la véranda où il attendait.

— Oh ! mon petit ! soupira Nadine quand elle vit son regard se perdre en bas de la route.

Il y avait de la tendresse sur son visage, de la sagesse dans ses yeux.

— Oh ! mon petit ! dit-elle de cette voix capable de lui briser le cœur.

Nolan la souleva et la serra sur sa poitrine. Il se disait : si maman peut devenir comme ça, tout est possible. Un jour, ce que je désire pourra arriver.

— Un jour ! dit-il tout haut.

Et Nadine pressa ses lèvres sur sa peau salée-sucrée. Son garçon avait le goût d'une tarte aux pommes, d'un beignet au sucre fait pour lui ravir le palais.

Après la naissance de ses fils, Amanda devint obsédée par l'idée d'organiser une nouvelle association de jeunes chrétiennes. Elle se concentrait sur le lycée et sur les filles qui fumaient devant l'épicerie de Dede et pouffaient en se cachant le visage dans les mains quand elle y entrait avec ses enfants.

— À les voir, on dirait qu'elles n'ont peur ni de Dieu ni de rien, protestait Amanda chaque fois qu'elle pénétrait dans le magasin.

— C'est bien le cas.

Dede était la seule personne autorisée à fumer dans l'épicerie, mais elle semblait le faire uniquement quand quelqu'un qu'elle n'aimait pas arrivait. Dès qu'Amanda posait la main sur la barre en métal qui maintenait la publicité pour les Camel rouges, Dede sortait son paquet et se mettait à faire tourner une cigarette entre ses doigts.

— Sauf de moi. Elles ont un petit peu peur de moi, et je fais tout pour, tu peux me croire.

— Elles devraient apprendre un peu le respect.

— Oh ! elles apprennent.

Dede lui adressa un lent sourire et, d'une chiquenaude, envoya ses cendres en direction de la boîte qui contenait les dons pour lutter contre la myopathie. Elle gardait le petit Michael à l'œil.

— Je t'assure qu'elles apprennent.

Dede savait pourquoi sa sœur était venue. Elle voulait coller une de ses petites affiches. Elle portait sous le bras une série de reproductions de Jésus avec la couronne d'épines enfoncée sur le front et un doigt levé juste devant son nez pour montrer le ciel. En fait, Dede en avait affiché une pendant un moment. L'idée d'un Fils de Dieu en train de se curer le nez la faisait pouffer – c'était le genre de sauveur qu'elle était capable d'apprécier. Mais la plaisanterie n'était plus aussi satisfaisante. De plus en plus, Amanda semblait avoir perdu de vue son objectif. Elle entrait acheter une boîte de lait condensé au lieu de sermonner Dede sur les perspectives du feu de l'enfer et de la damnation. Certains jours, Dede regrettait l'ancienne Amanda, celle qui éloignait le présentoir de revues pour adultes, une fois que les garçons avaient délibérément abaissé les bandes de papier marron censées épargner les yeux des chrétiens.

Nadinc mangea les fraises que Nolan lui avait laissées pour son petit déjeuner, mais elle les roula d'abord dans du beurre ramolli et les plongea dans le sucre. Souriante dans la lumière matinale, les lèvres imprégnées de beurre, elle veilla à ne pas réveiller Tacey Brithouse, qui dormait sur ses cahiers, assise à la table de la cuisine. La cannelle soutenue des bras nus de Tacey luisait au soleil qui entrait par les fenêtres. Tacey s'était installée chez les Reitower après avoir donné un coup de râteau sur la tête du petit ami de sa mère – une histoire qu'elle était ravie de raconter à tout le monde. À ce moment-là, elle travaillait au Biscuit World et, de temps à autre, aidait Nolan à s'occuper de Nadine. Un matin, elle était arrivée au Biscuit World couverte de poussière et de sang, incapable de cesser de trembler. Il fallut une bonne heure à Nolan pour la calmer et apprendre ce qui s'était passé : le petit ami avait brûlé un des journaux qu'elle tenait et elle avait tenté de lui défoncer le crâne.

Nolan alla parler à la mère de Tacey, Althea, mais celle-ci était furieuse. Elle lui jeta à la figure un carton contenant les vêtements de sa fille et lui dit de « ne pas la ramener avant qu'elle soit prête à demander pardon ». Depuis, Tacey s'occupait de Nadine en échange du logis et du couvert. Elle s'était installée à l'étage, dans l'ancienne chambre de Nadine, qui couchait à présent dans la salle de couture, au rez-de-chaussée. Tacey avait obtenu une bourse partielle pour aller étudier à Spelman à l'automne, et elle conservait une pile de manuscrits inachevés dans un carton, sous son lit.

— Attends un peu, dit-elle à Nolan. Un jour, tu pourras dire à tout le monde que tu me connaissais avant.

Nolan n'en doutait pas. Avant d'aller au lycée, Tacey devait s'assurer que Nadine prenait un bon petit déjeuner, mais elle avait tendance à veiller tard le soir pour lire ou écrire dans ses carnets et s'endormait souvent pendant que Nadine versait du sucre sur ses fruits ou tartinait ses toasts de beurre. Elles s'entendaient assez bien toutes les deux, même si, parfois, Tacey avait du mal à croire ce que racontait cette vieille Blanche. Nadine s'imaginait par exemple que Tacey couchait avec les éboueurs, le facteur, ses professeurs et le prédicateur méthodiste de Little River.

— Les filles noires n'ont pas besoin d'attendre comme nous autres Blanches, fit remarquer Nadine un matin, peu de temps après l'arrivée de Tacey. Ma mère me l'a dit. Elles ont ça dans le sang, c'est toute cette chaleur d'Afrique.

— Ah bon ? fit Tacey d'une voix traînante.

Nadine confirma d'un signe de tête.

— Oh ! tu sais bien. Les Noires ont le droit de tout faire. Moi, j'ai jamais rien eu le droit de faire.

Nadine claqua sa langue et soupira.

— Si j'étais née noire, j'aurais pu sucer les tétons des hommes depuis l'âge de douze ans.

— Et pourquoi voudriez-vous faire ça ?

Nadine eut l'air surprise.

— C'est tellement bon. Les tétons des hommes ont meilleur goût que ceux des femmes, tu sais.

— C'est vrai ? Je l'ignorais.

— Bien sûr que non, avec tous les hommes que tu as déjà eus.

— Madame Reitower, je n'ai jamais couché avec un homme.

— Allez, tu n'es pas obligée de dire ça à cause de moi. Si je pouvais me lever de ce fauteuil, j'irais m'asseoir toute nue sur les poubelles, le matin, juste pour voir si les gars me laisseraient leur lécher les épaules et coller mes talons à leurs hanches.

Elle soupira une nouvelle fois, un vrai soupir de cœur brisé. Tacey fronça le nez et secoua la tête.

— Madame Reitower, vous me faites peur.

— Oh ! tu aurais dû me connaître avant, dit Nadine. J'étais quelqu'un, ça oui.

Nadine aimait bien que Tacey lui lise ce qu'elle écrivait, de longs récits romantiques sur des femmes noires qui bataillaient pour devenir riches et célèbres et y parvenaient au-delà de toutes leurs espérances.

— On dirait cette femme, là, comment elle s'appelle déjà ? disait Nadine à Nolan. Tacey arrive à vous faire entrer dans l'histoire.

Tacey se mit à rire.

— Oui, je suis la Judith Krantz noire, la Danielle Steel, la Rosamunde machin. Seigneur ! madame Reitower, je vais devoir vous faire lire de bonnes romancières noires pour vous donner de meilleurs éléments de comparaison.

Pendant des semaines, Tacey lut ses ouvrages préférés à haute voix pendant que Nadine étirait ses muscles et soulevait des poids avec les chevilles. Parfois, Nadine s'arrêtait et disait :

— Relis-moi ce passage.

Bientôt, elle ajouta des citations d'Alice Walker et de Gloria Naylor à son répertoire tiré de la Bible.

— Seigneur, mon fils, toutes les choses que j'ignorais ! ne cessait-elle de dire.

Nolan souriait. Il aimait bien s'allonger sur son lit et écouter sa mère et Tacey lire toutes les deux. Dans ses rêves, c'était leur chœur qui le berçait, leurs antiennes et puis le rire de Dede.

Parfois, Tacey achetait à Nadine des petits pâtés frits en revenant du lycée, et Nadine filait les manger dans la salle de bains, porte fermée, pour que Nolan ne la voie pas. Tacey savait qu'elle n'aurait pas dû le faire, mais la faim qu'elle lisait dans les yeux de Nadine était difficile à supporter.

— Mais alors, ne vous approchez pas du sucrier.

— Oh ! je t'aime plus que le sucre, Tacey, roucoulait Nadine.

— Bien sûr, mon chou, et si vous pouviez me faire revenir dans du beurre, vous m'aimeriez encore plus.

Dede adorait son cutter. Aussi tranchant qu'un rasoir, il n'était pas destiné à ouvrir les cartons de cigarettes et de bonbons – des articles enveloppés dans du papier et du plastique qu'il risquait de couper tout aussi facilement. Une petite entaille dans un paquet de cigarettes voulait dire du tabac éventé et des fiches de retour à rédiger. Dede avait entouré son cutter de gros ruban adhésif tiré de son petit assortiment de matériel et gravé ses initiales dans le manche. Elle s'en servait pour les denrées périssables aussi bien que pour les conserves.

— Ce qu'il me faut, c'est un étui, disait-elle à Cissy. J'ai besoin d'un étui pour mon arme. Que quelqu'un vienne m'embêter et je le taillade copieusement !

Elle avait le cutter à la main quand Billy Tucker franchit la porte, ce jeudi matin de septembre. Dede était agenouillée sur des dessus de carton découpés. Elle avait déballé des marchandises et tamponné des prix toute la matinée. C'était le premier jeudi du mois, vers 10 h 30 ou 11 heures, après la première heure d'affluence de la fin de la matinée, qu'elle garnissait ses rayons. Toutes les semaines, elle les réapprovisionnait en cigarettes et en bonbons qu'elle sortait d'emballages déjà ouverts conservés au frais. Pour le pain, c'était deux fois par semaine, comme pour le lait et la bière. Les Tampax, les autres denrées périssables, les chips, les crackers et la papeterie ne se vendaient pas autant et elle les réassortissait une fois par mois – le premier jeudi matin du mois, le jour où le cutter ne quittait pas sa main.

— Tiens, Billy !

Dede était surprise de le voir, mais pas contrariée. Ils avaient eu beau rompre, elle aimait toujours son physique.

— Qu'est-ce que tu viens faire ici ?

Billy portait une chemise de travail avec « Chevron » cousu sur la poche, au-dessus de son nom. Il sourit et sortit un petit 38 argenté.

— Je viens te tuer, idiote ! dit-il.

Il tendit le revolver droit devant lui et le braqua sur Dede, juste entre les deux yeux.

— Seigneur, Billy !

Dede crispa la main sur son cutter, mais, à deux mètres de distance, il ne lui servait à rien. Elle observa les doigts qui armaient le chien. Sous le pouce, la petite pièce métallique partit en arrière puis se remit en place avec un déclic. Le regard de Dede remonta vers le visage de Billy.

— Je ne savais même pas que tu étais en colère, dit-elle.

Les yeux du garçon s'emplirent de larmes et ses lèvres s'étirèrent en une grimace.

— Évidemment, espèce de garce. Tu ne m'as pas vraiment regardé ces derniers mois. Tu as dit qu'on serait amis. Tu as dit qu'il y aurait toujours quelque chose de spécial entre nous, et puis tu m'as appelé une seule fois. Et encore, parce que tu voulais acheter de l'herbe ! Qu'est-ce que tu veux que je croie, hein ?

Il agita le revolver.

— Qu'est-ce que tu veux que je croie ?

Dede commença à se relever et il agita violemment l'arme.

— Ne bouge pas. Reste où tu es. Et regarde-moi, maintenant, espèce de garce ! Regarde-moi !

— C'est ce que je fais, dit Dede. Je te regarde, Billy. Dis ce que tu penses J'écouterai tout ce que tu me diras.

Elle enfonça la lame du cutter dans le carton sur lequel elle était agenouillée et dans le linoléum. Elle gardait les yeux fixés sur ceux de Billy et s'efforçait d'avoir l'expression la plus douce possible. Il fallait qu'une idée lui vienne tout de suite, mais, pour la première fois de sa vie, rien ne lui effleurait l'esprit.

Althea Brithouse passa au Biscuit World ce jeudi matin, peu après 10 heures, pour voir Nolan. Elle était allée deux fois chez lui, mais l'avait manqué et n'avait pas souhaité parler à Tacey. Une fois sa colère retombée et son indignation moins cuisante, elle s'était rendu compte qu'elle se faisait du souci pour sa benjamine. Elle se disait qu'à côté de Tacey ses fils étaient simples, gentils, faciles à vivre ; ils ressemblaient tout à fait à leur père et, tout comme lui, savaient exactement s'y prendre pour charmer Althea et obtenir d'elle ce qu'ils voulaient. Jamal s'était engagé très tôt dans la marine. Quant à David, il avait obtenu l'autorisation d'aller s'installer à Atlanta pour travailler avec le frère d'Althea dans une jardinerie.

Dieu merci, David n'avait jamais eu envie de quitter l'école. Sidney, lui, n'avait pas terminé ses études et, s'il n'avait pas été un aussi bon mari et n'avait pas travaillé aussi dur, Dieu seul savait quel genre de vie ils auraient mené. C'était de lui que David tenait sa main verte, cette aptitude ancestrale consistant à mâchonner un peu de terre pour savoir exactement quels engrais employer. Dix ans après l'accident qui avait tué Sidney, son jardin était toujours florissant, et pourtant Althea s'était contentée de l'arroser de temps à autre avec le tourniquet.

Quel dommage que Tacey tienne si peu de Sidney ! Cette petite était sa mère toute crachée, en plus dégourdie, toutefois, reconnut Althea. C'était Tacey la plus intelligente des trois, et tellement têtue qu'elle la mettait hors d'elle.

— Ah ! les relations mère-fille ! dit Althea à Nolan. C'est une histoire ancienne, compliquée et imparable, comme le cycle des saisons. Écoutez, j'ai pas parlé à ma mère pendant quinze ans, entre le moment où j'ai quitté l'école et la mort du père de Tacey. C'est pas pour ça qu'on ne s'aime pas. Et j'aime ma fille, mais, en ce moment, je ne peux pas la supporter. Ça ne veut pas dire pour autant que je lui souhaite des ennuis ni que j'irais pas tuer le bonhomme qui lui ferait du tort.

Elle fixa sur Nolan un regard pénétrant.

Nolan approuva d'un signe de tête, ne sachant pas vraiment si elle le menaçait ou le rassurait.

— Tacey n'a pas le moindre ennui, madame, dit-il. Elle m'a sauvé la vie, si vous voulez la vérité. Elle m'aide avec ma mère et je vous promets qu'elle n'a pas manqué un seul jour de classe.

— Je sais.

Althea pinça les lèvres et jeta un coup d'œil autour d'elle.

— J'ai vérifié.

Elle s'était également renseignée sur Nolan, tant qu'elle y était. D'après ce qu'elle avait entendu dire, il ne semblait pas du genre à embêter Tacey. On racontait qu'il était amoureux d'une fille qui travaillait à l'épicerie. C'était un bon chrétien, digne de confiance et pas pire qu'un autre. Mais les gens disent n'importe quoi. Althea avait voulu voir ce garçon de ses propres yeux.

— Il paraît qu'elle ne travaille plus ici, mais chez vous.

À l'origine, Tacey avait pris ce boulot au Biscuit World pour gagner l'argent qui lui permettrait de s'inscrire à l'université. Car, si Althea n'ignorait pas que sa fille était assez intelligente pour décrocher une bourse, elle savait également qu'aucune bourse ne suffirait à tout payer. Tacey lui avait expliqué son plan soigneusement conçu – elle avait ouvert un compte d'épargne et Althea avait promis d'y déposer autant d'argent qu'elle. C'était l'un des sujets de leurs disputes, l'argent, tout comme ce qu'Althea comprenait ou ne comprenait pas. Parfois, Tacey traitait sa mère comme si elle était idiote et totalement irresponsable.

— Elle gagne autant chez moi.

Nolan pensait aux frères de Tacey. De grands baraqués, avait assuré celle-ci. Il ne voulait pas qu'Althea se méprenne sur l'accord passé avec elle.

— Et même un peu plus, ajouta-t-il. Et elle s'entend bien avec ma mère – ce qui, soit dit en passant, tient presque du miracle. Maman est… euh… bien différente depuis sa dernière attaque.

— Les attaques, c'est horrible.

Althea feignit d'ignorer le visage cramoisi. Ce garçon avait honte de sa mère, quoi de plus normal ?

— Mon grand-père a beaucoup souffert après son attaque. Elle est très handicapée, votre mère ?

— Pas mal. Elle s'est cassé la hanche. Elle en bave depuis la mort de mon père.

Nolan se détendait. Les propos de Tacey lui avaient donné l'impression qu'Althea était une vraie terreur, alors que cette femme au franc-parler lui rappelait Delia, la mère de Dede. Tout aussi vigilante et réservée, elle tenait visiblement beaucoup à sa fille.

— Tacey est merveilleuse avec maman. Comme je le disais, elle m'a vraiment sauvé la vie.

— Oui, bon.

Althea serra son sac sur son ventre.

— Je voulais seulement m'assurer qu'elle allait bien. À la manière dont elle a filé, je me demandais où elle allait atterrir. Tacey a un fichu caractère, vous savez. Comme moi, je suppose.

Elle sourit.

— Ça oui, madame. Elle a vraiment de la personnalité. Elle sait ce qu'elle veut.

— Oh oui ! Oh oui !

Althea sourit de nouveau.

— N'allez pas lui dire que je vous ai parlé. Il vaut mieux qu'elle continue comme ça et qu'elle vienne à la maison quand elle en aura envie. Probablement quand elle pourra me montrer un peu à quoi elle est arrivée, se vanter de sa réussite. Si elle obtient ce gros chèque de la bourse, elle viendra me le montrer.

— Ça, sûrement.

Nolan était épuisé. Une fois la mère de Tacey repartie, il y eut affluence au Biscuit World et il vendit tous les gâteaux plus vite qu'il ne l'avait jamais fait. Même son père n'avait jamais fermé aussi tôt. Il consulta deux fois sa montre et, chaque fois, elle lui confirma son record. Il était tout juste 11 heures et Nolan était sur le chemin de la maison.

— Bon Dieu ! soupira-t-il d'un air heureux.

Pour une fois, il pourrait même faire la sieste. Au croisement de Starrett et de Terrill, il marqua une pause. Il s'arrêtait toujours à l'épicerie le jeudi, disait quelques mots à Dede, puis achetait de l'eau gazeuse et attrapait les journaux gratuits. Nadine et Tacey aimaient bien lire les annonces. Elles juraient qu'elles allaient se mettre à faire les marchés aux puces dès que Nadine serait plus robuste. C'était improbable, mais Nadine adorait les listes d'objets que les particuliers proposaient à la vente.

— Une layette complète, lisait-elle. Nous n'allons plus avoir de bébés dans cette maison.

Des tables de billard, des équipements de gymnastique « comme neufs », des chaînes stéréo sophistiquées, tout cela l'amenait à se faire une idée sur le genre des personnes qui venaient s'installer à Cayro.

— Des gens qui achètent des trucs dont ils ne vont jamais se servir. Des gens d'Atlanta ou de Nashville, voilà qui on a, maintenant. Encore quelques années et personne ne reconnaîtra cette ville.

Nolan s'essuya la nuque, fit bouger sa tête de gauche à droite et écouta le bruit sec de ses muscles. Sa mère avait raison, pensa-t-il. Les choses changeaient tellement vite ! Certains jours, il avait l'impression d'être totalement dépassé. Il devrait rentrer directement, s'exercer à la clarinette, prendre un bain chaud et s'allonger. Se reposer. Il n'aurait qu'à aller à l'épicerie tout à l'heure, une fois moins fatigué. Et, s'il arrivait à dormir un bon moment, il pourrait essayer de jouer la partition que lui avait envoyée Rosemary, l'amie de Delia qui habitait en Californie, un duo pour clarinettes de Tone Kwas. S'il avait le temps, il s'efforcerait de déchiffrer les deux parties. Il jeta un coup d'œil en direction du parking et ne vit devant le magasin qu'un camion, avec l'emblème de la station-service Chevron sur la portière.

— Billy Tucker. Oh merde !

Nolan faillit poursuivre son chemin, mais il se rappela que Dede avait parfois beaucoup de travail l'après-midi. Il remua de nouveau la tête.

— D'accord, fit-il au camion de Billy Tucker, en s'arrêtant sur le parking.

Il aperçut la chemise verte de Billy, juste à l'entrée, lorsqu'il descendit de voiture et s'avança vers le magasin.

Une fois sur la troisième marche, il aperçut le revolver. Nolan s'immobilisa. Billy Tucker était debout dans l'épicerie de Dede, l'arme au poing.

— Oh ! Seigneur ! souffla Nolan.

Il jeta un coup d'œil autour de lui, en haut de la route, et en bas, vers la maison de Delia. Il n'y avait personne, pas une seule voiture en vue. Il reporta son regard sur le magasin. Il vit Billy avancer d'un pas. Dans sa main, le revolver était braqué vers le bas. Nolan grimpa deux marches de plus et vit Dede par terre, le visage levé, inexpressif, les yeux rivés sur Billy.

Il y eut un cri, Nolan tressaillit. Billy hurlait. Dans sa main, le revolver tremblait. Sa tête elle aussi oscillait. Des marmonnements inintelligibles parvinrent à Nolan à travers la vitrine. Des jurons. Il écouta les jurons monocordes, assourdis de Billy. Il est devenu fou, pensa Nolan. Billy Tucker est devenu fou et il va tuer Dede.

— J't'ai dit de pas te lever, espèce de garce !

Les mots étaient étouffés et étranges à travers les portes en verre, presque caoutchouteux, et semblaient venir de l'autre bout d'un tunnel tant il y avait d'écho.

Nolan avança avec prudence, tranquillement. Un oiseau chantait dans un arbre, au bout du parking. Le visage de Dede était toujours levé et inexpressif. Billy avait baissé un peu son arme et la tenait maintenant devant son ventre, le viseur toujours braqué sur Dede.

— Tu t'fous pas mal de moi ! hurla-t-il. Tu penses qu'à toi, espèce d'idiote !

Nolan posa la main sur la porte de droite. Une vague de vertige s'abattit sur lui. Il baissa les yeux et aperçut son ombre, petite, tassée, uniquement visible dans le carré de soleil qui entrait par le panneau de verre. Il n'avait aucune idée de ce qu'il allait faire. Billy va me tuer, pensa-t-il.

Nolan ouvrit la porte.

L'attention de Billy était entièrement concentrée sur Dede. Il attendait que son visage exprime quelque chose, que ses yeux s'écarquillent, se remplissent de larmes, ou que sa bouche se torde. N'importe quoi. Il voulait voir sa marque sur elle avant de la tuer. Il voulait être sûr qu'elle avait peur, qu'elle comprenait bien qui lui infligeait ça. Dans sa prochaine vie, elle fera un peu plus attention, s'était-il dit, mais ça n'avait aucun sens. Dieu ne la laisserait pas sortir de l'enfer une fois qu'il l'y aurait envoyée.

Billy prenait de la méthédrine depuis trois semaines. Il y avait plusieurs semaines qu'il n'avait pas dormi plus de deux heures par nuit. Il savait que son patron allait le flanquer à la porte. Il savait que son père le considérait comme un fichu imbécile. Margaret Grimsley l'avait traité de malade mental et, en plus, de mocheté. Sa mère lui avait suggéré d'aller parler à leur pasteur et, ce matin, dans la salle de bains, quand il s'était regardé dans le miroir, la solution lui était apparue, limpide comme de l'eau de source. Il allait la tuer. Il allait le faire. Ensuite, il se tuerait. Et puis, il dormirait. Il dormirait pour l'éternité. Je veux dormir, pensa Billy. Mon Dieu, je veux dormir. Il sentit un déplacement d'air derrière lui. La porte s'ouvrait.

— C'est à toi de décider ce qui est précieux pour toi, dit M. Reitower à Nolan, quelques mois avant sa mort, à 4 heures du matin.

Ils se trouvaient au Biscuit World et les fours venaient d'émettre l'explosion sourde qui annonçait que le gaz circulait et que la chaleur commencerait bientôt à se déverser sur les grilles à pâtisserie.

— Il faut prendre le temps quand on l'a, parce que, parfois, les choses arrivent si soudainement qu'on ne peut plus réfléchir. Comme pour ta mère et moi.

M. Reitower se pencha sur le plan de travail saupoudré de farine et adressa à son fils un lent signe de tête.

— Je savais comment elle était. Je savais qu'elle avait mauvais caractère. Je savais qu'être marié avec elle ne serait pas un parterre de lis et de roses, vraiment rien de facile, pourtant j'ai pris le temps de la regarder attentivement. Je la connaissais. Tu comprends ce que je te dis ?

Il hocha la tête avec vigueur, comme si tout était parfaitement clair.

— Cette femme m'acceptait entièrement et j'étais prêt. C'est vraiment merveilleux d'en être sûr, de connaître la femme qu'on aime aussi bien qu'on se connaît soi-même. Et, en fait, pour bien connaître une femme, il faut se connaître soi-même. Il faut savoir de quoi on a besoin. Moi, j'avais besoin d'une femme exactement comme ta mère.

Il fit un grand sourire.

— Quelqu'un qui me fasse avancer à coups de pied dans le derrière. Dieu sait que c'est ce qu'elle a fait. Ça oui.

Nolan approuva d'un signe de tête, en perdant un peu confiance en lui. Est-ce qu'il se connaissait bien ? Est-ce qu'il savait de quoi il avait besoin ? C'était difficile d'en être certain dans la mesure où ce qu'il désirait lui avait toujours semblé inaccessible. Est-ce que Dede était une femme pour lui ? Elle ne serait jamais un parterre de lis et de roses, ça, il en était sûr. Et elle serait dure, exigeante. Elle saurait sans doute le faire avancer à coups de pied dans le derrière. Était-ce de cela qu'il avait besoin ? Oublions ce qu'il voulait, était-ce de cela qu'il avait besoin ?

Un instant avant de franchir la porte, derrière Billy Tucker, il refit défiler dans sa tête cette conversation. La gaieté fataliste de l'affirmation de son père, la certitude et l'attristante connaissance de soi qu'elle impliquait, tout cela repassa dans son esprit et se modifia. Pour la première fois, Nolan sut ce que valait sa vie, ce pour quoi il était prêt à la donner. Dede Windsor ne l'aimerait peut-être jamais comme il l'avait toujours aimée, mais l'amour qu'il lui portait était ce qu'il y avait de meilleur en lui. C'était ça qui le façonnait et donnait du sens à son existence, qui validait les décisions qu'il avait prises au sujet de sa musique, de sa mère et de Cayro. Dede était la mesure, le but, le critère qu'il s'était fixés. Elle était sa connaissance profonde de lui-même. Son trésor. Si Billy Tucker le tuait, la sauver vaudrait bien sa vie.

— Quelle assurance ! dit ensuite Emmet. Tu n'as pas hésité, hein, fiston ?

— Ça non.

Nolan tremblait et essayait de ne pas trop le montrer. Il avait commencé à trembler une fois que tout avait été fini, une fois Billy par terre, le sang jaillissant de sa bouche, les mains pressées sur son visage blessé, une autre blessure suintant lentement sur le devant de son jean, à l'endroit où le cutter de Dede l'avait tailladé pendant qu'il leur résistait.

— Eh bien, c'est exactement comme ça qu'il faut faire.

Emmet écrivait dans son petit carnet et remuait la tête en parlant.

— Il faut agir vite, sans hésiter. Les remettre à leur place rapidement, brutalement, sans se laisser ralentir par quoi que ce soit. Encore qu'entrer dans ce magasin n'était pas très sensé. Le revolver était chargé et Billy avait vraiment l'air prêt à s'en servir. Entrer ici était la chose la plus folle que tu pouvais faire, mais, puisque tu étais décidé à y aller, eh bien, tu t'y es pris comme il fallait.

Il claqua son petit carnet dans sa main.

— Tu comprends ce que je te dis ?

Nolan fit oui de la tête. Il pensait à son père, qui lui avait posé la même question. Tu comprends ce que je te dis ? Oui, il avait parfaitement compris. Nolan regarda en direction de sa voiture. Dede y était assise, fumait sans arrêt et se livrait à sa version personnelle du jerk. Mon Dieu, pensa-t-il. Et si je n'étais pas arrivé à ce moment-là ? Si j'étais rentré à la maison ? Il tressaillit et vit le sourire d'Emmet.

— Tout va bien, fiston. Il n'y a aucune raison d'avoir honte. Moi aussi, je tremblerais. La première fois que je me suis trouvé face à un revolver, j'ai rendu mon déjeuner. Rentre chez toi, fiston. Tout va bien se passer. Nous allons nous occuper du petit Billy. Il n'est pas près de recommencer à brandir des armes par ici. On dirait qu'il a appris quelque chose, aujourd'hui. Il s'est plus ou moins évanoui dans l'ambulance. Tu sais, ce garçon donnait l'impression de ne pas avoir dormi depuis au moins un an.

Dede était assise dans la voiture de Nolan et fumait une Marlboro. Elle avait le regard fixé sur les arbres et sentait le soleil sur ses genoux. Elle avait déjà parlé deux fois à Emmet et, lentement, se détendait enfin. Nolan, Dieu le bénisse, lui avait apporté un Coca et l'avait laissée tranquille. Quand la relève était arrivée pour s'occuper du magasin, Nolan lui avait même fait signer la fiche du registre. Il est futé, avait-elle pensé en signant. Elle ne faisait jamais confiance à personne pour le montant de ses recettes. Puis elle l'avait observé pendant qu'il s'éloignait. Il paraissait différent. N'avait-il pas été plus petit que ça ? Quand il revint, elle lui offrit une gorgée de son Coca.

— Ça va, maintenant ? lui demanda-t-il.

— Non.

Dede alluma une nouvelle Marlboro à la précédente, presque complètement consumée.

— J'ai failli mourir, tu sais.

— Ouais, dit Nolan avec un signe de tête.

Dede but et fit la grimace. Elle ne buvait que du Coca light, il faudrait qu'elle le lui dise. Elle observa de nouveau Nolan. Il était simplement assis là et la regardait. Sans rouler des yeux de merlan frit, sans transpirer, avec une expression adulte, ferme et calme.

— Tu t'es pas dit qu'il allait te tuer ? demanda-t-elle.

— J'étais trop occupé à me dire qu'il allait te tuer, toi.

Nolan regarda vers le haut de la route.

— J'ai téléphoné à la maison. Nadine a dit de te ramener chez nous. Elle a ajouté qu'il y avait de la bière si tu en voulais.

— De la bière.

Dede observa le visage de Nolan. Sa bouche, pensa-t-elle. Avant, elle était molle, les lèvres toujours humides, avec des bulles de salive, la peau moite. Et les yeux. De l'ambre sombre, aussi profonds que la nuit. Ils lui rendirent son regard. Ses lèvres étaient figées, serrées, fermes. Mon Dieu, pensa-t-elle. Nom de Dieu.

— Je veux plus que de la bière.

— Je pourrai t'en procurer.

— Ah oui ?

— Je pourrai te procurer n'importe quel truc dont tu auras besoin.

— Je parie que c'est vrai.

Dede regarda les mains de Nolan. Grandes, robustes, aux longs doigts, elles reposaient sur le caoutchouc usé qui protégeait le volant. Elle se rappela la manière dont il avait tenu Billy, la manière dont il lui avait parlé à l'oreille.

— Je pourrais te tuer, avait-il dit. Ne m'y oblige pas.

— Je suis contente que tu n'aies pas tué Billy, murmura-t-elle.

— Il va se remettre.

Nolan écarta les doigts et pressa les paumes sur le volant.

— Il a juste eu un accès de folie passagère. Avec le temps, il va se remettre.

— Ouais, probablement. Ou peut-être pas. Au moins, il n'est pas mort.

— Non.

Nolan relâcha son souffle, Dede entendit le bruit de ses épaules qui se détendaient. Il se carra dans son siège et secoua la tête.

— Non, répéta-t-il. Il n'est pas mort et nous non plus.

Il leva les yeux sur le visage de Dede puis sourit. Dede lui sourit à son tour.

— Nolan ?

Son nom sonnait bizarrement quand elle le prononçait, mais juste. L'appeler par son nom semblait la chose à faire.

— Nolan, est-ce que tu te soûles parfois ?

Il hésita.

— Presque jamais, dit-il. Mais, là, tout de suite, je pourrais le faire.

— Moi aussi, approuva Dede. Je prendrais une bonne cuite avec plaisir.

— Ça te dit ?

— Oui.

La façon dont elle répondit envoya un petit choc nerveux dans le corps de Nolan, une vibration dont le centre se trouvait juste sous le cœur. Dede le regardait bien en face, de ses yeux fermes et sombres. Elle le voyait réellement, il le savait. Elle le voyait comme elle ne l'avait encore jamais vu. À ce moment-là, peu importait qu'il fût plus jeune, qu'il fût le petit gars d'en haut de la route, dont elle s'était moquée depuis le jour où elle l'avait rencontré. Enfin, elle le voyait distinctement.

Nolan ne sourit pas. Il se contenta de lui retourner son regard, le visage ouvert, embrasé.

— D'accord, acquiesça-t-il. D'accord, on y va.

Quand Tacey était petite, avant que ses frères quittent la maison et que les relations se détériorent avec sa mère, la famille s'occupait de chiens. Althea les élevait et les vendait, surtout des chiens de chasse, des beagles et quelques hybrides appréciés pour leur loyauté, leur taille et leur comportement. Il y avait toujours une portée de chiots dans le jardin et Tacey rêvait parfois de redevenir petite fille – d'avoir cinq ou six ans et de se rouler dans l'herbe, des petits chiens en train de couiner dans ses bras.

Au cours des semaines qui suivirent la tentative de meurtre de Billy Tucker, Dede et Nolan lui rappelèrent ces chiots. Ils avaient l'œil somnolent, mais sans cesse à l'affût, et chacun sautait de joie dès que l'autre s'approchait. Sans aucun doute, ils étaient en rut, au diapason et vibraient au même rythme. Ils ressemblaient aux chiens et aux enfants en été, la langue pendante, et l'odeur aigre-douce de leurs cheveux qui faisait penser au sucre, à la pisse et à l'amour. Parfois, Tacey les humait et riait malgré elle, mais, de temps en temps, quand elle les surprenait serrés l'un contre l'autre, elle avait l'impression que quelque chose la frappait au cœur, l'immobilisait et rendait toute sa vie inutile et incertaine. Personne ne la remuait comme ça, personne n'accélérait son cœur ni ne modifiait son souffle. Personne dans sa vie ne l'avait jamais poussée à envisager un changement quelconque. Observer deux personnes qui, en un instant, avaient été transformées l'obligeait à se poser des questions sur tout ce qu'elle avait connu jusque-là. Tacey ressortit certains de ses récits et les relut. Avec l'odeur de tout ce désir charnel dans la maison, ils lui parurent minces et insipides. Elle se balança sur son matelas et essaya d'imaginer l'effet que ça faisait, cette passion enivrante qui s'était emparée de Nolan. Elle se sentait coincée, peu sûre d'elle, apeurée même, en se rendant compte qu'il y avait des choses qu'elle n'était pas préparée à affronter.

Le pire était que Tacey ne savait pas du tout que penser de Dede – la fille blanche excentrique qui emplissait le cœur de Nolan. Dede n'était pas une héroïne romantique sortie des livres qu'elle avait lus. Maigre, sans maquillage, presque toujours en sueur, vêtue d'un jean et d'un fin T-shirt blanc, Dede était effrontée, sarcastique et, apparemment, aussi surprise qu'elle de ce qui arrivait. À la plus grande joie de Nadine, Dede ne quittait pas la maison en douce, ne faisait pas comme si rien ne s'était passé ; elle se glorifiait de cette relation, surgissait de la chambre de Nolan, cheveux tout emmêlés, tennis à la main, pendant que Tacey préparait le petit déjeuner de Nadine. Dede avait une odeur moite et mûre. Il y avait du sommeil dans ses yeux et un masque satisfait sur ses traits. Elle pouffait en regardant la mère de Nolan et haussait les épaules quand Tacey fronçait les sourcils, puis enfilait sa veste en jean délavé et franchissait la porte d'entrée d'un bond, un seul pied chaussé.

— Traînée dévergondée, l'appelait Tacey.

Et Nadine balançait la tête d'un air heureux.

— Oh ! oui ! approuvait la vieille dame. Ça, c'est vrai.

Tacey se mit à qualifier de vie dissolue le comportement de Dede et prononçait ces mots sans ménagements. En revenant du lycée, l'après-midi, elle ramassait le caleçon humide de Nolan dans la salle de bains, par terre, pinçait les lèvres et reniflait bruyamment.

— Ah ouais, ça sent un peu la vie dissolue par ici.

Nadine pouffait et Nolan rougissait. Contrairement à Dede, il n'était pas sûr de vouloir ébruiter la chose. Il persistait à se dire qu'ils devaient se montrer plus discrets, mais, quand Dede était suffisamment proche de lui pour qu'il puisse la sentir, ses pensées devenaient floues et un bourdonnement de bonheur s'emparait de son cerveau. Il se serrait contre elle et perdait toute conviction. Ils étaient amoureux. L'amour arrangerait tout.

On pouvait suivre la piste de Dede dans toute la maison. Des canettes de bière apparaissaient dans les ordures, avec du papier à cigarettes humide et des préservatifs utilisés. Du maquillage s'amoncelait dans la salle de bains, à l'étage. Il y avait des peignes, une nouvelle brosse à dents, trois sortes de gels de couleur pour les cheveux et une petite boîte de cartouches pour le pistolet que Craig Petrie avait envoyé après avoir entendu parler de l'incident survenu au magasin. Cette fille se trouvait constamment là – au déjeuner ou après le travail, en début ou en fin de soirée ; elle arrivait à minuit quand elle travaillait tard, se levait à 4 heures du matin pour boire le café avec Nolan avant qu'il parte au Biscuit World, puis se remettait au lit jusqu'au réveil de Tacey. La maison sentait la fièvre, la sueur et les vêtements trempés. Nolan changeait de jour en jour, son visage s'enflait d'une satisfaction sensuelle, son ventre et ses cuisses fondaient car il oubliait de manger, de dormir et de mener une vie réglée. Certains jours, il oubliait même de jouer de la clarinette et, deux fois, il arriva en retard pour la visite médicale de Nadine.

— Je suis désolé, dit-il, les oreilles écarlates et les joues à peine plus claires.

Il paraissait en état de choc permanent, les lèvres mordillées, gonflées, les yeux larmoyants, les pupilles dilatées.

— Je suis désolé, disait-il à tout bout de champ, bien qu'il n'y eût aucune affliction en lui.

Il nageait dans un océan bien à lui, chevauchait une vague de désir et de ravissement, déversait des promesses de bonheur sur sa mère et devenait cramoisi chaque fois que les yeux sombres de Tacey le fixaient.

— Je suis désolé, je vais m'en occuper. Je suis désolé, j'ai oublié. Je suis désolé, j'ai eu beaucoup de travail.

Nolan ne restait jamais à la maison sauf quand Dede s'y trouvait avec lui. S'il ne travaillait pas ou ne dormait pas, il allait chez Delia, où il mangeait des légumes choisis par Dede, ou au magasin, pour l'aider à ranger ses articles, ou encore dans le minuscule mobile home Airstream argenté que Dede avait loué sur le terrain de caravaning, où tous deux passaient une ou deux heures. Partout où il allait, Nolan laissait derrière lui une odeur de désir charnel.

— Bon Dieu, maman, murmura Nolan à Nadine un soir. C'est quelque chose que je n'ai jamais compris.

Des larmes lui inondèrent les yeux jusqu'au moment où Nadine lui tapota la tête et tomba d'accord avec lui.

— C'est la force de vie, lui dit-elle. C'est pour ça que nous sommes ici-bas.

Tacey les regarda de travers. Ce n'était pas pour ça qu'elle était ici-bas. Cela ne justifiait pas tout le travail supplémentaire qui s'abattait sur elle. Il y avait tant de linge à laver qu'elle devait faire deux lessives par semaine si elle ne voulait pas que toute la maison empeste. Tacey n'osait pas s'attarder pour parler avec des professeurs ou des amis, ni même rentrer sans se presser en imaginant des histoires dans sa tête. Personne ne garantissait qu'elle ne retrouverait pas Nadine toute seule, couverte de sucre graisseux.

Tacey se plaignit à Nolan, un après-midi.

— Je comprends. Tu vis la plus grande histoire d'amour du monde, mais pourrais-tu, s'il te plaît, faire les courses avant de te fourrer au lit avec la reine du paradis ?

Nolan rougit, le lui promit et oublia bien vite sa promesse dès que Dede téléphona pour lui demander de l'emmener manger des légumes frits au Goober's.

Un après-midi, Tacey revint à la maison pour découvrir Nadine assise par terre, rayonnante, en train de sucer un bâtonnet de viande de bœuf séchée.

— C'est Dede qui me l'a donné, lui apprit-elle.

Tacey remit la vieille dame dans son fauteuil roulant. Nadine claqua la langue et sourit à une Tacey furieuse.

— Je suppose que Nolan a dit que c'était très bien, grogna Tacey.

— Il a dit que c'était mieux que les pâtés.

Nadine eut l'élégance de prendre un air honteux.

— Ah bon ? dit Tacey, le visage toujours inexpressif. Ah bon ?

Les larmes inondèrent les yeux de Nadine. Elle tendit le bœuf séché à Tacey.

— Ne te mets pas en colère, supplia-t-elle en avançant la tête vers le ventre de Tacey.

— Oh ! ne pleurez pas, dit Tacey en lui tapotant le sommet du crâne. Je ne suis pas en colère. Je ne suis pas en colère.

Elle serra bien fort la vieille dame, qui sentait le bœuf salé et le parfum de pomme sucrée de son shampooing. Je suis jalouse, pensa-t-elle. Je suis jalouse de quelque chose que je ne désire même pas. Ça doit être comme ça que les gens deviennent fous. Pour la première fois depuis des mois, elle songea à la manière dont sa mère l'avait regardée quand elle avait fourré toutes ses affaires dans ses sacs. Derrière la colère, il y avait eu une sorte d'horrible patience. Sur le moment, Tacey en avait été encore plus furieuse. Sa mère avait été amoureuse au moins deux fois, à sa connaissance – de son père, ça, sûrement, et du stupide bonhomme qui vivait maintenant chez elle. Je me demande ce que dirait maman si je lui racontais tout ça, se dit Tacey.

Nadine renifla et passa les deux bras autour des hanches de Tacey.

— Il ne pense plus jamais à nous, marmonna-t-elle dans la robe de Tacey.

— Oh si, il pense à vous, lui répondit Tacey en lui lissant les cheveux. On aime toujours sa mère. C'est pas pareil que cet autre truc.

Nadine leva les yeux pour la considérer d'un air sérieux.

— Oh ! oui, reconnut-elle. Ça, c'est bien vrai.

Solennellement, elle porta à ses lèvres l'extrémité mâchonnée du bâtonnet de bœuf. Incapable de se retenir, Tacey sourit à ce spectacle. Au bout d'un moment, Nadine lui sourit à son tour, aussi malicieuse et sincère qu'une petite fille.

17

Le berceau de la Terre, le pays de Dieu et l'arrière-cour du diable. Cissy aspira l'air souterrain, frais et humide, et se chantonna ces mots. Depuis quatre heures, les trois filles se trouvaient dans Little Mouth et elle se sentait complètement détendue, en harmonie avec son corps. Au-dessus d'elle, il n'y avait pas la coupole du ciel mais une coupole de terre, une tente de boue, de roc et de pierre pulvérisée, qui donnait une impression de sécurité, proche et rassurante dans sa familiarité. J'adore être ici, pensa Cissy. Ici, je sais qui je suis et ce dont je suis capable. Oui, c'est la cachette du Sud rural, la retraite secrète absolue. Ma place est ici.

— Je suppose que je ne suis qu'une troglodyte, dit Cissy à Mim.

Et une créature du Bon Dieu sérieusement folle, ajouta-t-elle intérieurement. Elle se mit à rire tout haut et vit Mim froncer les sourcils.

— Je suis contente d'être revenue ici, expliqua Cissy sans dissimuler l'ivresse heureuse de sa voix.

Mim sourit, à peine décontenancée. Elle n'aime pas ça autant que moi, pensa Cissy. C'est l'aventure qui l'intéresse. S'il y avait des montagnes dans la région, Jean et elle feraient de l'alpinisme, mais il n'y en a pas, alors elles descendent ici. Des trois, Cissy le savait, elle aurait été la seule à se décarcasser pour aller explorer les trous de la terre.

— Beurk !

Jean leva la main et la secoua pour faire tomber de son gant d'épaisses algues poudreuses.

— C'est dégoûtant.

— De la merde de chauve-souris, dit Mim.

— Ou de rat.

Cissy montra des restes déchirés d'emballages en papier éparpillés dans une anfractuosité. Près de la surface, de petits animaux utilisaient la grotte comme refuge. Ils y traînaient des détritus pour avoir chaud et laissaient leurs empreintes sur les sols meubles. Algues et champignons poussaient partout où la température dépassait la fraîcheur habituelle. La grotte était un laboratoire de putréfaction. Il suffisait d'un peu de transpiration laissée sur une roche couverte de bactéries pour que celles-ci se développent, même dans le froid. Sous terre, les choses changeaient, soumises à l'action des profondeurs. Sans soleil ni chaleur pour les assécher, les roches devenaient phosphorescentes et gardaient la marque luisante des points d'appui et des prises. Dans certaines galeries profondes, les bactéries se nourrissaient de fragments de sandwiches, de légumes en saumure et de beurre. Les résidus continuaient à briller et à se développer plusieurs années après le départ des explorateurs. Cette idée ravissait Cissy. Parfois, elle levait les mains et plaquait ses paumes suantes sur la paroi, au-dessus d'elle, en se disant qu'il y avait une petite chance pour que cet endroit conserve sa trace très longtemps après son passage.

— J'ai horreur de ça, dit Jean.

Elle gratta sa chaussure sur une pierre afin d'en détacher les déjections.

— C'est de la pourriture, décida Mim. Seulement de la pourriture de chauve-souris.

Ce n'était pas de la pourriture que voyait Cissy. Une maturation, une lente modification de ce que les gens croyaient savoir, voilà ce qu'elle voyait dans la grotte. Sous terre, tout mûrissait. Dans l'obscurité, de lents et profonds changements se produisaient. Enveloppées dans un mouchoir en papier, des pommes pâles mûrissaient, prenaient une saveur de fruit bien rouge. La chaleur inhabituelle du corps de Cissy séchait la boue sombre collée à son jean, formait une croûte qui se détachait de ses hanches et de ses cuisses et marquait son passage.

Plus elles s'enfonçaient sous terre, plus Cissy devenait insouciante. Se glisser sur les roches, s'écorcher coudes et genoux ne lui donnait pas l'impression de se blesser mais de gagner en puissance. Elle était capable de se faire mal et de continuer à avancer. Elle était plus forte que le roc, plus déterminée que les marées de sable et de gravier qui suivaient les ruisseaux souterrains. Quand elle remontait des puits les plus profonds, le corps tremblant d'un épuisement repu, Cissy savait qu'elle avait accompli quelque chose d'extraordinaire. Chaque fois qu'elle se hissait à la lumière du jour, elle se savait transformée. On aurait dit que son passage dans l'obscurité lui offrait ce qu'elle avait toujours désiré, une confrontation avec un dieu qu'elle imaginait sous les traits d'une femme, tréfonds maternel, cœur enfoui de la terre.

Little Mouth n'avait pas la réputation d'être une grotte extraordinaire. Celle dont tout le monde parlait en raison des fêtes de Brewster, c'était Paula's Lost.

Pourtant, une fois passées les premières galeries que Cissy connaissait déjà, Little Mouth se révéla beaucoup plus spectaculaire que quiconque l'avait imaginé.

— Regarde un peu, Cissy ! ne cessait de répéter Mim tandis qu'elles traversaient le fond de Little Mouth. Regarde un peu !

Cissy regarda. Elle leva la tête et recula dans le faisceau de la torche ; le flot de lumière l'effleura pour se fixer sur les bords calcaires des couches rocheuses qui se chevauchaient. Tout éclat, hauteur, inclinaison et angle, la pente se dressait au-dessus d'elles et luisait de taches de mica comme un miroir brisé sur une dalle de pierre. Observer la roche procurait la même impression qu'observer les nuages. On y voyait des visages, des vases et des calices, des ailes d'ange et des dents de dragon.

— Quelqu'un pourrait gagner une fortune, ici, répétait Jean.

— À condition d'ouvrir et de domestiquer tout ça, dit Mim. D'en faire un Disneyland souterrain, comme les Chutes de Ruby, avec ces sentiers bétonnés et ces lumières colorées.

Cissy examina gravier fin, caillasse et alluvions, révélés par le pinceau lumineux qui battait comme un pouls. L'air piquait à cause de l'eau aigre et puante. Une écume de poussière blanche comme de l'os recouvrait sa lèvre supérieure. Elle était obligée de s'essuyer sans cesse la bouche et de boire à la gourde pendue à sa ceinture. Mim se plaignit de la poussière. Jean emprunta la gourde de Cissy. Finalement, elles durent s'arrêter pour se reposer. Une lumière spectrale semblait scintiller et se déplacer dans les ombres dures, entre les rocs. Cissy ne parvenait pas à imaginer quelle en était la source. À une telle profondeur, pas d'insectes, de papillons, d'oiseaux, de serpents, de créatures vivantes à redouter. À une telle profondeur, seuls les micro-organismes étaient dangereux, d'anciens virus qui attendaient le véhicule chaud du sang et la stupidité humaine.

— Bon Dieu de bon Dieu ! jura Jean. J'ai pas un seul muscle des hanches et des épaules qui ne me fasse pas mal.

— Il faut faire attention aux parois qui vous sautent dessus, dit Mim pour la taquiner.

Le doux contralto de Mim émit une vibration qui se répercuta dans le bassin de Cissy. La sensation était frêle, merveilleuse et secrète. Cissy eut envie de sourire, mais elle se contenta de répéter l'expression de Jean, tout bas :

— Bon Dieu de bon Dieu !

— Regarde là-haut !

Mim agita une main dans le faisceau lumineux pour montrer la pente miroitante de spath.

— On dirait une cathédrale, une fichue cathédrale.

Cissy hocha la tête, puis se rendit compte qu'elle était dans l'ombre et que Mim ne pouvait pas voir son geste.

— On dirait une église, un temple secret, souffla-t-elle.

Little Mouth était sa grotte préférée. Sur les cartes anciennes, on l'avait représentée comme une petite caverne étroite, mais, au cours de la dernière décennie, la rocaille avait été percée. La modeste entrée communiquait désormais avec la plus grande salle, dont le fond se trouvait derrière la bétoire. Celle-ci s'était rouverte, de sorte qu'une série de curieuses pentes attirèrent les jeunes filles dans un labyrinthe de cavernes et de chatières.

— Je crois qu'elle doit rejoindre Paula's Lost, répétait Mim. Il le faut bien. Tout est relié par l'eau, et l'eau se déplace en surface jusqu'au moment où elle peut tomber ; alors, elle repousse n'importe quoi. J'ai examiné les cartes topographiques. Il n'est pas possible que l'eau ne descende pas ; elle doit se forcer un passage à travers le calcaire et percer les roches. Je crois que des cavernes relient le sud de Paula's Lost aux parties nord de Little Mouth, peut-être pas d'une manière qui nous permette de passer – encore que, c'est pas sûr. En tout cas, nous pourrions essayer de dresser une carte allant d'ici aux anciens passages, au fond de Paula's Lost.

— J'sais pas.

Cissy ferma les yeux pour visualiser les chatières dans lesquelles elle avait rampé tant de fois. Les deux grottes étaient en calcaire, mais, dessous, il y avait du schiste, du granit et d'autres roches. Paula's Lost se trouvait à un niveau légèrement plus élevé que Little Mouth, mais de quelques degrés seulement.

— Elles peuvent se rejoindre. Ou pas. Tu te rappelles le nombre de gens qui ont cherché les points de contact entre deux grottes du Kentucky ? C'est pas comme ça que Floyd Collins a fait la une des journaux ? Il est descendu début janvier, persuadé qu'il connaissait le chemin et allait le prouver au monde entier. D'après les rapports, lorsqu'on l'a retrouvé le 16 février, il a fallu lui couper le pied pour le dégager.

— Je ne vais pas fourrer les pieds dans une crevasse, dit Mim, indignée. Nous sommes prudentes. Est-ce que nous avons déjà commis une imprudence ?

— Il ne s'agit pas d'imprudence. Certaines choses arrivent.

Cissy pensait aux galeries reculées de Paula's Lost. Il y avait tout ce sable rouge et gris, qu'on ne trouvait que là. Avait-elle déjà vu quelque chose de comparable à Little Mouth ? Si oui, est-ce que ça voulait dire que l'eau reliait les deux grottes ? L'eau se dirigeait vers le sud et vers les terrains moins élevés, donc rien ne pouvait être charrié de Little Mouth à Paula's Lost.

— Ce gravier fin, suggéra Jean quand elles en parlèrent en mangeant des sandwiches au fromage pimenté et en buvant du thé chaud. Le gravier n'est pas fixe, il se déplace facilement dans une rivière. Le gravier fin des galeries nord de Paula's Lost a un reflet gris perle sous les lampes à arc. On devrait voir le même à Little Mouth, s'il a été charrié jusqu'ici.

Cissy était assise et réfléchissait, son sandwich à la main. Au bout d'un moment, elle hocha la tête.

— Oui. J'ai déjà vu du gravier ici. Pas beaucoup, mais il y en a. Dans les galeries, tout au nord, à l'endroit du coude.

Elle regarda Mim.

— Les deux grottes communiquent peut-être, dit-elle enfin.

— Dans ce cas, nous pourrions en dresser la carte.

Mim exultait.

— Et si nous arrivions à prouver qu'elles communiquent, nous pourrions entrer dans le *Livre des records*. Nous serions les spéléologues les plus célèbres du sud-est des États-Unis !

— On peut toujours essayer, et voir ce que ça donne.

Jean semblait moins excitée que Mim. Cissy mordit dans son sandwich et acquiesça. Il n'y avait aucune raison de ne pas tenter l'expérience, à condition d'être prudentes.

Explorer la partie sud de Little Mouth se révéla un supplice et un défi. Un danger semblait toujours les guetter, tapi derrière une petite rigole ou des alluvions sablonneuses. Une glissade mortelle sur des rocs ou une chute rapide dans un gouffre.

— Quelle saloperie ! déclara Mim. Je me sens aiguillonnée et j'en oublie depuis combien d'heures nous sommes en train de ramper. Je commence à ne plus sentir mes doigts ni mes orteils. J'ai de plus en plus envie de m'allonger et de dormir.

— Oh ! ça serait une bonne idée, dit Jean en riant.

— Pourquoi pas ? suggéra Cissy. On pourrait apporter des sacs de couchage et du café chaud. On avancerait autant que possible, puis on dormirait une fois épuisées, on se réveillerait réchauffées, reposées, et on continuerait après avoir mangé.

Mim se mit à rire.

— Sauf qu'il y aura toujours un autre passage devant nous, même si on se débrouille bien. Toujours une nouvelle raison d'aller un peu plus loin. Parfois, je me dis qu'il suffit d'être obstiné. Mais si on perd ses couvertures et sa bouteille Thermos, si on ne retrouve plus son chemin ou si on ne se rappelle plus depuis combien d'heures on est là-dessous, on est mort. Si les expéditions imposent des limites et partent en groupes organisés, ce n'est pas pour rien.

— Est-ce que nous avons déjà commis une imprudence ? demanda Jean, en répétant leur devise.

Elles se regardèrent.

Le week-end suivant, elles mirent leur projet à exécution et emportèrent des sacs de couchage, des couvertures, des provisions et un petit réchaud afin de préparer du thé. Pour Cissy, rester aussi longtemps sous terre fut une révélation. Quand elle se blottit dans son sac de couchage, elle se rendit compte que l'impression de sécurité que lui procurait l'obscurité toute proche la rendait très heureuse. Seule, elle avait déjà fait des petits sommes pour se reposer un instant, mais, cette fois, c'était différent. Le noir l'enveloppait comme une couverture dans laquelle elle se lova en soupirant.

Toute sa vie, Cissy avait eu des problèmes de sommeil. Elle restait éveillée dans son lit alors que la respiration de ses sœurs s'était apaisée depuis longtemps et avait pris un rythme régulier – pch-pch. Elle se tournait et se retournait, tambourinait sur les os de ses hanches. Elle fermait les yeux très fort pour voir des scintillements d'étoiles. Elle observait la lune au bord de la fenêtre, la lumière de la salle de bains qui filtrait autour de la porte fermée. Quand elles avaient partagé la chambre, elle trouvait du réconfort dans le clignotement vert du réveil numérique d'Amanda, dans la minuscule lueur rouge sur la radio que Dede gardait toujours près de son oreiller. Le cordon des écouteurs bougeait avec son souffle, tantôt découvrant l'éclat rubis, tantôt le cachant.

Comment pouvait-on survivre avec si peu de sommeil ? Cissy l'ignorait. Pendant que ses sœurs dormaient, elle se racontait des histoires et cataloguait les différentes phases de la nuit, la lenteur avec laquelle la lumière se modifiait, la manière dont les sons semblaient s'allonger et s'épaissir au plus profond de la nuit. Les aboiements diminuaient une fois la lune couchée, les hurlements se transformaient en quelque chose de plus subtil et désespéré. Le chagrin chevauchait l'air nocturne et accroissait la perception. Cissy ne pouvait rien faire d'autre que se résigner, même si, parfois, elle était tellement agitée qu'elle se levait pour lire ou allait sur la véranda latérale pour écouter le téléviseur cassé, celui qui n'avait pas d'image mais acheminait les voix des chaînes tardives. Ça ne lui était jamais d'aucun secours. Il valait mieux rester au lit et laisser son corps se reposer tandis que son cerveau continuait à tourner comme une vieille horloge, comptant les minutes, les années ou les respirations. D'innombrables fois, Cissy avait observé la naissance de l'aube, derrière l'épaule de Dede. Elle avait répertorié les nuances du jour, de la première lueur à la lente éclosion de lumière et à la blancheur somptueuse du matin. Après le mariage d'Amanda, lorsque Dede s'était installée dans sa propre chambre, la pièce avait paru tranquille et solitaire. Même en dormant seule, Cissy veillait plus qu'elle ne dormait.

Quand Mim et Jean avaient envisagé l'expédition du week-end, Cissy s'était inquiétée à la perspective de dormir à côté d'elles. Elle s'était même munie d'un jeu de cartes, songeant qu'elle pourrait faire des réussites pendant que ses compagnes dormiraient. Mais, docilement, elle déroula son sac de couchage et s'y blottit. Fais semblant de dormir, se dit-elle. Repose-toi. Mim éteignit sa lampe et roula sur le côté. L'obscurité se fit et, avec elle, le silence. Au loin, quelque chose suintait et gouttait, gouttait. Un lent bruit d'eau qui tombait tout près résonna, puis s'arrêta. Il n'y avait pas de lumière. Les sons étaient ralentis ou complètement absents, respiration des deux filles, humidité qui perlait sur les roches en réponse à leur souffle chaud. Des chauves-souris, estima Cissy, mais l'obscurité faisait jaillir des couleurs. Des images se déplaçaient sur sa rétine. Des poissons aveugles. Des papillons noirs. Des larves. Delia. Dede. Amanda. Inspire, expire, ça forme des gouttelettes. Puis, plus rien.

La main de Mim était posée sur son épaule. Une torche voilée, volontairement tenue à distance de Cissy. Les yeux de Mim étaient immenses et brillants.

— Dis donc ! T'as un sommeil de plomb !

Le sommeil. Quatre heures comme un rien. Quatre heures comme quatre minutes. Laissez-moi me rendormir, pensa Cissy. Elle secoua la tête et se força à se lever. Elle regarda autour d'elle, poisson aveugle qui verrait soudain, ouvrit la bouche et grommela un rire. Pas un seul rêve, pas une seule interruption, seulement une respiration, une inconscience toute simple, son corps revigoré en quatre heures de repos complet. Le paradis se trouvait sans aucun doute au fond d'une longue grotte.

Cissy n'en parla à personne, mais elle comprit. Si elle s'installait dans une grotte, elle ne passerait plus une seule mauvaise nuit, ne manquerait plus un seul instant de sommeil.

Durant les jours qui suivirent cette nuit à Little Mouth, Cissy se surprit à penser à la base de la dernière crête qu'elles avaient franchie dans la galerie située au nord. Il y avait là du gravier fin et le sable était presque rouge. Il y avait là quelque chose, quelque chose qui incitait Cissy à continuer. Un petit peu plus d'endurance, un petit peu plus de persévérance, et elles auraient pu découvrir jusqu'où allait le passage. Cissy ne cessait de se morigéner : c'était comme ça qu'on se perdait dans les grandes grottes. On commençait à se persuader qu'on pourrait trouver le passage qui ne pouvait manquer d'être là, l'accès au nord-ouest, ou à Mammoth Cave.

Cissy était allée à Mammoth avec Delia pour son dix-septième anniversaire. Elles avaient pris une chambre dans un motel pour pouvoir rester deux jours et tout voir. C'était spectaculaire, mais prévisible, une grotte domestiquée, avec lampes colorées et planches pour marcher, plus grande que toutes celles que Cissy avait vues, mais moins intéressante que les cavernes sauvages. Elles suivirent en groupe des couloirs où jouaient pénombre et lumière réfléchie, ne recelant pas le moindre imprévu. Cissy persuada le guide d'éteindre les grosses lampes pour pouvoir s'attarder un instant à l'endroit où, un jour, quelqu'un s'était couché sur le ventre, glacé, épuisé, exultant d'avoir fait cette découverte. L'obscurité avait été affreusement délicieuse, mais trop brève.

La lumière est définie par ses contours, voilà ce qu'avait très tôt compris Cissy à Little Mouth. Le pinceau d'une torche était bien net, courait sur les roches, de sorte qu'il fallait apprendre à le regarder. C'était tellement facile de voir quelque chose qui n'existait pas, de manquer ce qui était là ! La lumière du jour, diffuse, douce, était prévenante. Elle aidait les yeux. Celle d'une grotte défiait la perception et invitait aux hallucinations. Dans les cavernes sauvages, la lumière était trompeuse et étrange. Elle abusait la vue, se jouait de la crainte et fabriquait la terreur. Elle vous donnait l'impression d'être vraiment mortelle et de risquer votre vie. Cissy adorait ça.

Après sa première visite de Paula's Lost avec Nolan, et une fois Dede installée dans l'ancienne chambre d'Amanda, Cissy avait suspendu d'épais rideaux devant toutes les fenêtres, calfeutré la porte avec un bourrelet et tendu sur le battant un couvre-lit pour étouffer les bruits.

— Tu transformes la pièce en tente, avait remarqué Dede.

Ce n'était pas vraiment le cas. Cissy l'avait transformée en grotte, en un endroit où l'obscurité était bienvenue, jamais assez profonde. Elle désirait le noir total et il se trouvait sous la terre, l'attendait, paysage de noir, blanc et gris. Comme la lune en vidéo, l'obscurité de la grotte rendait la couleur inutile. Quand la couleur y apparaissait, elle surprenait tellement Cissy qu'elle en était un instant aveuglée. Ce qu'elle voyait lui brûlait les pupilles : concrétions jaunes sur une saillie, rose éclatant sur les bords circulaires d'un lit de sable encaissé, gris-vert qui se fondait dans un bleu satiné, nacré. Ce qu'elle voyait sous terre était trop subtil pour pouvoir être distingué à l'air libre. Tout, là-dessous, était une scène de théâtre, un lieu prévu pour un spectacle. L'obscurité attendait la lumière, mais n'en avait nul besoin. Elle était antique, patiente et se suffisait à elle-même. Si Cissy n'était pas venue, l'obscurité aurait attendu quelqu'un d'autre – un œil qui pourrait tout embrasser et se repaître de beauté. Dans les ténèbres de la terre, tout attendait constamment, pour l'éternité.

— Je veux être enterrée ici, annonça Cissy à Mim alors qu'elles étaient assises dans la grotte, leurs lampes baissées au maximum, les ombres toutes proches et agréables.

— On doit se sentir seule.

— Non. Tranquille.

— En sécurité, ajouta Jean. Personne ne pourrait venir vous chercher ici.

— Peut-être, dit Cissy. Pas forcément. On est tranquille et seule, c'est tout. Cette idée me plaît. Elle me plaît beaucoup.

M.T. avait tellement grossi que ses bras semblaient faire bloc avec sa poitrine, énormes montagnes de chair qui remuaient toutes ensemble. Avec son large visage et ses traits petits, délicats et rapprochés, elle ressemblait à Glenda, la gentille sorcière, mais à une Glenda qui aurait eu des problèmes glandulaires. Elle irradiait une chaleur enveloppante, sa bouche en bouton de rose toujours prête à rire ou à sourire. Malgré sa corpulence, les hommes n'en trouvaient pas moins M.T. attirante. Ils l'attendaient comme ils attendaient le printemps. Elle était toujours « avec » quelqu'un, même si elle jurait qu'elle ne se remarierait jamais.

— Je l'ai fait une fois, dit-elle à Delia. Pour de vrai. Pas comme certains gamins aujourd'hui. J'ai épousé Paul, j'y croyais. Et je ne suis plus comme ça. Je n'y croirais plus, plus autant, et je ne veux pas me marier sans y croire. Alors, que tout le monde soit prévenu.

L'avertissement ne découragea personne. M.T. avait tout le temps quelqu'un, même si ce n'était jamais très sérieux. La première surprise, c'était la façon dont elle pouvait rougir, jeter un coup d'œil et harponner un homme. La seconde, c'était l'élégance avec laquelle elle arrivait à le chasser de son lit. Les hommes s'en allaient, troublés par cette expérience.

— Ça, c'était pas banal, disaient-ils.

Et ils souriaient, perdus dans leurs souvenirs, secouaient la tête et faisaient une grimace contrite qui exprimait clairement leur confusion quant à la manière dont la chose s'était passée. Ils ne disaient rien de grossier sur M.T., contrairement à ce qu'on aurait pu prévoir. La plupart l'appelaient « bonne affaire », comme si c'était son surnom. « Bonne affaire », murmuraient-ils dans sa direction. Elle souriait et levait la main de ce geste délicat qui attestait son affection mais ne demandait rien d'autre.

— Cette femme a un sacré talent, disait Stephanie d'un ton plaintif. Elle devrait monter sa propre émission de télé et nous expliquer à toutes comment nous y prendre.

Si on insistait, la plupart des anciens petits amis de M.T. reconnaissaient qu'ils pensaient encore à elle et n'auraient pas refusé de remettre ça. On aurait presque dit qu'elle avait épuisé leur désir le plus immédiat en laissant flotter en eux une sorte de profonde satisfaction. Quand elle faisait appel à eux, ils venaient assez facilement l'aider ou travailler pour elle. Jackson Melridge nettoyait ses gouttières et vérifiait son toit tous les automnes. Garret Sultan arrivait juché sur sa faucheuse, tondait le champ qui se trouvait derrière la maison et lui demandait affectueusement où en étaient ses allergies. Charlie Peachhill s'arrêtait prendre une tasse de café et jetait un coup d'œil au moteur de sa vieille Chevrolet. Quand elle décida d'en acheter une neuve, il vint lui dire :

— J'vais pas laisser un mariolle te rouler.

Ensuite, il reçut des compliments sur l'affaire qu'il lui avait trouvée.

— Faut qu'on s'occupe de notre M.T., répondit-il à ceux qui le taquinaient. Faut s'assurer qu'elle s'en tire bien.

Quand M.T. sortait dans la rue, des hommes lui glissaient un mot, surtout des hommes mûrs, de son âge ou plus vieux, assez âgés pour se rappeler qu'ils avaient dansé le slow avec une femme ronde, douce, à l'odeur sucrée. Les jeunes garçons, qui affichaient leur passivité maussade à la station-service, l'observaient en s'interrogeant. Qu'est-ce qu'elle avait de spécial, cette vieille grosse ? Mais ils n'en passaient pas moins tout près d'elle au supermarché, humaient son parfum et se posaient de nouvelles questions. Elle était si douce, d'un abord si facile, avec des yeux brillants d'assurance et une bouche qui savait des tas de choses. S'ils s'approchaient trop, elle y allait de son petit rire de gorge rauque qui ne renfermait pas la moindre cruauté, un rire qui ressemblait à une conversation, langoureux, nullement effarouché.

— Fais attention, mon gars, leur disaient les hommes plus âgés. T'es pas de taille à te mesurer à cette femme.

Ce qui amenait à M.T. une nouvelle génération, même si tout le monde était sûr qu'elle ne l'entraînait pas dans son lit.

— Ça, c'est une femme qui a besoin d'un homme, disaient les braves anciens.

M.T., elle, se contentait de sourire. Les jeunes lui ratissaient son jardin, lui apprenaient les nouvelles danses, lui racontaient des blagues dont elle avait oublié les versions originales depuis longtemps. Elle ne couchait peut-être pas avec eux, mais elle leur donnait l'impression qu'elle aurait pu le faire. Elle possédait sur eux ce pouvoir d'un autre genre, qu'elle exerçait intuitivement.

— Comment ça va, M.T. ? entendait-elle quand elle remontait la rue jusqu'au Bonnet.

— Pas mal du tout, répondait-elle sans se retourner. C'est dur pour une femme de mon âge, ces temps-ci, mais ça va quand même plutôt bien.

— Oh ! M.T., t'es pas vieille. T'arrives seulement au meilleur moment d'la vie.

M.T. se mettait à rire, puis ramenait la main en arrière pour la poser sur un bras grillé par le soleil. Il y avait quelque chose dans la manière dont elle faisait ça... c'était le geste d'une grande sœur en qui on a confiance. Vous faisiez partie de la famille. C'était sexy en diable.

Cissy décréta que M.T. possédait toute une tribu, des hommes qui lui avaient appartenu une saison et avaient ensuite pris leur vol, comme des papillons qui s'égaillent au matin, mais qui conservaient son odeur sur eux. En un sens, ils lui appartenaient toujours, même ceux qui se mariaient – peut-être surtout ceux qui se mariaient, ne pouvaient plus flirter facilement avec elle et se contentaient de lui jeter des regards nostalgiques en se rappelant le paradis de son étreinte.

— Qu'est-ce que tu as que n'ont pas les autres, M.T. ? Qu'est-ce que tu leur fais ?

Dede posa la question d'un ton apparemment taquin, mais Cissy savait bien, comme elles le savaient toutes, que M.T. avait un truc, une technique magique ou secrète qu'elle ne partagerait jamais. Cette question se fit de plus en plus insistante avec les années. En effet, malgré son amoralité et sa complaisance, les hommes de Cayro continuaient à courir après M.T.

— T'as un savoir-faire exotique que peuvent seulement avoir les grosses ? Tu les étouffes à moitié ou quoi ?

— Dede Windsor, c'est pas une manière de parler !

Steph regarda M.T.

— Oh ! laisse-la tranquille.

M.T. essuya la sueur qui coulait de ses tempes et agita une main vers Steph.

— Il faudra bien qu'un jour elle apprenne la vérité.

Avec un grognement, M.T. s'installa dans un siège réglable, baissa le levier deux fois pour obtenir une hauteur confortable et lissa soigneusement en arrière les cheveux qui lui tombaient sur le front, tout en s'observant dans le miroir. Elle avait sans aucun mal accaparé l'attention de toutes celles qui se trouvaient dans le salon lorsqu'elle se retourna vers Dede et prit la parole.

— C'est peut-être seulement que je sais ce que veulent les hommes, commença-t-elle.

Elle sourit quand Steph renifla et secoua la tête.

— Ou alors, c'est que je suis arrivée au point, dans la vie, où ce qu'ils veulent se rapproche davantage de ce que je veux. C'est donc pas bien compliqué de le leur donner. Ce qu'ils veulent peut-être, c'est que ça ne soit pas aussi difficile.

M.T. marqua une pause. Un petit sourire voltigea sur son visage et elle lança un clin d'œil rusé à Dede avant de reprendre la parole.

— Bien sûr, c'est peut-être aussi qu'avec tout mon rembourrage, ils savent qu'ils ne vont pas se blesser, tu comprends ? Pas comme ces petites maigrichonnes aux os pointus qui viennent ici. Ils se font mal ou ils leur font mal. Bref, y a toujours quelqu'un qui souffre ici.

— Ça, c'est un fait, dit Steph avec un hochement de tête vertueux. C'est sûr et certain. Ici, y a toujours quelqu'un qui souffre.

Elle chercha une confirmation auprès de Delia, mais celle-ci regardait par la fenêtre, le visage inexpressif et hâlé. Si elle souffrait, ses traits ne le laisseraient jamais voir à personne.

Ayant quitté un mal pour un autre, Delia savait où elle en était arrivée. Les mains dans l'eau qui coulait, la bouche pincée, les yeux rivés sur la tête de Gillian et les cheveux qu'elle lavait, elle écoutait attentivement la conversation qui se déroulait dans le salon.

— D'après Emmet, un journaliste de plus traînait au Goober's et posait des questions sur vous. Il voulait savoir si Clint avait encore de la famille dans le coin.

— Hum.

Delia massa doucement le crâne, sachant que, si elle ne répondait pas, Gillian lui en apprendrait davantage.

— Personne ne lui a dit un seul mot, bien entendu. Il était moins généreux que le type qui est venu il y a deux ans. Il n'a proposé à personne de l'inviter à dîner. Il n'a pas sorti de gros billets et n'a pas raconté d'obscénités. Un petit maigrichon avec des cheveux clairsemés et une moustache pitoyable.

Gillian s'interrompit un bref instant pendant que Delia arrêtait l'eau et lui essorait les cheveux jusqu'à ce qu'ils retombent en mèches sur les côtés du petit lavabo en céramique. Elle ne reprit pas la parole avant que Delia lui ait avancé un peu son fauteuil.

— Je déteste les moustaches, pas vous ? dit-elle. Elles ont toujours le goût de ce que le bonhomme vient de manger, elles sentent la poussière et sont moches, quelle que soit la manière de les tailler. Richard, mon mari, en avait une et il m'a fallu une éternité pour le convaincre de la raser. Il croyait avoir le menton fuyant, vous vous rendez compte ? Et ce truc tout mince était censé le dissimuler ? Seigneur, ce que vont imaginer les hommes. Non mais, dites-moi un peu !

Delia enveloppa d'une serviette ses cheveux humides. Elle emmena Gillian vers le siège réglable et vit que M.T. l'observait dans le miroir, l'air de demander : ça va ? Pour toute réponse, Delia haussa les épaules et consacra son attention à sa cliente.

— Vous voulez seulement qu'on rafraîchisse votre coupe ou vous pensiez à quelque chose de spécial ?

Dans le miroir, le regard de Delia restait ferme, ses yeux ne cillaient pas, ses traits étaient impassibles, son corps bien d'aplomb derrière la tête penchée, mouillée de Gillian.

— Oh ! laissez agir votre magie.

Gillian se tapota une tempe humide et sourit à Delia dans le miroir.

— Vous savez toujours ce qu'il faut à cette vieille caboche.

Delia sourit et ferma un instant les yeux. Je suis ici, pensa-t-elle, ici et nulle part ailleurs, et voilà ce que je vais faire.

— On va rafraîchir la coupe, dit-elle en ouvrant les yeux. Dégrader un peu sur les côtés.

Ses doigts caressèrent un instant la tempe que Gillian venait de toucher.

— Si je coupe un tout petit peu, ils vont arriver aux oreilles. Vous les avez portés comme ça, à une époque, non ? Quand vous avez commencé à sortir avec Richard ?

Gillian soupira, confirma d'un signe de tête et ferma les yeux. Delia fut alors libre de regarder son propre visage, y vit la marque des nombreuses fois où elle avait ravalé ce qu'elle n'osait pas dire, la vie dont elle s'était détournée et qu'elle n'avait jamais regrettée. Randall portait la moustache. Elle avait toujours eu une saveur douce.

Delia songeait que la seule chose pure qu'elle ait jamais connue, c'était ce qu'elle ressentait au milieu du rugissement sonore de Mud Dog sur scène – Randall avec son grand sourire, tel un homme ivre de l'écho renvoyé par la voix de Delia. Une note grave et sonore se fondait dans un rythme 4/4 staccato. Les mains de Booger fusionnaient avec le clavier, Delia suivait, sa voix se dissociait soudain du reste de sa personne, comme un organe sexuel. Cette musique, c'était du sexe. Ou plutôt, c'était encore beaucoup plus fort. Pour Delia, c'était la seule bouffée spirituelle qu'elle ait jamais ressentie. Faire corps avec la musique, chanter avec bonheur ces morceaux ravageurs qui parlaient de besoin impérieux et d'exaltation l'avait sortie d'elle-même, de ses petits chagrins et de sa honte inexorable. Sa voix devenait instrument, toute son âme s'engouffrait dans la mélodie et les paroles. Quand elle chantait, Delia oubliait ce qu'elle avait fait, oubliait les petites qu'elle avait abandonnées. Elle n'entendait plus le rythme de leurs respirations, dont les échos restaient relégués au fond de son cerveau. Les deux vies étaient distinctes. Elle ne pouvait pas les mener de front. Elle avait choisi la seule qu'elle était capable de supporter, Dieu le savait. Mais elle ne parvenait pas à oublier l'autre, non pas Randall ni l'aspect commercial du groupe, mais la musique. Elle n'avait jamais cessé de la pleurer.

Lorsqu'elles étaient venues s'installer à Cayro, Delia avait passé trop de ses nuits sans sommeil allongée sur le canapé, à réécouter des disques, casque sur la tête. Elle s'imaginait qu'elle pourrait repousser son désespoir avec le son de sa propre voix, mais ça n'avait pas été le cas. Il y avait dans la musique un côté sombre qui l'appelait. Aussi rauque et âpre que deux mesures de miel dans quatre de whisky. Quand elle avalait la première gorgée, c'était trop sucré et, ensuite, ça lui brûlait la gorge si intensément qu'un frisson lui courait le long des bras jusqu'aux pouces. Chaque fois que la basse de Randall martelait le rythme, Delia rejetait la tête en arrière, sur le bras du canapé, étonnée à nouveau de la force qu'avait leur musique, cette chose beaucoup plus énorme que la mélodie gravée dans le vinyle. Chaque fois que le disque repassait, le désespoir de Delia se creusait et elle se recroquevillait un peu plus jusqu'au moment où elle ne pouvait rien faire d'autre qu'enfouir le visage dans les coussins et pleurer.

Mud Dog n'avait pas été aussi bon que ça, mais chacun avait donné ce qu'il y avait de plus vrai en lui – les guitares épousaient la colère brute de Randall et l'angoisse obstinée de Booger ; ce ricochet à la batterie était un prétexte de Little Jimmy pour se pousser sur le devant de la scène, et le vibrato de Rosemary était si pur qu'il portait le grondement de Delia, l'arrachait à son affliction, le transcendait. La voix de Mud Dog n'était pas seulement celle de Delia, mais un cri intime sorti du système vocal de Dieu. En l'écoutant, le cœur de Delia se grippait, son âme lui donnait l'impression d'être saignée. La sensation laissée par ces années déferlait sur elle – les paroles que

Rosemary et elle avaient jetées sur des sacs en papier marron, les changements d'accord que Randall et Booger avaient imaginés, aussi retentissants que le morceau qu'ils avaient composé à partir de son chagrin furieux et agité.

« Né au croisement de Nazareth et du Calvaire », chantait Randall dans le premier titre de *Diamonds and Dirt*, de sa voix aiguë et frêle. Puis Delia reprenait « de Nazareth et du Calvaire », baissait d'une octave pendant que le pouls de la batterie résonnait comme un cœur qui ralentit avant la mort. Ce n'était pas une chanson sur la crucifixion, mais sur la culpabilité et l'expiation. La chanson de Delia. Pénitence et rock and roll. Jésus et le Saint-Esprit en cuir à franges et bottes à hauts talons. C'était le morceau qui portait leur griffe. La foule reprenait le thème et participait, un peu comme les antiennes et les répons des sermons du dimanche dans l'Église de la Pentecôte. Vas-y, ma fille, chante. Chante, Delia.

Sur le canapé, soûle de chagrin, effondrée, Delia avait sangloté en écoutant encore et encore la version enregistrée en concert, sa voix mêlée à celle de Randall, ses souvenirs plus sombres que cette pièce en pleine nuit. Elle avait espéré la pénitence, sûre du châtiment, presque contente d'être damnée. Cela faisait partie du romantisme de la musique : veiller toute la nuit et pleurer si longtemps qu'elle n'avait plus de larmes. C'était Cissy qui y avait mis un terme. Une nuit, Delia avait levé la tête, vu sa fille sur le seuil, les yeux écarquillés, énormes, la lèvre inférieure coincée entre les dents. Quand elle avait retiré son casque, Cissy avait couru se recoucher. Mais elle avait vu ces yeux. Elle avait ôté le disque de la platine, l'avait emporté dehors et cassé avec une pierre. Puis elle s'était assise dans l'herbe humide jusqu'au lever du soleil. Elle voulait chasser la musique, chasser le poids sur son cœur.

Quel effet ça fait ? lui demandaient toujours les clientes du salon. D'être dans un groupe de rock, d'aimer une star, de partir en tournée ? Quel effet ça fait ? Quel effet ça fait ? Delia se contentait de les regarder, de hausser les épaules, et ne répondait pas. Elle n'aurait pas pu leur expliquer. Tout avait été un rêve, la vie n'était qu'un rêve.

Chaque jour filait en s'imbriquant dans le suivant, on était défoncé un soir et soûl le lendemain. On faisait l'amour dehors sur la terrasse avec les lumières de Los Angeles qui luisaient doucement au-dessus d'un muret bas. L'air humide, épais, ressemblait à une couverture trop serrée. Elle avait la hanche meurtrie par le rebord d'une dalle, la poussière lui entrait dans le coin de l'œil droit, brûlait tant qu'elle en pleurait. À l'intérieur du bungalow, de la musique. Une voix de femme rendue poignante par un grondement grave qui ne voulait pas trahir autant de faiblesse. Janis chantant son *Ball and Chain* sur une cassette pirate, de sorte que l'accompagnement était presque inaudible. Mais c'était presque mieux comme ça. La voix portait la douleur et le cran d'une femme qui pousse ses nerfs jusqu'à des limites inconnues, comme Delia les bons jours. Mais Delia ne voulait pas chanter *Ball and Chain* sur scène.

— C'est l'hymne de Janis, disait-elle.

Il aurait pourtant pu être le sien. Elle avait la voix traînante qu'il fallait pour ça, surtout quand elle avait bu. Mais Delia préférait les chansons plus lisses, moins exigeantes, qui ne vous déchiraient pas les tripes, les chansons que le public pouvait se mettre à chanter lui aussi. Tout le monde aimait ça. Les gens soûls chantaient avec Janis, les gens soûls et les affligés. Les gamins qui venaient écouter Randall chantaient avec Delia. Ils s'agitaient et rugissaient, c'était ce qu'elle voulait – l'esprit de groupe, l'invisibilité qu'on acquiert en étant irréelle pour deux mille personnes. Tout était hurlements et lumières – nul visage reconnaissable, nulle conscience, elle voulait disparaître dans cette énorme masse de puanteur, de bruit et de justification.

— Je crois qu'ils sont sains d'esprit, là-bas, en Californie, et Dieu sait qu'ils ne le sont pas beaucoup en Géorgie, dit Delia à Cissy au début de leur installation à Cayro. Mais je suis née ici, alors je suis née folle. Et je veux mourir ici, mourir les mains occupées, pas oisive et affalée. Pas vide.

— Mais tu aurais pu être riche.

— J'aurais pu être morte. Comme Randall ou la moitié du groupe. Avec l'héroïne, les amphés ou les bagnoles rapides sur les routes mouillées. C'est tellement facile, de mourir. Tellement facile. Et puis, j'ai été riche. Pendant un jour et demi environ, j'ai été trop riche pour comprendre, tellement riche que ça ne voulait plus rien dire. Mais je voulais autre chose. La foule, le bruit, une sorte d'assemblée de fidèles.

Delia ferma la bouche, se retint tout juste de dire à voix haute la seule chose qui pouvait tout expliquer. « Ma maman m'a quittée et j'ai quitté mes enfants. Rien de ce que je ferai ne réparera ça. »

Qu'est-ce qui met fin à la peine ? Qu'est-ce qui guérit le cœur ? Delia l'ignorait. Elle avait essayé de se guérir de la douleur, et elle pensait qu'elle n'avait réussi qu'à l'éloigner. Combien de temps peut-on tenir la douleur à distance ? Toute une vie, espéra-t-elle. Si tu t'y prends bien, tu pourras éloigner la douleur pour toujours.

— Gillian, vous voilà une nouvelle femme.

M.T. sirotait une bouteille de thé glacé à la pêche et regardait d'un air rayonnant dans le miroir, à côté de l'épaule de Delia.

— C'est joli, hein ?

Gillian porta la main sur les boucles souples ramenées vers l'oreille. Son visage paraissait plus mince avec les cheveux coupés plus court au niveau des joues ; la gracieuse ligne de ses tempes ressortait mieux et mettait ses grands yeux sombres en valeur.

— Delia sait toujours ce qu'il me faut.

— Oh ! n'importe qui pourrait vous couper les cheveux, dit Delia en secouant la blouse qu'elle lui ôta des épaules. Il suffit de suivre les contours de votre visage pour qu'il soit comme Dieu l'avait prévu. Rien de bien compliqué, juste une jolie femme avec un long cou.

Elle ne regarda pas son propre visage. Elle maintint les yeux fixés sur ses mains, de longs doigts épais, soignés, aux ongles naturels. Rien de bien compliqué. Juste ses mains.

Le travertin se dépose au rythme d'environ cinq centimètres par an, d'après les ouvrages de spéléologie. Sa couleur va du blanc pur au rouge moucheté, en passant par le jaune du calcaire. Après sa première expédition à Little Mouth, Cissy rêva de travertin, de la roche qui bougeait lentement sous une couche de terre ou de sable. Dans ses rêves, le travertin n'était pas dur, mais épais et tendre comme une meringue rassise. Cette pâte blanche qu'on trouvait dans les bibliothèques d'écoles primaires, dense, écœurante, qui se raffermissait lentement sur la peau, voilà ce qu'était le travertin dans les rêves de Cissy. Elle s'allongeait dedans et il prenait la forme de son corps, la chaleur de sa peau. Il se déposait sous elle, se glissait entre ses doigts et ses orteils, épousait la forme de ses hanches. Comprimé. Visqueux. Vivant. Il poussait lentement, mais il poussait. Le travertin faisait un bruit blanc dans la tête de Cissy, intime et rassurant. Elle attendait qu'il l'enveloppe, qu'il lui enferme le corps de sa gaine et, par là même, lui trempe l'âme.

Il me ressemble, pensait Cissy dans ses rêves. Le travertin lui ressemblait – des déchets comprimés, peu appréciés, ignorés. On lui donnait un coup de pied et il ne le rendait pas. Il s'effritait, se désagrégeait et absorbait ce qui se présentait. Il se déposait à son propre rythme, cinq centimètres par an, ou pas du tout.

Quand Cissy rêvait qu'elle se trouvait dans la grotte, elle sentait la roche dans son âme, le roc de son indignation. Elle savait qui elle était et où était sa place, connaissait la valeur de ses os et la cadence de son cœur. « C'est son coin », disait Dede.

C'est mon pays, pensait Cissy et, dans son rêve, la grotte prenait forme autour d'elle aussi sûrement que la boue gardait l'empreinte de son talon. Dans le ventre de Little Mouth, Cissy posait la main dans un sable vieux comme le monde, écartait les doigts et n'avait pas peur.

Elle pouvait bien avoir besoin de n'importe quoi, elle le trouverait. Peu importait l'endroit où il lui faudrait aller, elle s'y sentirait chez elle.

Les efforts des autres pour se déplacer déferlaient sur Cissy, mais n'avaient pas d'importance – leur halètement, leur poussée en avant, leur progression à quatre pattes et leurs couinements de peur. « Taisez-vous ! » avait-elle envie de crier, mais elle ne le faisait pas.

— Écoutez, disait-elle parfois. Écoutez.

Jean et Mim jetaient un regard égaré autour d'elles, mais n'entendaient rien de ce que Cissy percevait, les pulsations des roches, le battement de cœur de la planète, l'écho de l'inconnu et du mystérieux. On voyait seulement tout près de soi, et puis c'était le domaine de la nuit, l'immense obscurité où n'importe quoi pouvait se cacher. N'importe qui. Quelqu'un comme Cissy ou quelqu'un de tellement différent qu'on ne pouvait l'imaginer.

Cissy comprit que, pour elle, la spéléologie, c'était un peu comme le sexe pour beaucoup de gens. Même si elle ne savait pas vraiment ce que les autres pensaient de la sexualité. Mais, dans l'obscurité, elle fut pour la première fois pleinement consciente de son corps et, curieusement, peu embarrassée. Quand on ne la voyait pas, elle se déplaçait avec aisance. Dans le noir, son corps se mouvait avec précision, régularité, chaque pied posé exactement où il le fallait, tandis que ses hanches remuaient en souplesse sur les pistons de ses cuisses. Était-ce là ce que représentait la Californie pour Delia ? Une région inconnue où personne ne la regardait, ne la connaissait, où elle pouvait devenir ce qu'elle voulait, faire n'importe quoi sans s'inquiéter de ce que d'autres pouvaient voir ou penser ?

Quand Cissy rêvait au trajet qui les avait menées de Californie à Cayro, c'était un cauchemar peuplé des coyotes qui hurlaient dans le désert. Le vent cinglait la vitre arrière brisée, lui envoyait du sable dans les yeux et de la puanteur dans la bouche. En rêve, Cissy accusait Delia :

— Tu n'as pas pris le temps de penser à moi, hein ?

— Si, j'ai réfléchi.

Dans le cauchemar du désert, Delia hurlait par les vitres de la voiture comme un animal furieux. La vraie Delia ne parlait jamais de ce voyage.

— Nous retournons chez nous, avait-elle décrété de cette voix catégorique, têtue que Cissy détestait. Je rentre à la maison. Et toi, tu vas où je t'emmène.

— Un hodag, avait dit Jean lors de leur première expédition, un hodag est un animal qui a les pattes plus courtes d'un côté que de l'autre. Imagine un peu. Il peut grimper des versants escarpés sans être bancal. Il ne se déplace pas très bien en terrain plat, mais avance vite dans les pentes.

Elle avait lancé un clin d'œil à Mim.

— Bien sûr, cet avantage… a son revers. Le hodag ne peut se déplacer que dans une seule direction.

Elle parlait simplement, sans inflexion dans la voix ni sourire.

— Il a beau essayer, il n'arrive jamais à revenir sur ses pas.

— Ha ha ! avait répondu Cissy. On dirait Delia.

18

— Un de ces jours, Amanda va éclater comme un ballon trop gonflé, dit Dede à Cissy. Elle va éclater et éclabousser tout Cayro. Bon Dieu, elle est bien trop gavée de son truc, tu comprends ?

Cissy hocha tristement la tête.

— Et c'est Michael qui sera surpris. Il restera planté là avec Amanda en miettes tout autour de lui et ne comprendra jamais qu'elle se réprimait pour lui.

— Il le devinera peut-être quand elle lui aura explosé à la figure, lâcha Dede.

Elle avait bien aimé Michael, à l'époque où Amanda rêvassait à lui, mais, depuis le jour du mariage, Dede ne cessait de critiquer vertement Michael Graham et ses façons affables, son visage ouvert.

— Il ne voit donc pas ce qui se passe ? Amanda ressemble à un trou noir qui se resserre et durcit tout le temps.

— Il l'aime, dit Cissy.

— Ouais, et tu vois le résultat, rétorqua Dede, dégoûtée. L'amour ne règle pas tout.

Elle tira sur l'une des petites boucles d'oreilles en argent que Nolan lui avait offertes.

— J'peux pas supporter les femmes qui renoncent à être elles-mêmes aussi complètement. Ça rend la tâche encore plus difficile aux autres.

Amanda ignorait les taquineries de Dede, ses plaisanteries sur sa manière d'élever ses enfants comme s'il s'agissait d'une armée pour le Seigneur. Elles ne comprennent pas, pensait-elle. Les siens étaient bel et bien une armée pour le Seigneur. Quand elle discutait avec ses sœurs, elle ne se rendait pas compte qu'elle était devenue exactement comme sa grand-mère. Grand-mère Windsor grignotait l'âme d'Amanda Graham. La vieille dame n'était pas venue à son mariage et, depuis, Amanda essayait tous les deux ou trois mois d'aller lui rendre visite. Mais Louise Windsor, vieillissante, traitait Amanda comme elle avait jadis traité Delia et claquait la porte au nez de sa petite-fille chaque fois qu'elle se présentait à la ferme. Amanda y emmena le petit Michael âgé de six mois, mais grand-mère Windsor avait engagé une certaine Paterson pour l'aider, une femme mûre, au visage rougeaud, qui éconduisit Amanda.

— Votre grand-mère m'a dit de vous dire qu'elle était couchée, annonça Mlle Paterson à Amanda. Votre grand-mère m'a dit de vous dire qu'elle ne se sentait pas bien.

Amanda rougit en l'entendant prononcer ces mots, discernant en elle une chrétienne farouchement déterminée à ne pas mentir. Elle ne prétendait pas que grand-mère Windsor était malade ou alitée, ce qui aurait été un mensonge. Elle déclarait que sa patronne l'avait dit, et, dans ces paroles, Amanda distinguait l'écho de la fureur que la belle-mère de Delia avait éprouvée envers sa bru. Elle installa Michael dans la voiture et repartit, bien décidée à ne plus tenter de contacter la vieille dame ; à Noël, elle lui envoya un poinsettia et une boîte de ses petits gâteaux préférés. Il aurait pu s'agir là d'une simple bonne action, mais dans le ventre d'Amanda, une culpabilité d'un autre âge était à l'œuvre. Il devait bien y avoir une manière d'atteindre la vieille dame.

Afin de mettre un peu de beurre dans les épinards, Amanda préparait des gâteaux cuits sur tôle pour les paroissiennes de Michael – gâteaux d'anniversaire, de fête et de réception aux formes élaborées, arbres de Noël, cœurs de la Saint-Valentin, échelle de Jacob alternant couches aériennes et biscuit au chocolat. Sa pâtisserie était merveilleuse et, pendant un moment, très en vogue, mais on vendait des gâteaux moins cher au Piggly Wiggly. Les commandes passées à Amanda étaient donc sporadiques et affluaient surtout pendant les vacances ou à l'occasion des fêtes religieuses. Amanda ne se plaignait pas quand elle en manquait. Elle faisait simplement plus attention en rédigeant ses listes de commissions et ses menus.

Parfois, alors qu'elle était en train de vérifier ce qu'elle devait acheter, Amanda s'interrompait et se penchait en avant, pliée au niveau de la taille. Une douleur irradiait dans son ventre tel un tremblement de terre au centre du globe. Impossible à arrêter, invincible, la souffrance l'immobilisait jusqu'au moment où elle se calmait suffisamment pour lui permettre de se redresser et de prier d'un murmure rauque, exigeant :

— Mon Dieu, mon Dieu, épargne ma famille.

Depuis la naissance de Gabriel, son état avait empiré. Un cancer, elle le savait. La mort, sûrement. Elle avait sans aucun doute le ventre à moitié rongé. Non, elle ne prierait pas pour que Dieu la guérisse. Elle attendait son sort avec satisfaction, certaine de ne pas se tromper puisqu'elle était incapable de se redresser quand la douleur la tenaillait. Parfois, après une crise sévère, Amanda passait au Bonnet pour observer le visage de Delia. Parfois, elle se rendait à l'épicerie et achetait une petite chose dont elle n'avait nullement besoin, juste pour voir Dede porter une cigarette à la bouche, le regard furieux. Une ou deux fois, elle s'était même dirigée en voiture vers Little Mouth, par l'ancienne grande route, et avait cherché la tête penchée, obstinée de Cissy. Sa mort, elle le savait, leur apprendrait à toutes ce qu'elle n'avait pas été capable de leur montrer de son vivant.

Delia avait commencé à faire du jogging après la naissance de son premier petit-fils. Elle ne pensait pas continuer. C'était seulement une façon d'être seule et de combattre le désir de boire qui avait redoublé depuis le mariage d'Amanda et son départ. Delia pensait qu'elle finirait par cesser de courir, mais l'envie lancinante d'une goutte de tequila ne cédait pas et, au bout de quelques mois, le pli était pris. Dès que le besoin de boire la gagnait, elle changeait de chaussures et sortait. Parfois, elle se contentait de marcher, tête baissée, sans s'occuper de ce qui l'entourait, concentrée. D'autres fois, ses muscles étaient tellement noués que courir était la seule solution, courir jusqu'au moment où la souffrance devenait purement physique, une question de muscles, de ligaments et dc sueur.

Delia aimait surtout courir au coucher du soleil, à ce moment de la journée où ses pensées étaient si embrouillées que la course la délivrait de cette confusion. Les chiens adoraient que Delia se mette à courir justement à l'instant où ils avaient besoin d'un peu de distraction et d'exercice après le repas. Elle emportait un bâton et les chassait, mais, finalement, elle préféra sortir le matin très tôt et les chiens perdirent sa piste. Elle s'aperçut qu'elle aimait l'aube, qu'elle aimait même l'obscurité qui la pénétrait, juste avant la première lueur du jour. Elle expliqua à Dede à quel point c'était grisant de remonter Terrill Road en étant uniquement accompagnée par le bruit de sa respiration et l'odeur de sa transpiration.

— C'est sain, dit-elle. J'ai une odeur saine. Je sens tout le temps un peu meilleur.

Dede avait cligné des yeux, ne sachant pas trop si Delia plaisantait.

Delia courait vite. Un garçon du lycée l'avait chronométrée. Il espérait pouvoir la mettre en boîte, cette femme mûre en pantalon coupé aux genoux qui se prenait pour une championne. La plaisanterie avait tourné court quand il avait constaté sa vitesse, au moins égale ou même supérieure à la sienne.

— J'étais douée pour la course, expliqua-t-elle à Dede.

Quand elle allait en classe. Mais elle n'avait jamais pris ça très au sérieux. En se remettant à courir, elle eut l'impression d'avoir plus de vigueur qu'elle n'en avait jamais eu plus jeune, d'après ses souvenirs.

— À l'époque, tout était différent. C'était réservé aux adeptes de l'athlétisme, tu comprends. Il n'y avait pas de compétitions pour les filles. D'ailleurs, même les garçons n'avaient pas d'épreuves organisées de façon régulière. Cayro a toujours fait partie d'un comté lamentable.

Elle s'essuya le cou, remplie de fierté en dévoilant sa vie passée.

— On nous faisait faire un tour de piste dans les cours de gym, tu sais. Je courais par plaisir. Plus tard, j'ai découvert qu'il y avait des coureuses à pied aux jeux Olympiques. J'y ai réfléchi pendant un moment, tellement j'aimais ça. Mais qu'est-ce que je pouvais faire ?

Dede hocha la tête. Qu'est-ce que tu pouvais faire ?

— En tout cas, ça me plaisait d'être rapide.

Delia grimaça un sourire, cligna à moitié de l'œil. Elle baissa la tête, embarrassée.

— On ne sait pas ce que la vie vous réserve, dit-elle. Mais je ne cours plus aussi vite. C'est seulement que j'aime la sensation que ça procure.

Elle tendit les bras, le teint empourpré par la satisfaction de la vitesse atteinte, des quelque cinq kilomètres parcourus, cinq kilomètres sans penser une seule fois à Dede, à Amanda ou à Cissy.

— On ne sait pas ce que la vie vous réserve, répéta-t-elle.

Dede eut un sourire hésitant. Elle semblait se demander ce qu'elle en savait elle-même. Durant toutes les années qu'elle l'avait côtoyée, grand-mère Windsor n'avait jamais allongé le pas et se déplaçait d'une démarche prudente, régulière, d'arthritique, les hanches bloquées dans une douleur lancinante et les dents serrées dans une indifférence obstinée. Après avoir traîné la jambe derrière sa grand-mère, observer Delia qui bandait tendons et muscles pour courir faisait le même effet que sauter d'un chariot dans un train. Dede se surprit à regarder son propre corps d'une autre manière, à voir dans les longs os de ses jambes l'image de Delia en mouvement et dans ses petits seins durs la forme de ceux de Delia, qui avaient la même taille, mais étaient moins fermes à cause des bébés et d'une vie rude.

Amanda fronçait les sourcils quand Delia allait courir en jean coupé ou en short de coton.

— Tu es trop vieille pour sortir comme ça, disait-elle.

Mais Dede observait le départ de Delia avec une expression de terreur et de vague désir. Même si c'était difficile à imaginer, c'était là sa mère – la chair de sa chair et les os de ses os. Mon Dieu ! Mon Dieu !

Après la naissance de Gabriel, Amanda se mit à faire une lessive par jour, parfois deux. Elle ramassait tous les vêtements sales le matin, défaisait les lits, fouillait dessous. Vers 9 heures, ou dès que tout le monde avait pris sa douche, elle lançait la machine. Elle ne laissait jamais le linge sale dans un panier. Parfois, elle déshabillait les enfants à côté de la machine et mettait leurs petits tricots et leurs chaussettes directement dans l'eau savonneuse. Deux machines de couleur par jour, et une de blanc tous les deux jours. Quelquefois, elle en faisait une autre, tard le soir.

— J'aime que les choses soient faites comme il faut, répliqua Amanda le jour où Delia lui dit qu'elle avait l'air fatiguée.

Mais c'était plus que ça. Les choses devaient être faites exactement comme il le fallait. Les mauvais jours, ceux où elle ressentait une douleur tellement aiguë dans le ventre que ses dents se mettaient à claquer en rythme, Amanda sortait les couvertures du placard et les lavait avec le programme froid. Les jours encore pires, quand les muscles de sa nuque semblaient lui propulser la tête en avant, elle ne pouvait pas forcer son corps à rester allongé et, dès que la respiration de Michael devenait régulière, elle roulait sur le côté du lit et allait dans la buanderie, à côté de la cuisine. Elle branchait le fer, secouait les minuscules T-shirts des enfants et réglait la radio sur un animateur-prédicateur de Phoenix, qui prêchait à partir des appels téléphoniques de ses fidèles. Les muscles de sa nuque en feu, Amanda faisait glisser le fer d'avant en arrière. Tandis que cette voix lui arrivait d'Oklahoma

City, coton, coton mélangé, toile et rayonne, tout se défripait sous une fine brume d'eau distillée. La pointe d'aluminium du fer forçait la chaleur dans les fibres, vaporisait ce qui ne voulait pas s'aplatir et rebiquait.

Certaines nuits, alors que toute la maisonnée dormait, Amanda se rendait à l'épicerie ouverte vingt-quatre heures sur vingt-quatre, sur l'autoroute de Cayro. Elle avait collé des fiches d'inventaire dans ses placards. Ampoules de 60, 75 et 100 watts : quatre de chaque. Papier hygiénique : douze rouleaux. Il lui restait toujours plus que ce qui était noté ; les quantités indiquées étaient le minimum. Quand le paquet de quatre ampoules de 100 watts n'en contenait plus que trois, Amanda sortait en pleine nuit pour en rapporter un autre, ou de la lessive, ou deux ou trois boîtes de Kleenex. Elle allait et venait dans l'allée avec sa liste, levait les yeux pour regarder les boîtes de petits pansements, de préparation pour biscuits instantanés, de jambon en conserve. Si sa famille avait besoin de quelque chose, elle voulait l'avoir sous la main. Que Michael ne gagne pas assez pour se permettre d'accumuler et de tout acheter en double n'avait aucune importance. Quand Amanda voulait quelque chose, il fallait qu'elle l'ait. Elle découpait les bons de réduction et faisait la chasse aux promotions. Elle notait ses besoins, prévoyait, mais, parfois, en pleine nuit, sortait acheter l'article qui n'était pas rangé dans ses placards, qu'elle ne trouvait pas sur ses étagères, l'article qu'elle avait oublié.

Je ne resterai pas longtemps avec eux, se disait Amanda. Il faut que je fasse ce que je peux tant que c'est possible. Elle ne cessait de prier :

— Seigneur, aide-moi à ne plus avoir peur. Emporte ma peur de la mort et fais en sorte que je sois prête.

Amanda priait sans cesse sans jamais demander la chose essentielle, la plus fondamentale – la vie qu'elle était en train de perdre, elle en était sûre. Une fois que je serai partie, pensait-elle en se penchant sur les portes ouvertes du buffet, ils comprendront qui j'étais. Loué soit le Seigneur, ils le comprendront alors.

On était samedi et Amanda entendait les petits qui babillaient et Michael qui riait. Tasses et assiettes en plastique cliquetaient, des rires fusaient et la voix faussement sévère de Michael disait :

— Allons, les enfants, maman se repose.

Oh oui ! pensa Amanda dans son lit. Elle essuya la transpiration de son visage et remonta les jambes, genoux serrés contre la poitrine. Elle était allongée sur le dos, enveloppée d'une serviette lâche, et ses genoux pliés gigotaient tandis qu'elle essayait de se recroqueviller davantage. Elle s'était douchée deux fois, mais la douleur n'avait pas du tout diminué dans son ventre. Elle allait prendre son souffle pour se lever, et la faux allait de nouveau lui déchirer le corps.

— Emporte-moi, Jésus ! supplia-t-elle.

Les larmes ruisselaient sur ses joues, lui entraient dans les oreilles. Seigneur, elle avait tellement horreur de pleurer. Amanda s'essuya le visage et essaya une nouvelle fois de se détendre et de faire entrer un peu plus d'air dans ses poumons. Elle n'arrivait pas à en avoir assez. Elle n'y arrivait pas.

— Je ne vais pas supporter ça, dit-elle d'une voix sifflante en insistant sur chaque mot.

Elle serra les dents et roula sur un côté. Lentement, elle déplia les jambes, s'assit, posa les pieds par terre. Elle marqua une pause pour prendre plusieurs inspirations, puis exerça une poussée et se leva. Une fois que ses pieds, à plat sur le sol, supportèrent son poids, Amanda réussit à inspirer profondément et à expirer deux fois de suite.

— Non. Je ne vais pas supporter ça.

Elle ne vacillait pas. Elle respirait. Pense à Jésus. Elle laissa tomber la serviette et ignora le vertige. Avec la foi, tout était possible. Posément, elle se redressa et passa son soutien-gorge. Non. Pas supporter ça. Lentement, lentement, elle s'habilla. Si Dieu devait l'emmener, il pouvait le faire tout de suite. Une fois habillée, prête, elle inspira profondément, reconnaissante. Avec une prière d'amour obstiné, elle secoua la tête et s'essuya de nouveau le visage. Non. Non. Elle coiffa ses cheveux en arrière et regarda ses traits peu attrayants. Amanda savait bien qu'elle était affreuse. Elle ne s'en souciait pas. Dieu connaissait son cœur. Quand elle serait au ciel, Jésus l'attraperait comme l'épée qu'elle était.

— Loué soit le Seigneur !

Amanda murmura ces mots, debout, le dos bien droit. Elle repoussa de nouveau ses cheveux en arrière, à deux mains, puis soupira profondément et arbora son sourire féroce.

— Loué soit le Seigneur !

Quand elle ouvrit la porte de la chambre, elle avait encore ce sourire. Michael et les enfants la regardèrent d'un air interrogateur. Fièrement, Amanda considéra sa famille, les garçons barbouillés, le visage rose, l'air rayonnants, tandis que Michael épongeait du lait renversé sur la table et essayait de se donner un air assuré. Elle demanda :

— Qu'est-ce que vous êtes tous en train de faire ici ?

Elle s'avança, ce sourire toujours aux lèvres, et tomba dans les pommes.

— Des calculs biliaires.

Le Dr Brown insista implacablement sur les mots.

— Ce n'est pas si rare que ça chez les jeunes mères, surtout les femmes qui ont eu des enfants très rapprochés.

Il dodelina de la tête.

— Je ne sais pas comment elle a fait pour marcher aussi longtemps avec ça. Ils sont plutôt gros.

Michael s'appuya au mur peint en vert, dans le couloir de l'hôpital. Il avait le visage blême et hagard. Ces dernières heures avaient été une horreur. Il était persuadé qu'Amanda était en train de mourir. Il n'avait pas su que faire en premier, prier pour elle, éloigner les enfants ou appeler à l'aide. Il n'était toujours pas sûr de la première chose qu'il avait faite, mais, d'une manière ou d'une autre, il s'était débrouillé. Ils se trouvaient à l'hôpital, en sécurité, et le médecin allait s'occuper d'Amanda. Il avait promis qu'elle se rétablirait. Il avait dit beaucoup de choses, en fait… que les calculs n'étaient même pas aussi graves que ça. Juste horriblement douloureux. Et qu'on ne pouvait pas savoir ce qu'Amanda s'était imaginé. Mais Michael le savait d'instinct. Elle avait été prête à mourir, prête à se trouver face à face avec son Dieu. Même maintenant, elle était prête.

— Elle a une grande force morale, dit Michael.

— Disons plutôt qu'elle est têtue comme une mule.

Delia serra Michael dans ses bras, puis reporta toute son attention sur le médecin.

— Vous êtes certain que vous pourrez la tirer de là ?

— Oh ! bien sûr, répondit-il en hochant énergiquement la tête.

— Par une opération ? demanda Michael, l'air encore plus bouleversé. L'idée d'une opération fait horreur à Amanda.

— Eh bien, heureusement, en l'occurrence, ce ne sera pas nécessaire. Nous pouvons employer de nouvelles techniques. Les ultrasons. Pour désintégrer les calculs. Le patient récupère très vite. On ne peut pas faire mieux. Vous n'avez qu'à signer les papiers et nous pourrons nous y mettre demain matin.

— Est-ce qu'elle ne devrait pas signer elle-même ? s'enquit Michael, hésitant. Je suis sûr qu'elle préférerait. Nous ne pouvons pas lui parler ?

— Michael !

Le médecin lui posa la main sur l'épaule.

— Votre femme souffre le martyre depuis je ne sais combien de temps. Pour le moment, j'ai calmé la douleur et je n'ai pas l'intention de l'obliger à souffrir plus longtemps qu'il ne le faut. Vous n'avez qu'à signer pour elle et elle pourra s'occuper de tout elle-même demain soir.

Michael acquiesça mais regarda Delia. Il a besoin qu'une femme lui dise quoi faire, pensa-t-elle. En un instant, elle en devina plus sur lui qu'elle ne l'aurait voulu.

— Il n'y aura pas de problème, lui dit-elle. Tout ira bien.

Michael lui sourit avec reconnaissance :

— D'accord. Je signerai tout ce que vous voudrez, mais je veux pouvoir prier avec elle avant l'intervention.

Si elle ne peut pas m'entendre, le Seigneur, lui, m'entendra. Et je sais qu'Amanda voudrait que je le fasse.

Il dodelina de la tête, imitant inconsciemment le médecin.

Oh ! Seigneur ! pensa Delia en les voyant tous les deux opiner du chef. Dans quel guêpier ma fille s'est-elle fourrée ?

Amanda flottait. Une bande lui protégeait les bras tandis que la structure métallique qui supportait la poche de sérum physiologique et de morphine se balançait au-dessus d'elle. Elle savait que la poche était là, tout comme elle savait qu'elle se trouvait elle-même dans un lit et que l'aiguille diffusait le soulagement dans ses veines. En même temps, elle comprenait qu'elle se trouvait complètement ailleurs, dans un endroit sûr, où elle était plus heureuse, plus somptueuse que ses mots ne pouvaient l'exprimer. C'était un endroit où l'on se sentait bien, les portes du paradis, certainement. Elle se colla de nouveau à la surface sur laquelle elle était étendue et remercia Dieu de l'avoir amenée ici.

Des petites billes de beurre lui tapissaient les hanches, la soulevaient pour l'isoler du liquide répandu sous elle. Du mercure, doux comme de l'argent, frais, coulait sous son corps. Ça lui plaisait, cette idée lui plaisait. Fraîche, argentée, coulant constamment sur ses cuisses, cette rivière était la rivière de l'amour de Dieu pour sa fille fidèle. Les billes de beurre tourbillonnaient autour d'elle. Amanda tourna la tête. Chaque perle était sculptée, ciselée, satinée. Elle en attrapa une poignée et les regarda attentivement. Elles étaient parfaites. Elle aimait beaucoup les billes de beurre. Les billes de melon aussi. Les billes de melon, du cantaloup et du Crenshaw, orange pâle et vert. C'est frais, pensa-t-elle. Doux et frais.

Amanda referma la main et sentit la pulpe de fruit lui glisser entre les doigts. Oh ! c'était agréable. Très agréable. Elle siffla longuement et perçut un gloussement qui commençait à s'infiltrer sous ses côtes. Était-ce du beurre ou du melon qu'elle avait dans les mains ? Ça lui était égal. Elle gigota pour s'enfoncer davantage dans la surface de métal liquide. Les billes écrasées firent un drôle de bruit. Elle aimait bien ce bruit. Elle tourna la tête et écouta plus attentivement. Mais quelque chose clochait, un bourdonnement derrière sa tête. C'était quelque chose qu'elle connaissait, un son familier.

Oh ! pensa Amanda. C'était Michael qui priait. Oh là là ! Elle soupira. Elle aurait peut-être dû se joindre à lui. Elle ouvrit la bouche et un long chapelet de chants en sortit. De parfaits petits grains sculptés, en beurre. Une bille pour Dieu, une sphère précieuse attestant sa foi. La voix de Michael déclina. Amanda se rappela la sensation de sa peau collée à la sienne. Il avait un si beau corps. Dieu le bénisse, dit-elle, et ces mots devinrent des perles tandis que la tendre bouche de Michael s'avançait vers la sienne.

Loué soit le Seigneur, dit Amanda. Louons tous deux le Seigneur. Elle remua les hanches en suivant le rythme de la voix de Michael. Oh ! merci, mon Dieu. Je viens à toi les mains pleines et ouvertes. Ça n'avait aucun sens, mais pourtant, si, et Amanda aimait chaque mot qui remuait en elle. Loué soit le Seigneur. Loué soit le Seigneur. Je suis morte et formidablement heureuse.

On l'emmena au rez-de-chaussée le matin et on laissa juste assez de liquide magique passer dans son bras pour lui donner cette agréable sensation de beurre dans son corps.

— Est-ce que je suis morte ? demanda Amanda d'une voix empâtée par une langue épaisse et sèche.

Une infirmière lui fit boire une toute petite gorgée d'eau.

— Non, ma petite, tout va bien et nous allons vous remettre parfaitement d'aplomb.

— Très bien, dit Amanda.

Elle regarda autour d'elle. Tout était blanc et éclatant. Le Dr Brown se pencha vers elle. Amanda le connaissait. Elle ne l'avait jamais aimé.

— Oh là là ! dit-elle.

— Madame Graham ! Amanda !

Il a une grosse langue, se dit Amanda. Un air suffisant. Il croit tout savoir.

— Nous allons nous occuper de ces calculs, madame Graham.

Calculs ? De quoi parlait-il ? Elle avait un cancer. Elle était en train de mourir. Tout était tellement clair. C'est si facile de mourir quand on a la foi, songea Amanda.

Le Dr Brown se pencha de nouveau vers elle.

— Vous allez sentir quelque chose. C'est seulement des ultrasons. Ils vont arriver par vagues. Vous n'aurez pas mal, mais vous allez sentir quelque chose. Ça va désintégrer les calculs et vous soulager.

Du métal bougea. Des appareils. Amanda essaya de se redresser, mais des lanières la retenaient. Son abdomen, ses cuisses, ses épaules, tout était attaché à la surface de la table. Frappe-les, Seigneur, priait Amanda. Quelque chose de grand et d'étrange agita l'air, rendit tout électrique. Mon Dieu ! pria Amanda. Oh ! mon Dieu !

La pulsation se produisit, un son à l'intérieur du corps d'Amanda, à nul autre pareil. Il agitait les molécules dans ses os. Il agitait le courant électrique de son cerveau. Ça ressemblait à la morphine, tendre comme du beurre, redoutable comme le souffle de Dieu, terrifiant et magique. L'onde parcourut Amanda et lui remua l'âme.

Loué soit le Seigneur, pria Amanda, il ne peut pas s'agir d'un appareil.

Il y eut un faible murmure dans sa bouche, une prière et un chant. La pulsation se manifesta de nouveau. Un profond frémissement, lisse comme de l'ivoire, parcourut le ventre d'Amanda. Dieu lui parlait, voilà ce qu'elle percevait. Elle l'entendait dans ses os. C'était comme ça quand Michael et elle avaient fait leurs enfants. Pas le sexe, non, la prière, les lèvres de Michael sur sa poitrine, ses dents qui lui effleuraient la peau, ses halètements qui nourrissaient les siens, et son nom, invocation dans la bouche de Michael. Il y avait eu ce moment où tous les muscles d'Amanda s'étaient contractés, palpitants, dans un psaume de joie. Elle avait pleuré, accrochée à Michael, et su sans le moindre doute qu'ils avaient fait un enfant. Bien plus qu'un orgasme, c'était un chant d'amour. La sensation présente lui rappela cet instant tout de tendresse frémissante, de satisfaction passionnée, mais ce n'était pas l'acte qui faisait un enfant, c'était quelque chose d'intensément troublant. Le Dr Brown murmura au-dessus d'elle. L'espace d'une seconde, Amanda fut vexée par la trahison de son corps. Ses muscles se crispèrent pour lutter, mais l'onde revint, parla au plus profond d'elle-même, écho qui montait aussi haut que son cœur.

Amanda tourna la tête. C'était la seule partie de son corps qu'elle pouvait bouger. Ce n'est pas un appareil, pensa-t-elle. C'est autre chose.

— Très bien, dit le Dr Brown.

Amanda cessa de lutter. L'onde revint, roula, déferla, parla à ses os. C'est Jésus, pensa Amanda. C'est Jésus qui parle à mon cœur.

Oui, Seigneur, oui. L'oscillation se répéta et chanta dans ses molécules, la voix de Dieu parlait. Amanda acquiesça. Elle comprenait. Elle savait ce qu'elle avait à faire. Oui, Seigneur, murmura-t-elle. Oui.

Amanda se réveilla au son d'une faible prière. Michael penchait la tête au-dessus de la sienne, les mains posées sur le cadre du lit. Elle lui examina le crâne. Michael ne pouvait jamais se faire couper les cheveux correctement sans qu'elle soit là pour expliquer comment procéder. Elle ferma les yeux, attentive à ce qu'elle ressentait intérieurement. La douleur avait disparu. Rien. Pas de pulsation. Pas de chant. Pas de billes. Ses yeux étaient humides.

Des calculs biliaires.

Seigneur, pardonne-moi mon arrogance, pria Amanda.

Elle ouvrit les yeux et tourna la tête. Michael la regarda. La prière cessa quand il vit qu'elle avait les yeux ouverts.

— Oh ! ma bien-aimée ! dit-il avec ferveur.

Amanda lui fit un signe de tête. Elle se demandait ce que Dieu voulait d'elle, maintenant. Elle ferma les yeux.

Quoi qu'il veuille, elle y songerait plus tard. Pour l'instant, elle voulait seulement rester allongée sans bouger et écouter le silence dans son corps.

Pendant que Amanda se remettait à l'hôpital, Cissy alla s'installer chez elle. Elle le fit de mauvaise grâce. Jean et Mim auraient voulu passer une nouvelle nuit à Little Mouth pour faire un tracé du coude et chercher l'endroit qui, d'après Cissy, pouvait relier plusieurs grottes.

— Alors, quand est-ce que ta sœur va revenir chez elle ?

Mim s'était montrée impatiente.

— Elle devrait déjà être revenue, lui répondit Cissy. Ils ont dit qu'elle devait rentrer aujourd'hui, mais elle est lessivée. Si c'était pas elle, je me dirais que, sous prétexte de maladie, elle veut se prendre un peu de vacances, mais Amanda n'est pas du genre à faire ça. Je crois qu'elle a vraiment besoin de dormir.

— Nous irons dès son retour, déclara Jean avec un haussement d'épaules éloquent. Ça peut attendre. Les grottes sont là depuis une éternité, elles ne vont pas partir.

Pour Cissy, chaque jour passé chez Amanda était une révélation. Pendant qu'elle faisait cuire le riz et les céréales des enfants, elle lut les fiches que sa sœur avait scotchées dans les placards. Quand elle mit leurs jeans dans la machine à laver, elle vit d'autres fiches accrochées aux étagères. Des nombres et des dates écrits en pattes de mouche.

— Mon Dieu ! elle note tout, murmura-t-elle.

Elle traqua les fiches dans toute la maison, chacune soigneusement rédigée et bien fixée à un tiroir, une étagère ou un placard.

— Ta mère est folle, dit Cissy au petit Gabriel. Complètement folle.

Il fit des bulles de lait en lui souriant. Les deux garçons, Michael et Gabriel, étaient aussi mignons que leur maman était revêche.

— Il n'y a qu'Amanda pour donner des noms d'archange à ses enfants, avait plaisanté Dede à leur naissance.

Mais ni Dede ni Cissy n'avait passé beaucoup de temps avec eux. Amanda ne les lâchait pas très souvent des yeux et n'aimait pas que quelqu'un d'autre les garde.

— Je comprends, maintenant, dit Cissy à Delia. Elle n'a jamais voulu qu'on arrive à les connaître.

Cissy avait aussi acquis la certitude que les enfants d'Amanda étaient les créatures les plus épuisantes de la planète.

— On ne peut pas les laisser seuls une minute, affirmait-elle.

— On ne peut laisser seul aucun bébé, et les tout-petits sont encore presque des bébés, lui répondit Delia. Ceux d'Amanda sont comme n'importe quels enfants, seulement plus mignons que la plupart.

Cissy ne se sentait pas l'énergie de discuter, mais elle était sûre que sa mère se trompait. Personne ne pouvait être aussi épuisant que ces deux-là. Le petit Michael avait trois ans et demi et parlait sans cesse quand il ne dormait pas. Il racontait des histoires qui mêlaient anges et chauffeurs de camion. Il récitait des versets de la Bible d'un gazouillis de soprano et, quand rien d'autre ne lui venait à l'esprit, chantait *Jésus m'aime*. Gabriel, âgé de quatorze mois à peine, ne parlait presque pas, même s'il adorait visiblement son grand frère, et agitait les lèvres comme un petit guppy, écho muet du flot ininterrompu produit par Michael.

— Je parie que Gabriel n'apprendra pas à parler avant de quitter la maison.

— Oh ! il apprend. Simplement, il ne pourra pas en placer une jusque-là.

Delia passait tous les jours à midi pour voir si Cissy n'était pas encore devenue folle. Elle s'amusait de la voir jouer les mères de substitution, et son emploi de baby-sitter lui fournissait une merveilleuse occasion pour jouer elle-même pleinement à la grand-mère. Cissy comptait bien ne pas laisser échapper la moindre occasion de s'éloigner une minute des petits. La grand-mère et les enfants inventèrent rapidement leurs propres jeux et langages, de petits rituels que les garçons semblaient apprécier autant que Delia.

Cissy l'accusa :

— Tu es gaga avec eux, hein ?

— Complètement, reconnut Delia. Une grand-mère complètement gâteuse.

Quand Delia venait le matin, Gabriel se mettait à coasser et agitait les bras. Delia se penchait sur lui et le léchait entre ses fins sourcils blonds, ce qui suscitait un gloussement bredouillant. C'était leur manière de se dire bonjour et Delia adorait la façon dont le visage de Gabriel se plissait et s'éclairait quand elle l'embrassait. Gabriel était de loin son préféré. Il ne marchait pas encore. Suivre son grand frère était donc difficile pour lui, mais il le faisait quand même et avançait en s'accrochant à tout ce qu'il pouvait attraper – meubles, nappes, gens ou chien. Quelques pas en avant et l'enfant tombait ou vacillait sur le côté. Le plus étonnant, c'était que malgré ses déboires il ne pleurait jamais quand il tombait. Il se contentait de se relever et de repartir à la poursuite de son frère indifférent. Si Cissy n'avait pas rattrapé Gabriel une demi-douzaine de fois, il se serait fendu le crâne sur les marches ou sur les prie-Dieu qu'Amanda avait stratégiquement répartis dans tout le salon.

— C'est pas surprenant qu'Amanda se soit retrouvée à l'hôpital, dit Cissy à sa mère. Je m'étonne qu'elle n'ait jamais versé de somnifère dans leurs céréales.

Delia se mit à rire.

— Quand je te disais que tu n'avais aucune idée de la vie que menait Amanda ! Élever des enfants permet à Dieu de faire la différence entre nous. Seules les femmes les plus fortes survivent. Les faibles appellent leur maman au secours.

— Eh bien, moi, je suis une faible.

Cissy essuya une dernière trace de bouillie séchée sur la porte de derrière et s'effondra sur une chaise de cuisine.

— Je te passe le flambeau. Je suis on ne peut plus faible et j'ai été bien bête d'accepter de rester ici.

— Tous les bébés sont des anges, dit Delia.

Sans autre commentaire, elle se pencha pour lécher une nouvelle fois son petit-fils. Gabriel caqueta et agita les bras d'une manière tellement engageante que Delia prit le temps de se frotter la joue contre la petite plante de pied rose.

— Ah ! la peau des bébés ! soupira-t-elle. Ça sent tellement bon !

— Seigneur Dieu !

Cissy regarda Delia comme si elle avait perdu l'esprit.

— T'es pas bien ? À t'entendre, on pourrait croire que tu as pris de la drogue.

— Attends un peu d'en avoir à toi.

Delia démêla délicatement les boucles de Gabriel.

— Ça, tu peux abandonner cette idée tout de suite. Je suis bien d'accord avec Dede. Amanda est la seule qui te donnera des petits-enfants. De mon point de vue, les bébés sont des usines à merde, dcs petites décharges. Ils dégoulinent de riz, de céréales, de caca, et je crois que Michael fait ses besoins exprès dans les coins pour essayer de les cacher.

— Bon, il commençait tout juste à s'habituer au pot quand sa mère est tombée malade. Trois ans et demi, c'est l'âge. Une fois Amanda partie, je ne suis pas étonnée que Michael soit un peu turbulent.

— Trois ans et demi, c'est beaucoup trop vieux. Je pensais qu'ils étaient propres vers deux ans.

— Tu as beaucoup lu sur la question, on dirait ?

Delia s'amusait.

— Je fais une formation sur le tas et je peux te dire que Michael va être quelqu'un de sournois. Il a caché sa culotte sale dans le casier à pommes de terre. Je ne sais même pas depuis combien de temps elle y était quand je l'ai trouvée. J'ai été obligée de jeter les pommes de terre, de passer le casier à l'eau de Javel et de le faire sécher au soleil.

Delia sourit et aspergea délicatement d'eau tiède un Gabriel joyeux et batailleur. Elle avait installé la baignoire de bébé sur la paillasse de la cuisine. Cissy se débrouillait bien pour entretenir la maison, mais elle était absolument terrifiée à l'idée de donner leur bain aux enfants. Elle avait failli lâcher Gabriel, et Michael lui avait pissé à la figure pendant qu'elle le savonnait.

— Il s'est mis à rire, expliqua-t-elle. Il savait exactement ce qu'il faisait.

Delia lui apprit alors qu'elle avait fait la même chose quand elle était petite. Cissy était debout, toute nue, d'un côté de la baignoire, et pissait le plus loin possible.

— C'est une chose à laquelle il faut s'attendre, lui dit Delia. C'est signe de vie, pas de méchanceté.

Cissy n'en était pas aussi sûre. Le petit Michael attendait son tour en regardant les dessins animés inspirés de la Bible, approuvés par Amanda et diffusés sur la chaîne câblée de l'Église évangélique. Le soprano perçant du bambin s'entendait nettement sur la basse profonde du présentateur.

— Attention, attention !

On aurait dit qu'il avertissait Daniel de ne pas poser les mains sur la gueule du lion. Cissy bascula sur les talons et pencha la tête sur le côté.

— Est-ce que l'une de nous parlait autant que lui ? Amanda peut-être ?

— Non, pas Amanda.

Amanda et Dede avaient été plutôt taciturnes. Elles avaient marché tôt, mais peu parlé.

— Toi, tu étais assez bavarde, mais je crois que c'était à cause de Randall. Il approchait toujours sa tête de la tienne et te poussait à parler.

— Mais pourquoi ?

— C'est un truc de papa.

— C'est dingue. Je préfère voir ces enfants endormis. C'est à ce moment-là qu'ils donnent le meilleur d'eux-mêmes. Une fois réveillés, ils flanqueraient des calculs biliaires à n'importe qui. Des calculs, des hernies, de l'hypertension. C'est à se demander comment il n'y a pas davantage de mères qui tombent dans les pommes. Est-ce que tu as lu ces brochures que Michael a rapportées de l'hôpital ? Le stress et la bile, voilà ce qui a achevé Amanda. Les femmes enceintes, les diabétiques et les gens qui ont un taux élevé de cholestérol – ce sont ceux-là qui récoltent des calculs biliaires. Je parie qu'Amanda se nourrit de restes de plats pour bébé, de compote de pommes et de jus de viande au beurre depuis la naissance de Michael. Quant à la bile, Amanda est née avec des kilos de bile. Je crois que les bébés vous tuent. Avoir des enfants vous met en danger de mort.

Delia enveloppa Gabriel dans sa serviette-éponge chaude et le serra contre son épaule. Elle secoua la tête mais ne dit rien. Elle se rappelait Amanda bébé, les yeux pleins d'étoiles, la bouche ouverte et molle. L'aînée au regard dur avait été le bébé le plus gentil. C'était Cissy qui était née grognon – petit visage plombé, créature coléreuse. Maussade, rancunière, elle était bien la fille de Randall. Une colique à six semaines, deux fois le croup, des trois elle avait été la plus difficile à élever, mais Delia trouvait plus sage de ne pas le lui raconter. Ellc observa Cissy tandis qu'elle vidait son seau et l'eau du bain de Gabriel dans l'évier. Non. Elle ne le lui raconterait jamais. Gabriel se frotta le visage contre son cou et Delia gloussa tout bas dans ses cheveux.

— Oh ! que tu es beau ! lui murmura-t-elle en regardant sa fille qui remuait l'eau sale dans l'évier. Tu es un petit trésor, un petit trésor, tu es le plus gentil petit garçon. Oh ! oui, alors.

Cissy roula des yeux avec un mépris affiché et Delia sourit intérieurement. C'était marrant comme, parfois, se conformer à l'image que Cissy avait d'elle représentait le plus beau cadeau qu'elle pouvait lui faire. Mais s'il fallait en passer par là..., songea-t-elle avant de hausser les épaules.

— Tu es mon petit trésor, mon petit trésor.

Gabriel coassa de nouveau. Tous trois étaient aussi heureux que possible.

Delia demanda à Cissy de s'absenter un peu de la maison. Avant le retour imminent d'Amanda, elle voulait profiter de chaque heure qu'elle pouvait passer avec les enfants. Cissy la remercia rapidement et s'empressa de sortir. Delia assit Gabriel dans sa chaise haute, attrapa son bol de compote de pommes et s'installa devant lui, toute contente. Je suis une bonne grand-mère, pensa-t-elle avec joie. Très bonne. Bien meilleure que la mère que j'ai été. Elle jeta un coup d'œil en direction de la porte, mais Cissy était déjà partie.

Il arrivait à Delia de trouver indigne et entêté son comportement de mère. Il ne lui avait jamais semblé facile d'en parler mais, parfois, elle avait presque l'impression que tout prenait une certaine cohérence. Elle avait lu un peu de Betty Friedan. Elle avait vu *Up the Sandbox*. Et surtout, elle avait écouté de la musique, Janis, Aretha et même un peu Loretta Lynn. Le péché, c'était le rayon des garçons, s'était-elle répété. La honte, le petit jeu auquel ils jouaient. Une femme restée seule ne pouvait pas se permettre de se sentir aussi paumée. Delia avait réfléchi et cherché ses propres réponses. Non, se dit-elle en donnant à Gabriel des cuillers bien pleines de sa compote de pommes préférée, elle n'avait pas eu tort de se séparer de Clint, de partir avec Randall, de les quitter tous les deux. Elle avait donné naissance à Cissy et était allée retrouver ses filles. Pour tout ce qu'elle avait fait, elle avait eu une bonne raison. Non, ce qui rongeait Delia, c'était le prix à payer, le prix qu'elle payait encore – la manière dont Emmet Tyler la mangeait des yeux, ce qu'elle était sûre de ne pas oser faire en retour, la difficulté qu'elle éprouvait à dialoguer avec Amanda ou Cissy, la façon dont Dede regardait parfois dans le vague quand elle croyait que personne ne la voyait.

Parfois, Delia avait l'impression que grand-mère Windsor était tapie dans un coin de son cerveau, que quelqu'un prononçait de terribles malédictions divines – un Dieu baptiste, avec une notion du péché pentecôtiste. Elle pouvait se débarrasser de bon nombre de ces idées, mais pas de toutes. Elle l'avait compris la première fois que Cissy avait hurlé « J'te déteste ! », la première fois qu'elle avait regardé Amanda dans les yeux et la première fois qu'elle avait vu Dede se mordre la lèvre inférieure et se ronger les ongles. Il y avait un prix à payer, un prix pour tout. Delia l'avait acquitté sa vie durant. Quand elle regardait ses filles, elle ne désirait qu'une chose : qu'elles ne paient pas aussi cher. Et quand elle regardait ses petits-fils, elle commençait à se dire que tout pourrait peut-être bien se passer.

19

Grand-père Byrd mourut assis, en fumant une cigarette.

— Il avait l'air comme d'habitude, installé sur la véranda, pendant que je m'occupais de la maison, raconta Mme Stone à tout le monde au Bonnet. Bien sûr, c'est pas que je surveillais ses faits et gestes. Il passait près de quatorze heures par jour assis sur cette véranda depuis quelques années, mais je jetais un coup d'œil assez régulièrement.

Delia et les filles connaissaient Mme Stone seulement de vue. Elle avait emménagé chez grand-père Byrd à peu près à l'époque où Amanda s'était mariée, mais personne ne savait comment elle avait persuadé le vieil homme de la laisser venir habiter chez lui.

— Tu crois qu'il y a quelque chose entre eux ? avait un jour demandé Dede à Delia.

— Non. Je ne crois pas. Elle a besoin d'un endroit où habiter et il a besoin de quelqu'un. Je suis bien contente de ne pas être obligée de me traîner là-bas pour m'assurer qu'il n'injurie pas les automobilistes sur l'autoroute.

— C'est un vieux fou.

— Bon, et elle une vieille dame coriace.

Delia n'avait pas envie de parler de grand-père Byrd. Elle n'en avait jamais envie.

— C'est la meilleure solution, que Mme Stone le surveille. Au moins, ça m'évite ce souci.

Mme Stone était nerveuse en venant annoncer la nouvelle à Delia, mais prit soin d'être polie. M.T. lui dit que c'était gentil à elle de s'être dérangée et elle répliqua qu'un décès ne devait jamais s'apprendre par téléphone. Elle ramena ses cheveux fins derrière les oreilles et tira une rapide bouffée sur sa Salem quand Delia s'assit à côté d'elle sur le canapé, à l'entrée du Bonnet. Mme Stone était une femme à l'ossature épaisse, même si la chair flasque, au niveau du cou et des bras, suggérait qu'elle avait jadis été plus grosse. À la voir assise sur le canapé, on avait l'impression qu'elle essayait de ne pas peser de tout son poids. Elle était habituée à être beaucoup plus forte, je parie, songea M.T.

— C'était une belle mort, dit Mme Stone. Une belle mort.

Delia fit un signe de tête et but une gorgée d'eau à la petite bouteille qu'elle avait sortie du frigo installé au fond de la pièce. L'odeur de la cigarette de Mme Stone lui desséchait la bouche. Delia n'avait pas fumé depuis six mois et elle avait encore désespérément envie d'une cigarette. Pourquoi est-ce que j'ai arrêté ? se demanda-t-elle. Elle essaya de se concentrer sur les propos de la vieille dame.

— Comme je le disais, il était assis sur la véranda, dans le vieux fauteuil à bascule que je lui avais sorti. Il m'a fallu un bon moment pour l'amener à s'en servir au lieu de s'accroupir sur les marches. Il avait toujours le fond de culotte déchiré par des clous. J'ai réussi à ce qu'il s'assoie dans ce fauteuil et ça changeait tout. Je crois qu'il avait aussi moins mal aux genoux, mais il n'a jamais voulu le reconnaître. Vous savez comment il était.

Mme Stone chercha des yeux un cendrier et sourit avec gratitude quand M.T. lui en tendit un – un souvenir en verre de Stone Mountain.

— J'suis allée là-bas, dit Mme Stone en éteignant sa cigarette à l'endroit où le sommet de la montagne pointait contre le rebord.

Elle sourit de nouveau machinalement, repoussa une fois de plus ses cheveux en arrière et se tourna vers Delia.

— Bon, comme je le disais, ça faisait un bon moment que je ne l'avais pas vu allumer de cigarette. J'avais secoué les tapis juste à côté de lui et il ne s'était pas plaint comme il le faisait d'ordinaire. C'était pas normal. J'étais habituée à ce qu'il grogne, à ce qu'il crache sur le côté comme si je le rendais fou avec la poussière. Sauf que cette fois, il n'a pas bougé. Je commençais à me sentir reconnaissante quand j'ai vu la cendre tomber de sa main et j'ai remarqué qu'il avait le doigt brûlé. Il était mort entre deux bouffées. Cette cigarette s'était consumée entre ses doigts.

Mme Stone sourit avec douceur.

— Il est mort comme il faut, dit-elle en hochant la tête pour souligner ses paroles. Il est mort paisiblement et comme il faut.

Par-dessus son épaule, Cissy aperçut le visage de Delia. Elle avait les dents serrées et des creux sous les pommettes tant elle aspirait ses joues. Elle va se mettre à pleurer, pensa-t-elle. Mais Delia secoua seulement la tête et remit en place les épingles de son chignon. Cissy vit alors ses lèvres remuer, répéter un juron inaudible.

— Nom de Dieu ! Dans ce cas, ça doit bien être la seule chose qu'il ait faite correctement.

Et elle se retourna pour aller chercher son sac.

Cissy se rendit à la ferme de grand-père Byrd avec Delia. Dede les rejoignit à l'embranchement de l'autoroute 84 dans la petite Volkswagen qu'elle appelait le navet et qu'elle avait achetée à Malcolm, le neveu de Marcia Pearlman. Peinte en violet et blanc, elle avait de la boue durcie sur le pare-chocs arrière, car Dede ne cessait de heurter le remblai du fossé, près du terrain de caravaning.

— M.T. m'a appelée, dit Dede à Cissy quand elle descendit de voiture.

Elle portait un jean coupé au-dessus des genoux et l'un des T-shirts noir et blanc du Goober's arborant l'inscription « Je sais défendre mon bien » avec deux mains dessinées à la hauteur des seins. Elle adressa un signe de tête à Mme Stone.

— Alors, il est mort ?

— Oui, répondit Mme Stone en souriant. C'est bien vrai. Il est parti tranquillement comme tout. C'est la plus belle mort que j'aie jamais vue.

Elle jeta un coup d'œil à l'inscription du T-shirt et rougit, mais garda le sourire et grimpa les marches pour les conduire dans la maison.

C'était la première fois que Cissy se trouvait là depuis leur arrivée à Cayro et, apparemment, rien n'avait vraiment changé, sauf que Mme Stone avait dû arroser les buissons qui poussaient de part et d'autre des marches. Ils étaient plus fournis, pas aussi marron et secs. Sinon, la maison paraissait être restée la même, à l'exception des marches de la véranda, qui avaient été démolies et reconstruites. Le bois neuf donnait au reste l'air encore plus usé et grisâtre. La façade en pin semblait presque avoir une consistance de guimauve par endroits, et, dans l'entrée, les empreintes de doigts graisseux et les taches d'humidité qui maculaient le papier peint rose arrivaient jusqu'aux épaules.

— J'ai jamais pu le nettoyer, dit Mme Stone quand elle surprit le regard de Cissy. M. Byrd disait que c'était Luke qui avait fait ça en rentrant tard le soir, tout trempé. C'est possible. C'est une tache de graisse. Ça part pas.

Elle avait l'air nerveuse, avec les trois femmes qui examinaient les lieux.

— Il est là-dedans. J'ai pas fait grand-chose, j'lui ai seulement fait sa toilette et j'l'ai recouvert. Jasper, le gamin de la station-service Texaco, m'a aidée à le porter à l'intérieur.

Elle agita la main vers la chambre qui donnait dans le salon, sur le côté, près de la cheminée cintrée. La tête de lit était à peine visible contre le mur, derrière la porte – une énorme tête de lit en bois foncé, dont les montants étaient mal sciés ; le cœur du bois, plus clair, était à nu et poussiéreux. Les oreillers avaient été ôtés et on voyait le menton proéminent de grand-père Byrd, la tête légèrement renversée en arrière.

— C'est fou comme il était lourd. Mais les morts le sont toujours. Je me rappelle que Howard, mon mari, était devenu très lourd.

Cissy et Dede ne purent s'empêcher de dévisager Mme Stone. Delia l'ignora et, par la porte ouverte de la chambre, regarda le corps étendu.

— Vous savez que cette maison est à vous.

Mme Stone essayait d'obliger Delia à la regarder. Elle s'avança et cacha la vue à Delia.

— Elle vient de vos parents, dit-elle. Votre père avait le titre de propriété avant sa mort. Et il n'a pas laissé de testament. J'ai tout vérifié quand j'ai aidé M. Byrd à toucher l'allocation vieillesse. Pas le moindre testament, nulle part. Alors, tout est à vous. Ça l'a toujours été.

Delia ne dit rien. Elle contourna Mme Stone et entra dans la chambre. Cissy hésita à la suivre. Dede s'était déjà dirigée vers la cheminée et son manteau encombré.

— J'ai fait de mon mieux avec lui, poursuivit Mme Stone.

Cissy crut qu'elle parlait de la disposition du corps, mais il se révéla rapidement que ce n'était pas le cas.

— Il n'était pas embêtant une fois qu'on s'était habitué à ses façons. Il réclamait tout le temps le silence. Il disait qu'il n'aimait pas entendre les piaillements d'une bonne femme. Ça, vous imaginez bien que j'l'ai pas accepté. J'lui ai rétorqué que j'allais pas marcher sur la pointe des pieds pendant que je travaillais. Ça non, alors.

Delia la regarda enfin.

— Il a toujours aimé la tranquillité, dit-elle.

— Bon, il était vieux. Les vieux bonshommes sont comme ça.

Mme Stone hochait de nouveau la tête.

— Quel âge avait-il ? demanda Dede avec une franche curiosité. Il ne voulait jamais le dire.

— Oh ! sûrement près de cent ans. Quand je lui ai fait obtenir son allocation vieillesse, les employés étaient vraiment surpris d'entendre parler de lui. Ils pensaient sans doute qu'il était mort. Ils ne reçoivent pas tellement de demandes de gens qui ont dépassé les quatre-vingt-dix ans.

Delia s'était de nouveau tournée vers la chambre du défunt. Elle s'avança vers le seuil et s'arrêta. Cissy regardait Dede.

— Tu es déjà venue ici ? lui demanda-t-elle.

— Quelquefois.

Le visage de Dede était circonspect, la bouche étirée d'un côté, comme si elle avait une remarque sarcastique à l'esprit.

— Je suis venue le voir deux ou trois fois. Il ne disait jamais grand-chose.

Elles se regardèrent. Mme Stone continuait à parler de ce qu'elle avait accompli – elle avait persuadé le vieil homme de remplir tous les papiers pour obtenir l'allocation vieillesse. Delia la considéra brièvement avec des yeux sombres et violents. Tout autour, la peau semblait tendue. Cissy sentit une bouffée de colère passagère. Il y avait quelque chose que Delia et Dede savaient, ça se voyait dans leurs yeux.

— Bien sûr, il ne recevait que 154 dollars par mois, poursuivit Mme Stone. C'est presque rien, mais avec les œufs et les légumes qu'on vendait sur place, je me débrouillais. Je me débrouillais plutôt bien.

Elle avait l'air contente d'elle, le visage éclairé par l'œuvre accomplie.

— Et il fallait qu'il meure chez lui. Il fallait qu'il meure comme il faut.

Mme Stone rayonnait, face à Delia. Elles la regardèrent toutes. Dans son visage rond empourpré, ses yeux passaient rapidement de Cissy à Dede.

— Ben, pensez à la tragédie qu'il a dû supporter. Perdre ses fils. Ce Luke a passé presque toute sa vie en prison. Et votre père…

Elle fit un geste en direction de Delia et son visage s'attrista.

— Tant de deuils, dit-elle. Tant de deuils.

— Laissez-moi aller le voir.

Delia franchit le seuil, s'éloignant d'une Mme Stone soudain abattue. Elle se retourna et referma la porte derrière elle. Mme Stone opina du chef, sortit un mouchoir et s'essuya les yeux. Elle se tourna vers les filles.

— Tant de deuils, répéta-t-elle.

Cissy n'apercevait pas de larmes, pourtant son chagrin semblait sincère.

Mme Stone se moucha et secoua tristement la tête.

— C'était la seule famille qu'elle avait encore, c'est ça ? À part vous ?

À l'évidence, elle n'allait pas cesser son bavardage. On aurait dit qu'elle devait rattraper toutes les années durant lesquelles elle s'était occupée de grand-père Byrd. Ou peut-être ne savait-elle pas comment se comporter avec des gens qui étaient censés être affligés mais semblaient plus curieux qu'accablés.

— Oh ! j'ai beaucoup entendu parler de vous, dit-elle en agitant son mouchoir vers Cissy et Dede. Les filles de Delia. Oh, ça oui ! Les deux pauvres petites de Delia.

Cissy plissa les yeux. Si le vieux grand-père avait dit ça, il voulait parler de Dede et d'Amanda, pas d'elle. Elle aurait pu parier qu'il n'avait jamais prononcé son nom.

Dede s'avança et posa la main sur le bras de Mme Stone. Elle lui dit :

— Nous aimerions nous aussi entrer une minute. Je sais que vous avez des choses à faire, des trucs à rassembler. Nous ne voulons surtout pas vous en empêcher.

Mme Stone en laissa légèrement pendre la mâchoire.

— Ben, je voulais parler à votre maman, dit-elle. Il y a des choses... bon, il y a des choses dont j'aimerais discuter avec elle.

Elle voudra sûrement rester ici, pensa Dede. Elle n'a probablement nulle part où aller. Dede hochait la tête et tapotait le bras de Mme Stone.

— Oui, acquiesça-t-elle. Il va y avoir énormément de sujets à aborder, mais ça pourra attendre un peu. Je suis sûre que vous avez des tas de choses à faire.

Mme Stone opina furieusement du chef.

— Oh ! oui, dit-elle. Pour ça oui.

Et elle retourna dans la cuisine. Les filles la suivirent du regard. Une fois la porte de la cuisine refermée, elles soupirèrent toutes les deux.

— Elle a un bon gros cul, dit Dede. À ton avis, quel âge elle peut bien avoir ?

— Elle est assez vieille pour avoir un peu plus de plomb dans la cervelle.

La voix traînante de Cissy était aigre, mais Dede approuva, le visage songeur.

— Seigneur ! Pourvu que je n'en arrive jamais à être aussi désespérée !

Dede porta la main à son cou, puis à son menton.

— Je ne connais rien de plus triste au monde.

Elle regarda Cissy.

— Qu'est-ce que t'en penses ?

Cissy haussa les épaules.

— Tu es vraiment venue ici toute seule ? demanda-t-elle.

Elle observa Dede, dont les yeux erraient dans la pièce et faisaient l'inventaire des vieilleries, des outils et des bibelots. D'affreuses poupées en porcelaine étaient alignées sur le manteau de la cheminée, par ordre de grandeur. Toutes avaient le même visage peint en noir, avec des traits caricaturaux, des lèvres écarlates et des tabliers rouges.

— Tu paries qu'elles sont à Mme Stone ? dit Dede en les désignant.

Cissy se mit à rire.

— Ça sert à rien de parier.

— Ouais, dit Dede au bout d'un moment. Je suis venue ici. Quand vous êtes arrivées toutes les deux. Avant que Delia nous récupère.

Elle jeta un coup d'œil dans la pièce.

— Reconnaissons au moins ça à la vieille dame. C'est beaucoup plus propre que ça ne l'était. C'était horrible.

Cissy avait un goût de poussière dans la bouche, mais la pièce était en effet à peu près propre. Le sol était balayé, le tapis bien à plat, les surfaces encombrées mais récurées. Pourtant, l'air sentait le vieux et l'aigre – une odeur de bois, comme si le grain des murs en pin suintait depuis longtemps.

— T'es venue ici toute seule ?

Cissy fixait les yeux de Dede. Ils ne cessaient de s'agiter, se posaient sur un objet, puis sur un autre. Il y avait quelque chose qui n'allait pas. Qui la préoccupait. Dede avait l'air d'avoir bu trop de café, ou d'avoir gardé trop longtemps quelque chose pour elle. Les muscles de son cou tressaillaient.

— Ouais, toute seule. Je suis venue toute seule.

Dede se tourna face à la cheminée.

— Tu comprends pas. Grand-mère Windsor ne voulait jamais rien nous dire. Jamais rien de plus que le nom de Delia et un juron. Elle m'a dit que j'étais exactement comme elle, une pécheresse au cœur sec. Elle me jetait à la figure des gros mots que tu ne croirais pas cette vieille dame capable de prononcer… elle nous traitait de tous les noms. Vraiment.

Elle s'interrompit.

— Et j'en avais suffisamment entendu. Les gens adorent colporter des horreurs. J'ai entendu dire que ce vieux bonhomme habitait ici. J'ai fait du stop pour venir voir à quoi il ressemblait.

— J'arrive pas à croire qu'il t'ait raconté quoi que ce soit. Il était dur, nom de Dieu ! T'aurais dû voir comment il a accueilli Delia.

Cissy fit la grimace en se rappelant la première matinée qu'elle avait passée à Cayro, le sandwich à l'œuf trop cuit pour le dîner, et ce vieux bonhomme aux mains crochues et aux yeux mauvais.

— Reurrrk !

Dede lui sourit largement.

— Ça m'étonne pas, dit-elle. Ça m'étonne vraiment pas.

Sur les murs, de part et d'autre du manteau de la cheminée, il y avait des photos en noir et blanc dans des cadres métalliques peints. La plupart représentaient des voitures et des gens autour de voitures. Les groupes variaient, mais les mêmes personnages revenaient. Des enfants, une femme, un homme et – c'était étonnant de voir à quel point il avait peu changé – la silhouette de grand-père Byrd. Dede montra l'une des photos.

— C'est notre oncle Luke, celui dont elle parlait. Il a piloté des stock-cars pendant un moment. J'ai toujours voulu le connaître, lui, mais je crois qu'on l'a mis en prison à peu près au moment de ma naissance.

Cissy s'approcha et examina son visage.

— Il a tué quelqu'un ? demanda-t-elle.

— Il doit y avoir quelque chose comme ça.

Les épaules de Dede se haussèrent et retombèrent.

— Le vieux ne voulait pas en parler.

— Qu'est-ce qu'il t'a dit ?

Dedc se tourna vers Cissy, les traits crispés en une étrange expression, sorte de crainte respectueuse.

— Il a parlé de Delia. Il a parlé d'elle comme si elle était l'une des Sept Merveilles du monde.

— Pourtant il la détestait.

— Peut-être. Mais il en était fier, aussi. C'était un vieux bonhomme étrange.

Cissy regarda de nouveau les photos. Au milieu, l'une d'elles avait une tache au bas du cadre. Dessous, le papier peint était éraflé, comme si on avait tenu une bougie trop près. C'était une photo de famille ; tout le monde s'appuyait contre une vieille bagnole énorme, aux pare-chocs arrondis. Une femme tenait un bébé dans ses bras et deux petits garçons s'accrochaient à ses jupes. Près d'elle, un bel homme avec une toute petite fille juchée sur ses épaules, les genoux écartés à la hauteur de son menton. À côté d'eux, une caricature d'un grand-père Byrd presque souriant était juste assez ressemblante pour permettre à Cissy de reconnaître son visage.

— Il t'a parlé, murmura-t-elle.

— Un peu. J'ai dû me montrer patiente. Il ne fallait pas lui poser de question si on ne voulait pas qu'il se fâche et n'ouvre plus la bouche. Mais ça me gênait pas. J'ai été élevée par grand-mère Windsor.

Elle eut un rire dur.

— Grand-père Byrd n'avait rien à lui envier.

Cissy secoua la tête. Elle essaya d'imaginer grand-père Byrd assis sur sa véranda, en train de parler à sa petite-fille comme à une grande personne. Ça la dépassait. Elle regarda la photo – le vieil homme venait de sourire ou allait le faire quand elle avait été prise. La forme des lèvres l'attestait.

Ses yeux errèrent sur les autres personnages. La femme riait. Elle avait des cheveux qui semblaient exactement de la couleur que prenaient ceux de Cissy à la fin de l'été, clairs, presque blonds, mais le visage faisait penser à Delia. Cissy lança un regard en coin à Dede. Non, le visage ressemblait à celui de Dede.

— Elle te ressemble, dit Cissy.

Dede s'approcha.

— Peut-être, admit-elle en fronçant les sourcils. Mais elle ressemble surtout à Delia, à mon avis.

— Non.

Cissy secoua la tête.

— À toi.

Dede pinça les lèvres et haussa les épaules.

— C'est eux, tu sais. La famille perdue.

Elle posa le doigt sur chaque silhouette.

— La maman de Delia, notre grand-mère. Le papa, le fils préféré de grand-père Byrd. Les garçons. Et Delia.

Le doigt s'arrêta sur la petite fille.

— Ils sont tous là.

Cissy examina la femme et les garçons.

— Ils sont morts ?

— Ouais, tous.

— Nom de Dieu !

— Tu le savais bien.

Le ton était mi-interrogateur, mi-accusateur. Cissy fronça les sourcils. Qu'est-ce qu'elle savait ? Elle regarda une nouvelle fois la petite fille, Delia. Elle avait le visage détendu, insouciant d'une enfant heureuse de se trouver là où elle est. La bouche ouverte était sur le point de sourire et avait l'air de sourire beaucoup. Petit corps frêle, visage étroit, grands yeux, une petite fille qui ne devait pas avoir plus de sept ou huit ans. Les garçons avaient les genoux meurtris, les coudes pointus et un grand sourire. Le bébé était lové dans le cou de sa maman. Tous s'appuyaient les uns sur les autres, famille heureuse. La famille de Delia.

Delia avait été élevée par grand-père Byrd, voilà ce que savait Cissy. La famille était morte d'une manière ou d'une autre. On murmurait ou marmonnait cette histoire. Elle se rappela le visage sévère de Delia, accablé de douleur. Pas de saison des pleurs, cette fois, l'histoire avait été racontée et enterrée. À moins qu'on ne l'ait jamais racontée ? Comment étaient-ils morts ? Un accident de voiture ? Cissy regarda toutes les voitures photographiées. Puis elle reporta les yeux sur grand-père Byrd et son demi-sourire.

La porte de la chambre s'ouvrit brusquement. Delia sortit, le visage crispé, vidé. Cissy tressaillit en voyant les os de la petite fille dans les traits allongés de sa mère.

— Il va falloir que je parle au révérend Hillman, dit-elle. Ou peut-être à Michael. Amanda préférerait peut-être que je demande à Michael.

Elle se passa une main dans les cheveux et se tourna vers la porte de la cuisine.

— Et puis, il faut que je discute avec Mme Stone et que je règle les choses avec elle.

Les épaules de Delia s'affaissèrent tandis qu'elle se dirigeait vers la cuisine. Elle vieillit, se dit Cissy. Elle regarda la petite fille sur la photo. Quand avait-elle été prise ? Il y avait trente-cinq ans, quarante ans ? Elle pensa au vieil homme étendu sur le lit, son arrière-grand-père, et à l'homme de la photo. De petites rides d'expression autour de la bouche et des yeux. Ça faisait partie de la famille heureuse. Derrière lui, l'oncle brun souriant se penchait, un pied sur le pare-chocs, et, lui aussi, il riait. Il faisait partie d'une famille qu'elle ne connaissait pas. Cissy ne connaissait aucun d'entre eux. Elle frémit.

— Ils sont tous morts, souffla-t-elle.

Dede se tenait juste à côté d'elle.

— Ça arrive, dit-elle. Les choses terribles, ça arrive tout le temps.

Elle croisa les bras sur la poitrine et referma une main sur chaque épaule.

— Viens, on sort. J'ai envie d'une cigarette.

Cissy regarda en direction de la cuisine, mais Delia avait déjà franchi la porte. Elle se retourna et suivit sa sœur, en pensant toujours aux photos. Elles appartenaient à Delia, maintenant, avec la maison et tout le reste. Cissy laissa courir une main sur les taches du papier peint dans l'entrée. Tout cela avait appartenu aux parents de Delia, à la famille.

Dede s'accroupit sur les marches et sortit une Camel de son paquet. Elle l'alluma avec l'un des briquets Day-Glo qu'elle gardait sur un présentoir, près de la caisse du magasin. Le bleu vif devint opalescent quand elle le tourna dans sa main, puis retrouva une couleur de saphir tremblotant. Dede avait toujours de nouveaux briquets, qu'elle s'achetait et perdait partout où elle allait. Elle fit passer celui-ci d'une main dans l'autre, puis le posa sur les marches.

Cissy se laissa tomber à côté d'elle. Les dimensions du jardin semblaient s'être modifiées. Le ciel s'était assombri et le vent se levait.

— Il va pleuvoir, dit-elle.

— C'est possible.

Dede regarda Cissy, puis le fond du jardin.

— Nolan veut que je l'épouse.

Cissy se retourna vers elle.

— Quoi ?

— Que je l'épouse. Nolan veut que je l'épouse.

Le visage de Dede était crispé. Elle paraissait en colère.

— Et toi, tu ne veux pas te marier avec lui ?

— Je ne veux me marier avec personne.

Dede envoya un grand coup de pied dans une marche.

— Ni avec Nolan, ni avec personne.

Elle se balança violemment d'avant en arrière en faisant tournoyer la cigarette dans une de ses mains. Elle tira une bouffée, puis relâcha la fumée en une longue traînée.

— Nom de Dieu !

— Tu n'aimes pas Nolan ? demanda prudemment Cissy, mais pas assez prudemment.

Dede se releva d'un bond.

— Merde ! Bien sûr que je l'aime.

Elle fit les cent pas, agita la cigarette en l'air, comme une baguette.

— Mais se marier ! Le mariage bousille tout. Réfléchis un peu. Qui est-ce qu'on connaît qui soit mariée et heureuse ?

— Amanda ?

— Oh ! Amanda ! Amanda n'est pas heureuse.

Cissy observa le briquet bleu vif qui oscillait au bord d'une marche.

— Dede, tu aimes Nolan.

— L'amour n'a rien à voir avec ça. C'est le mariage, le problème. Je préférerais me tatouer le nom de Nolan sur les fesses plutôt que me marier avec lui.

Dede interrompit sa marche furieuse et son visage se fendit d'un sourire que Cissy n'avait encore jamais vu, mi-joie et mi-indignation.

— Je t'assure. Je trouve ça beaucoup mieux de porter un tatouage plutôt qu'une alliance.

Cissy hocha la tête. Dede était du genre à pouvoir faire n'importe quoi, ça, sûrement. C'était peut-être à cause de la mort du vieil homme, mais Cissy se rendit soudain compte que Dede était tendue depuis plusieurs semaines. Elle avait cru qu'Emmet en était la cause, car il avait recommencé à tourner autour de Delia. M.T. disait que Delia passait beaucoup de temps à déjeuner avec lui, et Dede s'en était plainte la semaine précédente. Le plus drôle, c'était que Dede aimait bien Emmet, Cissy le savait. Apparemment, c'était seulement l'idée que Delia puisse trop l'aimer qui la dérangeait autant. Et Nolan ? Dede l'aimait et il l'aimait à coup sûr. Où était le problème ?

— Tout va être fichu en l'air, dit Dede.

Cissy regarda sa sœur. Elle se tenait debout, la tête renversée en arrière, et observait les nuages d'orage qui déferlaient, haut dans le ciel. Elle avait les yeux rouges et visiblement humides. Elle lança son mégot dans l'herbe.

— Tout va être complètement fichu en l'air.

Elle avait un ton catégorique et tristement vaincu.

Oh ! mon Dieu, pensa Cissy. Ne la laisse pas faire quelque chose d'idiot. S'il te plaît, mon Dieu. S'il te plaît. Fais que Nolan lui dise qu'il ne veut pas se marier, que c'était une plaisanterie. Elle se mit les mains sur les oreilles, appuya fort et écouta ses dents qui grinçaient. Nolan était tellement heureux, ces derniers temps, tellement heureux. Il était allé passer une audition à Atlanta et avait eu un grand sourire quand Cissy lui avait demandé comment ça s'était passé.

— On verra bien, lui avait-il dit. Attends un peu. Dede et moi, on pourra déplacer des montagnes.

Il ne comprend pas, pensa Cissy, sans être certaine qu'elle comprenait elle-même. L'expression de Dede était pure détresse. Ça, Cissy pouvait le comprendre. Dede souffrait. Dede était terrifiée et souffrait beaucoup.

Les obsèques de grand-père Byrd eurent lieu à Holiness Redeemer. Michael amena Amanda. Elle semblait à peine se rendre compte de ce qui se passait et ne se donna même pas le mal de courir après le petit Michael quand il se précipita vers Dede et Nolan. Jean et Mim étaient aux côtés de Cissy. Mme Stone avait apporté la vieille bible blanche de la ferme, mais Delia fit semblant de ne pas s'en apercevoir. Michael la coinça sous son bras et fit asseoir ses enfants sur ses genoux pendant les prières. Quand ils s'éloignèrent tous de la tombe, Delia resta debout, près des fleurs entassées. Elle revint à la maison de Terrill Road une heure après les autres et alla s'installer sous les pacaniers, au fond du jardin. Quand il l'aperçut, Michael s'approcha avec les enfants. Il ne dit rien, se contenta de faire un signe de tête et de s'asseoir sur l'un des sièges que Delia avait prévu de remettre en état. Il garda Gabriel sur ses genoux tandis que Michael courait sans cesse de son père à l'arbre le plus éloigné. Gabriel agitait les bras et émettait des « mmm mmm ». Au bout d'un moment, Delia leva une main pour faire signe à Gabriel. Tout content, celui-ci essaya de lui attraper la main. Au troisième essai, il y parvint et, des genoux de son père, passa dans les bras de sa grand-mère. Delia enfouit le visage dans les cheveux du bambin, qu'elle serra très fort. Michael se leva et se dirigea vers l'arbre sous lequel son fils aîné empilait des noix de pécan. Il ne revint pas avant un bon moment, pas avant que Gabriel ait commencé à glousser et qu'enfin Delia se soit mise à rire.

20

Cissy avait trouvé un avantage à s'occuper de la maison d'Amanda : l'obliger à abandonner son boulot à la Fédération des agences immobilières du comté. Au début de l'année, elle avait commencé à saisir des annonces trois après-midi par semaine, mais, au fur et à mesure que les mois passaient, elle arrivait de plus en plus souvent en retard et se faufilait dans le local alors que tout le monde était déjà là depuis longtemps. Il n'y a rien de pire au monde, avait-elle décidé, que de taper des pages et des pages d'abréviations, de surfaces et d'éternelles répétitions d'une demi-douzaine de formules. Elle tapait cent fois : « Coin retiré, 3 p., 2 s. d. b., chem., combles amén., vue magn., urgent, toit. neuve, parquets, raviss., rénov. récente. » Les prix changeaient, les agents immobiliers faisaient passer différents lots, de nouvelles propriétés étaient enregistrées, et, toujours, il y avait les irritantes notes des diverses agences. Cissy oubliait de mentionner les dépendances, ou le bureau qui servait de chambre d'amis, les volets de style ou les agréments particuliers, comme le jardin prétendument anglais, qui, d'après elle, devait être un fouillis non domestiqué par le goût sudiste pour les pelouses et les massifs de fleurs. Toujours, quelque chose clochait – fautes d'orthographe, surfaces inexactes, propriété « exceptionnelle » non répertoriée dans la catégorie des biens « exceptionnels ». Les affaires marchaient mal dans le comté. L'immobilier ne se vendait pas. Il fallait bien trouver une raison à cela et les notes faisaient clairement apparaître que le problème était la manière dont Cissy avait entré les données.

Elle se demandait si un travail de serveuse ne serait pas plus facile. Elle avait horreur de se faufiler au fond du bureau, en essayant d'éviter le personnel, et de s'asseoir devant l'énorme méli-mélo d'imprimés et de petits papiers multicolores collés dessus. « Vous avez oublié... », « Vous n'avez pas... », « Je vous prie de ne pas... ». C'était censé être un boulot facile, une faveur qu'on accordait à la fille de Delia, qui, après tout, habitait chez sa mère et avait seulement besoin d'un peu d'argent pour payer ses études au centre universitaire, mais il y avait eu plus d'immeubles à vendre que Cissy n'aurait pu l'imaginer, plus de terrains, de fermes et de bicoques abandonnées. Tous réclamaient que Cissy tape, recherche des données et mette les listes à jour. Il valait mieux, beaucoup mieux s'asseoir sur les marches après avoir confié les enfants à Michael, boire de l'eau gazeuse avec des tranches d'orange et écouter Nolan jouer de la clarinette et lui répéter des histoires que sa famille lui avait racontées.

Nolan avait sa précieuse clarinette sur les genoux, une Buffet R13 à embouchure Selmer. Il frottait la surface noire de l'instrument avec un chiffon doux et souriait de plaisir en voyant reluire la grenadille.

— Noir d'Afrique, avait dit M. Clausen pour qualifier le bois quand il lui avait remis la clarinette. De la grenadille et de l'argent massif. Nettoie-la bien, frotte-la et elle durera une éternité.

La première fois qu'il avait utilisé ce nouvel instrument, Nadine avait tellement rayonné de plaisir en le regardant que l'image s'était gravée dans son cerveau. Certaines semaines, quand il devait racler les fonds de tiroir pour payer les factures, Nolan se rappelait ce sourire en contemplant sa clarinette. Il avait revendu l'ancienne, la Vito Leblanc en plastique noir. (« En résonite, Nolan, en résonite. ») L'année précédente, elle lui avait rapporté deux cents dollars dont il avait désespérément besoin. Il apprit que la Buffet d'occasion avait coûté mille dollars à M. Clausen et à l'orchestre, et, même s'il se débattait dans de sérieuses difficultés financières, il avait envisagé une seule fois de la vendre. Il se sentait infiniment soulagé de ne pas avoir été obligé de s'y résoudre.

— Ta mère va bien ? demanda-t-il à Cissy. Elle avait vraiment l'air bizarre à l'enterrement.

— Ça va. Delia ne change pas. Une montagne pourrait lui tomber dessus qu'elle se relèverait et irait travailler au Bonnet.

Nolan le reconnut d'un signe de tête.

— J'ai bientôt une nouvelle audition. La semaine prochaine. Je vais passer la journée à Atlanta et j'ai rendez-vous avec le directeur d'Emory.

Cissy regarda Nolan. Il avait les yeux fixés sur la clarinette et la voix prudente. Pourquoi mentionnait-il cette audition ? Nolan passait des tas d'auditions et elle ne l'accompagnait plus que rarement.

— Tu veux que je vienne ?

Cissy fronça les sourcils. Avec les deux filles, elle devait faire une nouvelle tentative à Little Mouth, la semaine suivante.

— Non, non, répondit Nolan en secouant la tête. Je te le dis, c'est tout. Je t'avertis seulement que j'y vais.

Il se tut un instant et lustra le bois de son instrument.

— Cette fois, c'est pas pareil, reprit-il soudain. S'ils me proposent un boulot, je pourrais y réfléchir.

Cissy avait eu beau l'encourager très souvent à le faire, elle était consternée à l'idée que Nolan puisse l'abandonner.

— Tu quitterais Cayro ?

Nolan eut l'air gêné.

— Peut-être. C'est possible.

Il fit tourner la clarinette entre ses doigts.

— Si j'arrivais à régler les choses, trouver un endroit agréable là-bas et faire venir maman. Bien sûr, tout dépend de Dede, je ne sais pas si cette idée lui plairait. Elle est tellement nerveuse, ces temps-ci. Elle va s'entraîner avec ce revolver que Craig lui a donné. Elle a pris l'habitude de le glisser sous le siège de sa voiture.

Nolan s'interrompit. Il commença le long processus de démontage et nettoyage de la clarinette avant de la ranger. Pendant qu'il glissait l'anche dans son étui, il ajouta :

— Dede est malheureuse, tu sais. Ou pas vraiment heureuse. Ça va très bien entre nous, mais…

Il marqua une pause.

— Je crois qu'elle commence à se fatiguer du magasin et de ces tâches répétitives. Parfois, elle dit qu'elle aimerait se lancer dans quelque chose de nouveau. Elle dit qu'elle désire apprendre la mécanique. Elle a envie de conduire. Elle pourrait faire des tas de trucs. Je veux qu'elle en ait la possibilité et je pourrais gagner pas mal d'argent à Atlanta. Jouer de la musique et trouver un endroit agréable où habiter.

— Ça va pas dans ta petite tête ! Dede ne va pas aller habiter Atlanta. Et tu n'es pas sûr de décrocher un boulot là-bas.

— Je peux en décrocher un, dit Nolan. Si j'ai pas celui-là, ce sera un autre. Je joue bien, je vais jouer encore mieux, et je sais me battre pour obtenir ce que je veux.

Il avait l'air pensif mais déterminé.

— Je veux voir Dede aussi heureuse qu'elle le mérite.

Nolan soupira et ferma les yeux. Quand il les rouvrit, il regarda Cissy en face.

— Tu es ma meilleure amie au monde. Je voulais seulement te dire où j'en étais. Je voulais que tu saches. Je ne vais pas partir demain. Rien ne s'est encore passé. Je voulais seulement que tu saches où j'en étais.

Cissy regarda les ombres, sur les marches, puis leva la tête vers le visage ouvert, plein d'espoir de Nolan.

— Bon, comme tu dis, ça ne va pas se passer demain. Et quand ça arrivera, nous y réfléchirons.

Elle se leva et repoussa ses cheveux en arrière.

— Tu es mon ami, Nolan Reitower. Ça ne va pas changer parce que tu envisages de faire quelque chose de différent. Mais aborde tout ça soigneusement avec Dede. Elle n'est pas du genre à aimer les surprises. Et elle est assez imprévisible. Elle pourrait ne pas vouloir partir, tu sais. Qu'est-ce que tu ferais, à ce moment-là ?

— Je resterais à Cayro, dit Nolan en souriant. Pour Dede, je resterais à Cayro et je me crèverais à faire des gâteaux.

À l'entendre, ça paraissait une perspective plutôt gaie. À l'entendre, il ne pouvait pas rêver mieux…

Cissy passait tous les après-midi à mettre de l'ordre derrière les petits Michael et Gabriel et à s'inquiéter au sujet de leur mère. Elle n'était toujours pas habituée aux changements intervenus en Amanda depuis son retour de l'hôpital. Rougissant, hésitant, Michael avait demandé à Cissy de rester encore un peu pour les aider à s'occuper des enfants parce que « Amanda n'était pas encore tout à fait remise ».

— Tu es sûr qu'elle a envie que je reste ?

Cissy ne pouvait pas y croire.

— Oui, oui, affirma Michael. Pour l'instant, elle a encore l'esprit un peu embrumé. Je suis sûr qu'elle ira bien une fois qu'elle aura rattrapé son sommeil en retard. Si tu pouvais venir dans la journée pendant quelques jours, ça nous aiderait sans doute.

Il avait l'air profondément inquiet.

— Le médecin pense qu'Amanda a besoin d'un peu de temps pour se reposer et se rétablir.

— C'est pas seulement de sommeil qu'elle a besoin, marmonna Cissy, mais l'expression de Michael était trop indécise pour qu'elle ait le courage d'y faire face. Bien sûr que je vais donner un coup de main, promit-elle. Au moins, ça me fournira une excuse pour arrêter de taper à l'agence.

Une semaine avant l'entrée d'Amanda à l'hôpital, Cissy l'avait croisée chez Delia, un samedi après-midi, et elle avait fait une remarque sarcastique sur les excursions de sa sœur avec « ces filles curieuses ».

— Nous ne nous livrons pas à la débauche, mais à l'exploration, avait répliqué Cissy. Nous sommes en train de tracer le réseau qui relie Little Mouth à Paula's Lost.

— Ah bon ! s'était exclamée Amanda avec son expression de sainte. Et à quoi ça sert ?

— Comme ça, on saura si ça communique.

— Et après ? Qu'est-ce que vous ferez ?

— Je sèmerai des graines entre mes orteils pour y faire pousser des soucis ! Mêle-toi de tes affaires, bon Dieu ! s'était écriée Cissy avant de quitter la cuisine de Delia d'un pas furieux.

En fait, cette dispute avait été leur dernière conversation avant l'entrée d'Amanda à l'hôpital et la mort de grand-père Byrd. Cissy se demandait avec inquiétude si Amanda ne sauterait pas sur la première occasion pour la reprendre. Mais l'Amanda qui revint à la maison semblait ne pas avoir assez d'énergie pour discuter. On avait du mal à la convaincre de se lever le matin. Seul le petit Michael, en grimpant sur ses genoux et en réclamant une histoire, donna une petite étincelle à son regard. Elle se ranima suffisamment pour commencer à lui répéter l'histoire de Daniel dans la fosse aux lions, mais, quand son fils sauta de surexcitation à côté d'elle, elle s'interrompit et le serra tellement fort contre son cou qu'il en hurla. Elle le laissa partir avec un « Seigneur ! » qui venait du cœur.

— Ça va ? demanda Cissy.

Amanda avait un drôle de teint ; des ronds rouge vif ressortaient sur ses joues pâles. Elle fixait le petit Michael avec d'immenses yeux affligés et une expression qui frisait l'horreur.

Amanda secoua la tête.

— Je vais faire un tour en voiture, annonça-t-elle.

Elle s'en alla avant que Cissy ait eu le temps de lui demander à quelle heure elle serait de retour.

Partagée entre la rancœur d'être plantée là avec des enfants envahissants et le soulagement de constater qu'Amanda ne semblait pas vouloir se disputer, Cissy passa la journée à nettoyer la maison déjà impeccable et à préparer ce qu'elle dirait quand le sujet de son avenir reviendrait sur le tapis. Elle renonça à l'emploi du temps de la journée, épinglé sur le frigo – visites à rendre et pâtisserie à faire – et se concentra sur les soins à donner aux enfants, mais c'était encore trop. En fin d'après-midi, elle s'aperçut qu'elle avait réussi à oublier la leçon de judo de Michael. Il avait commencé à peine deux mois plus tôt, quand son professeur d'instruction religieuse avait suggéré que ce serait un bon moyen d'évacuer son trop-plein d'énergie.

— Un coup de pied au derrière, suggéra Dede en riant quand elle passa voir si tout allait bien. Le fils d'Amanda a besoin de donner un coup de pied à un petit derrière pour se sentir mieux. Ça me semble logique.

Amanda revint peu avant Michael père, retourna immédiatement au lit et se cacha la tête sous les draps.

— Elle va bien ? demanda Michael.

— Oui, pour autant que je sache, répondit Cissy.

Le lendemain, elle arriva un peu en retard et trouva Amanda tout habillée, assise à la table de la cuisine, tandis que les enfants pleuraient dans la pièce du fond.

— Je sors, dit Amanda quand Cissy ouvrit la porte.

Elle était dehors avant que sa sœur ait pu la retenir.

— Quand est-ce que tu rentreras ? lui cria celle-ci.

Amanda ne se retourna même pas.

— Elle s'en va dès que j'arrive, expliqua Cissy à Delia, qui se contenta de hocher la tête.

— Laisse-la partir, dit-elle. Amanda ne s'est jamais accordé une minute, laisse-la prendre un peu de temps pour elle.

— Et si elle ne revient jamais à la normale ? demanda Cissy. Je ne pourrai pas surveiller éternellement ses gosses.

— Occupe-t'en une semaine de plus. Accorde ça à ta sœur. Qu'est-ce que tu as d'autre à faire ?

Cissy grommela, quoique sans trop de conviction. Elle avait le temps. Mim et Jean la poussaient à faire une nouvelle excursion à Little Mouth, mais elle temporisa.

— La semaine prochaine, promit-elle à Mim. J'ai dit à Delia que je m'occuperais des gamins d'Amanda encore une semaine.

Elle se souciait plus de l'année à venir que de la semaine suivante. Tacey se vantait d'aller étudier à

Spelman et Cissy se rendait compte que ses cours au centre universitaire du coin ne la mèneraient nulle part. Pour elle, l'avenir était aussi inconnu que le passage supposé entre Little Mouth et Paula's Lost. Quand le conseiller d'orientation lui avait demandé ce qu'elle voulait faire, Cissy l'avait dévisagé d'un air déconcerté. Elle n'avait aucun but précis dans la vie. La seule chose qui lui plaisait, c'était la spéléologie, et personne ne prenait ça au sérieux, même pas elle. Elle ne pouvait pas gagner sa vie en rampant sous terre.

— Tu pourrais t'engager dans l'armée, lui dit Dede un jeudi soir au Goober's.

Pendant des mois, Dede et Nolan avaient fréquenté le Goober's au moins deux fois par semaine. Ils commandaient un pichet de bière et un gros panier de légumes frits, et, quand la serveuse ne regardait pas dans leur direction, sifflaient des petits coups de whisky à une bouteille que Dede avait dans son sac. Dede jurait qu'elle ne faisait pas confiance au whisky servi dans les bars, mais c'était en fait au prix, et non à la qualité des bouteilles sans marque qu'elle trouvait à redire. C'était la même chose pour les légumes frits. Personne ne pouvait deviner avec précision ce qu'avaient été ces choses croustillantes avant qu'on les plonge dans la friture en les recouvrant de sauce piquante.

— Reviens sur terre, Dede. Je ne vais pas m'engager dans l'armée.

Cissy était fatiguée, irritable et plus convaincue que jamais qu'elle ne voulait pas d'enfant.

— Moi, c'est ce que je ferais, annonça Dede. Si j'étais à ta place, juste sortie du lycée, sans casier judiciaire ni rien, je m'engagerais à la minute même.

— Ah non, alors ! dit Nolan, épouvanté. On ne peut jamais savoir où on va vous envoyer.

— Tu ne me suivrais pas ?

Dede sirota une gorgée de bière.

— Tu es en train de dire que tu ne me suivrais pas partout où j'irais ?

— Bien sûr que si, je te suivrais.

Nolan remua le pichet qui se trouvait entre eux.

— Je te suivrais en enfer s'il le fallait, mais l'idée que tu puisses être dans l'armée me fait horreur. J'ai rencontré certains engagés et ils m'ont raconté ce qui arrive aux femmes dans l'armée.

— Qu'est-ce que tu veux qu'il m'arrive, hein ?

Dede était rouge et belliqueuse. Cissy se demanda combien de fois elle avait bu en douce à la bouteille cachée dans son sac.

— Tu crois que je tomberais amoureuse d'une grosse gouine de sergent instructeur ?

Nolan en laissa pendre sa mâchoire.

— Non, non. Je me disais simplement que ça ne te conviendrait pas.

— Ça me conviendrait peut-être parfaitement. Tu n'en sais rien.

Dede se leva soudain. Elle vacilla sur ses jambes.

— Ça me plairait peut-être foutrement plus que de rester à Cayro jusqu'à ma mort.

Comme Nolan ne répliquait pas, Dede se dirigea vers les toilettes, évitant de justesse Sheila, la nouvelle serveuse, qui apportait une autre corbeille de légumes croustillants.

— Oh ! elle a un peu trop bu, j'ai l'impression, dit Sheila en riant avant de déposer la corbeille devant Nolan.

— Ouais, fit Nolan.

Il regarda Cissy d'un air lugubre.

— Si tu me demandes mon avis, tes deux sœurs sont en train de changer.

— Pour Dede, je le comprends, dit Cissy.

Elle transperça un champignon et le mâchonna d'un air songeur.

— Mais pour ce qui est d'Amanda, je pensais qu'elle ne changerait jamais.

Nolan piqua dans la corbeille.

— Tout change.

Il regarda en direction des toilettes.

— Tout et tout le monde. Sauf moi, bien sûr. Dede me dit qu'elle aimerait bien que je change, qu'elle aimerait que je lui montre ma vraie nature. Mais c'est bien ce que j'ai fait et elle n'a pas l'air de s'en rendre compte. Je ne suis rien de plus que ça : quelqu'un qui bosse dur, qui s'occupe des gens qu'il aime, qui joue un peu de musique, quelqu'un de stable. Je ne sais rien faire d'autre.

Il soupira.

— Je lui ai demandé trois fois de m'épouser et elle ne répond ni oui ni non. Elle dit que je suis fou et, ensuite, elle baise à m'en faire éclater la cervelle.

Cissy gigota, mal à l'aise.

— Elle t'aime.

— Ouais, ça, je le sais, qu'elle m'aime.

Nolan but une gorgée de bière.

— Je voudrais bien être sûr qu'elle sait vraiment ce que ça veut dire, qu'elle sait vraiment ce qu'est l'amour. Parfois, j'ai l'impression qu'elle prend la sexualité pour l'amour, ou la folie pour l'amour. Pour elle, l'amour doit être une espèce de grande chose bizarre, incroyable, et non pas une affaire quotidienne qui dure toute une vie et plus encore, comme ça l'est pour moi.

Il attrapa un petit morceau de pâte à frire.

— Je crois que l'amour, c'est comme cette courgette. Les courgettes, c'est ce qui fait marcher les affaires du Goober's, tu sais. Tout le monde croit connaître les courgettes. Certains les aiment, d'autres les détestent. Ils ne les connaissent pas vraiment. Elles sont complètement méconnaissables une fois cuites comme ça. Oh, ils mettent un ou deux champignons de temps en temps, mais ça coûte plus cher, alors il n'y en a pas beaucoup. Ils y mettent aussi du poivron vert, ou une carotte, mais c'est surtout de la courgette. C'est parfait pour grignoter dans un bar, pas cher, indéfinissable et banal. La moitié des gens qui mangent ça ne pourraient pas te dire ce que c'est. D'ailleurs, ils croient toujours que c'est autre chose.

— Si tu le dis ! lâcha Dede en s'asseyant à côté de Nolan. De toute façon, moi, je mange ça à cause de la graisse. Pour pouvoir boire davantage. La graisse tapisse l'estomac. Si tu veux boire de la bière et du whisky, il faut beaucoup de graisse.

Elle entoura Nolan de son bras et lui titilla l'oreille.

— Pourquoi on rentrerait pas à la maison ?

Nolan s'essuya la bouche et jeta à Cissy un regard d'avertissement, puis se leva.

— À bientôt, lui dit-il en partant.

— Si tu le dis ! répéta Dede en agitant la main vers Cissy.

Après leur départ, Cissy observa le désordre sur la table, le pichet vide et les restes huileux. Des courgettes spongieuses étaient empilées sur le papier paraffiné salé, au fond du panier. Dede n'avait mangé que la pâte. Quand c'était possible, elle s'en tenait au pain frit et à la viande ; ses plats habituels étaient les hamburgers, les grosses crêpes fourrées et les vitamines qu'elle absorbait toujours en grande quantité.

— Pour l'instant, elle est maigre, mais attendez un peu, répétait tout le temps M.T. Avec ce qu'elle mange, un jour elle enflera comme une outre.

— Si elle ne meurt pas d'une crise cardiaque, dit tout haut Cissy.

— Vous désirez autre chose ? demanda Sheila en commençant à débarrasser la table.

— Le salut, répondit Cissy pour plaisanter.

Elle pensait aux paroles de Nolan. Dede ne savait pas ce qu'était l'amour.

— Ça, vous ne l'obtiendrez pas ici, déclara Sheila avant d'essuyer la table.

Le lendemain matin, Cissy se rendit très tôt chez Amanda. Au moment où tout le monde se leva, elle avait déjà disposé sur la table des œufs au plat avec des rondelles de tomates. Michael s'exclama et remplit les écuelles en plastique de Gabriel et du petit Michael. Amanda cligna des yeux en regardant son assiette comme si elle contenait quelque chose d'inconnu et d'étrange. Avant sa maladie, Amanda s'était mise à manger uniquement des légumes, des fruits et des œufs. Elle faisait du pain quand ça lui chantait, en se servant de recettes d'un livre de cuisine publié par un groupe de femmes, fidèles d'une église de Nashville – surtout du pain aux œufs et du pain au fromage. Pour Amanda, tout devait avoir une référence biblique ou était rayé de sa liste. Quand sa maladie s'était aggravée, elle n'avait plus mangé que du pain qu'elle coupait en deux avec une prière et une bénédiction, et des œufs à peine cuits. Les œufs que Cissy avait préparés étaient mollets mais fermes et ne coulaient pas dans l'assiette, à côté des tranches crémeuses de pain de mie sans beurre ni sel.

— C'est merveilleux, hein ? dit Michael, mais Amanda se contenta de siroter son lait et d'observer les enfants qui se collaient de l'œuf dans les cheveux.

D'une certaine manière, l'ancienne Amanda avait associé les œufs à Jésus, même si Cissy n'avait pas bien compris pourquoi. Elle se disait que ça avait peut-être un rapport avec Pâques.

— Tu ne peux pas comprendre ce genre de truc, avait répliqué Dede quand elle lui en avait parlé la veille. Elle n'est pas rationnelle comme toi et moi. Si moi je pensais à Jésus, j'irais égorger des agneaux. Ou je conduirais des groupes de femmes devant le Piggly Wiggly, pour une veillée de prières, avec Amanda, on ne peut jamais savoir. Qu'est-ce qu'elle fait, en ce moment ?

— Rien du tout. Strictement rien. Le matin, elle se lève et quitte la maison. Elle revient en fin d'après-midi et va immédiatement se coucher. Elle ne me parle pas, même pas pour se plaindre, et ça m'angoisse. Je ne vois pas ce qu'elle peut fabriquer. Ça me fait penser à ces gens qui deviennent fous et tirent sur n'importe qui à la poste ou déposent des bombes dans des hôpitaux. Je n'arrive pas à comprendre ce qu'elle trafique, bon Dieu !

Dede eut un instant le visage inexpressif, puis se mit à rire avec amertume.

— Peut-être qu'elle a enfin les pieds sur terre, comme tout le monde, dit-elle. Peut-être qu'elle commence enfin à comprendre la réalité.

En voyant Amanda boire son lait et ignorer le plat d'œufs, Cissy se remémora l'expression de Dede dans le bar. Elle se rendit compte que ses sœurs se ressemblaient de plus en plus. La veille, Dede avait eu un visage tellement tendu et fatigué qu'elle faisait davantage penser à son aînée qu'à elle-même. Et l'Amanda qui buvait son lait et fixait ses fils d'un regard apathique, inexpressif, paraissait plus jeune, on aurait dit une jeune fille qui rêve d'avoir une famille et ne sait pas trop comment elle s'en débrouillera.

Avant que Michael ait eu le temps de partir pour aller rendre ses visites à domicile, comme tous les vendredis, Amanda avait attrapé son sac, franchi le seuil et filé.

— Où est-ce qu'elle va ? demanda-t-il à Cissy.

Il avait du jaune d'œuf sur toute la manche du bras qui soutenait le petit Gabriel.

— Comment veux-tu que je le sache ?

Cissy lança un torchon à Michael.

— Je t'abandonne, dit-elle. J'ai besoin d'une journée de liberté ou je risque de noyer tes fils.

Cissy avait l'habitude de voir Amanda un peu partout – à l'atelier de couture de Main Street, à la boulangerie de Weed Road, ou au Quick Stop, près du lycée. Amanda avait toujours eu le même emploi du temps. Une femme qui est l'épouse d'un pasteur et élève deux garçons se doit d'avoir une certaine organisation. Mais, entre les enfants, les prières à l'église, l'instruction religieuse pendant les vacances, l'école du dimanche et les leçons de musique, elle n'était jamais à l'heure et ne se trouvait jamais là où on la croyait. Elle avait beau s'occuper des courses tous les week-ends, il lui restait toujours quelque chose à faire à la dernière minute. Il fallait livrer des ragoûts aux malades et aux affligés ; récupérer des vêtements usagés, ce qui voulait dire aller chercher des chargements de linge à la blanchisserie, le repasser et bien le plier ; photocopier des rapports sur les statistiques des avortements, avec des photos à grain énorme montrant des fœtus estropiés dans des cuvettes en faïence. Les jeunes filles qui l'aidaient avaient formé un groupe musical. Amanda leur avait même écrit une composition originale qui donnait la parole à un fœtus avorté et s'intitulait : *Je te pardonne, mais le Seigneur n'est pas content.*

La Honda marron d'Amanda roulait péniblement de l'école religieuse au magasin Kmart, de A & P au Little People's Music Emporium. Amanda arpentait constamment les trottoirs de Cayro, poussait la porte du Bonnet dans l'après-midi, ou jouait même des coudes dans la foule qui sortait du centre universitaire à midi. Où trouve-t-elle le temps de faire tout ça ? avait protesté Cissy en essayant de reconstituer l'emploi du temps de sa demi-sœur. Où avait-elle toujours trouvé le temps, bon sang ?

Ce vendredi après-midi, Cissy aperçut la voiture d'Amanda à un endroit où elle n'aurait jamais pensé la trouver.

— M.T., arrête-toi ! beugla-t-elle.

— Qu'est-ce qu'il y a ?

M.T. était impatiente. Elle ne trimballait pas souvent Cissy et n'était pas ravie de devoir le faire. Pourquoi n'apprenait-elle donc pas à conduire ?

— Tu as un œil qui voit bien, répétait M.T. La plupart des gens qui conduisent à Cayro ne peuvent pas en dire autant.

— C'est pas la voiture d'Amanda, là ?

— Quoi, la Honda couverte de boue ? Comment veux-tu que je le sache ? Elle pourrait appartenir à n'importe qui. Bon, écoute, tu veux que je t'emmène chez ces filles, oui ou non ? J'ai cru t'entendre dire que tu devais y être à 13 heures.

M.T. gigota, mal à l'aise. Le printemps avait été chaud. Elle détestait conduire en pleine chaleur, d'autant plus qu'elle ne pouvait pas se permettre de laisser la climatisation en permanence. Ça consommait tellement d'essence ! D'ailleurs, les gens l'auraient remarqué. Ils auraient dit qu'elle avait besoin de climatisation parce qu'elle était grosse. Ça ne gênait pas du tout M.T. d'être grosse. Ce qui la gênait, c'était que les gens fassent des réflexions.

— Si Amanda va au Goober's dans l'après-midi, j'ai besoin de le savoir.

— J'ai pas le temps de vérifier l'emploi du temps d'Amanda et de te conduire à l'autre bout de la ville.

— Alors, laisse-moi descendre.

— Dede, Dede, Dede.

Nolan fourra le nez dans la nuque de Dede tandis que ses mains glissaient sur son corps pour se refermer sur son ventre.

— Tu es tout pour moi. Mon cœur est à toi.

Il soupira de bonheur, les hanches ployées vers les siennes, les orteils repliés de ravissement.

— Oh ! pour l'amour de Dieu !

Dede fléchit brusquement les jambes et écarta les mains de Nolan.

— Laisse-moi me lever, dit-elle en lui donnant un coup de pied. Je t'ai dit de me laisser me lever.

Elle faillit tomber du lit et retrouva l'équilibre en vacillant. Nolan se redressa, interdit.

— Qu'est-ce qui ne va pas ?

— Rien, bon Dieu ! J'peux pas me lever quand j'en ai envie, maintenant ?

Dede alluma une cigarette d'un air furieux et envoya un coup de pied dans le tas de vêtements jetés sur le sol.

— Seigneur ! Y a des fois où tu me tapes sur les nerfs, tu sais ?

Elle repoussa les cheveux qui lui retombaient sur le visage et lança un regard noir à Nolan. Le corps de Dede brillait aux rayons qui filtraient par l'ouverture des voilages bleus de la chambre. Nolan balança les jambes sur le côté du lit et tenta un sourire hésitant.

— Parfois, tu aimes sentir mon poids sur toi.

— Et parfois, j'aime pas ça.

Dede repêcha ses sous-vêtements dans le tas désordonné. Elle s'habilla avec des gestes brusques, impatients.

— Tu sais, parfois, une femme a besoin d'un peu de temps à elle. Sans avoir toujours un bonhomme aux fesses.

Dede enfila son chemisier en coton sans prendre la peine de mettre son soutien-gorge. C'était une chemise western jaune à carreaux, à boutons-pression et aux manches coupées. Elle referma les boutons, la cigarette à la bouche. La fumée la fit loucher.

— Si tu as besoin de temps à toi, tu sais bien que tu peux le prendre, dit Nolan.

Il observait Dede qui partait à la recherche de ses tennis. L'une se trouvait sous le banc, près de la fenêtre, l'autre à côté de la coiffeuse. Une fois qu'elle les eut réunies, elle se laissa tomber sur le banc et les enfila sans se préoccuper des chaussettes.

— On pourrait peut-être aller visiter cet endroit où tu es déjà allée, Nag's Head ? suggéra Nolan. On se prendrait quelques jours de vacances.

Nolan se leva et rassembla ses habits. Il mit son slip, les yeux fixés sur Dede, puis enfila son jean.

— Tu n'as pas pris de congé, cette année, si ?

Dede rejeta la fumée et baissa la tête.

— Je n'ai pas pris de congé de toute ma vie, lui dit-elle avant de tendre la main pour poser sa cigarette sur le rebord de la fenêtre. Mais je ne veux pas aller à Nag's Head.

Sa bouche formait une ligne horizontale, sévère.

Nolan passa son T-shirt par-dessus sa tête.

— Tu es encore en colère contre moi ?

— Ne commence pas.

— Dede, je t'ai avertie. C'est normal qu'avec les sentiments que j'ai pour toi je te demande de m'épouser. Tu sais très bien que tu peux refuser et m'envoyer sur les roses.

Dede se mit les mains devant le visage.

— Écoute, chérie, je t'ai déjà dit que je comprenais que tu ne tiennes pas à te marier. Si tu veux continuer comme ça, ça me va.

Nolan prit les mains de Dede dans les siennes.

— Je veux bien continuer comme ça éternellement, je te l'ai dit. Et, si tu y tiens, j'essaierai de moins t'embêter.

Il sourit pitoyablement. Dede secoua la tête.

— Nolan !

Il se pencha et enfouit le visage dans les cheveux emmêlés de Dede. Il inspira profondément.

— Oh ! tu sens tellement bon, murmura-t-il.

— Merde.

Dede sanglotait presque. Elle le repoussa.

— Quoi ? Qu'est-ce qu'il y a ?

— Rien.

Elle s'essuya les yeux.

— Dede ?

— Tais-toi. Ne dis rien, d'accord ? Laisse-moi tranquille une minute.

Elle s'essuya de nouveau le visage et se passa les doigts dans les cheveux. Ses yeux scrutaient le visage déconcerté de Nolan. Brusquement, elle se pencha vers lui et plaqua les lèvres sur les siennes. Elle l'embrassa violemment en lui agrippant le cou.

— Bon sang ! souffla-t-elle sur sa bouche.

Elle l'embrassa une nouvelle fois.

— Oh ! ma chérie ! chuchota-t-il à son tour. Mon cœur.

Il l'entoura de ses bras, pétrit le nœud serré des muscles au niveau de ses épaules et la massa jusqu'aux hanches. Dede s'écrasa désespérément contre lui, sa bouche meurtrissant la sienne.

— Oh ! mon Dieu ! gémit Nolan.

Il souleva à demi Dede, l'entraîna vers le lit.

— Non.

Elle le repoussa et le fit trébucher. Elle vacilla tandis qu'il retombait sur le lit.

— Il faut que je parte, dit-elle.

— Enfin, Dede !

La voix de Nolan était tremblante, ses poings serrés sur ses genoux.

— Ne me fais pas ça. Dis-moi ce qui se passe.

Dede rajusta sa chemise et en rentra les pans dans son jean.

— Je te le dirai plus tard. Je te parlerai ce soir.

Assis sur le lit, Nolan essayait de reprendre son souffle. Il tendit l'oreille pendant que Dede sortait par la porte de la cuisine et descendait les marches.

— J'comprends pas, dit-il tout haut. Vraiment, j'comprends pas.

Il entendit claquer la portière de la voiture et s'imagina Dede en train de se glisser sur le siège de la Volkswagen couleur de navet, ses cheveux clairs scintillant sur la garniture poussiéreuse. Il se rappela le comportement qu'elle avait eu la veille au Goober's. Ses sautes d'humeur semblaient de plus en plus prononcées, ces temps-ci, même si elle affirmait qu'elle ne prenait pas de drogue. Il croyait savoir de quoi il retournait, mais n'osait pas le formuler. Il attendrait. Il la laisserait le lui annoncer. Il s'essuya le visage et soupira. Il avait l'impression que son pantalon était trop serré et collant de transpiration. Dieu merci, Tacey était sortie avec Nadine pour acheter de nouvelles chemises de nuit, profitant de la camionnette qui emmenait les handicapés chez Beckman le vendredi. Il avait eu éperdument besoin de tenir Dede tout contre lui, de lui faire l'amour et de sentir qu'elle avait envie de lui autant qu'il avait envie d'elle. Le besoin douloureux qu'il avait d'elle ne cédait jamais, ces temps-ci, mais tous deux semblaient constamment à bout.

— Peut-être qu'elle l'est, murmura Nolan. Peut-être.

Il essuya la sueur qui coulait devant ses yeux. Il n'allait plus y penser. Il ne pouvait rien faire tant que Dede n'aurait pas décidé de lui parler.

Nolan attrapa les draps humides et ramassa les vêtements sales, par terre. Il ferait une lessive et mettrait un peu d'ordre. On était encore au milieu de l'après-midi et il n'était pas fatigué. Il ferait un peu de ménage avant le retour de Nadine et de Tacey. Pour le dîner, il irait peut-être leur chercher du poulet frit à l'endroit qu'aimait bien Nadine, à Yarnell Road. Dernièrement, Tacey avait tout le temps fait la cuisine et il lui fallait un soir de repos.

Quand le pick-up de Sheila s'arrêta dans l'allée, Nolan faisait couler de l'eau chaude sur la vaisselle sale. La machine était en marche et toutes les fenêtres étaient ouvertes.

— Vous faites du ménage ? demanda Sheila en riant. Vous êtes un sacré numéro, Nolan Reitower, vous le savez ?

Elle poussa la moustiquaire et lui adressa son plus grand sourire.

— Je vous ai rapporté le livre de musique que vous avez oublié au Goober's hier soir. Je me suis dit que vous pourriez en avoir besoin.

Nolan la remercia d'un signe de tête. Il avait les bras pleins de bulles de savon et une coulée de sueur sur le nez.

— C'est gentil.

Sheila posa le livre sur la table et jeta un coup d'œil dans la cuisine.

— Ça, vous êtes un bosseur.

— Il faut bien s'y mettre de temps en temps, dit Nolan. La maison se salit.

— Et vous êtes comme ça, hein ? Quand une chose doit être faite, vous vous y mettez, pas vrai ?

Elle fronça joliment le nez.

— Comme je le disais, vous êtes un sacré numéro.

Elle s'approcha de Nolan, le considéra de ses yeux alourdis de mascara et se haussa sur la pointe des pieds pour l'embrasser sur la bouche.

Nolan haleta et se figea, ses mains savonneuses en l'air.

— Oh là là ! Regardez-moi un peu ça ! dit Sheila avec un petit rire. Je ne vais pas vous mordre. Et je sais que vous êtes pris. Le monde entier le sait.

Elle l'embrassa une nouvelle fois, très amusée de le voir rougir et trembler.

Quand Sheila se retourna pour partir, Dede se tenait sur le seuil et les observait. Elle avait un sac de provisions dans les bras et un teint aussi blême que la lune dans le ciel nocturne.

— Espèce de salaud ! hurla-t-elle. Putain d'salaud !

Rien dans sa vie n'avait préparé Cissy au spectacle d'Amanda assise au bar du Goober's, les joues empourprées, les yeux pétillants. Était-elle soûle ? Est-ce qu'Amanda était soûle en pleine journée ? Elle avait un grand verre devant elle, à moitié plein de l'une des fameuses spécialités du Goober's. Vodka, Cointreau, lait de coco, glaçons, jus et tranches d'ananas remplissaient le haut verre suant.

Cissy s'assit à côté d'elle.

— Alors, qu'est-ce que tu fabriques ?

Elle était surprise de constater à quel point sa voix ressemblait à celle de Delia. Une voix de maman, pensa-t-elle. Me voilà en train de parler comme une mère.

Amanda tourna lentement la tête pour lui faire face.

— Pourquoi est-ce que tu n'es pas en train de surveiller les enfants ?

— Michael s'en occupe.

Cissy prit une profonde inspiration. Elle sentait l'odeur du Cointreau. Amanda haussa les épaules.

— Bon, très bien.

— Qu'est-ce que tu fais au Goober's ?

— Je suis en passe de devenir une habituée.

Amanda but une gorgée et regarda Cissy en roulant les yeux.

— Tu as l'air choquée, dit-elle.

— Je le suis. Qu'est-ce qui te prend ? Tu files tous les jours de la maison et, le peu que tu y es, tu regardes à peine tes enfants. C'est ça que tu faisais ? Tu venais tous les jours te soûler au Goober's, le cul sur un tabouret de bar ?

— Non, dit Amanda en secouant la tête. C'est seulement la deuxième fois. Je suis allée au centre commercial. Je suis allée au golf miniature et au centre de jeux vidéo, à Marietta. Je suis allée me faire faire les ongles et, un jour, j'ai roulé jusqu'à Chattanooga pour admirer le pont avant de revenir à la maison.

— Pourquoi t'as fait ça ?

— Je ne l'avais jamais vu. J'ai commencé à penser à toutes les choses que je n'avais jamais vues et j'ai décidé d'y aller.

Elle s'interrompit et but une nouvelle gorgée.

— Et puis, mercredi, j'ai été arrêtée, dit-elle en prononçant distinctement et précisément chaque syllabe.

— Arrêtée ?

— Et relâchée. Le shérif adjoint n'a pas voulu me garder malgré tout ce que je disais. Et pourtant, je n'y allais pas de main morte. J'ai sorti des tas de choses, mais ils se sont contentés de me balader et ils n'ont pas fait attention à moi. Ils m'ont fait descendre devant ma voiture. Ils m'ont dit de rentrer chez moi et de parler encore un peu à Dieu.

Elle se pencha légèrement en avant et tira sur la paille rose qui transperçait une tranche d'ananas.

— Je ne connaissais pas cet adjoint. Je ne l'avais encore jamais vu de ma vie, mais lui, il me connaissait. Il m'a dit qu'il savait très bien qui j'étais.

Elle regarda Cissy.

— Comme je ne voulais pas descendre, il m'a poussée dehors. Il est monté à l'arrière, à côté de moi. Avec un rire mauvais, il a avancé en gigotant de façon à me pousser dehors et à me faire tomber sur les fesses.

Elle remua son verre sur le comptoir pour souligner ses paroles.

— C'était grossier, conclut-elle. Cet homme était grossier.

Cissy pivota sur son tabouret.

— Je ne comprends pas, dit-elle. Où étais-tu quand tu t'es fait arrêter ?

— Au Centre du planning familial.

Amanda avala une rapide gorgée et soupira.

— J'essayais de bousiller une de leurs machines à écrire. Je n'ai pas réussi à faire grand-chose. Je crois qu'ils m'attendaient.

Elle resta assise tranquillement pendant une minute, les yeux fixés sur son verre, puis reprit d'une toute petite voix :

— Je me suis sentie tellement ridicule.

Cissy voyait des larmes dans les yeux d'Amanda. Elle ne s'autorisait pas à pleurer, mais elle était larmoyante, en sueur et abattue. On aurait dit qu'elle s'était bagarrée. Elle avait également l'air de quelqu'un qui buvait de l'alcool pour la première fois.

— Tu sais, je ne m'étais encore jamais sentie ridicule.

Amanda parlait d'une voix calme et lente. Elle semblait chercher ses mots, avec sincérité.

— J'ai déjà fait des choses idiotes, et des choses que les gens trouvaient idiotes. Mais ça m'était plus ou moins égal. J'ai toujours eu l'impression que je savais ce que je faisais. Que Dieu veillait sur moi, m'envoyait où je devais me trouver, me montrait la voie à suivre.

— Ça va ?

Cissy était déroutée par le spectacle d'Amanda assise au comptoir, en train de siroter son cocktail et de parler.

— Très bien, répondit Amanda en avalant une nouvelle gorgée. Ça va très bien.

De la main droite, elle se tapota doucement l'abdomen.

— Les calculs ont été réduits en cendres et en culpabilité.

Elle grimaça un sourire, comme si elle n'avait pas voulu dire ça, puis avala une gorgée et jeta un regard circulaire dans le bar. Elle fronça les sourcils en voyant les photos encadrées sur le mur, celles de filles du coin en maillot de bain.

— Tu sais, c'est à dessein que Dieu ne nous rend pas les choses faciles, reprit-elle tandis que son regard devenait fixe et que son visage s'assombrissait. Les choses sont censées être difficiles. Si elles ne l'étaient pas, à quoi ça servirait ? J'ai toujours cru savoir ce que c'était, d'affronter une difficulté.

Elle fronça de nouveau les sourcils et pinça les lèvres.

— J'ai toujours cru que c'était comme prier ou grimper une montagne. On ne dévie pas de son objectif, on avance en demandant de l'aide à Dieu, mais on continue à avancer.

Elle tira un bon coup sur sa paille, puis repoussa le verre. Quand elle reprit la parole, son ton était empreint de regret.

— Au moment où j'ai cru mourir, je me disais que c'était la volonté de Dieu. Tout ce que j'avais à faire, c'était de bien mourir. Je pensais que Dieu se servait de moi pour donner une leçon. Je croyais avoir un cancer comme Clint, ou quelque chose de pire, qui me dévorait de l'intérieur. J'étais fière, obstinée dans ma douleur.

Elle eut un rire amer.

— Et puis, je me suis retrouvée avec des calculs biliaires. Rien qu'à les entendre, ces mots m'ont arraché le cœur. Des calculs biliaires.

Elle se passa la langue sur les lèvres et sifflota.

— À ton avis, est-ce que Dieu pourrait avoir le sens de l'humour ? demanda-t-elle.

Avec deux doigts, elle s'essuya le front et se remit à rire.

— J'y ai beaucoup pensé, au sens de l'humour de Dieu.

— Je crois que tu devrais aller parler à ton docteur.

Cissy essayait de garder une voix égale, mais elle l'entendait se fêler. C'était dingue. Dans la longue vie de folie d'Amanda, c'était encore le plus dingue.

— Bon, de toute façon, ce genre de difficulté, pour moi, c'est complètement nouveau, dit Amanda sans tenir compte de la remarque de Cissy. C'est dur quand on ne sait pas ce qu'on fait ni ce qu'il faut faire et quand on se demande si on n'est pas idiot. J'ignorais tout ça. Et j'ai toujours voulu l'ignorer.

Cissy garda le silence, les yeux fixés sur le profil d'Amanda.

— Je crois que je vais devoir apprendre, dit Amanda.

Elle se servit de la serviette en papier pour s'essuyer les sourcils. Elle regarda Cissy avec un calme immense.

— Je crois que je vais devoir apprendre, répéta-t-elle.

Le patron se pencha par-dessus le verre presque vide.

— Vous êtes les filles Byrd, c'est bien ça ?

Cissy dévisagea l'homme. Elle avait l'impression qu'elle avait elle-même vidé le verre d'Amanda et que son sang était gorgé d'alcool et de confusion. Elle réussit à répondre oui d'un signe de tête, puis se retourna vers Amanda, mais l'homme posa la main sur le comptoir.

— Bon, c'est pas que ça me fasse plaisir de vous l'annoncer, mais votre sœur a été arrêtée. Elle a tiré sur Sheila, une de mes serveuses. Elle l'a ratée, heureusement, mais elle a touché ce garçon qui tient le Biscuit World. Elle lui a tiré deux ou trois fois dessus, il paraît.

Cissy en resta bouche bée. Dede avait tiré sur Nolan ?

— Elle lui a tiré dessus ? demanda Amanda

Elle se tenait tout près de Cissy, sa bouche à quelques centimètres à peine de la sienne.

— Elle a essayé de le tuer, confirma le patron. On vient de l'emmener en prison. La mère de Sheila m'a appelé. Elle dit que Dede est devenue complètement folle et qu'elle a tiré dans toute la maison.

— Elle n'a pas tué Nolan ?

— Il n'était pas mort tout à l'heure, mais peut-être qu'il l'est maintenant, j'en sais rien.

— J'y vais, dit Amanda, l'air parfaitement dégrisée. Viens.

Elle attrapa son sac et ses clés sur le comptoir.

— Viens, répéta-t-elle.

Elle prit Cissy par le bras et l'entraîna vers la sortie.

21

Delia remboursa Marcia Pearlman avec l'argent qu'elle toucha quand des compilations de Mud Dog ressortirent en cassettes, un an après le mariage d'Amanda, mais elle allait toujours la coiffer le vendredi matin en laissant à M.T. et à Steph le soin d'ouvrir le Bonnet. Ce vendredi-là, elle était en retard, mais Marcia ne parut pas contrariée. Elle sourit d'un air heureux quand elle arriva, coupa le son du téléviseur et posa une serviette sur ses épaules pendant que Delia sortait de son sac shampooing et produits de soins.

Marcia n'avait que la peau sur les os et était plus handicapée que jamais. Il lui fallait faire un immense effort pour marcher, courbée et hésitante. Elle avait perdu tout intérêt pour la nourriture depuis plusieurs mois et faisait sonner un réveil pour s'obliger à manger presque toujours la même chose, des macaronis au fromage, des carottes vapeur, des salades de fruits.

— À mon âge, ça suffit, disait-elle à Delia. Mais ce qui me manque, c'est la salade de concombres et le travers de porc au barbecue.

— Je peux vous apporter des grillades quand vous voulez.

— Oh ! ça ne ferait plaisir à personne de se trouver à côté de moi si je mangeais du travers de porc grillé. De toute façon, je sens à peine le goût des aliments. Et le Dr Campbell me dit d'éviter le sel et la sauce piquante. Ça retire tout le plaisir. Rien n'est bon sans sel.

Pour la réconforter, Delia lui avait apporté du pudding acheté dans un café de la ville, préparé avec une sauce au citron tellement forte qu'on la sentait de la rue.

— Personne d'autre que vous ne peut en manger, remarqua Delia en riant.

Marcia avala une bouchée et sourit.

— Moi, je trouve ça très bon, et on dirait qu'ils ont retiré les pépins.

Elle mangea une partie du pudding tandis que Delia installait un bac à shampooing dans l'évier de la cuisine. Elles suivaient à présent un rituel rassurant qu'elles attendaient toutes deux avec plaisir. Marcia éteignait même son téléviseur pendant la visite de Delia, ce qu'elle ne faisait jamais, d'habitude. Son neveu Malcolm, qui travaillait comme mécanicien chez Firestone, avait emménagé chez elle après son attaque et payé le raccordement au câble pour avoir accès à un grand nombre de chaînes. Marcia était devenue accro au zapping, regardait des tas de choses différentes l'une après l'autre – des vieux films, des émissions sur la nature et tous les programmes musicaux.

— Les gamins ont l'air tellement jeunes, disait-elle à Delia presque toutes les semaines. Ils ne savent rien de ce qui les attend.

— C'est vrai. Et c'est probablement mieux comme ça, vous ne croyez pas ?

— Je n'en sais rien. Y a des jours où je me dis que la vie devrait vous arriver avec un avertissement écrit en gros dessus.

Ce vendredi-là, alors qu'elle avait les cheveux pleins de mousse, Marcia leva soudain la main pour saisir celles de Delia. Ses yeux brillaient, ce matin-là, et sa peau était translucide.

— J'ai fait un de ces rêves, cette nuit ! dit-elle.

Le teint pâle s'empourpra et la bouche se retroussa légèrement.

— Un cauchemar, c'est ça ? demanda Delia avec un sourire.

— Oh ! non, pas ce que vous croyez, dit Marcia. J'en fais quelquefois, mais ce n'était pas ça. J'ai rêvé à mon bébé.

— À votre bébé ?

Les doigts de Delia s'immobilisèrent. À sa connaissance, Marcia et son mari n'avaient jamais eu d'enfant.

Marcia le confirma d'un signe de tête et ferma les yeux. Un filet d'eau lui coula sur la mâchoire. Delia l'essuya avec la serviette.

— J'ai eu un bébé quand j'étais jeune fille, expliqua Marcia. J'avais quatorze ans et j'étais bête au possible. Je ne suis pas sortie pendant six mois et j'ai accouché à la maison. Mon père l'a emmené à Saint Louis et l'a donné à une dame. Elle les plaçait chez des gens bien qui en voulaient. Nous n'en avons jamais parlé. Je ne l'ai même pas dit à mon mari quand je l'ai épousé.

Elle relâcha les mains de Delia.

— Quatorze ans, c'est bien jeune, dit Delia.

— Oui. C'est jeune.

Marcia ouvrit les yeux. Les iris d'un bleu passé étaient brumeux, mais dénués de tristesse.

— Je n'ai jamais essayé de le retrouver, reprit-elle. Je n'ai jamais écrit. Jamais téléphoné. J'ai essayé de faire comme si rien ne s'était passé, surtout du fait que je n'en ai jamais eu d'autre.

— Je comprends.

Delia actionna la douchette pour rincer les cheveux fins de Marcia. L'eau était tiède sur ses doigts. Elle pencha soigneusement la nuque de Marcia en arrière.

— C'était un garçon aux yeux bleus, se souvint Marcia. Dans mon rêve, il avait les cheveux très bruns et ces beaux yeux. Il grimpait les marches et entrait dans la maison en ayant l'air de très bien se repérer. Il avançait droit sur moi et m'embrassait sur la bouche. Il ne m'en voulait pas du tout. Il était seulement content de me rendre visite, c'était vraiment étrange. Je n'avais pas peur. J'étais heureuse de le voir.

— C'est bon signe.

Delia lui enveloppa la tête d'une serviette chaude.

— Oui.

Marcia repoussa un instant la serviette pour regarder Delia dans les yeux.

— Je voulais que vous sachiez. Chaque fois que je vous regarde et que je me rappelle ce que vous avez fait avec vos filles, je pense à mon fils. Je l'imagine avec une famille qui l'aime, avec des enfants à lui que je ne verrai jamais.

— Oh, ma pauvre, je suis navrée.

— Non, non, dit Marcia en secouant la tête avec insistance. Vous ne comprenez pas. Je ne regrette rien. Je l'ai regretté. Je me représentais des choses terribles, des gens qui le traitaient avec méchanceté, et lui, affamé, gelé et abandonné. Des choses terribles, mais, ces dernières années, j'ai eu l'impression qu'il allait bien, qu'il n'était pas tombé parmi des pierres, comme dit la Bible, mais dans des mains tendres. Il est aimé, je le sais, et il ne me hait pas.

Delia observa la peau qui remuait sur le cou de Marcia, les petites taches qui parsemaient sa gorge. Cette femme s'était montrée bonne envers elle. Cette femme était son amie.

— C'est bon signe, répéta-t-elle.

Elle avait un poids sur la poitrine et la gorge nouée, douloureuse.

— Oui, dit Marcia en tirant sur son col et en repoussant les cheveux humides qui s'étaient échappés de la serviette. À votre avis, on devrait les couper un peu, cette semaine ? demanda-t-elle. On dirait qu'ils n'ont presque pas poussé et tout ce que je veux, c'est avoir l'air présentable pour aller à l'église dimanche. En ce moment, je n'en demande pas plus.

Delia posa de nouveau les mains sur la tête de Marcia. Elle ferma les yeux et inspira profondément. Tout irait bien. Elle savait comment faire. Le téléphone mural installé près de la porte du salon sonna bruyamment.

Marcia y jeta un coup d'œil, l'air malheureuse.

— Nous ferions mieux de répondre. On ne sait jamais qui ça peut être.

En regardant Dede de l'autre côté de la table balafrée, au parloir de la prison, Cissy constata une fois de plus à quel point sa sœur ressemblait à Delia. Le bourdonnement d'énergie qui résonnait autour de Dede rappelait le chœur assourdi qui entourait Delia, légère charge électrique dans l'air, qui vous picotait la peau et vous hérissait les cheveux dans la nuque. Avec elles deux, on avait toujours l'impression que quelque chose allait se passer et, quand cela finissait par arriver, les gens n'étaient pas surpris mais soulagés.

Voilà ce que Cissy ressentait dans cette prison – une impression de soulagement. Elle était reconnaissante que personne n'ait été tué et que, pour l'instant du moins, l'orage soit passé, mais, au faible tremblement des doigts de Dede, elle comprenait qu'une nouvelle charge électrique se formait et que sa sœur commençait déjà à vibrer d'une furieuse énergie.

— Je suis contente de lui avoir tiré dessus.

Dede brandit sa cigarette et fronça les sourcils en remarquant la consternation de Cissy.

— Quel sale con ! Il croyait pouvoir me traiter comme ça. Quel sale con !

Elle avait la voix égale, mais forte, trop forte, et les gestes un peu trop amples. Dede savait que la gardienne, à la porte, tressaillait chaque fois qu'elle prenait la parole, Cissy le voyait bien.

— J'ai l'impression d'avoir traîné Nolan derrière moi toute ma vie. Ses yeux de merlan frit me poursuivent depuis toujours. Je l'ai tout le temps traité comme un chien galeux et il ne m'en a que davantage collé aux talons. Il jurait qu'il m'aimerait toujours, mais je le savais. Quand on a commencé à se voir, je savais que ça finirait mal. Un type qui court autant après une femme est obligé de se venger. Arrive le moment où il le lui fait payer.

Elle lança les cendres de sa cigarette en direction du petit cendrier en aluminium et jeta un coup d'œil autour d'elle, comme si elle s'attendait à voir quelqu'un l'approuver.

— Alors, j'attendais que ça arrive. Je savais que ça n'allait pas rater, qu'il allait me jouer un sale tour.

Ses épaules se haussèrent et retombèrent.

— Voilà. J'suis pas une imbécile. Je sais comment ça se passe.

Dede s'affaissa sur sa chaise. Cissy aurait bien aimé lui prendre la main. On l'avait avertie qu'elle ne devait pas se lever de la table ni, surtout, toucher Dede, quelles que soient les circonstances. Elle s'était empressée d'accepter, loin d'imaginer à quel point ce serait dur de voir sa sœur aussi abattue sans pouvoir s'approcher d'elle. Son expression devait être éloquente car Dede se détourna en grinçant des dents.

— Bon Dieu ! J'ai même pas réussi à supporter ça !

Elle inclina la tête et se frotta maladroitement la joue contre sa manche.

— Tu te rends compte, cette petite garce ! Cette Sheila ! C'est vraiment pas une beauté fatale et, en plus, elle est stupide. Dire que c'est avec elle qu'il a fait ça. Cette putain de serveuse m'apportait de la bière et des oignons frits, et voilà qu'il se met à l'embrasser !

Cissy se pencha légèrement en avant.

— Dede, il ne l'a pas...

— Merde alors, si !

Dede abattit ses coudes sur la table.

— Bien sûr que si, nom de Dieu ! Tu crois que j'suis pas au courant ?

— Dede, tu racontes n'importe quoi. Nolan n'a jamais regardé Sheila. La seule chose qu'il ait faite, c'est d'aller manger au Goober's, et elle flirtait avec lui comme avec tout le monde. Ils ne faisaient rien du tout. Elle était seulement en train de le chambrer.

— Ne me sors pas ce genre de conneries. Ne me raconte pas de bobards. Je sais comment ça se passe. Il aurait pu lui dire de tirer ses fesses de là. Il me dit qu'il m'aime, et après, il embrasse cette garce. Et je l'ai vue au Biscuit World, en train de tourner autour de son camion en tortillant du cul et en riant à gorge déployée. Je sais ce que je sais.

Les mains de Dede tremblaient. Elle ne cessait de donner des petits coups de tête en avant et de se tasser sur sa chaise.

— C'est pas arrivé comme ça, tout d'un coup ! s'écria-t-elle. S'il voulait me quitter, il aurait pu me le dire en face et ne pas me faire ça. Il me ment. Il me demande de l'épouser, et puis il me ment !

— Il t'a demandé de l'épouser ?

— Et comment, qu'il me l'a demandé !

— Oh ! Seigneur ! C'est donc ça ? Bon Dieu, Dede, puisque tu sais tellement de choses, comment ça se fait que tu ignores que Nolan t'aime ?

— Il m'aime ?

— Oui.

— Si Nolan m'aimait correctement, cette histoire ne serait jamais arrivée. S'il m'aimait correctement, il n'aurait pas joué à ça. Je l'avais prévenu. Tu te rends compte de ce que je ressens ? Je l'ai cru, j'avais confiance en lui, je me suis mise à l'aimer, et voilà qu'il me traite comme ça ! Je lui faisais confiance. Je lui faisais confiance !

Le visage de Dede était blême.

Cissy la fixa par-dessus la table. Elle éprouvait le terrible sentiment de tout comprendre. La fille de Delia Byrd avait fait la seule chose qu'elle avait juré de ne jamais faire. Dede avait remis sa vie entre les mains d'un homme. Que Nolan l'aime importait peu.

Ne t'occupe pas du règlement, pensa Cissy. Elle tendit la main pour prendre celle de Dede.

— Si, il t'aime, affirma-t-elle en ignorant la grimace de Dede. Il est criblé de balles et il essaie de te tirer de là. Il dit qu'il ne portera pas plainte. Et que tout est de sa faute. S'il ne tenait qu'à lui, je crois qu'il serait en prison à ta place.

— Il devrait l'être.

Dede libéra sa main et jeta un coup d'œil à la gardienne, qui n'avait pas bougé. Elle colla les coudes au corps.

— Il devrait l'être, répéta-t-elle, cette fois tout bas.

— Oh ! Dede !

Cissy joignit les mains pour s'empêcher de les tendre à nouveau en avant.

— Ça va ? demanda-t-elle, uniquement pour ne pas rester muette. Tu as besoin de quelque chose ?

Elle ne put se retenir de scruter la gardienne. Le visage de la femme était sévère, ses yeux soigneusement fixés sur le mur d'en face, mais elle avait les joues roses et la tête légèrement tournée pour pouvoir entendre chaque mot de leur conversation.

— Non, de rien.

Dede attrapa le paquet de cigarettes et le reposa sur la table.

— Delia est venue m'apporter des trucs. On n'a pas pu parler, mais elle m'a apporté toute une cartouche de Marlboro extra-longues. D'après les critères d'ici, je suis presque riche. Ils ne m'ont pas laissée la voir parce qu'ils n'avaient pas terminé de prendre tous les renseignements sur moi. Tu aurais dû l'entendre pousser une gueulante !

Elle se frotta la joue contre l'épaule et leva la main afin d'ôter un brin de tabac de sa lèvre inférieure. Cissy était contente qu'on lui ait retiré les menottes après l'avoir amenée au parloir. Ça l'avait remuée de la voir les poignets attachés devant elle.

Dede jeta un bref regard vers la porte.

— Alors, comment il va ?

Elle parlait à voix basse, comme si elle n'était pas sûre de vouloir le savoir.

Quand la gardienne changea de position, Dede se redressa sur sa chaise.

— Il est pas encore mort ? dit-elle d'une voix forte et traînante.

Cissy tressaillit.

— Il va bien. Delia est avec lui. Elle reviendra tout à l'heure. Elle te fait dire de ne pas t'inquiéter, qu'il ne va pas mourir.

Cissy entendit sa propre voix, aiguë, tendue dans la petite pièce. Comment pouvait-on parler normalement d'un tel sujet dans un tel endroit ?

— Tu l'as salement esquinté, en tout cas à la jambe. Elle est touchée jusqu'à l'os. Emmet va l'envoyer à Atlanta voir un orthopédiste. Amanda et Tacey vont s'occuper de Nadine.

Elle hésita un moment.

— Bon Dieu, Dede ! T'avais vraiment besoin de lui tirer dessus ? Tu n'es pas folle. Je n'y crois pas. Tu devais bien savoir ce que tu faisais. Pourquoi est-ce que tu as tiré sur lui ?

Dede sortit une nouvelle cigarette du paquet et la colla entre ses lèvres sans l'allumer.

— Si je ne lui avais pas tiré dessus, je l'aurais égorgé. Et puis, merde, j'en sais rien.

Elle baissa un peu la voix.

— J'ai seulement utilisé toutes les balles qui étaient dans le revolver. C'était quand même pas un 44, juste un fichu petit 22. Ça fait seulement des piqûres d'abeille. Des piqûres d'abeille.

Elle détourna le regard.

— Et j'ai même pas visé. C'est un miracle que je l'aie touché.

— Mais tu aurais pu le tuer. Et c'est de Nolan qu'il s'agit, pour l'amour du ciel ! Tu aurais pu tuer Nolan !

— Mais non, je voulais seulement qu'il souffre un peu. Pour l'obliger à faire attention. S'il m'avait aimée correctement, ça ne serait jamais arrivé.

— Oh ! Dede !

— Bon.

Dede alluma sa cigarette.

— Bon, tu as dit qu'il allait s'en tirer.

— Ouais.

Cissy attendit, mais Dede n'ajouta rien. La gardienne changea une nouvelle fois de position.

— Il va s'en tirer, répéta Cissy.

Elle vit Dede hocher la tête en portant la cigarette à ses lèvres. Ses doigts avaient beau trembler et ses yeux briller, Cissy voyait qu'elle commençait à se buter.

— Ouais, bien sûr. Fichu salaud. Il a intérêt à s'en sortir.

Dede pressa la base de ses paumes sur ses yeux, une fois, fort, puis pivota sur son siège pour fusiller du regard la gardienne.

— Il a intérêt.

— J'ai donné l'adresse de Dede au terrain de caravaning et j'ai indiqué Amanda comme personne à contacter après toi.

Emmet apporta un petit gobelet d'eau à Delia et s'assit dans son bureau en face d'elle. Elle cligna des yeux en le dévisageant sans comprendre.

— Le problème, Delia, c'est qu'il y a déjà un journaliste ici.

Delia avala deux aspirines et secoua la tête.

— Qu'est-ce qu'il veut ? Où est ma fille ?

— Qu'est-ce qu'ils veulent tout le temps ? dit Emmet, ignorant la seconde question – sa voix tremblait de colère –, ils veulent un papier, un scandale. Une fille tire sur son amoureux. Pendant qu'on le transporte à l'hôpital, l'amoureux hurle : « Ne lui faites pas de mal, elle n'avait pas l'intention de tirer ! » C'est leur genre d'histoire préféré. Des petites paysannes et des garçons stupides… les journalistes en redemandent.

— Je m'en fiche. Je veux voir ma fille.

— Delia, tu devrais t'en préoccuper. Si ça finit en gros titre, ça pourrait être très embêtant.

Emmet joignit les mains. Il se pencha vers Delia.

— Tu t'en es tellement bien tirée avec ces petites, dit-il d'une voix douce.

— Tu trouves !

La réaction de Delia était agressive et amère.

— Oui, très bien, insista Emmet en hochant la tête. Tu les as eues avec toi ces dernières années. Tu leur as montré à quel point tu les aimais. Les journalistes se sont pointés ici dès ton retour. Ils voulaient monter ton histoire en épingle. Mais M.T., moi et tous ceux qui ont de l'amitié pour toi, on les a éloignés. On t'a laissé du temps.

— On ne peut pas manœuvrer les gens comme ça, dit Delia en regardant Emmet d'un air sceptique.

— Mais si, on peut. À condition d'avoir un peu d'aide. Tu sais, Delia, il y a ici beaucoup de gens prêts à prendre en main un journaliste, à lui payer à boire ou à accepter les verres qu'il offre et à lui parler pendant des heures pour ne rien dire. D'ailleurs, tu as été plutôt ennuyeuse, de leur point de vue. Tu n'as tué personne, tu n'es pas devenue folle, tu n'as rien fait de spécial. Tout pourrait changer. Cette histoire risque de faire un trop bon papier.

— Tu ne peux pas les empêcher, dit Delia.

— C'est vrai, reconnut Emmet. On a parlé une ou deux fois de toi dans le *National Enquirer*, on cite assez souvent ton nom dans *Rolling Stone*, surtout depuis la sortie de ce disque compact de Mud Dog, mais, si ça s'est arrêté là, c'est à cause de ce type qui est tombé amoureux de M.T. Il n'a jamais dit où tu habitais.

Il marqua une pause, puis ajouta :

— Tu étais en sécurité, Delia.

— C'était pas mon impression.

— Bon, mon chou, tu n'auras jamais cette impression, tu crois pas ? dit Emmet avec un sourire gentil. Tu n'es pas le genre de personne qui se sent facilement en sécurité.

— Oh ! pour l'amour du ciel !

Delia se leva et s'approcha de la porte.

— Emmet, je veux seulement la voir. Amène-la-moi.

Elle se retourna et le regarda d'un air accusateur.

— Je me fiche de tout le reste. Amène-moi ma fille.

— D'accord, d'accord.

Emmet se leva lentement de son fauteuil.

— Je te dis seulement ce que, à mon avis, tu devrais savoir. Je t'aime beaucoup, Delia Byrd. Tu le sais. Pour toi, je pourrais mettre mon amour-propre dans ma poche, et tu le sais aussi.

— Je ne veux pas que tu mettes ton amour-propre dans ta poche. Je veux que tu m'amènes ma fille. Amène-la-moi ici.

Le regard de Delia était ferme.

— Et ne t'avise pas de l'amener menottée. Tu sais bien qu'elle ne va attaquer personne.

Delia s'était dit que les choses seraient plus faciles si Dede et elle pouvaient bavarder ensemble comme deux personnes normales, comme une mère et sa fille, mais, quand Emmet fit entrer Dede, peu importait qu'elle eût les mains libres, que le bureau fût pourvu de machines à écrire et de fauteuils au lieu de barreaux et d'un gardien. Dès l'instant où Emmet ouvrit la porte, le cœur de Delia se mit à cogner comme un moteur de locomotive.

Dede était dans un état lamentable. Elle avait refusé de faire un brin de toilette et même de se coiffer, et elle croisait les mains comme si elle portait encore les menottes que Delia avait tellement redoutées.

— Maman ! dit-elle.

Puis elle vit l'expression qui passa alors sur le visage de Delia.

— Delia, s'empressa-t-elle d'ajouter.

Mais il était trop tard. Dede tomba dans les bras de Delia.

— Je regrette, dit-elle.

Delia étreignit furieusement sa fille et la plaqua contre toute la longueur de son corps.

— Ça va s'arranger.

Elle caressa les cheveux de Dede.

— Et Nolan ? Cissy m'a dit que ça allait.

Dede allait poursuivre, mais Delia l'arrêta.

— Il va bien. Ou du moins, il ira bien. Il viendra ici dès que le médecin acceptera de le laisser repartir.

— Je l'ai blessé. Mon Dieu, dire que j'aurais pu le tuer ! Je ne voulais pas le tuer.

Dede tremblait dans les bras de Delia.

— Bien sûr. Je sais, mon petit. Tout va bien. Nolan va s'en tirer. Ne pense pas au reste, pense seulement à ça.

Nolan va s'en tirer et tu vas nous aider à le soigner. Tout ira bien, mon chou. Je te le promets. Tout ira bien.

— Je ne peux pas le soigner ! s'écria Dede, l'air horrifiée. Je lui ai tiré dessus. Je ne peux pas le soigner.

Delia serra de nouveau Dede dans ses bras, puis l'écarta d'elle.

— Oui, tu lui as tiré dessus. C'est pour ça que tu vas t'occuper de lui. Tu n'avais pas l'intention de faire ça, tu viens de le reconnaître. Est-ce que tu es en train de me dire que tu ne l'aimes pas ?

— J'en sais rien. J'en sais rien. Il me semble que Nolan devrait rester loin de moi. Merde, tout le monde devrait m'éviter. Je ne suis pas saine d'esprit. Je suis folle.

— Tu n'es pas folle. Tu as peut-être eu un accès de folie pendant une minute. Et peut-être que tout deviendrait plus clair si tu comprenais ce qui se passe en toi.

La voix de Delia était un murmure rauque, son visage ridé et déterminé. Elle prit la main de Dede dans les siennes.

— Écoute-moi. Tu n'es pas dans ton assiette depuis la mort de grand-père Byrd. Je m'en suis aperçue, tout le monde s'en est aperçu. Nous ne savions pas quoi faire. Plus vous êtes devenus proches, Nolan et toi, plus tu as été tourneboulée. À mon avis, mon chou, tu ne sais pas comment aimer Nolan. À mon avis, le fait qu'il t'aime t'a tellement fichu la frousse que tu en es devenue folle, une folle qui se bat de la seule manière qu'elle connaisse.

Dede baissa la tête et la secoua avec lassitude. Delia se pencha vers elle et lui attrapa le menton.

— Mais aussi, quand est-ce que tu as vu quelqu'un heureux en amour, hein ? Tu as grandi avec Clint et toute cette folie. Et tu as grandi avec moi, hein ? Tu as de bonnes raisons pour avoir peur de l'amour.

Elle soutint le regard de Dede.

— J'en sais rien, gémit Dede. Je crois que j'aime Nolan, mais penser à lui me donne l'impression que mon cœur se brise. Je commençais à me persuader qu'il n'était pas sincère quand il me disait tous ces mots tendres. Et puis, je l'ai vu avec Sheila et j'ai compris qu'il me jouait la comédie depuis toujours.

Elle frémit.

— Oh ! Seigneur ! j'ai pensé que c'était seulement un garçon de plus qui voulait porter mon cœur comme une médaille. Le revolver était dans la voiture, sous le siège. C'est celui qu'on m'a donné quand Billy Tucker est venu me flanquer la frousse. Je ne me rappelle même pas être sortie le chercher. Il me semble que j'étais en train de le voir embrasser Sheila et puis que, tout à coup, j'ai tiré. J'ai dit : « C'est comme ça que tu veux m'épouser, hein ? » Il a hurlé et j'ai tiré sur lui.

— Nolan veut se marier ? demanda Delia en caressant l'épaule de Dede comme quelqu'un qui essaierait d'apaiser un animal. Tu n'en avais jamais parlé.

— Je ne pouvais pas. J'avais l'impression que Nolan était un étranger que je n'avais jamais vraiment connu. Je sentais que je devais m'éloigner de lui, mais je ne pouvais pas rester une minute sans lui. Je me suis mise à transporter le revolver dans la voiture parce que je ne supportais pas ce que j'éprouvais. Je me disais que je ferais mieux de mourir. Oh ! mon Dieu ! je ne sais plus tout ce que je me disais, mais je ne voulais pas tuer Nolan.

— Là ! Là !

Delia reprit Dede dans ses bras et lui caressa les cheveux d'un geste régulier.

— Ne te retiens pas, murmura-t-elle. Pleure. Nous allons régler tout ça, mon chou. Tout va s'arranger. Tout ira bien pour toi.

Delia aurait aussi bien pu parler du temps qu'il faisait, Dede ne s'en serait pas aperçue. Ce qu'elle entendait, c'était une voix rassurante, ce qu'elle sentait, c'était le baume rafraîchissant de l'amour maternel. Nolan n'avait pas mal, sa maman le lui avait assuré. Tout allait bien se passer. Dede tomba dans les bras de Delia et se laissa aller. Pour la première fois depuis plusieurs semaines, Dede se débarrassa de sa peur.

À deux reprises, Emmet s'approcha de la porte, entendit des sanglots et repartit. Une fois, il entendit Dede énoncer distinctement :

— Je ne voulais pas lui faire de mal.

Dieu merci, se dit Emmet. Si elle se rendait compte de ce qu'elle avait fait, les choses pourraient s'arranger avec le temps. Seuls ceux qui ne reconnaissaient pas leurs actes ne pouvaient pas être aidés.

En tenant Dede contre elle, Delia pensait la même chose. Elle se rappelait avoir sangloté dans les bras de Randall, il y avait bien longtemps, l'interminable première année de chagrin déchirant qu'elle avait connue en abandonnant ses petites. « Tout va bien », ne cessait-il de lui répéter, et elle s'était mise à le croire. Après sa mort seulement, elle avait enfin compris qu'il y avait d'autres solutions que la course à pied et l'oubli que procure l'alcool. Je peux l'aider, pensa-t-elle en apaisant Dede. Je peux lui montrer comment dépasser ce moment difficile.

Au bout d'un long moment, Dede se tut, la joue plaquée contre le chemisier de Delia.

— Ma petite, Nolan va te sortir de là, dit Delia.

Dede leva la tête, incrédule.

— Il ne peut pas !

— Mais si, répliqua Delia en hochant calmement la tête. Il le peut. Il le souhaite. Si les choses étaient différentes, tu pourrais rentrer à la maison avec moi, mais ça va prendre un peu de temps de régler tout ça. N'empêche qu'à mon avis, bientôt, il faudra que tu voies Nolan. Tu as besoin de savoir qu'il va se rétablir.

— Je ne crois pas que je pourrais lui parler, dit Dede d'une petite voix.

— Si, je sais que tu en seras capable.

Delia étreignit de nouveau sa fille.

— Écoute, mon chou, Rosemary va arriver demain et, si tu veux, tu pourras aller passer un peu de temps chez elle.

Delia marqua une pause.

— Mais, je te le dis tout de suite, je ne crois pas que ce soit la bonne solution. Je pense que si tu avais parlé à

Nolan rien de tout ça ne serait arrivé. Parle-lui maintenant, ma petite.

— J'sais pas.

Dede s'écarta de sa mère et s'essuya le visage sur ses manches.

— Je crois que j'en serais incapable.

Delia chercha son sac à tâtons et en sortit un paquet de cigarettes.

— Tiens, dit-elle avant d'en allumer une pour sa fille.

— Tu t'es remise à fumer ?

Dede avait l'air surprise.

— Non, je les ai achetées pour toi. Je me suis dit que tu avais déjà liquidé la cartouche.

Elle tenta un sourire.

Dede s'assit dans le fauteuil d'Emmet et tira avec avidité sur sa cigarette. Sa mère s'installa à côté d'elle et l'observa. Elle attendit tandis que Dede fumait et jetait un coup d'œil dans la pièce.

— On ne parle jamais toutes les deux, hein ? lança Dede quand sa cigarette fut presque terminée.

Delia secoua la tête.

— Nous ne sommes pas du genre à ça, dit-elle.

Dede sortit une nouvelle cigarette du paquet.

— J'ai beaucoup pensé à toi, dit-elle. À Clint et à toi.

Delia attendit.

— Ce que je n'ai jamais compris, c'est comment c'est arrivé.

Dede frotta une allumette et l'observa pendant qu'elle se consumait.

— Comment tu es tombée amoureuse de lui. Tu devais bien savoir quel genre de type c'était.

Bon, d'accord, se dit Delia. Parle-lui. Elle prit une inspiration.

— J'aurais dû savoir, mais je ne savais pas. J'avais été seule si longtemps. Quand j'ai rencontré Clint, j'ai pensé qu'il était blessé, comme moi. J'ai cru qu'il savait tout ce que je savais. J'ai cru qu'il pouvait guérir mon cœur et que je pouvais guérir le sien, mais Clint n'était pas Nolan, ma petite. Clint n'était pas du tout comme Nolan.

— Je sais.

— Non, je crois que tu ne sais pas. Qu'est-ce que je t'ai appris d'autre que le côté dangereux de l'amour ?

Delia baissa les yeux.

— Je n'ai jamais voulu vous parler de tout ça, je n'ai jamais voulu dire du mal de votre père. Mais, en ne disant rien, je n'ai pas eu l'occasion d'évoquer le reste. Par exemple, que nous nous aimions beaucoup. Que nous avions éprouvé tant de plaisir avec Amanda et toi. Que, pendant un moment, je l'aimais et lui faisais confiance. Tout ce qui était cassé et mauvais en Clint ne peut pas effacer le reste. Je ne t'aurais pas eue s'il n'y avait pas eu une grande part de bon en lui. C'est lui qui a fait en sorte que je vous récupère, tu sais. Il avait beau être déchiré et malade, il a fait ce qu'il a pu. Il vous a remises entre mes mains.

— Il a failli te tuer.

La voix de Dede était douce et claire.

— J'ai vu comment il se comportait avec grand-mère Windsor, et même avec son père. Comment il était avec nous. Il ne savait rien de l'amour. Quand je pensais à ce que ça avait dû être entre vous, j'avais l'impression que vous étiez fous tous les deux.

— Oh ! mon chou !

La bouche de Delia se tordit.

— C'est bien ce que je voulais dire. Voilà tout ce que tu as vu – la mère qui vous a abandonnées et Clint au moment où ses pires côtés avaient masqué les meilleurs. Mais je l'ai aimé, un jour, il m'a aimée, et ce que nous étions alors était le meilleur de nous-mêmes.

— Tu n'avais encore jamais dit que tu avais aimé Clint.

— J'ai eu le temps d'apprendre à le détester. Quand je suis revenue ici, c'était la seule chose que j'éprouvais, et il m'a fallu presque autant de temps pour apprendre à ne plus le haïr.

Delia effleura du doigt l'arc dessiné par la pommette de Dede. Sa fille avait perdu de sa substance ces derniers jours. Sa peau avait l'air près de se déchirer. Delia tendit la main vers le paquet de cigarettes, mais se retint.

— J'ai toujours dit à Rosemary qu'épouser Clint, c'était pour moitié le paradis, un quart de solitude et le dernier quart des cheveux blond foncé qui rebiquaient sur le col de sa chemise. J'adorais sentir ses cheveux quand je lui posais la main sur le cou. Ils étaient si doux qu'ils sentaient toujours le foin et le soleil.

Elle rougit. Dede observa la couleur qui lui montait lentement aux joues.

— Et puis, il avait ce sourire, ce sourire paresseux qui me promettait que je ne connaîtrais plus jamais l'ennui ni la solitude. Il l'éclairait.

Delia fixa la minuscule fenêtre du bureau, comme si c'était le passé.

— Mais si tu veux connaître le cœur d'un homme, regarde sa mère. Regarde-la dans les yeux, elle, pas lui. Tu verras à quoi tu peux t'attendre. Regarde Nadine. Elle aimait sincèrement le père de Nolan, et elle était gentille avec lui. J'aurais dû regarder grand-mère Windsor, mais j'étais tellement affamée du sourire de Clint que je ne voyais pas sa mère quand elle rapprochait son visage du mien et me disait franchement qu'elle me détestait, moi, mon corps et mon esprit.

La main de Delia rampa de nouveau vers les cigarettes.

— Une haine pareille, une haine de ce que son fils aimait. J'aurais dû les regarder plus attentivement, mais je suppose que c'est comme ça que ça marche, c'est comme ça que la plupart des familles démarrent – une femme qui cherche quelque chose, et un homme qui sourit, ou l'inverse. Un peu de charme et un besoin immense, c'est ainsi que commencent la plupart des histoires.

— Tu as été folle de l'épouser, dit Dede.

Mais Delia poursuivit, comme si elle ne l'avait pas entendue :

— Nous nous sommes mariés à Holiness Redeemer, tu sais. Le révérend Call était le prédicateur le plus revêche qui ait jamais fait la quête le dimanche. Clint voulait que je porte le voile en dentelle que portait sa mère quand elle s'était mariée. J'avais prévu de me coudre ma robe et je ne voyais pas d'un œil très enthousiaste tout ce qui appartenait à sa mère. En outre, quand j'ai approché ce voile de la lumière, j'ai vu qu'il était mal fait. C'était vraiment une triste horreur, mais Clint le trouvait ancien et extraordinaire.

Elle soupira.

— Alors, je lui ai dit que je le porterais. J'aurais dû me douter que je faisais une erreur en cédant aussi vite alors que ça ne me plaisait pas du tout. Mais même s'il y avait eu des signes et des miracles partout, des buissons ardents qui m'auraient hurlé de ne pas le faire, je ne m'en serais pas aperçue.

Dede ne lâchait pas Delia des yeux.

— Je t'observais quand tu le soignais, avant sa mort. Amanda et moi, nous regardions la manière dont tu lui donnais à manger, dont tu le lavais et t'occupais aussi bien de lui. Ça n'était pas logique. Parfois, je te voyais dans sa chambre, quand il avait eu sa piqûre et qu'il devenait tout vide. Tu étais là et tu le regardais avec une drôle d'expression. Je me demandais ce que tu pensais. Tu te rappelles ?

Delia ferma les yeux, puis les rouvrit.

— Parfois, je le détestais tellement que je ne pensais pas du tout à lui. Je pensais à toi, à Amanda, je faisais des projets ou je laissais mon esprit vagabonder. Parfois, je me remémorais la manière dont sa bouche remontait d'un côté, l'odeur de son cou, la manière dont ses mains se posaient sur mes épaules.

Delia leva les mains et les regarda comme si elles tenaient quelque chose de précieux.

— Quand Clint respirait, on aurait dit que mon ventre bougeait. Quand sa peau s'empourprait, la mienne cuisait. S'il posait les lèvres sur ma peau, je te jure que j'avais un goût de sel dans la bouche. Seigneur, et la manière dont il m'embrassait dans le cou et mettait les mains sous mon chemisier ! Chaque fois qu'il faisait ça, je me sentais toute brûlante et stupide. Oh ! ma petite, beaucoup de malheurs sont arrivés parce qu'on se sent brûlant et stupide, bien plus que les gens ne sont prêts à le reconnaître.

Dede frotta une nouvelle allumette.

— Ouais. C'est bien ce qui me terrifie.

Delia examina sévèrement sa fille.
— Je n'étais pas comme toi, Dede. Je n'étais absolument pas comme toi, dit-elle avec fermeté.
— Tu l'aimais.
Elle avait une cigarette à la main et gardait les yeux baissés. Elle ne parvenait pas à regarder Delia.
— J'aimais celui que je croyais qu'il était, ou peut-être celui qu'il essayait d'être.
Delia se tut. Quand elle reprit la parole, sa voix était plus douce, comme si elle ne pouvait pas dire trop fort ce qu'elle avait à dire.
— Les choses auraient pu se passer tout autrement, mais c'était le fils de son père, l'instrument de la vengeance de sa mère. Je n'ai jamais compris qui il était, ni qui j'étais moi-même, avant qu'il ne soit trop tard. Et, quand je suis partie, c'était pour sauver ma peau.
Delia baissa les yeux. On aurait dit que le souvenir était trop pénible pour être affronté. Dede continua à la fixer. Tendrement, Delia tendit la main et la posa sur la joue de sa fille.
— On se connaît à peine, ma petite, quand on s'aperçoit qu'on fait des choses qu'on n'aurait jamais imaginées.
Elle retira sa main et se redressa sur son siège.
— Tu as la force de ta grand-mère Windsor, Dede. Simplement, tu dois bien t'en servir. Parfois, je la regardais et je tremblais. La vie lui avait donné tellement de coups qu'elle ressemblait à une boule de pâte pétrie en forme de roc. Je crois qu'elle voulait que je m'écrase comme elle, pour se prouver qu'elle avait eu raison de vivre comme ça.
— Elle était tellement dure. Amanda tient ça d'elle, toute cette dureté de trucs ravalés, affirma Dede avec colère.
— Je n'en sais rien. Je me dis que c'est un trait qui nous est commun à toutes.
Delia fit un petit sourire quand Dede eut l'air surprise.
— Si nous n'étions pas aussi fortes, comment pourrions-nous survivre ? Grand-mère Windsor était assez

solide pour supporter son sort. Nous verrons. Tu auras tout le temps de voir.

Dede haussa les épaules.

— J'ai déjà vu.

— Dede, écoute-moi. Des choses se produisent et nous changeons. Nous grandissons. Nous souffrons. Nous devenons quelqu'un d'autre. J'étais une autre femme quand je suis tombée amoureuse de ton père. C'est ce que j'essaie de t'expliquer.

— Les gens changent, murmura Dede.

Delia hocha la tête.

— Oui, ils changent.

Dede resta la bouche ouverte, le visage sérieux. Delia sentit une bouffée de honte la parcourir, mais elle la repoussa.

— Tout ce qu'on nous a toujours dit, c'est que tu étais méchante, dit Dede. Que tu avais filé, que tu nous avais abandonnées sans raison. Mais moi, je voyais bien une raison. Les gens disaient que tu avais suivi Randall Pritchard à cause de l'argent et que tu ne voulais pas élever les enfants de Clint Windsor. Je savais que c'était pas aussi simple.

— Non, mon chou, c'était pas aussi simple.

Delia s'essuya les yeux.

— C'était une nouvelle fois le paradis, voilà ce que c'était. Ni le sexe, ni l'argent, ni la célébrité de Randall.

Elle sourit.

— Randall n'était pas vraiment célèbre avant de mourir, mais il m'a accueillie et il a essayé de m'aider. Seulement, il ne savait pas ce qu'il faisait.

— Tu as fait ce que tu avais à faire.

Delia ne lâchait pas les mains de Dede.

— Si je n'avais pas eu les idées à l'envers, j'aurais déniché un shérif et je serais retournée vous chercher, Amanda et toi. Clint et grand-mère Windsor m'auraient combattue, auraient lutté pied à pied. Le temps que je parle à un avocat, à Atlanta, et on ne pouvait plus revenir en arrière. J'avais encore des bleus sur le visage, mais c'était moi la criminelle, l'épouse qui s'était enfuie. On ne me permettait même pas de venir vous voir. J'avais l'impression que j'allais mourir, mais quand le chagrin m'a frappée, Randall était là pour me soutenir.

— Il s'est occupé de toi.

Dede tira sur sa cigarette.

— Il m'a aimée. Randall trouvait ça facile d'aimer. Ça ne durait jamais, mais, pour lui, c'était simple comme bonjour. Et il n'a jamais été cruel. Il m'aimait. Il aimait Cissy. C'est seulement qu'il…

Elle haussa les épaules.

— Qu'est-ce que tu veux savoir, Dede ? Je n'ai jamais essayé de vous mentir, mais il y a tant de choses dont je ne voulais pas parler. Clint était gentil, mais il s'est perdu en route. Randall avait sa manière à lui d'être méchant, mais il m'a sortie de mon chagrin et un amour qui te porte comme ça n'est jamais une mauvaise chose.

— Tu l'as quitté, lui aussi.

Dede écrasa calmement sa cigarette. Elle s'apercevait avec surprise qu'elle n'était pas en colère, seulement curieuse.

— Pourquoi est-ce que tu es revenue ici ?

— En Californie, à chaque instant, je rêvais à toi et à Amanda. Je vous pleurais de tout mon corps, de toutes les gouttes de mon sang. J'avais tant de chagrin que je ne pouvais rien faire d'autre que boire. Je buvais pour ne pas devenir folle, mais j'étais folle, de toute façon.

Elle se pencha en avant.

— Tout le temps que je suis restée en Californie, une partie de moi-même tendait toujours l'oreille vers vous. Comment est-ce que je pouvais débrouiller tout ça ? Comment est-ce que je pouvais réparer ce que j'avais fait ? J'ai rassemblé toutes mes forces pour vous récupérer et, quand je te regarde maintenant, je me demande si ça a servi à quelque chose. Je ne vous ai peut-être pas rendu service en revenant, ni à l'une ni à l'autre.

Delia se tut et se frotta les bras. Elle avait l'impression que ses muscles s'étaient endormis et que des fourmis la picotaient.

— Tu n'aurais pas dû revenir, dit Dede. J'ai entendu Mud Dog. Ta voix ne ressemblait à aucune autre. J'ai lu des trucs. Tu aurais pu faire n'importe quoi.

— Non, je n'aurais pas pu.

Delia referma les mains sur ses biceps.

— Dede, j'adorais chanter, mais je n'ai jamais chanté sans avoir bu, en Californie. Sur ces disques, j'étais soûle. Je n'ai jamais chanté pour plus de quatre personnes sans être soûle.

— Tu avais quelque chose de spécial.

— Ma petite, une ivrogne n'a rien de spécial. J'aimais le père de Cissy et, quand je vous ai perdues, il m'a sauvée, sauf que ce n'est pas vraiment moi qu'il a sauvée. Moi, je n'ai jamais voulu devenir célèbre ni vivre dans cette ville qui me dévorait vivante. Je n'ai jamais voulu chanter pour d'autres que toi, Amanda, Cissy et moi-même. Je voulais me trouver ici.

Dede se leva et marcha vers la porte en tournant le dos à sa mère.

— Tu comprends ce que je te raconte là ? demanda Delia avec une soudaine insistance.

Dede se retourna.

— En partie, dit-elle. Tu nous as raconté tellement de trucs depuis que je suis toute petite.

— Ce que j'essaie de te faire comprendre, c'est que tu ne peux pas renoncer à ta vie à cause de ce qui m'est arrivé.

Delia se frotta de nouveau les bras, le regard prudemment détourné.

— Tu n'es pas obligée d'épouser Nolan, mais tu ne peux pas nier tes sentiments. Tu l'aimes, tu te mets en colère contre lui, tu es terrorisée. Ne te mens pas, ne lui mens pas. Ne fuis plus.

— Comme toi ?

Delia ouvrit la bouche, puis la referma. Elle se leva et s'approcha de Dede. Elle enlaça sa fille et posa les lèvres sur son front.

— Oui, comme moi, dit-elle dans un souffle. Comme moi.

Amanda attendait sa mère en bas, au tribunal. Delia se dirigea vers elle d'une démarche de plomb. Elle remarqua que son visage avait changé. Il semblait plus plein, les lèvres moins pincées, les yeux plus doux.

— Ne les laisse pas l'emmener à l'hôpital, se dépêcha de dire Amanda. Je sais qu'Emmet y songeait, mais ce n'est pas une bonne idée. Vu l'état dans lequel est Dede, elle pourrait finir par se faire boucler et on aurait toutes les peines du monde à la faire ressortir.

Delia fronça les sourcils.

— Elle a besoin d'aide, dit-elle d'une voix fatiguée.

— Oui, acquiesça Amanda en hochant la tête. C'est vrai, mais inutile qu'elle ait encore plus d'ennuis qu'elle n'en a déjà.

Amanda avait un carnet à la main et en tournait les pages.

— J'ai appelé George Creighton, de l'Association baptiste. C'est un bon avocat et il sait toutes ces choses-là. D'après lui, chaque heure qui passe nous aide. Dede a dit qu'elle regrettait son acte. Nolan a piqué une crise avec Emmet. Si nous agissons comme il faut, Dede pourra revenir à la maison dans une semaine.

Delia lui jeta un regard dubitatif.

— Je ne sais pas. Elle a bel et bien tiré sur lui.

Amanda lissa les pages de son carnet.

— Oui, et nous sommes tous d'accord pour reconnaître qu'elle a besoin d'aide, mais le centre médical du comté se contentera de la bourrer de médicaments et son état empirera. Ce qui peut aider Dede, c'est que nous ayons les idées claires.

Delia examina une nouvelle fois le visage d'Amanda.

— Tu as raison.

— Et je crois qu'elle est enceinte, dit Amanda d'un ton prosaïque.

— Quoi ?

— C'est la seule explication logique.

— Elle n'a pas dit un mot à ce sujet.

— C'est bien d'elle, ça. D'ailleurs, je ne le lui reproche pas. Regarde un peu Nolan. Tu verras que c'est aussi ce qu'il pense. Je m'en suis aperçue en lui parlant. Il attend qu'elle le lui annonce.

— Nolan a dit que Dede était enceinte ?

Delia voulait s'asseoir. Elle voulait poser la tête sur ses genoux.

— Il ne l'a pas dit, mais j'ai bien vu qu'il le pensait, expliqua Amanda en perdant patience. Il fallait bien que ça arrive tôt ou tard, tu sais.

— Elle n'a rien dit du tout.

— Delia !

Amanda referma son carnet.

— Je suppose que Dede ne veut pas y penser en ce moment. Tu connais son sentiment sur le mariage. Dede a fait de la vie dans le péché une question de principe.

— Oh ! Seigneur ! Pas étonnant qu'elle lui ait tiré dessus.

Amanda sourit.

— Ça s'explique presque, hein ? Quand on connaît Dede.

Delia regarda Amanda.

— Elle ne voudra peut-être pas le garder, avança-t-elle prudemment.

Amanda baissa les yeux et prit une profonde inspiration.

— Je sais, et c'est une chose à laquelle je ne veux pas réfléchir maintenant. Dede n'est pas facile, mais elle n'a rien de mauvais. Elle fera ce qui convient si nous l'aidons.

— Amanda !

La voix de Delia se brisa quand elle prononça son nom.

— Amanda, tu me surprendras toujours.

Elle passa un bras autour des épaules raides de sa fille et tint bon jusqu'au moment où elle sentit son corps mollir légèrement sous son étreinte.

— Nous avons des choses à faire, dit brusquement Amanda en se dégageant. Des tas de choses.

Une fois de retour dans sa cellule, Dede se rappela la photo de Mud Dog qu'elle avait découpée dans un vieux *Rolling Stone* déniché chez Crane's quand elle avait neuf ou dix ans. On y voyait le car, avec le matériel empilé dedans, tout le monde autour et « *Diamonds and Dirt* » écrit sur la moitié de la housse de la batterie. Booger et Little Jimmy s'appuyaient contre l'arrière du car et partageaient un joint. Randall était devant, dans sa veste en daim à franges. Des lunettes rondes teintées lui cachaient les pupilles, mais son sourire était énorme et découvrait toutes ses dents. Delia se tenait debout à côté de Rosemary, les cheveux longs, lâchés, le ventre gonflé sous une jupe en patchwork montée sur une ceinture en velours. C'étaient les textures qui ressortaient sur cette photo, l'impression de confiance que donne la drogue, le poil du velours et l'oscillation des franges sur la boucle de la ceinture de Randall. C'était déjà un cliché pratiquement avant la sortie de l'album. Malgré le succès de *Diamonds and Dirt,* Mud Dog n'était qu'un groupe de second ordre et ne devint légendaire qu'après sa disparition. Ce qui était mémorable sur cette photo, c'était l'effet d'arrêt sur image, d'instant gelé dans un conte. Dede l'avait contemplée pendant des heures – sa mère avec cet homme, le prince hippie et l'épouse enfuie, et puis Cissy, implicite dans le ventre gonflé de Delia. Un jour, elle l'avait montrée à Cissy, mais sa sœur ne s'y était pas intéressée.

Dede aurait bien voulu avoir une photo de Delia et de Clint avant sa naissance et celle d'Amanda – tous deux surpris dans un moment de bonheur. Cissy ne comprenait pas. On sentait quelque chose d'essentiel en regardant Randall et Delia là-dessus, et Cissy était déjà en route, même si elle n'était encore nulle part. Dede avait l'impression de se voir elle aussi, de voir son fantôme à côté de Cissy, dans le ventre de Delia.

C'était une chanson, cette photo. C'était le blues de Delia, leur histoire à tous et le parcours qu'ils avaient fait ensemble. Dede la revit mentalement et y lut le passé et l'avenir – ce n'était pas un groupe en tournée, mais une famille en miettes, qui se recomposait grâce à la détermination obstinée d'une femme. Je ne suis pas Delia, pensa Dede, je ne suis pas aussi forte. Puis elle entendit la voix de Nolan. Si, tu l'es, disait-il. Tu es aussi forte qu'un homme peut le supporter.

— Tu es tout pour moi, avait dit Nolan juste avant que Dede lui tire dessus.

Dans sa prison, Dede savait qu'il avait raison. Elle était tout pour Nolan et, Dieu la protège, il était tout pour elle.

22

— Vous savez ce que me disait mon père ? demanda Tacey à Cissy ce soir-là, une fois qu'elles eurent réussi à coucher Nadine. Il disait toujours que les Blancs étaient fous, tout simplement.

Elles étaient assises à la table de la cuisine. Cissy avait attrapé la bouteille de vin cachée en haut du placard, comme l'avait révélé Nadine. Elles en avaient toutes les deux bu un verre et s'attaquaient au second.

Tacey sirota une gorgée et pencha la tête sur le côté.

— Il disait que les Noirs étaient fous, eux aussi, mais pas simples.

— Ouais, reconnut Cissy. Dieu sait que toute ma famille est folle. À la suite de cette histoire, Dede va probablement être déclarée malade mentale. Quant à Amanda, elle est dingue, ça ne fait aucun doute.

Amanda arriva du couloir qui menait à la chambre de Nolan et entra dans la cuisine.

— Ah bon ? dit-elle avant de se verser un bon coup de vin dans un verre à eau.

— Comment va-t-il ? s'enquit Tacey, prête à se montrer diplomate. Il dort ?

— Il est assommé par les sédatifs.

Amanda fit tourner sa tête, et les muscles de son cou lâchèrent de petits bruits secs.

— Mais il va bien. Dieu soit loué, Dede n'avait pas un gros revolver. Pour avoir été mitraillé comme ça, Nolan se porte vraiment bien. Je crois que sa jambe commence à désenfler. Nous aurons toutes les peines du monde à l'obliger à garder le lit demain.

Amanda fronça les sourcils en regardant son verre de vin.

— Est-ce que ce truc est encore bon ? C'est normal, ce goût ?

Cissy haussa les épaules.

— Nadine a dit depuis combien de temps elle l'avait ? demanda-t-elle à Tacey.

— Elle ne m'en avait encore jamais parlé. Elle se disait probablement que je le boirais et que je remplirais la bouteille avec du soda ou quelque chose comme ça.

Tacey but une gorgée.

— Il a peut-être tourné. Il me paraît un peu aigre, mais qu'est-ce que j'y connais ? Je ne bois pas.

Elle regarda Amanda.

— Je pensais que vous ne buviez pas non plus.

— Je m'y mets, dit Amanda. J'ai bu un verre hier avec Cissy. À partir de maintenant, je vais le faire régulièrement. J'étudie le péché. La façon dont ça fonctionne.

— Amanda, vous m'effrayez, dit Tacey.

— Je sais. Parfois, je m'effraie moi-même, mais je fais confiance au Seigneur. Je me dis que je ne suis qu'humaine, imparfaite, et que j'ai besoin de Son aide. Je commence à comprendre certaines choses avec le temps.

Elle but une gorgée de vin.

— Ces filles t'ont téléphoné ici, dit-elle à Cissy. Deux fois. Elles voulaient savoir ce qui se passait. D'après elles, tu devais les retrouver ce soir.

— Oh ! Zut ! J'ai oublié de les appeler. Nous devions dresser la carte de Little Mouth et dormir sur place.

Amanda secoua la tête.

— Je ne te comprendrai jamais, Cissy. Qu'est-ce que tu fabriques à escalader ce qui pourrait bien être les portes de l'enfer ? Et Mary Martha Wynchester a dit que tu avais abandonné ton travail à l'agence.

Cissy approuva.

— Oui. Je déteste les agents immobiliers. Je détestais ce boulot.

Amanda s'assit à la table.

— Alors, qu'est-ce que tu vas faire, maintenant ?

— Je vais y réfléchir.

Cissy regarda Tacey, puis Amanda.

— Avant toute cette histoire, Nolan m'a dit que Dede n'était pas heureuse, qu'elle voulait changer de boulot. Apparemment, lui aussi. Il voulait chercher du travail à Atlanta.

— Ouais, dit Tacey. Il m'en a parlé aussi, et je lui ai proposé de venir faire un tour à Spelman quand j'y serais.

— Bon, ça m'a ébranlée, reprit Cissy en jouant avec son verre vide. C'est marrant comme on continue son bonhomme de chemin, on prend des habitudes, sans penser que les choses pourraient changer. Et puis, quand tout ça est arrivé, je me suis dit que les choses étaient déjà en train de changer, qu'on le veuille ou non.

Elle leva son verre en direction d'Amanda.

— Alors, je réfléchis. J'étudie les choses, comme toi. Pour moi, le moment est venu de faire des projets.

— Si tu pouvais cesser de te trimballer avec ces filles.

Le visage d'Amanda prit une expression pincée familière.

— Elles ont quelque chose qui cloche.

— Oh ! elles sont comme tout le monde, dit Cissy. Elles ne sont pas plus folles que toi ou moi.

— Ah bon ? Je les ai vues assises dans cette camionnette la dernière fois que tu es partie avec elles, tu sais. Elles étaient l'une contre l'autre. La grande a passé le bras sur les épaules de l'autre, s'est penchée et l'a embrassée en plein sur la bouche. D'après moi, elles sont considérablement plus folles que toi.

Cissy observa Amanda tandis qu'elle remplissait son verre. Elles s'embrassaient ? Mim et Jean s'embrassaient ?

— Je crois qu'elles sont lesbiennes, déclara Amanda avec une grande autorité.

— Lesbiennes ? fit Tacey d'un air méprisant. Par pitié, ne le dites pas à Nadine. Elle les inviterait ici pour leur demander de lui en parler. C'est déjà bien assez qu'elle croie que je couche avec les éboueurs. Elle serait persuadée que je couche aussi avec des lesbiennes.

— Tu ne les connais pas du tout, Amanda.

Cissy se sentait nauséeuse. Elle avait une forte envie de se pencher vers sa sœur pour la gifler.

— Je sais bien ce que j'ai vu, et je parie que toi aussi, tu es au courant. Tu as passé beaucoup de temps avec elles. Alors, raconte. Elles ne vivent pas ensemble, peut-être ? Elles ne s'embrassent pas et ne s'enlacent pas tout le temps ? Elles ne t'ont pas demandé de former un petit groupe pour ne pas devoir rejoindre celui des garçons ? Dis-moi que je me trompe, dis-le !

— Je n'ai rien à te dire.

Cissy se leva et repoussa sa chaise.

— Tu devrais te trouver chez toi, avec tes enfants, et pas ici en train de sortir toutes ces conneries.

— Michael surveille les enfants. Ils vont très bien. Ne les mêle pas à ça.

— Alors, ne t'occupe pas de ma vie.

— Je ne parlais pas de toi, mais de ces filles.

— Eh bien, arrête. Parle plutôt de moi.

Cissy avait l'impression que le vin de Nadine s'était transformé en poison dans son ventre.

— Je suis peut-être lesbienne, moi aussi.

— Peut-être, dit platement Amanda. J'ai toujours su que quelque chose clochait chez toi. Je me disais que tu finirais par l'avouer un jour, probablement au pire moment qui soit – alors que ta sœur est en prison et que nous sommes tous complètement lessivés.

Amanda reposa les coudes sur la table, les deux mains refermées sur son verre de vin.

Je devrais vraiment la frapper, pensa Cissy, incapable cependant de bouger.

— Je crois que nous devrions aller nous reposer, déclara Tacey en posant les mains à plat sur la table pour se relever. Je crois que demain sera bien assez pénible comme ça sans que nous commencions à nous monter les unes contre les autres.

— Je ne sais pas ce que je suis, lâcha Cissy entre ses dents. J'ai pas Dieu tout le temps sur mon épaule pour me dire de boire un verre de vin ou de houspiller ma sœur. J'ai pas de revolver dans la poche. J'ai rien... pas la moindre idée de ce que je vais faire de ma vie. Mais si tu recommences à m'embêter, Amanda Graham, je te flanquerai un tel coup que tu auras besoin de Dieu pour te relever. Et tu comprendras ta douleur.

— J'ai loué une voiture.

La voix était douce et saisissante. Elles se tournèrent toutes vers la porte. Rosemary se tenait sur le seuil, une main tenant une petite valise, l'autre appuyée au montant de la porte.

— Vous m'invitez à entrer ou vous préférez continuer à vous lancer des insultes à la figure ?

— Seigneur Jésus !

— Vous devez être Tacey, dit Rosemary.

Elle s'approcha et posa sa valise.

— Je m'appelle Rosemary. Delia vous a avertie de mon arrivée ?

Tacey referma la bouche et fit oui de la tête. C'était Rosemary ! L'amie de Delia, qui habitait à Los Angeles.

Rosemary lâcha un profond soupir et avança une chaise.

— Je crois que tu devrais t'asseoir, dit-elle à Cissy. Et peut-être l'une de vous peut-elle me dire où est passée Delia. Je suis allée chez elle, elle n'y était pas. Je croyais toutes vous trouver ici.

Amanda prit la parole en bégayant :

— Delia est allée voir le juge Walmore, pour lui demander de faire sortir Dede de prison.

— Elle devrait donc revenir dans peu de temps. Il est assez tard.

Rosemary ouvrit son sac, et en sortit briquet et étui à cigarettes.

— Ça ne dérange personne si je fume ici ? demanda-t-elle à Tacey.

— Non, dit celle-ci, qui ne pouvait pas supporter le tabac.

— Merci.

Rosemary alluma sa cigarette, regarda Amanda et Cissy.

— Vous vous disputez encore. Bon, il y a au moins certaines choses qui ne changent pas, hein ?

Elle rejeta la fumée.

— Tu veux venir avec moi chez ta mère, Cissy ? Nous devrions peut-être aller l'attendre là-bas.

Cissy leva la tête. Tacey fixait Rosemary avec une heureuse fascination. Cette femme ne paraissait pas avoir pris une ride depuis la mort de Clint. Elle était joliment coiffée, son teint était resplendissant et ses ongles parfaitement manucurés. Autour du cou, elle portait le même collier en or, large, brillant à la lumière du plafonnier.

— Ouais, fit Cissy. On ferait mieux d'y aller.

Elles gardèrent le silence pendant le court trajet entre le haut et le bas de Terrill Road. Une fois devant chez Delia, Cissy descendit pour aller éclairer la véranda et trébucha aussitôt sur la première marche.

— Merde ! jura-t-elle.

— Attends.

Rosemary avait une petite torche dans son sac. Au moment où elle l'alluma, une voiture s'engagea dans l'allée et les prit toutes les deux dans le pinceau de ses phares.

— Qu'est-ce qui s'est passé ? s'écria Delia.

— Cissy est tombée.

— Rosemary !

Delia laissa ses phares allumés et se précipita pour les aider.

— Salut, mon chou.

Rosemary lui fit une bise rapide sur la joue et elles aidèrent Cissy à se relever.

— Elle ne s'est pas vraiment fait mal, dit Rosemary. C'est seulement qu'elle a bu du mauvais vin.

— Du mauvais vin ?

— Avec Amanda et cette gentille petite, chez Nolan. Je suis entrée et elles étaient toutes à moitié soûles, en train de se lancer des idioties à la figure.

Rosemary posa un bras sur les épaules de Delia.

— Mon chou, qu'est-ce qui s'est passé depuis mon départ ?

Dede ne parvenait pas à s'endormir. Elle ne cessait de penser à Nolan et à tout ce que lui avait dit Delia. Quand elle somnola un moment, elle rêva que Nolan se trouvait dans la pièce avec elle, les mains tendues, les yeux fixés sur elle.

— Tu veux me tirer dessus ? Vas-y, tire-moi dans les fesses ! Je me sentirai mieux et toi, tu ne risqueras rien, dit-elle.

— Je suis à toi, lui dit-il. Je suis à toi et tu es à moi.

Ses mots la rendirent hystérique. Elle hurla qu'elle n'appartenait à personne et se réveilla seule en prison.

Emmet lui avait annoncé que Nolan viendrait la voir dès que le médecin le lui permettrait. Dede grinça des dents. Elle ne voulait pas être obligée de regarder Nolan en face. Elle voulait qu'il lui fournisse une raison de le haïr. Ce serait tellement plus facile si elle le haïssait. C'était l'aimer qui semblait dangereux – toute cette discussion sur la famille, le projet d'habiter ensemble, d'emménager à Atlanta, de lui donner la possibilité de faire ce qu'elle voulait. Y avait-il vraiment des gens qui choisissaient ce qu'ils voulaient faire au lieu d'essayer de tirer le meilleur parti des rares occasions qui se présentaient à eux ? Nolan avait eu l'air de dire que tout était possible. C'était ce qu'il avait dit – « avec toi, tout est possible ! » – et, à voir l'expression de ses yeux, Dede savait qu'il le croyait. C'était sa manière de l'aimer. Elle l'aimait aussi, mais à ce point ? Au point que le monde entier puisse s'écrouler sans qu'elle en soit affectée parce qu'il serait près d'elle ? Les gens comme Nolan étaient de bonnes natures, ils aimaient si complètement que leur amour satisfaisait tout leur être.

Il vaut mieux que moi, pensa Dede. Nolan pouvait vraiment faire carrière à Atlanta avec sa clarinette, pourtant il lui disait qu'il irait là-bas ou resterait à Cayro, comme elle préférait. Alors que si quelqu'un avait proposé à Dede un mobile home de deux cent mille dollars et un voyage en Arizona, elle aurait sauté sur l'occasion. Aucune importance si Nolan ne pouvait pas y aller. Merde, aucune importance s'il était couché en travers de la route et si elle devait lui passer sur le corps. Elle changerait de vitesse et lui écraserait la colonne vertébrale.

Tout cela ne serait peut-être pas arrivé si elle n'avait pas déjà été en possession de ce revolver. C'était la faute de Billy Tucker. Mais s'il n'y avait pas eu Billy Tucker, est-ce qu'elle serait sortie avec Nolan ? Tout était peut-être prévisible. Cette stupide serveuse du Goober's importait peu. Elle n'était rien. Nolan n'éprouvait aucun sentiment pour elle et Dede le savait. Quand il avait regardé Dede armée du revolver, elle avait lu sur son visage : d'accord, tire-moi dessus si tu es obligée de le faire, tue-moi si tu en as besoin. Quel genre d'homme reste là sans bouger, à attendre qu'une femme lui tire dessus ?

— Il est dingue, avait dit Dede à Emmet.

— Ouais, avait reconnu Emmet. Il t'aime.

Une moitié de paradis, un quart de solitude… et le reste ? Des cheveux blond foncé ou le sourire de la personne aimée, le sourire de Nolan quand il était sur elle, le menton entre ses seins.

En prison, Dede entendit des femmes crier dans la nuit. Emmet l'avait mise dans une cellule individuelle, mais ça ne l'empêchait pas d'entendre une femme, au bout du couloir, sangloter en réclamant son petit chéri – son enfant ? un homme ? – et une autre l'injurier. Quoi qu'elles aient pu faire, elles n'étaient sûrement pas aussi folles qu'elle. Elles étaient comme Delia, pensa Dede, le genre de femme qui pouvait bousiller toute sa vie pour l'amour d'un homme. Pourtant, assise à ce bureau, sa mère avait évoqué un Clint différent de l'idée que Dede s'en était toujours faite, celle d'un sale type méprisable.

— Ne vis pas ta vie comme moi, lui avait conseillé Delia. Ne renonce pas à l'amour. N'enterre pas ton cœur au fond d'un trou.

Dede resta éveillée et écouta les femmes. Mon cœur est un trou, pensa-t-elle. Je ne me suis jamais autorisée à m'en servir pour aimer, comme Nolan, je n'ai jamais tout risqué en connaissance de cause. Elle se ramassa sur elle-même et fourra son visage dans l'oreiller. Avec cette femme qu'elle n'avait jamais vue, elle pleura celui qu'elle aimait.

Quand Cissy se leva le lendemain, Rosemary se trouvait dans le jardin de derrière. Elle contournait l'établi de Delia, admirait le banc où elle rempotait ses plantes et le potager. Cissy se servit une tasse de café et sortit la rejoindre.

— Tu n'as pas dormi ? lui demanda-t-elle.

— J'ai beaucoup dormi, dans l'avion et ici, répondit Rosemary avec un signe de tête en direction de la maison. Je me sens très bien. Regarde un peu ce que ta mère a réussi à faire de cet endroit.

Elle sortit une cigarette.

— J'ai l'impression qu'elle ne dort jamais.

— Elle ne dort pas beaucoup, en tout cas.

Cissy s'assit sur les marches et sirota son café.

— Elle est toujours dans le jardin quand elle n'est pas au salon. Elle bricole, jardine, répare des meubles. Ça, Delia ne reste jamais les bras croisés.

— Elle a de la chance.

Rosemary leva les yeux vers les pacaniers.

— Tu crois ? dit Cissy en observant Rosemary qui avançait prudemment sur l'herbe mouillée. Elle s'occupe. Elle fait tout le temps quelque chose.

— Et toi ?

Rosemary revint vers les marches et s'assit à côté de Cissy.

— Tu t'occupes ?

— Pas mal. Tu as entendu ce qu'a dit Amanda hier soir.

— Je n'ai pas entendu grand-chose, seulement que vous vous disputiez comme d'habitude, toi et ta sœur. Il me semble que vous êtes toutes les deux trop âgées pour ça, mais ça ne me regarde pas.

Elle haussa un sourcil.

— Delia m'a dit que tu allais au centre universitaire, que tu travaillais un peu et que tu rampais sous terre dès que tu en avais l'occasion. C'est vrai, tout ça ?

— Oui, plus ou moins, répondit Cissy en se balançant sur ses talons. Mais j'ai quitté mon boulot et la fac est inepte. Je me suis inscrite à deux cours sans savoir vraiment ce que je voulais étudier. Je ne sais même pas pourquoi je prends la peine d'y aller.

— Tu pourrais faire autre chose.

— Par exemple ? répliqua Cissy, mais elle scruta Rosemary avec espoir.

— Tu pourrais revenir avec moi à Los Angeles. Tu pourrais t'inscrire à l'UCLA, si on t'accepte.

Rosemary lui lança un regard éloquent.

— Mais c'est même pas la peine d'en parler à moins que tu y tiennes vraiment. Il faudrait que tu réfléchisses sérieusement à ce que tu veux faire, à ce qui t'intéresse.

Cissy posa sa tasse sur la marche et baissa la tête.

— Je ne sais pas ce qui m'intéresse. Si je le savais, tout le reste suivrait.

Rosemary lui tapota l'épaule.

— Delia dit que tu explores les grottes depuis longtemps. Elle dit que ça fait des années, bien avant que tu commences à y aller avec ces filles dont parlait Amanda. Apparemment, ça pourrait t'intéresser, les grottes, tout ça. Comment on appelle ça ? La spéléologie ? Ou l'archéologie, peut-être, la géologie, les minéraux, ce genre de choses. Tu pourrais te renseigner, voir ce qui t'attire.

Bouche bée, Cissy fixa le visage impassible de Rosemary.

— Tu parles sérieusement ?

— Très sérieusement.

— Et comment on paierait mes études ?

Cissy essayait de ne pas montrer son excitation.

— On pourrait trouver une solution. Après tout, tu es la fille de Randall Pritchard.

Rosemary se frotta la tempe.

— À mon avis, nous devons commencer par nous assurer que Dede ne va pas avoir d'ennuis et, ensuite, il y aura des tas de paperasses à remplir et des préparatifs à envisager. On ne change pas de vie du jour au lendemain. C'est un peu plus compliqué que ça.

— C'est Delia qui a eu cette idée ? demanda Cissy en s'adossant à la marche supérieure. C'est elle qui t'a demandé d'aborder ce sujet ?

— Ta mère et moi avons parlé de toi, oui, dit Rosemary sans changer de ton. Elle t'aime. Tu ne le sais peut-être pas. Je me rappelle quand elle t'a traînée ici. Je me rappelle l'air que tu avais après la mort de ton père. On aurait dit un chaton à moitié noyé et Delia était la maman chatte qui te trimballait par le cou jusqu'à ce que tu sois sèche.

Rosemary se leva et monta les marches.

— Réfléchis à tout ça. Delia a dit que ça pourra prendre deux ou trois jours de faire sortir Dede de prison. Elle voudrait qu'elle parle à Nolan, mais le médecin ne l'autorise pas encore à poser le pied par terre. Va faire ton excursion avec tes amies, et, pendant que tu seras sous terre, réfléchis à tout ça. Quand tu te seras décidée, Delia et moi nous verrons avec toi comment obtenir ce que tu veux.

— Tu vas jouer les bonnes fées ? demanda Cissy tandis que Rosemary lui tournait le dos pour passer le seuil.

— Sois gentille avec ta mère, lui rétorqua Rosemary. Fais un peu plus attention, pour changer.

Cissy se rendit chez Nolan sur des jambes flageolantes.

— Comment va-t-il ? demanda-t-elle à Tacey.

— Mieux que moi. Je vais au magasin. Restez un moment avec lui. Et essayez de ne pas réveiller Nadine. Elle n'a pas arrêté de se lever la nuit dernière après votre départ à toutes les trois.

Cissy hésita devant la chambre de Nolan, mais elle aperçut ses pieds qui bougeaient sous les couvertures.

— Tu es réveillé ?

Il répondit tout de suite oui. Elle entra, nerveuse, ne sachant à quoi s'attendre. La veille, il dormait et, chaque fois qu'elle avait risqué un œil, il avait eu l'air affreusement mal en point. Son visage était pâle et une ombre de barbe lui bleuissait déjà la mâchoire. La manière dont il roulait les yeux lui rappelait quelque chose, mais elle ne savait plus quoi. Cette impression était assez désagréable pour lui donner envie de ressortir immédiatement de la pièce.

— Ne t'en va pas, supplia Nolan. Pour l'amour du ciel, Cissy, aide-moi à enfiler mes vêtements. Si tu m'aides, je pourrai arriver en ville avant que quelqu'un revienne.

— En ville ?

— Pour voir Dede.

Nolan essayait de faire basculer sa jambe sur le côté du lit, mais le bandage volumineux, au-dessus de son genou, le rendait maladroit.

— Si je vais en ville, je pourrai parler à Emmet, peut-être voir les gens du tribunal, trouver le moyen de la sortir de là. Elle ne devrait pas être en prison. Elle a commis une erreur, c'est tout.

Il posa le pied par terre.

Cissy s'aperçut qu'il ne portait que son slip. Il avait une vilaine égratignure sur le côté gauche et était sur le point de s'écrouler à plat ventre.

— Nom de Dieu, Nolan !

Elle bondit pour le rattraper et le repoussa durement sur le lit.

Nolan en eut le souffle coupé.

— Non ! supplia-t-il. Ne me fais pas ça ! Il faut que tu m'aides.

— Je suis en train de t'aider. Tu es dingue ou quoi ?

Cissy le plaqua contre les oreillers et remonta le drap.

— Réfléchis une minute. Est-ce que quelqu'un va t'écouter si tu te précipites là-bas comme un fou ? Si tu veux faire sortir Dede, il faut que tu te conduises en personne saine d'esprit, responsable. Il faut que tu persuades les gens que vous n'êtes cinglés ni l'un ni l'autre.

Nolan la regarda bouche bée.

— Tu crois ?

— Oui.

Il avait le teint trop pâle, se dit Cissy. Il faisait pitié.

— Il faut que tu te mettes à réfléchir comme le ferait un avocat si tu veux aider Dede.

Nolan porta la main à sa bouche. Il balaya la pièce des yeux.

— Peut-être, dit-il. Tu as peut-être raison.

Puis il lâcha un son affreux, rauque.

— Mon Dieu, peut-être.

Cissy posa la main sur son bras et le tapota avec embarras.

— Tu sais bien que j'ai raison. Tu n'as pas envie de lui attirer encore davantage d'ennuis ? Vous avez tous les deux épuisé votre stock de veine.

— J'ai tout fait foirer, dit Nolan. C'est moi qui l'ai poussée. C'est à cause de moi qu'elle en est arrivée là. Tu sais bien qu'elle ne voulait pas me blesser.

— Je sais. Je lui ai parlé.

— Comment elle va ?

— Elle va bien, Nolan. Elle est furieuse, paumée et effrayée, et elle ne sait pas trop quoi te dire. Je crois qu'elle a peur de te voir.

— Elle ne devrait pas avoir peur de moi.

— Non.

Cissy s'assit au bord du lit. Nolan s'essuya les yeux avec le drap.

— Je lui ai demandé de m'épouser.

— Je sais. Elle me l'a dit

— Est-ce qu'elle t'a dit pourquoi elle m'avait tiré dessus ?

— Je suppose que c'était en grande partie à cause de ça.

Nolan déglutit avec difficulté et prit la main de Cissy dans les siennes.

— Bon, quand tu auras tout éclairci, tu m'expliqueras. Je veux bien te croire sur parole, mais je dois dire que je n'arrive pas encore à faire le lien.

Cissy soutint son regard.

— Elle a peur. Tu ne comprends pas ça ? Elle croit que le mariage, c'est la fin de l'amour, que ça va lui voler son âme et l'obliger à te détester. Elle croit que si elle t'aime tant que ça, elle va disparaître en toi et devenir quelqu'un qu'elle méprise. Elle croit que tu vas te transformer en son père et que tu vas te mettre à la battre, ou que c'est elle qui va devenir comme lui et te battre. Elle se croit maudite et elle a toujours essayé d'échapper à ça. C'est un truc du genre *Paradis perdu* de Milton, de diable qui résiste à Dieu.

Nolan secoua la tête.

— Tout ça ?

— Et bien plus encore.

— Bon, alors, c'est pas étonnant qu'elle m'ait tiré dessus.

Il ferma les yeux. Cissy lissa le drap sur ses hanches. Elle eut un instant envie d'embrasser Nolan sur le front comme Delia le faisait quand elle était malade. Elle réprima cette impulsion et se dépêcha de se lever.

— Accorde-toi un peu de temps, Nolan. Laisse les autres se charger de tout pendant un ou deux jours. Tu seras stupéfait de voir ce qu'ils peuvent accomplir si tu leur en donnes l'occasion.

Cissy referma la porte et téléphona à Jean de chez Nolan.

— Vous voulez y aller, cet après-midi, les filles ?

— Y aller ? Tu peux te libérer ?

— J'en ai besoin, dit Cissy. J'ai besoin d'aller dans un endroit frais, tranquille et sombre. Et toi ?

— Merde, moi aussi.

Jean se mit à rire dans l'appareil.

— J'en parle à Mim et on te rappelle. Si elle n'est pas obligée d'aller chez sa mère, on y va. Combien de temps est-ce que tu pourras rester dans la grotte avant de devoir revenir chez toi ?

— D'après ce qu'on me dit, rien ne va se produire pendant un petit moment, alors nous pourrions y passer la nuit.

— Formidable ! s'exclama Jean d'une voix forte. Rassemble tes affaires et je te rappelle chez ta mère dès que j'ai vérifié si Mim est libre.

Cissy approuva en silence. Une lesbienne, pensa-t-elle. C'est une lesbienne, l'une des deux que je connais. Alors, qu'est-ce que ça dit sur moi ? Elle jeta un coup d'œil vers la chambre de Nolan.

— Je m'en fiche, dit-elle tout haut. Et je me fiche de ce qu'elles sont. Je me fiche de ce que je suis. Je peux aller à Los Angeles à l'automne. Je peux devenir quelqu'un d'autre.

Dans les livres, quand quelque chose tourne mal, on explique toujours comment on en est arrivé là, on décrit les indices et les erreurs, les prémonitions et les signes. La liste inclut le matériel non vérifié, la corde rangée alors qu'elle n'était pas sèche, les piles non remplacées, les gens qui descendent dans une grotte ivres ou épuisés, et les accidents plus terre à terre, les cartes tachées de soda ou de boue, de sorte que le passage crucial est effacé. Au bout de cinq heures passées à Little Mouth, les trois filles comprirent que quelque chose clochait, mais aucune ne pouvait se remémorer de mauvais augure.

Cissy se surprit à penser à Dede. Je n'aurais jamais dû m'en aller avec tout ce qui se passe.

— Je ne comprends pas, disait Mim. Nous sommes déjà venues dans cette partie. Je le sais, nous l'avons noté, mais rien ne semble pareil. Je ne me rappelle pas qu'il y ait eu autant de sable et ce roc ne me dit vraiment rien.

Le roc avait pourtant une forme mémorable, saucisse dans un petit pain ou phallus gentiment lové entre deux seins.

— Une bite, l'appela Jean. Une bite avec le gland de traviole.

Un tel roc aurait dû figurer dans leurs carnets ou sur l'une des cartes, mais ce n'était pas le cas. Quelque part, dans l'un des premiers couloirs, elles avaient dû prendre la mauvaise direction. Le passage souterrain qu'elles croyaient suivre n'existait pas.

— Où on est, d'après vous ? murmura Mim.

Ses mots se répercutèrent avec un son creux le long des parois nues, au-dessus d'elles.

— Dans un endroit inconnu, dit Jean. Un endroit où nous ne sommes encore jamais venues. Il faut rebrousser chemin, revenir exactement sur nos pas et chercher à savoir où nous nous sommes trompées.

— Ou retrouver quelque chose de connu, ajouta Cissy. Nous avons besoin d'un repère.

— Cette grotte n'est pas aussi grande que ça, dit Mim, décidée à se montrer rassurante. Combien de fois est-ce que nous sommes déjà venues ici, hein ? Retournons trente mètres en arrière et nous trouverons bien quelque chose. Vous verrez.

Du roc sur du roc, du sable et du schiste, des plans inclinés de pierre gris-noir, des pentes aux arêtes vives couvertes de graviers gros comme des pois, qui éraflaient les genoux… elles auraient dû reconnaître quelque chose, ne cessaient-elles de répéter. Lors d'une expédition précédente, elles avaient déniché dans les premières galeries de grosses giclées de peinture Day-Glo, flèches et cercles tracés à la bombe. Mim s'était plainte des garçons qui faisaient ça.

— Il faut qu'ils laissent leur marque. Qu'ils cassent, défigurent, bousillent quelque chose qui est resté propre et vide pendant un million d'années.

À ce moment-là, Cissy l'avait approuvée. Les signes peints étaient affreux et ses yeux avaient brûlé quand elle s'en était détournée. Maintenant, tandis qu'elle rampait heure après heure dans un passage qu'elle ne retrouvait pas sur les cartes, elle commença à imaginer des taches de couleur et faillit pleurer quand aucune ne se révéla réelle. Je vais mourir ici, pensa Cissy avant de secouer la tête avec obstination.

Une heure plus tard, Jean annonça qu'elle devait se reposer.

— Nous pourrions mourir sous terre, souffla-t-elle.

Cissy tressaillit. Mim eut un rire explosif.

— Non, c'est pas possible, dit-elle en donnant des coups de pied pour envoyer du sable aux deux autres. Il y a trop de choses que je n'ai pas encore faites. Je ne suis jamais allée à New York. Je n'ai jamais vu l'océan Pacifique. Et je n'ai encore jamais eu tellement d'orgasmes que je n'avais plus envie de jouir.

Jean sourit, ses dents nacrées par la lueur indirecte de la torche de Cissy.

— Moi non plus, dit-elle. Sauf pour la dernière chose. Ça m'est déjà arrivé.

Elles sourirent toutes les trois. Mim avait une tablette de chocolat, Jean des crackers au beurre de cacahuète. Cissy sortit du fromage et des tranches de salami. Elles mangèrent avec concentration et burent avec retenue. Toutes trois savaient qu'il ne restait plus beaucoup d'eau.

— Nous allons trouver quelque chose, répéta Mim. Continuons à remonter par là et nous serons forcées de ressortir tôt ou tard.

— Mes genoux me tuent, se plaignit Jean. Si on doit encore grimper, ils vont complètement lâcher.

— Il vaut mieux grimper que descendre, dit Cissy, même si elle n'en était pas sûre.

À une douzaine de mètres, le passage était bloqué et revenait en arrière. Elles se mirent à ramper sur le côté et leurs chaussures glissèrent sur du schiste brisé et du gravier.

— Ça ne va pas du tout, dit Jean quand elle heurta le sac de Cissy.

Elle le répéta une demi-douzaine de fois en six minutes.

Effectivement, pensa Cissy, ça ne va vraiment pas du tout. Derrière elle, Mim lâcha un sanglot et ordonna à Jean de la fermer, bordel.

Lorsqu'elles s'arrêtèrent une nouvelle fois pour se reposer, Jean demanda à Mim d'éteindre sa torche.

— Nous allons avoir besoin de lumière. Il faudrait utiliser une seule lampe à la fois.

Cissy trouva sa voix bizarre, rauque et chevrotante. À la faible lueur, son visage semblait être devenu plus étroit durant les heures passées à ramper sur les pentes boueuses. Cissy espérait qu'elle n'avait pas elle-même aussi mauvaise mine, mais ses mollets tremblants et sa gorge douloureuse la préoccupaient. Elle avait envie de s'allonger, de se recouvrir de terre, de se mettre en boule et de faire un somme jusqu'au moment où Dieu, ou un sauveteur quelconque, déciderait de venir la chercher.

— J'ai froid, dit Mim.

Cissy ferma les yeux. Elle n'avait pas la force de tourner la tête.

— Ça va aller.

Le raclement du sable contre les pantalons trempés se répercuta dans les cavités rocheuses lorsque Jean se glissa près de Mim.

Cissy imagina qu'elles iraient ensuite s'asseoir devant le poêle, chez Jean et Mim. La chaleur combattrait leur épuisement pendant qu'elles dégusteraient du vin et répéteraient les mêmes histoires. Les femmes faisaient de grandes spéléologues, disait toujours Mim. C'était à cause de la graisse stockée dans leur organisme et de leur endurance. La force du torse était importante, mais on pouvait la développer. Les femmes haltérophiles se seraient très bien débrouillées dans des grottes, ajoutait-elle. Elles étaient musclées, souples et avaient confiance en elles. Voilà ce qu'il fallait, outre une détermination farouche.

Cissy se mit à rire toute seule. C'était facile de parler de détermination et de discipline en buvant du vin et en mangeant du poulet et du fromage. Certains spéléologues s'affamaient délibérément pour mieux pouvoir se glisser dans de minuscules crevasses. Ils étaient si minces quand ils s'enfonçaient dans l'obscurité qu'ils pouvaient ramper dans des galeries où personne n'était capable de les suivre. Cissy se tortilla et un morceau de calcaire craqua sous sa chaussure. L'écho se répercuta le long du passage.

— C'est Floyd Collins, murmura Jean.

Mim pouffa.

Cissy glissa les mains sous ses aisselles et sourit dans l'obscurité environnante. Elle avait trouvé deux livres sur l'histoire de Floyd Collins, même s'ils concernaient moins le pauvre Collins que le cirque qu'on avait fait aux abords de la grotte dans laquelle il était mort. Pendant qu'il frissonnait et mourait de faim dans le noir, ses sauveteurs buvaient, pique-niquaient et vendaient des souvenirs, au-dessus de lui. Lors de la première expédition de leur équipe, Mim les avait taquinées en disant qu'il ne fallait pas « jouer à Floyd Collins ».

— Ne posez pas le pied où il ne faut pas. Ne prenez pas de risques inutiles.

Un autre craquement se fit entendre et Cissy serra davantage les bras autour de son corps. Elle imaginait ce malheureux fantôme en train d'errer éternellement dans les régions rocheuses souterraines, du Kentucky et du Tennessee jusqu'en Géorgie. Ce brave garçon était devenu légendaire et son histoire propre à effrayer les moins endurcis. Vous n'avez pas entendu parler du bon vieux Floyd, du célèbre Floyd Collins ? Il s'est transformé en écho qui se manifeste à votre oreille gauche ; maintenant, il a un peu de mal à se déplacer, sans son pied gauche, mais, si vous tendez l'oreille, vous l'entendrez avancer d'un pas lourd, hésitant. Il veut vous attraper par l'épaule, vous raconter ce qui lui est arrivé, donner tout bas son avis sur les journalistes qui lui faisaient parvenir des petits mots pour lui promettre une magnifique pierre tombale, une fortune pour son père, n'importe quoi s'il expliquait ce qu'on ressent quand on meurt dans un trou pendant que les gens font la foire au-dessus de votre cadavre.

— Je suis célèbre, murmurait-il, même si personne ne prononçait plus son nom à la lumière du jour. Je suis célèbre, et vous pourriez vous aussi le devenir.

Cissy observait les couleurs qui s'épanouissaient sous ses paupières, imaginait la transformation de ce corps spectral en train de se déplacer sur le sable et le roc. Il devait être tellement fluide, réduit à l'essentiel. Aucun tournant, aucune pente ne pouvait plus l'arrêter. Il n'avait plus besoin de dynamite, de hache, de corde. Une paroi n'avait plus de matérialité. L'obscurité n'était plus sombre. Il pouvait respirer à travers la pierre, nager dans la boue. Il se frayait un chemin de la tête, de la bouche, de ses canines phosphorescentes. Mort mais non point disparu, Floyd Collins était porté par le vent. Il tirait son souffle des roches souterraines, était présent dans les ossements et la merde de chauve-souris puants, dans la poussière lente à se déposer. Il était légende. Menace. Plaisanterie qui n'avait jamais été drôle. Les gens avaient besoin de prononcer son nom pour ne pas subir son sort, des gens qui n'auraient jamais commis l'imprudence de se faufiler dans des trous dont ils ne savaient pas ressortir.

Comme Floyd, se dit Cissy. Si je deviens assez maigre, je pourrai me faufiler. Combien de calories la peur brûle-t-elle ? Je suis assez terrorisée pour fondre jusqu'à devenir méconnaissable. Et si je fonds assez, est-ce que j'arriverai à tapisser mon chemin de graisse ? Est-ce que j'arriverai à glisser sur ces roches, à atteindre la lumière, à devenir aussi fluide, aussi réduite à l'essentiel que Floyd, la mémoire ou l'espoir ? Est-ce que j'y arriverai ?

— Cissy ? Cissy ! Ça va ?

— Oui, très bien.

— Tu marmonnais quelque chose.

Cissy secoua la tête.

— Non, rien, je réfléchissais, c'est tout.

Elle regarda dans la direction de Mim. À la faible lueur de l'unique torche, elle apercevait à peine les deux filles. Est-ce qu'elles étaient vraiment amantes ? Seigneur, était-elle bête ! Jean haletait et le son ricochait sur le roc en pente. Il y avait des fragments de schiste juste au-dessus du visage de Mim. La déclivité de la roche se modifiait, de sorte que Cissy avait davantage d'espace au-dessus d'elle. Elle avait presque assez de place pour lever complètement le bras. Elle tourna la tête et suivit des yeux la pente qui s'élargissait dans le noir. Le sol s'abaissait pour rejoindre ce qui paraissait du sable, et le toit s'élevait sans qu'elle puisse voir jusqu'où. Il y avait plus de place de ce côté, elles pourraient peut-être se tenir debout.

La lampe de Jean faiblit encore et les ombres semblèrent se rapprocher. Le seul bruit qu'elles entendaient était leur respiration angoissée et l'écho assourdi d'une chute d'eau, au loin. Cissy retint un instant son souffle ; elle aurait bien voulu que Jean éteigne sa lampe et les laisse se reposer dans le noir. À condition de ne pas bouger, l'obscurité lui semblait parfaitement sûre, mais elle savait que Jean et Mim avaient besoin de lumière, que l'obscurité ne les rassurait pas. Seule Cissy était gênée par la lumière. Le faisceau venait frapper la pente grossière, au-dessus d'elle, d'une telle manière qu'on aurait dit que la croûte terrestre bougeait.

— C'est une hallucination.

Cissy prononça le mot prudemment et sentit que Mim se rapprochait d'elle, jusqu'à ce que leurs hanches se touchent.

— Comme une oasis dans le désert.

Mim semblait lire dans les pensées de Cissy.

Au-dessus de Cissy, les bosses rocheuses étaient gris blanchâtre et gris sombre, humides à la faible lueur, et ressemblaient à des bulles dans une meringue. Certaines avaient des centres creusés de fossettes qui gouttaient et faisaient penser à des mamelons. Devant les yeux éblouis de Cissy, ces bulles étaient des seins tièdes, qui transpiraient dans l'air frais, humide. Elle avait la tentation de remonter la pente jusqu'à un endroit tellement étranglé qu'elle pourrait presque, en étant allongée, à peine redressée, approcher les lèvres d'un de ces renflements. Elle fixa le centre luisant du plus gros téton. Elle s'imaginait qu'un sirop consistant lui emplirait la bouche. Ce téton lâcherait un liquide sucré. Du sucre de roche.

— Ça ne serait pas bon, lui murmura Mim à l'oreille gauche.

— Non, admit Cissy en riant. Est-ce que je parlais encore toute seule ?

— Tu le fais depuis un moment. Et c'est de la boue calcaire.

Mim se redressa un peu afin d'atteindre la paroi.

— Le calcaire, c'est salé et aigre. Ne pense pas à du sucre. Pense à sortir d'ici, à remonter ce passage et le suivant. Pense que nous sommes tout près de la surface. Pense à ne pas avoir froid.

Cissy se tourna pour approcher la bouche de l'oreille de Mim.

— N'empêche que c'est beau.

Ses mots étaient étonnamment sonores.

— Tu trouves pas ça beau ?

Sa voix semblait floconneuse. À chaque syllabe venait s'ajouter un petit bruissement, un léger vibrato qui se répercutait sur les roches.

— Regarde la manière dont la lumière joue sur les pierres, la manière dont les gouttes d'eau brillent.

— On dirait de la glace en train de se former.

La voix de Jean était rauque d'épuisement, du gravier sous la poussière.

— Des bébés en glace qui cherchent les tétons en glace. C'est pas du sucre. C'est du givre.

— Tu as froid à ce point, Jean ?

La voix de Mim était coupante de frayeur.

— Je gèle. Je gèle, bordel ! Mes mains n'arrivent pas à s'arrêter de trembler. Même mes aisselles sont froides.

Elle jura une nouvelle fois, la voix plus légère, presque un éclat de rire.

— Si j'arrivais à cracher, je cracherais des grêlons.

— Oh ! mon pauvre chou !

Mim rampa pour aller lui frotter les épaules.

— Oh ! merde ! dit Jean en se mettant à glousser. Fais pas ça.

Cissy entendit le frottement du tissu humide sur la peau moite. Elle rampa vers ce bruit. Les mains de Mim frictionnaient Jean là où elle avait écarté la couche de vêtements. Le rire de Jean ralentit et mourut en douces protestations.

— Mon chou, ne commence pas, dit-elle d'un ton taquin.

— Il faut que tu retires cette chemise mouillée.

La voix de Mim était sévère. Cissy ne bougea pas. Elle n'avait pas envie d'être celle qui devait agir. Ça lui suffisait, de rester immobile, de les écouter se débattre, d'entendre l'écho mat renvoyé par les parois, tout autour d'elles, de sentir le martèlement de son cœur.

— Bordel de merde ! jura Jean. Je suis là en train de me geler et tu veux que je me déshabille ?

— Cissy ! Viens ! s'écria Mim. Viens m'aider.

Cissy soupira. Elle ne savait pas très bien ce qu'avait l'intention de faire Mim, mais, visiblement, elle était la plus éveillée des trois et son ton était insistant. Cissy s'obligea à glisser sur la pente en schiste. Quand elle lui toucha l'épaule, Jean se tourna vers elle en riant. Mim tirait frénétiquement sur les vêtements superposés, sales et collants de son amie.

— Aide-moi, dit-elle. Viens. Aide-moi.

— Il fait trop froid ! bredouilla Jean d'une voix épuisée.

L'hypothermie, comprit Cissy. Voilà ce que redoutait Mim. L'hypothermie pouvait vous tuer dans une grotte froide, humide. Elle repoussa les mains glacées de Jean, déboutonna soigneusement la chemise de flanelle.

— Il faut qu'on lui retire ça !

La voix de Mim était presque hystérique.

La torche de Jean vacilla avant de s'éteindre. D'épaisses ténèbres les enveloppèrent. Cissy n'hésita pas. Elle alluma sa lampe et la coinça dans une fissure en l'orientant sur ses deux compagnes. Le rayon oblique les éclairait parfaitement, mais ce fut la lueur phosphorescente de l'épaule nue de Mim qui tira Cissy de sa passivité gelée. Mim était à moitié déshabillée et frottait le corps de son amie avec sa propre chemise roulée en boule. Elle avait relevé celle de Jean jusqu'au cou, retiré une manche, mais l'autre restait entortillée autour du bras. Cissy s'approcha et plaça ses jambes de part et d'autre du torse de Jean.

— Je peux me déshabiller toute seule. Je peux me déshabiller toute seule, protesta celle-ci.

— Enlève tout. Enlève tout.

La voix de Mim semblait tendue, comme si elle s'efforçait de ne pas bégayer de froid.

— D'accord.

Cissy réussit à retirer la dernière couche qui couvrait le buste de Jean. Le maillot gris-bleu passa par-dessus sa tête en formant une boule détrempée. La chair de poule piquetait la peau blanc bleuté, sous la lumière peu flatteuse. Cissy compatit à ce spectacle et sentit des picotements glacés jaillir au niveau de son nombril. Aussitôt, Mim se glissa à la gauche de Jean, qu'elle cala contre les cuisses de Cissy. Elle se mit à frotter furieusement la chair exposée. Jean battit des paupières, l'air endormie, et se débattit faiblement.

— Ne résiste pas, insista Mim. Laisse-toi partir en arrière.

— Dis-moi ce qu'il faut faire, réclama Jean d'une voix d'enfant capricieuse, épuisée.

— Aide-moi.

Mim était de plus en plus désespérée au fur et à mesure que le tremblement de Jean augmentait. Cissy essaya de frotter le dos nu et de regarder autour d'elle en même temps. La légère pente sur laquelle elles se tenaient descendait à la rencontre d'une autre couche rocheuse. Juste devant, il y avait la lueur d'une surface blanche réfléchissante. Ce sable, ce n'était pas la première fois qu'elle le voyait. Soudain, Cissy s'arracha au corps frissonnant de Jean et attrapa la torche pour en diriger le pinceau vers la lueur blanche.

— C'est du sable !

Elle se mit à entraîner Jean avant que Mim se soit rendu compte de ce qu'elle faisait.

— Dis-moi ce que je dois faire, répéta Jean. Dis-moi seulement ce que je dois faire. J'arrive pas à réfléchir. Dis-moi.

— Là, là !

Cissy tira Jean sur le roc. Les boules de vêtements humides traînaient derrière elles. Mim tomba, pleura, mais dégringola à leur suite, toujours accrochée à l'épaule de Jean, comme si elle ne pouvait pas supporter de perdre ce contact. Cissy projeta Jean devant elle sur le sable, ignora ses couinements quand le dépôt grossier écorcha le ventre et les cuisses tendres. D'un geste rude, Cissy poussa Mim de façon à prendre Jean en sandwich entre elles deux. Pui
elle recommença à frotter avec les vêtements sales. Quar

Mim s'y mit elle aussi, de l'autre côté, les petits cris de Jean devinrent sanglots.

— Allons, allons, petite ! chantonna Mim. Ça va te faire du bien. On va te réchauffer. Écoute, ma petite, il faut qu'on te réchauffe.

Cissy frotta plus fort, bougeant son corps contre celui, passif, de Jean. Peu à peu, l'exercice la réchauffa elle aussi, chaleur illusoire qui faisait seulement perler la sueur sur sa peau. L'humidité entraînerait des frissons. Posément, elle s'aspergea de sable pour constituer une nouvelle couche isolante. Elle sentait son corps à la fois lourd et arachnéen, comme si ses efforts lui faisaient perdre sa substance.

— Frotte ! s'écria-t-elle, ne sachant plus trop si elle parlait à quelqu'un ou à elle-même. Plus fort ! Vas-y !

Mim frotta plus fort, massa activement Jean tandis que Cissy les abandonnait pour aller chercher leurs sacs en rampant. Elles avaient encore une épaisseur de vêtements secs. Les cartes étaient enveloppées dans du plastique. Voilà ce qu'il leur fallait, du papier pour former une couche isolante. Elle utilisa la housse des cartes, puis des petits sacs en plastique. Elle les déchira, les étala. Ça fournissait à Jean une pellicule sèche sous les vêtements humides. C'était dommage de déchirer les cartes, mais il n'y avait pas moyen de faire autrement. Elles avaient besoin de tout ce qui pouvait apporter un peu de chaleur, de tout ce qu'elles pouvaient superposer.

Vu l'état de Jean, elles n'avaient pas autant d'heures devant elles qu'elles l'avaient espéré. Il leur fallait ramper, grimper sans s'arrêter. Si elles s'arrêtaient, elles mourraient, toutes, dans le froid et l'obscurité. Cissy réfléchit un instant. Est-ce qu'elle les abandonnerait si elle devait le faire pour s'en sortir ? Pourrait-elle s'y résoudre ? Si elle devait en passer par là, laisserait-elle Jean dans les bras de Mim pour gagner seule l'issue ? Peut-être, pensa Cissy. S'il le faut, peut-être. Je veux vivre. Je veux ressortir de là vivante.

— Tout ira bien, murmura Mim dans les cheveux ébouriffés de Jean. Nous allons très bien nous en tirer. Très bien, ma petite.

Cissy lui donna un coup de coude.

— Il faut continuer à avancer.

— Elle a besoin de se reposer, plaida Mim.

On aurait dit qu'elle avait envie de pleurer.

— Écoute-moi.

Cissy approcha les lèvres de la joue de Mim. Elle lui enfonça les doigts dans le bras.

— C'est comme quand on est pris dans un blizzard. Ou si on faisait un somme dans une tempête de neige. Il ne faut pas la laisser s'endormir. Nous ne pouvons pas nous permettre de nous allonger. Nous devons bouger sans arrêt.

— S'il te plaît, Mim, gémit Jean. Laisse-moi me réchauffer.

— Tu n'arriveras pas à te réchauffer.

Cissy avait l'impression que ses épaules se transformaient en poteaux métalliques. Une boule de fer lui remonta la colonne vertébrale et gagna son cerveau. Elle n'était elle-même que glace, métal et froide détermination.

— Tu mourras, dit-elle.

Et elle entendit le ton de Delia dans le sien. Delia avait parlé comme ça quand elle l'avait traînée d'un bout à l'autre du pays. Elle avait poussé, tiré Cissy, l'avait forcée à faire ce qui semblait pure folie. Tant pis si Cissy l'avait détestée à cause de ça. Tant pis s'il n'y avait aucune raison de croire qu'elles allaient se retrouver en sécurité.

— Elle a raison, dit Mim en tirant le corps de Jean. Écoute, mon chou, elle a raison.

Mim se releva sur les genoux et entraîna Jean dans son geste. Cissy tendit la main et attrapa la ceinture de Jean.

— Relève-toi ! Allez, relève-toi ! cria-t-elle.

En pleurant, Jean réussit à s'agenouiller à côté de Mim.

— Je te déteste, dit-elle.

Elle pouvait s'adresser à l'une comme à l'autre. Ciss sentit la tête lui tourner en l'entendant. Elle sourit et s lèvres se fendillèrent quand elle étira la bouche.

— Moi aussi, je te déteste, dit-elle. Je déteste ces rocs, ce sable, Dieu, la Géorgie, le fantôme de ce fichu Floyd Collins, mais je n'ai pas l'intention de mourir ici. Et tant que je pourrai te faire avancer, tu ne mourras pas toi non plus.

Cissy tourna le corps pour pouvoir attraper Jean plus facilement. Elle lui accrocha à la ceinture la corde qu'elle portait enroulée autour de la taille. Puis elle pivota et se mit à ramper. Elle entendait Mim gémir et Jean pleurer tandis que la corde la tirait brutalement en avant. C'était encore plus difficile d'avancer comme ça, de traîner cette pleureuse récalcitrante. Mim les suivait, jurait parfois quand elle cognait sa tête à celle de Jean.

Cissy ne leur prêtait pas attention sauf pour leur décocher un coup de pied quand elles s'arrêtaient. Elle avait maintenant une idée claire en tête. Elle savait exactement ce qu'elle devait faire, jusqu'où elle devait ramper, combien de fois elle devrait rouler sur elle-même et glisser sur le dos. Ce passage était bien net dans sa mémoire. Il les conduirait à la sortie.

— Allez ! lança-t-elle par-dessus son épaule à Jean et à Mim. C'est par là. La sortie est par là, je le sais.

— Tu ne sais rien du tout.

— Oh ! que si.

Cissy se gratta le cou pour retirer de la saleté, à l'endroit où son col l'irritait.

— Je connais cette partie. Je sais où nous devons aller. Si vous ne me suivez pas, je vous laisse pourrir ici.

L'une se mit à sangloter, l'autre à jurer. Cissy ne se soucia ni de voir qui faisait quoi ni de s'expliquer. La corde passée à sa ceinture se tendit, puis se relâcha. Elles la suivaient. C'était la seule chose qui importait. Si elles continuaient à avancer, aucune ne serait obligée de mourir ici.

— Je te déteste, fit une voix rauque, méconnaissable.

Tout en continuant à ramper, Cissy éclata de rire.

— Ça, ça ne m'étonne pas. Ça ne m'étonne pas.

Étourdie, ragaillardie, elle continua de glousser toute le en grimpant obstinément. Sous elle, le sable agglutiné avait la couleur du petit-lait. Au-dessus, le schiste était aussi désespérant que l'aile d'un corbeau. Le pouls de Cissy battait d'un beau pourpre, son souffle était bleu ciel. Randall lui chantait derrière l'épaule droite : « Né au croisement du Calvaire et de Nazareth, mais je ne vais pas me coucher pour mourir. » Non, papa, promit Cissy. Si Delia a réussi à me traîner jusqu'ici, nom de Dieu, je vais sûrement être capable de sortir ces garces d'un souterrain.

Quand elles trouvèrent enfin les marques de peinture Day-Glo, trois heures plus tard, Cissy tremblait d'épuisement, mais elle avait les idées claires et ses pensées glissaient aussi bien que des billes sur une surface huilée. La plage de Venice, pensait-elle, Los Angeles, Santa Monica, l'UCLA, tous ces endroits que je ne me rappelle même plus bien. Je pourrai y aller si je veux.

— Papa, souffla Cissy quand le soleil matinal lui tomba sur le visage. Papa, je vais retourner là-bas. Je ne veux pas mourir ici. Je vais tâcher de savoir ce que je suis capable de faire.

— Oh ! mon Dieu ! sanglota Mim derrière elle.

Elle avait le visage meurtri et strié de boue. Elle remonta à la lumière à quatre pattes.

— C'est la dernière fois de ma vie que je fais une chose pareille.

— Oh ! tu n'en sais rien, lui rétorqua Cissy, en titubant de fatigue, mais euphorique. Aucune de nous ne sait ce qu'elle pourra bien faire.

Elle jeta un regard derrière elle, par-dessus le corps détrempé, boueux de Jean. L'ouverture béante de Paula's Lost était à moitié cachée par des branches entrelacées de kudzu.

— Je ne crois pas que j'arriverais à tracer la carte du passage qui les relie. Nous l'avons trouvé, mais je ne crois pas que je pourrais montrer le chemin à quelqu'un. C'est drôlement marrant, hein ?

23

Delia attendait Emmet Tyler au café. Une nouvelle serveuse, au visage allongé, portait une perruque mal coiffée. Delia ne cessait de regarder la perruque, la manière dont elle retombait sur le visage de la femme et les incessants petits gestes qu'elle faisait pour la remettre en place. Je pourrais l'arranger, pensa-t-elle. Et elle se rendit compte qu'elle l'avait comparée à celle d'Amy Tyler, qu'elle avait coiffée si longtemps auparavant.

— Mon Dieu ! souffla-t-elle.

Elle avait bu trop de café. Elle avait l'impression qu'elle ne supporterait pas une autre tasse.

— Tu as eu des nouvelles d'Emmet ?

Cissy se glissa dans le box et s'assit en face de Delia. Les égratignures de son visage étaient roses, à vif, les articulations de sa main droite bandées, mais ses yeux étaient éclatants et limpides.

— Il n'est pas encore revenu, dit Delia.

Cissy hocha la tête.

— Jean est toujours chez sa mère. D'après Mim, ça va aller, mais elle est encore secouée. Elle a l'intention de passer le reste du semestre à dormir.

Le visage de Delia s'affaissa.

— Seigneur, Cissy, j'aurais pu te perdre. Tu aurais pu nourir, là-dessous.

— Ouais, dit Cissy avec un sourire. Je sais, mais ça ne 'est pas arrivé, et je crois que c'est tout ce qui compte.

Delia lutta afin de se ressaisir. Ses doigts étaient entre-lacés. Les muscles de sa nuque se nouèrent lorsqu'elle déglutit et secoua la tête.

— Ça fait plaisir de te voir sourire, parvint-elle à dire.

— Bon, nous avons réussi quelque chose que personne n'avait réussi et que nous voulions faire depuis le début. Nous sommes passées de Little Mouth à Paula's Lost. Sauf que nous n'avons pas tracé de carte et que nous ne pouvons pas montrer le chemin. Personne ne voudra probablement le croire et Jean et Mim jurent qu'elles n'y retourneront pas, alors je n'arriverai peut-être jamais à en tracer la carte.

— C'est si important que ça ?

— En tout cas, c'est comique, dit Cissy. On dirait une plaisanterie de Dieu.

Elle lança un coup d'œil vers la porte du café.

— Emmet devait venir ici, c'est ça ?

— S'il arrivait à tout terminer. S'il n'est toujours pas là dans une demi-heure, nous irons au tribunal.

Delia repoussa sa tasse.

— Seigneur, j'ai failli te perdre. Et Dede tire sur Nolan. Amanda boit, et moi j'y comprends plus rien.

Sa voix tremblota.

— J'ai essayé de toutes mes forces d'être une bonne mère. J'ai arrêté de boire, j'ai pris soin de vous, mais il y a quelque chose que je n'ai pas bien fait. Aucune de vous ne semble savoir qui elle est ni à quel point je l'aime.

Cissy posa les mains à plat sur la table.

— Non, c'est pas ça, dit-elle. Aucune de nous ne sai qui tu es, toi. En tout cas, pas moi. Je ne te connais absolu-ment pas. Tu as toujours tout gardé pour toi. Clint m'en a dit plus sur toi que tu ne l'avais jamais fait. Et quand on était chez grand-père Byrd, Dede m'a montré les photos de ta famille. Tu ne m'as jamais rien dit sur eux.

— Je t'ai dit qu'ils étaient morts. C'est grand-pèr Byrd qui m'a élevée.

— C'est rien, ça. C'est moins que rien. Comme sont-ils morts ? Quand ? Qu'est-ce qui est arrivé ? avais une maman, un papa. Je les ai vus en photo. T m'en as jamais parlé. Tu trimballes ce grand silence, même quand tu répètes qu'il faut être franc, tout ça.

Delia jeta un coup d'œil dans le café. Deux personnes étaient au bar, la serveuse à la vilaine perruque au fond de la salle, et un homme dans un box. Que Dieu me vienne en aide, pensa-t-elle. Elle avait l'impression que sa colonne vertébrale se tordait lentement et s'arrachait de ses hanches.

— J'ai envie d'une cigarette.

Cissy était stupéfaite.

— J'ai tellement envie d'une cigarette que je pourrais me bouffer la langue.

Delia se retourna dans le box et fit signe à la serveuse.

— Excusez-moi, madame. Vous n'auriez pas une cigarette, par hasard ?

Delia repoussa ses cheveux en arrière.

— J'ai l'impression que je vais mourir si je n'en grille pas une.

La serveuse fronça les sourcils, puis sourit d'un air triste et s'approcha. D'une poche, sous son petit tablier, elle sortit un paquet de Kool Light.

— Je vous comprends, dit-elle d'une voix traînante. Le jour où ils interdiront de fumer dans ce café, je m'en irai tout de suite.

Elle tendit le paquet à Delia, le secoua pour faire sortir une cigarette et en prit une à son tour. De la même poche, elle extirpa un briquet, et alluma celle de Delia puis la sienne. Elle regarda les mains tremblantes de Delia, l'expression consternée de Cissy et sourit gentiment.

— C'est infernal, hein, d'être drogué à ce point ?

La serveuse rangea son paquet et son briquet, puis désigna la tasse.

— Vous voulez autre chose ?

— Je pense que je prendrai quelque chose de défendu, répondit Delia en agitant sa cigarette. Pour aller avec ça. Pourquoi pas un lait malté ?

— Chocolat, vanille et je crois que nous avons de la glace au café, là-bas.

La femme repoussa sa perruque d'un air emprunté.

— Non, pas de café. Au chocolat, ça m'irait. Au chocolat, ça serait formidable.

Avec lenteur, bonheur, Delia tira sur sa cigarette. Après tout ce temps, elle n'éprouvait même pas le besoin de tousser. Merde, pensa-t-elle, c'est la pire de toutes les drogues. Elle se tourna pour rappeler la serveuse.

— Dites, vous connaissez le Bonnet ? En bas de la rue ? Le salon de beauté ?

— Ouais, où y a des chlorophytes en vitrine ?

— C'est moi qui le tiens. Passez me voir un de ces jours. Je pense à une coiffure qui vous irait vraiment bien.

La femme fit un signe de tête.

— Merci, je n'y manquerai pas.

— Elle a bien besoin d'aide, dit Cissy d'un ton coupant une fois la serveuse repartie dans la cuisine.

— Comme nous tous, ajouta Delia. Comme nous tous.

Elle tira une nouvelle bouffée et écrasa la cigarette dans la soucoupe. Puis elle regarda Cissy dans les yeux.

— Bon. Il y a quelque chose que je voudrais te demander. Tu as parlé de ton œil à combien de gens ?

Cissy sursauta. Son visage s'empourpra et sa bouche s'ouvrit.

— Pas à beaucoup, hein ? ajouta Delia en secouant la tête. La plupart ne sont même pas au courant, hein ? Ce n'est pas un sujet que tu abordes dans les conversations quotidiennes ; si ? Tu ne dis pas : « Écoutez, mon père a failli me tuer parce qu'il se droguait et se fichait qu'il y ait ma mère et moi dans sa voiture » ?

Son expression était sévère.

— Est-ce que tu expliques que tu l'aimais quand même ? Est-ce que tu dis que ça ne te dérange pas du tout de ne pas pouvoir avoir ton permis de conduire ?

— À quoi tu joues ?

On aurait dit que Cissy avait envie de pleurer mais ne voulait pas faire ce plaisir à sa mère.

— Je t'explique quelque chose.

La serveuse posa un grand verre de lait malté
lat devant Delia, qui lui sourit faiblement et dé
a paille de son papier.

— Merci, dit-elle.
— Pas de quoi, répondit la serveuse, la cigarette toujours au coin des lèvres.
Cissy s'assit de travers, prête à déguerpir. Delia tendit la main par-dessus la table et lui prit le bras.
— Non, dit-elle. Reste assise. Je n'essaie pas de te faire mal. J'essaie de parler avec toi de ce qu'est la souffrance.
Cissy se dégagea.
— Tu ne m'as toujours rien dit.
— C'est vrai.
Delia se passa la langue sur les lèvres.
— Tu as raison. Je ne t'ai jamais parlé de ma famille. J'ai seulement dit qu'ils étaient morts et que c'était dur. Mais, Cissy, il y a des choses que personne ne sait comment aborder, des histoires qu'on ne raconte pas à ses enfants. Si j'avais eu le choix, tu n'aurais jamais rien su. Je suppose que grand-père Byrd en a parlé à Dede. Quelqu'un a probablement raconté l'histoire à Amanda, une partie, tout au moins. C'est le genre de chose que les gens ne peuvent pas garder pour eux, mais moi, je n'ai jamais été capable d'en parler. Je ne pouvais pas y penser.
Elle referma les doigts sur le verre.
— Tu es sûre que tu veux savoir ?
— Raconte.
Le visage de Cissy s'était fait aussi sévère que celui de Delia, sa bouche aussi dure.
— Vas-y, raconte-moi.

— C'était à la fin du mois de juillet. C'était l'été de mes onze ans, en 1959. Nous allions partir faire une excursion, mais j'ai changé d'avis. Tout a découlé de ça.
Toute la famille devait se rendre à Fort Jackson – Delia, sa mère, son père et ses trois frères. Ils allaient chercher Luke, le frère de son père, qui terminait son instruction militaire. Il faudrait une journée pour aller là-bas et une autre pour en revenir, deux brûlantes journées estivales. Delia avait décidé de ne pas y aller une heure à peine avant le départ. Elle resterait avec son amie Julia, mangerait des

cônes glacés et jouerait avec la nouvelle portée de chiots que grand-père Byrd avait découverte sous son tracteur.

— Je pensais à la chaleur et à ces chiots, dit Delia.

Une chaleur éreintante, cuisante pour quatre enfants entassés à l'arrière d'une Ford déglinguée lancée à travers deux États, et le museau marron velouté d'une demi-douzaine de chiots brun-roux, aveugles, qui se grimpaient dessus. Les frères de Delia, trois garçons à la taille étagée, aux cheveux filasse, au teint bruni par le soleil, la taquinèrent en lui disant qu'elle loupait toute chance de voir un défilé militaire et de dormir dans un motel climatisé. Son père la souleva du sol, la serra très fort dans ses bras et la félicita parce que, en renonçant à l'excursion, elle laissait plus de place à ses frères dans la voiture. Il n'y aurait que trois corps suants, agités, secoués sur les garnitures de siège en plastique. Sa mère l'embrassa sur le front et appuya la joue de Delia sur son ventre gonflé. En octobre, un petit frère, ou peut-être une petite sœur minuscule, Delia en miniature, battrait des paupières comme un des chiots, dans les bras de sa mère.

Ils devaient revenir quatre jours plus tard, mais il pouvait faire mauvais, ou maman aurait peut-être besoin de se reposer avant d'entamer le long trajet du retour. Delia devait passer une ou deux nuits chez Julia, puis aller chez grand-père Byrd pour le week-end.

— Embrasse-moi encore une fois ! s'écria son père, installé au volant.

Et Delia passa la tête par la vitre, frotta sa joue contre sa peau rasée de frais, sentit la transpiration talquée de sa mère, sourit à Tom et pinça l'épaule de Max.

Leroy hurla :

— Réserve-moi un petit chiot !

La Ford démarra en soulevant un nuage de poussière dans l'allée.

— Est-ce que tu as pris ton petit déjeuner ? demanda la maman de Julia.

Delia haussa les épaules et suivit la Ford des yeux. Une [illegible]'agita au-dessus du toit de la voiture bleu passé. Un [illegible] frères ou sa mère ? Delia l'ignorait. Elle ne savait rien. La voiture et sa famille s'étaient éloignées dans une brume de poussière et de début de chaleur, et avaient disparu. L'absence était soudaine, terrible, totale. Il n'y avait pas de mot pour décrire ça. Ils n'étaient jamais revenus. Le monde s'était refermé sur eux et Delia se retrouvait toute seule, un chiot dans les bras. Au bout d'une semaine, grand-père Byrd se rendit à Fort Jackson pour aider Luke dans ses recherches. Il revint avec une expression confuse, déconcertée et aussi furieuse que celle de Delia. On ne savait rien, on n'avait rien retrouvé.

Delia avait éternellement repassé le même film dans sa tête, cette main blanche qui s'agitait au-dessus du toit de la voiture, l'odeur des garnitures de siège chaudes et des corps aimés, l'image d'un petit frère ou d'une petite sœur, sa vie changée du tout au tout. Quand elle pleurait, elle pleurait le bébé, l'occasion manquée, le mystère. Grand-père Byrd ne pleura jamais. Son silence s'agrandit et se durcit tellement que Delia en sentait le poids sur ses os. Elle s'approchait de son grand-père, lui touchait le bras et sentait qu'il s'écartait d'elle comme la lune qui se levait dans le ciel. Tout l'abandonnait, la laissait seule. Grand-père Byrd noya les chiots. Il les souleva un par un dans ses grosses mains noueuses, les plongea, bouche ouverte, dans l'eau sale de la vieille baignoire reléguée dans le jardin de derrière, les retira, inertes, muets, et les aligna de l'autre côté de la baignoire, taches d'un noir luisant au chaud soleil de l'après-midi. Delia avait tout observé les yeux secs, en se mordant l'intérieur des joues pour ne pas hurler.

Lorsqu'on retrouva la Ford, juste avant Noël, sur le parking d'un revendeur de Savannah, oncle Luke passa trois jours à la maison. Delia sentit alors une bouffée d'espoir – non pas pour ses frères, sa mère ou son père, mais pour elle-même. Elle espérait des nouvelles, quelles qu'elles soient, elle espérait que quelqu'un lui dirait : « Voilà ce qui s'est passé, voilà l'histoire. » Luke n'avait as ces mots à lui offrir. C'était le fils de grand-père rd, il n'avait rien du père de Delia en lui, seulement chagrin et du désarroi. Luke regarda Delia avec impatience, sévérité, semblant se demander pourquoi elle était encore là, toujours en train de respirer et d'exiger quelque chose qu'il ne possédait pas. Il repoussa l'assiette de macaronis au fromage qu'elle lui avait réchauffés et resta à table pour boire le Jack Daniel's de grand-père Byrd. Delia se réfugia dans ses draps glacés. Le matin de Noël, elle trouva Luke assommé sur le divan imprimé, dans la pièce de devant. Elle se pencha sur lui, vit sa bouche ouverte et ses yeux cernés. Elle sentit alors ce silence de pierre qui pesait sur grand-père Byrd, sentit qu'il prenait corps chez son oncle, prêt à l'envahir insidieusement elle aussi, créature animée, dangereuse, animal qui voulait la dévorer vivante.

À onze ans, Delia Byrd fit la seule chose qu'elle pouvait faire. Elle serra des poings maladroits et frappa son oncle de toutes ses forces, frappa des mains et des pieds son menton piquant et son oreille bosselée, gifla ce corps flasque et ivre en braillant comme un bébé qui vient au monde. Elle ouvrit la bouche et ça sortit – un gémissement qui se transforma en cri, terrible hurlement salvateur qui s'enflait toujours davantage. Ce cri arracha grand-père Byrd à son lit dur et fit rouler son oncle par terre. Grand-père Byrd entra dans la salle de séjour les mains tendues, la bouche ouverte. Ses mains froides ne purent faire cesser le hurlement de Delia. Il la souleva de terre aussi facilement qu'il avait soulevé ces chiots, mais elle lui décocha des coups de pied qui le forcèrent à la relâcher et à reculer. Tous deux, oncle et grand-père, vibrèrent à l'unisson de son petit corps rigide, braillard, bout de chou qui les tenait à distance avec un cri.

C'était son monde volé que pleurait Delia, bruyamment et désespérément. Elle avait beau l'enfouir au plus profond d'elle-même, ce monde restait vivant. Le chagrin brûlait dans son regard, tremblait sur ses lèvres irritées, mordillées, s'étendait autour d'elle tel un cercle d'ombre. Avec une continuelle plainte angoissée, Delia portait le deuil de sa vie perdue et des gens qu'elle avait aimés. Des années plus tard, lorsqu'elle monta sur une scène et ouvr la bouche pour chanter, ce fut un gémissement de deuil qui en sortit.

« Delia Byrd chante comme l'ange de l'Apocalyse, avait écrit un critique. Elle chante comme si elle avait touché le fond du fleuve de la vie et était revenue avec la connaissance de la mort. » Delia s'était mise à rire en lisant ces mots. Elle avait pris une cuite carabinée et était restée ivre un bon moment.

— Le fleuve de la vie, avait-elle dit à Randall en se blottissant dans ses bras. Je me suis baignée dans le fleuve de la vie.

— Mon Dieu ! dit Cissy.

— Je les maudissais. Non seulement Luke et grand-père, mais aussi ma mère, mon père, et ceux qui me les avaient volés. J'aurais maudit Dieu si j'avais pu me trouver en face de lui.

Delia eut un sourire amer.

— Depuis, je ne cesse de maudire. De chanter, de faire du bruit, de fredonner dans la gorge. Je ne peux pas me taire. Tu sais bien.

Cissy déglutit avec difficulté. Les visages de ces photos, cette famille heureuse, planèrent sur l'espace étriqué du café surchauffé. La maman se pencha pour effleurer la joue de Cissy. Les garçons qui sifflaient et s'agitaient défilèrent devant le visage blême de Delia. Le grand-père perdu passa gentiment le bras sur les épaules de Delia. Puis ils s'évanouirent comme les fantômes qu'ils étaient et il ne resta plus que Delia, assise de l'autre côté de la table, sa paille entre deux doigts.

Elle avala une gorgée de lait malté.

— C'est bon, dit-elle. Je me rappelais plus que c'était si bon.

Luke Byrd était allé en prison pour homicide par imprudence, peu après la Saint-Valentin. La sentence était plus que méritée, dit Delia à Cissy.

— Il aurait dû rester en prison, où il ne pouvait faire de tort à personne.

Luke était soûl, d'après ce qu'on disait. Il avait souvent été soûl depuis qu'il avait quitté la maison de son père, après la disparition de la famille. Ivre et stupide, il avait heurté de plein fouet une voiture à la sortie d'Atlanta, avec son camion, et tué un inconnu qui ignorait tout de sa fureur. Pendant son jugement, Luke resta engourdi, muet, cilla en regardant le juge, qui semblait le considérer avec beaucoup de compréhension, et hocha la tête quand son avocat mentionna la disparition de la famille. Mais les parents du défunt, eux, ne ressentaient aucune compréhension, pas plus que Delia.

— Encore des gens blessés sans raison, dit-elle. Luke a tué cet homme à cause de son chagrin irréfléchi et ne semblait rien éprouver en voyant ce qu'il avait fait.

Quelques années plus tard, il tua de nouveau tout aussi bêtement, deux hommes cette fois, dans une taverne de Memphis. C'était pour ce crime qu'il se trouvait encore en prison.

— Il s'est probablement dit qu'il s'en sortirait une fois de plus, expliqua Delia. Dis-toi bien qu'il y a toujours des gens comme Luke, des fous qui t'arracheront la vie pour une raison qui n'a rien à voir avec toi. C'est peut-être ce qui est arrivé à ma famille. Peut-être que ceux qui m'ont volé la vie qui devait être la mienne, et m'ont laissé celle-là à la place, s'imaginaient qu'ils en avaient le droit. Quelqu'un les avait blessés et ils se sentaient en droit de faire n'importe quoi.

Delia se détourna ; une sorte de grondement retentit brièvement dans sa gorge.

— Des événements se produisent sans qu'on le veuille, sans qu'on s'y attende. Luke ne pensait tuer personne, ma mère ne pensait pas disparaître. Mais tu crois que j'aurai dû te dire ça quand tu étais petite ? À l'époque où no sommes venues à Cayro ? Pendant que Clint mourait ? crois que c'est ce qu'une mère fait pour ses enfants ? I donner une vision du monde aussi terrible ?

Cissy resta muette si longtemps que Delia devint nerveuse. Elle prit les mains de sa fille dans les siennes.

— Tout va bien, ma petite. Ça s'est passé il y a longtemps, dit-elle.

Non, pensa Cissy. C'est encore en train de se passer, ça continue. Elle songea à Dede, à la manière dont elle s'était tordu les mains et avait prédit que quelque chose de terrible allait arriver. « Tout va être fichu en l'air », avait-elle déclaré.

Quelque chose de terrible arrivait tout le temps, écho d'un événement passé.

— Je n'avais jamais imaginé ça comme ça, dit finalement Cissy. Je pensais à un accident de voiture ou à un incendie. C'est…

— C'est terrible, termina Delia à sa place.

Elle soutint un instant le regard de Cissy, puis jeta un coup d'œil vers la porte.

— Je commence à me dire qu'Emmet ne va pas réussir à venir. Si nous voulons mettre notre plan en œuvre, nous ferions peut-être mieux d'aller là-bas. Je ne veux pas que Dede passe une autre nuit en prison.

Cissy approuva, mais il lui fallut un moment pour arriver à remuer les jambes. Elle observa Delia qui ouvrait son sac, comptait l'argent pour régler le café et le lait malté. Delia agita la main à l'intention de la serveuse, qui lui fit signe à son tour.

Cissy força ses hanches à avancer jusqu'au bout du box. Elle regarda le visage épuisé de sa mère, croisa ses yeux marron tristes.

— Je t'aime, dit-elle.

Les yeux de Delia s'adoucirent, des rides apparurent tout autour, même si elle ne souriait pas.

— Je sais, souffla-t-elle avant de prendre la main de sa fille.

Nolan ne cessait de tressauter sur le siège de son fauteuil roulant. S'il n'avait pas bloqué les roues, il se serait retrouvé à mi-chemin d'Atlanta en attendant qu'Emmet sorte du tribunal pour lui parler.

— Elle va bien ? fut la première chose qu'il demanda. Elle va bien ? répéta-t-il quand Emmet le poussa à l'intérieur, dans l'antichambre du juge. Dites-moi seulement qu'elle va bien.

— Non, elle ne va pas bien, rétorqua Emmet en perdant patience. Comment veux-tu qu'elle aille bien, mon garçon ? Elle t'a tiré dessus, tu l'as oublié ? Elle a de la chance qu'il y ait des gens prêts à témoigner pour elle. Je ne sais toujours pas si elle ne devrait pas rester en prison.

— La place de Dede n'est pas en prison, dit Nolan en tremblant, mais avec détermination. Tout ça n'aurait jamais dû arriver.

— Non, ça n'aurait jamais dû arriver, mais je ne sais pas où est sa place, et tu devrais te poser quelques questions là-dessus pendant que tu en as le temps.

Emmet repoussa ses cheveux en arrière.

— Tu l'aimes, nous sommes tous d'accord là-dessus. Et tout le monde dit qu'elle t'aime. Mais on ne peut pas être dans son état normal quand on tire sur quelqu'un qu'on aime. Tu veux la sortir de là et je peux presque arriver à comprendre ça. N'empêche que je serais un sacré imbécile si je ne te disais pas que tu es aussi fou qu'elle. La première chose que vous devriez faire, tous les deux, c'est vous faire aider.

Il se pencha vers Nolan.

— Tu comprends ce que je te dis ?

— Je comprends.

Nolan remua la tête dans tous les sens.

— C'est vous qui ne nous comprenez pas, Dede et moi. Une chose pareille ne va jamais se reproduire.

— Je l'espère bien, mon garçon. Je l'espère vraiment, mais suis mon conseil et réfléchis à tout ça pendant que je vais la chercher.

Quand elle passa la porte, Nolan sentit l'air l[ui] manquer. Dede paraissait avoir rétréci. Son visage s'é[tait] allongé et, sous ses yeux, les cernes sombres la faisa[ient] paraître plus âgée. Ce qui frappait surtout, c'éta[it] manière dont sa bouche et son menton semblaient s'être adoucis.

— Nolan, murmura-t-elle.

Et il crut que son cœur allait se briser. Dede n'avait jamais eu la voix aussi abattue de toute sa vie.

— Je regrette, dit-elle.

— Non, non, supplia-t-il. C'est moi. C'est moi qui…

— Nolan, arrête. Pour l'amour du ciel, arrête, dit Dede, la bouche déformée et le menton tremblant. Je ne peux pas supporter que tu te conduises comme ça.

— Comment ? demanda Nolan en s'obligeant à détourner les yeux. Comme si je t'aimais ? Comme si je t'aimais toujours ?

Ils gardèrent tous deux le silence. Dede dansa d'un pied sur l'autre, puis approcha une chaise du fauteuil roulant.

— C'est pas comme ça qu'on devrait s'y prendre, dit-elle une fois assise en face de lui. Tu devrais rester loin de moi jusqu'au moment où tu sauras parfaitement ce que tu fais.

— Je sais ce que je fais.

Nolan fixait les mains qu'elle crispait sur ses cuisses. Une ecchymose apparaissait sur la droite, petite ombre bleue. Il avait envie de couvrir cette tache de sa paume, d'essayer de rassurer Dede, mais il savait qu'il valait mieux ne pas la toucher. Il referma les doigts sur les roues du fauteuil.

— Je ne changerai pas, Dede. Je ne changerai jamais. Je t'aime, point final.

Dede secoua la tête.

— Oh ! Nolan, murmura-t-elle.

Involontairement, Nolan tendit la main vers elle et l'arrêta au milieu de sa course quand Dede tressaillit. Il replia les doigts, referma la main.

— C'est tout ce que je peux dire, chérie. Si tu devais me tirer une nouvelle fois dessus, je te répéterais la même chose, mais je pense que ce serait beaucoup plus facile pour nous deux si tu ne le faisais pas.

Il vit qu'elle levait la tête et le regardait dans les yeux.

— Je crois que nous pourrions essayer de parler un peu plus, ajouta-t-il. Tu pourrais peut-être me dire ce qui t'a fait si mal.

Dede l'observa avec insistance, le menton toujours tremblant. Ses yeux s'emplirent de larmes. Elle tendit la main pour rejoindre la sienne, qui l'attendait, suspendue dans sa course. Elle lui enlaça les doigts.

— Oh ! Nolan. Je ne sais pas comment tu as pu arriver dans ma vie. Je ne le comprends pas, mais, si tu es sûr de ce que tu dis, je pourrais essayer. Je pourrais essayer de me pardonner.

— Oui, dit Nolan.

Il lui approcha la main de sa poitrine et lui serra les doigts sur son cœur.

— Oh ! oui.

Dede se pencha en avant et posa les lèvres sur celles de Nolan. Très délicatement, elle l'embrassa. Avec un sanglot, il l'attira contre son corps, l'entraîna sur ses genoux.

— Oh ! Dede, soupira-t-il. Tu n'es pas obligée de faire ça. Nous n'avons pas besoin de faire quelque chose. Nous pouvons tout simplement rentrer à la maison et nous enlacer jusqu'à ce que tout le monde oublie ce qui s'est passé.

— Non, non.

Dede lui embrassa les paupières, la tempe, les deux joues.

— Ce juge ne m'aime pas, Nolan. Il voudrait bien me garder en prison et il faut que je sorte d'ici.

Elle s'écarta de lui et fit la grimace.

— Il faut que tu saches une chose, dit-elle. Je suis enceinte. Ça fait à peu près trois mois et on dirait qu'il est bien accroché.

Nolan ouvrit la bouche.

— Oh ! souffla-t-il. Oh ! Dede, c'est merveilleux !

Il l'embrassa de nouveau, mais elle scruta son visage.

— Tu en es sûr ? demanda-t-elle.

— J'en suis sûr, dit-il. Notre bébé, ajouta-t-il dans un murmure. Notre bébé sera la meilleure chose qui nous soit jamais arrivée.

— Je ne veux pas me marier, Nolan, dit Dede. Je t'aime. C'est la vérité et je vais vivre avec toi. Mais je ne veux pas t'épouser. Je ne veux épouser personne.

Pour toute réponse, Nolan posa les lèvres sur les siennes et l'embrassa. Ses mains lui caressèrent les épaules, glissèrent pour lui effleurer le dos.

— Dede Windsor, tu es la femme la plus difficile que j'aie jamais rencontrée, encore pire que ma mère. Et, bon Dieu, tu sais bien que je préfère vivre dans le péché avec toi plutôt qu'aller au paradis avec n'importe quelle autre. La seule chose qu'il faut que tu comprennes, c'est que je veux être un vrai père pour cet enfant.

Dede haussa les épaules.

— D'accord, mais il faudra que tu te charges des trucs dégoûtants parce que j'ai horreur des mauvaises odeurs. Tu changeras les couches et tu lui nettoieras les fesses. Et une fois qu'il sera sevré et que je n'aurai plus de problème avec la justice, je voudrais aller à Chattanooga pour apprendre à conduire des poids lourds.

Nolan soupira de bonheur.

— Marché conclu, dit-il.

Il glissa les mains sous son chemisier. Dede les lui attrapa.

— J'ai pensé à m'en débarrasser, dit-elle.

Elle mit la main sur son ventre. Nolan la couvrit de la sienne. Ils restèrent un instant comme ça, le regard fixé sur son ventre.

— Eh merde ! dit enfin Dede. Nous ne ferons pas pire que les autres, hein ?

— Non, assura Nolan. Probablement pas.

24

— Tu te rappelles le jour où Randall est mort ?

Il faisait presque complètement nuit et Delia était assise à l'une de ses tables-bobines, sous la guirlande d'ampoules multicolores. Elle avait devant elle un verre d'eau dans lequel flottaient des rondelles de citron. De la rue leur parvenait le son d'un solo de clarinette ; de la maison la dispute d'Amanda et de Cissy, le rire tonnant de M.T., et le chant du petit Michael, qui apprenait à Gabriel les paroles de *Jesus Loves Me*.

— Oh ! ça oui, répondit Rosemary.

Elle sourit et tripota le verre devant elle, à moitié plein de scotch. Nolan lui en avait apporté une bouteille. Elle n'avait pas envie de boire. Elle avait envie d'être assise là avec Delia, dans la tranquillité apaisante. L'air était encore tiède, et la brise qui se glissait dans les pacaniers un soulagement à l'arôme de fumée.

— J'étais complètement folle.

Rosemary approuva d'un signe de tête.

— D'une certaine manière, dit-elle.

— Je ne crois pas que je savais ce que je faisais quand j'ai attrapé Cissy pour l'amener ici.

— Tu pensais à Dede et à Amanda.

Delia se pencha sur la table. Elle avait une expressi
tendue, le regard vague.

— J'essayais de ne pas devenir folle, mais je l'é
quand même. Quelle sorte de femme irait traîne

enfant si jeune d'un bout à l'autre du pays alors qu'elle vient de perdre son papa ?

— Tu t'es bien occupée de toutes les trois.

Delia secoua la tête.

— Non, j'ai seulement réussi à réparer une partie du mal que j'avais fait. Et encore, ce n'est pas sûr.

— Elles t'aiment.

Delia ouvrit la bouche, puis la referma. Elle posa son verre sur la table.

— J'aimerais bien que Dede épouse Nolan.

— Elle n'épousera personne, mais je crois qu'elle restera avec lui.

— Ça me donne l'impression d'être très vieille.

— Tu n'es pas vieille.

— Si. Je suis aussi vieille qu'un roc.

Delia se carra dans son fauteuil et fourra les mains dans les poches de son jean.

— Et je vais les perdre. Cissy va repartir avec toi. Quand Dede ne sera plus en liberté surveillée, elle s'installera chez Nolan et Dieu sait où ils atterriront. La maison sera vide.

Le sourire de Rosemary s'élargit.

— Les enfants deviennent adultes et s'en vont en abandonnant la maman. Oh ! c'est une tragédie, bien sûr.

La contre-porte s'ouvrit et se referma avec un claquement sonore. Le petit Michael se tenait dans la lumière qui se déversait du seuil. Derrière lui, Gabriel se pencha contre la moustiquaire, les bras levés, tendus, et enfonça les doigts dans les mailles.

Rosemary fit un signe de tête dans leur direction.

— Il se passe toujours quelque chose, dit-elle.

Delia tourna la tête vers les enfants, son visage s'adoucit. Une lueur se glissa dans ses yeux.

— Vilains petits garçons, murmura-t-elle.

Elle sourit tandis que ses petits-fils descendaient les [illegible]rches.

— Nous devrions écrire de nouvelles chansons, dit [illegible]mary.

Elle attrapa son verre et le vida dans l'herbe. Elle vit le petit Michael courir vers Delia et se jeter dans les bras qu'elle lui tendait. Rosemary retourna son verre sur la table, leva le visage vers les frondaisons luxuriantes, doucement agitées, et hocha la tête.

— Oui, je crois que c'est le moment d'écrire de nouvelles chansons.

Remerciements

J'éprouve une profonde reconnaissance pour l'aide et le soutien que m'ont apportés mes amis et ma famille durant la rédaction de cet ouvrage. Ils sont trop nombreux pour pouvoir être remerciés individuellement. Je tiens particulièrement à exprimer ma gratitude à Carole DeSanti, Joy Johannessen, Jim Grimsley, Amy Bloom, Jewelle Gomez, Diane Sabin, Sydelle Kramer, Lillian Lent et surtout à Frances Goldin. Pour chacun d'eux, je serais heureuse de descendre au fond d'une grotte et d'en remonter.

Après avoir éreinté ma famille, je me suis retirée dans trois endroits pour travailler à ce manuscrit : la MacDowell Colony, qui m'a aidée à me rendre compte, une fois de plus, que j'ai l'âge de mes artères, l'hôtel La Rose, à Santa Rosa, en Californie, où on m'a permis d'étaler des chapitres entiers par terre et de me cacher pendant plusieurs jours de suite, et le foyer Sabin-Gomez, à San Francisco. Il faudrait que tous les écrivains disposent de tels lieux pour se ressourcer.

À tous, merci.

Cet ouvrage a été réalisé par la
SOCIÉTÉ NOUVELLE FIRMIN-DIDOT
Mesnil-sur-l'Estrée
pour le compte des Éditions 10/18
en avril 2000

Imprimé en France
Dépôt légal : avril 2000
N° d'édition : 3128 – N° d'impression : 50704